Tilly Bagshawe

Passie

2007 – De Boekerij – Amsterdam

Oorspronkelijke titel: Showdown (Warner Books)
Vertaling: Ans van der Graaff
Omslagontwerp: Miep van de Manakker
Omslagfoto: Herman Estevez

ISBN 978-90-225-4718-2

Voor Sefi

Koningin van mijn hart

1

Bobby Cameron zat in Zuid-Frankrijk toen zijn vader stierf.

Hij leunde zwaar op de linkerflank van het merrieveulen – een speelse eenjarige vos met de naam Mirage die hij moest inrijden voor de legendarische Franse renpaardeneigenaar Pascal Bremeau. Het droge zand van de trainingsbaan stoof op en hulde paard en ruiter opnieuw in een dichte, verstikkende wolk toen hij haar een derde keer liet wenden. Hij weerstond de neiging naar adem te happen; hij wilde nu niets doen waardoor het paard zou schrikken of in de war zou raken. Hij leunde achterover in het zadel in de ontspannen, schijnbaar lusteloze cowboyrijstijl waarom hij bekendstond en sloot zijn ogen om zich beter te kunnen concentreren op haar bewegingen. Al snel kon hij elke trilling van haar strakke jonge spieren en het nerveuze aanspannen van haar pezen tussen zijn dijbenen voelen toen ze in handgalop de wending maakte. Het leek of hij en het merrieveulen één wezen waren geworden, één vloeiend bewegend organisme dat ritmisch rondjes draaide onder de hete zon aan de Côte d'Azur.

'*Non! Pas comme ça. Regarde*, ze geeft nog steeds de voorkeur aan lienks. Zie je?'

Dat was de stem van Henri Duval, Bremeaus hoofdtrainer, die buiten de oefenring afkeurend stond toe te kijken. Hij droeg een korte broek en T-shirt, zijn laatste resterende slierten zwart haar zaten met zweet aan zijn verder kale voorhoofd vastgeplakt en als hij geen instructies naar Bobby riep, brulde hij met Gallisch temperament in zijn mobiele telefoon.

'*Écoute!* Ze eeft het zweepje nodig, Bobby, hè? Stijg af! Stijg af!'

Bobby hield zijn ogen dicht en probeerde het geluid buiten te sluiten. Hij wou dat Henri iemand anders ging terroriseren. Die man was funest voor zijn concentratie, om nog maar te zwijgen van Mirages concentratie. Het was geen wonder dat het merrieveulen zo verdomd schichtig was als ze haar trainer altijd alleen maar hoorde schreeuwen.

'*Arrête!*' De Fransman riep nu zo hard dat Bobby wel gedwongen was zijn ogen te openen en het paard tot stilstand te brengen.

Een dun laagje wit schuim op de schouders van Mirage, als melkschuim op haar koffiekleurige vacht, getuigde van haar inspanningen van die ochtend. Het was een prachtig, dapper en vastberaden paardje. Bobby begreep wel waarom Bremeau driehonderdduizend voor haar had neergeteld, hoewel ze nog nooit had geracet en zelfs nauwelijks was ingereden. Op papier had ze een riskante investering geleken; ze was verwekt door de fantastische Love's Young Dream, een Belmont-winnaar, bij de onbekende, niet-geplaatste merrie Miracle, en het kon dus twee kanten op gaan. Ze kon ofwel een geweldig renpaard worden, ofwel al opgebrand zijn voordat ze zelfs maar op de baan terechtkwam. Maar dat was nou juist het soort paard waar hij van hield: één bonk rauwe energie en snelheid, die alleen maar wachtte op wat begeleiding in Cameron-stijl.

Bobby Cameron had op zijn drieëntwintigste al de reputatie een van de beste paardentemmers en -trainers ter wereld te zijn. Het briljante, maar uiterst arrogante jongste lid van de beroemde cowboyfamilie met zijn stroblonde haren, eindeloos lange benen en lichtbruine ogen was geboren met een ongelooflijke gave: een unieke verstandhouding met moeilijke paarden. Dieren die andere, ervaren trainers niet eens een hoofdstel konden aandoen, leken meteen te kalmeren onder zijn aanraking en zich te onderwerpen aan zijn zacht mompelende, lijzige stem. Het was een talent waar eigenaren als Pascal Bremeau graag royaal voor betaalden.

Als kleine jongen al was Bobby zonder vrees op wilde, trappende hengsten af gestapt, dieren die hem gemakkelijk hadden kunnen doden met een trap tegen het hoofd. Toen al straalde hij een rustig, kalm gezag uit dat zelfs de koppigste en meest gestoorde paarden leken te respecteren. Op twaalfjarige leeftijd temde hij wilde mustangs voor zijn vader. Op zijn zestiende verdiende hij een zakcentje door datzelfde te doen met waardevolle harddravers en quarterhorses, de klassieke cowboypaarden, voor rijke Californische fokkers en eigenaren. En tegen de tijd dat hij twintig werd, reikte zijn reputatie al tot buiten de staatsgrenzen. Tijdens wat zijn universiteitsjaren hadden moeten zijn trainde hij lastige volbloeden op de meest prestigieuze fokkerijen in Kentucky en uiteindelijk werd hij ingehuurd door eigenaren tot in Ierland, Dubai en sinds kort zelfs tot in Zuid-Frankrijk toe.

Bobby behoorde tot een van de oudste, meest gerespecteerde cowboy-families in het Westen en was in grote vrijheid opgegroeid op Highwood, de magnifieke, meer dan twaalfhonderd hectare grote Cameron-ranch diep in de Santa Ynez-vallei in Californië. Alle kinderen uit de buurt benijdden hem om zijn vrijheid – zijn ouders leken zich er geen van beiden iets van aan te trekken dat hij regelmatig spijbelde om op zijn vaders paarden de heuvels in te trekken –, maar in werkelijkheid was zijn jeugd helemaal niet zo idyllisch.

Zijn moeder Diana, een onstuimige tiener uit de toeristische Deense nederzetting Solvang, was zwanger geworden tijdens een eenmalige vrijpartij met zijn veel oudere vader, de cowboy Hank. De teruggetrokken levende Hank Cameron was een lokale legende en een natuurtalent met koeien en paarden, maar kinderen waren een heel ander verhaal. Nadat hij het kind had erkend als het zijne en het tot zijn erfgenaam had benoemd, meende hij aan zijn ouderlijke plichten te hebben voldaan en liet hij het meisje verder aan haar lot over.

Diana hield van haar zoon; dat was het probleem niet. Maar we hebben het over het Californië van begin jaren zeventig, het tijdperk van vrije liefde en goedkope drugs, en zij was pas zeventien. Bobby was de eerste tien jaar van zijn leven dan ook constant onderweg; hij reisde met zijn moeder van de ene hippiecommune naar de andere en bleef nooit ergens lang genoeg om geworteld te raken of op school echte vriendjes te vinden.

Soms kon zijn moeder alle verantwoordelijkheid niet meer aan en verdween ze voor maanden, meestal achter op de motor van een of andere engerd. Bobby was altijd doodsbang dat ze voorgoed weg zou blijven en werd tijdens die langdurige periodes als een ongewenst postpakketje van het ene verre familielid doorgeschoven naar het andere. Uiteindelijk kwam ze, teleurgesteld in haar motorrijder, natuurlijk altijd terug. Ze overlaadde hem dan met kussen en beloftes om haar zaakjes op orde te brengen. Tegen die tijd was het echter al te laat. Haar zoon had inmiddels twee belangrijke levenslessen geleerd: dat het riskant was om van mensen te houden, en dat hijzelf de enige persoon op aarde was die hij echt kon vertrouwen.

Kort na Bobby's tiende verjaardag besloot Diana, die blut en uitgeput was, Hank Cameron een bezoek te brengen.

Bobby zou die rit naar Highwood nooit vergeten. Het was de eerste keer dat hij het grondgebied zag dat ooit van hem zou zijn en hij kon zijn ogen niet geloven. Vanaf de passagiersstoel van zijn moeders versleten VW-busje, dat over de lange, kronkelende oprijlaan hobbelde en sputterde, keek hij vol ontzag naar de heuvels. Die waren zo groen dat ze uit een tekenfilm leken te komen en strekten zich uit zo ver het oog reikte. Overal op dit groene tapijt graasden koeien. Ze zochten de schaduw op onder de oude platanen waarmee het landschap bespikkeld was, of waren op weg naar de rivier die als een dansende stroom gesmolten zilver langs de oprijlaan liep. Zelfs in zijn verbeelding, tijdens de lange eenzame nachten waarin hij lag te fantaseren over het mythische Highwood, had hij nooit zoiets moois gezien.

Hank was uiteraard bepaald niet blij hen te zien.

'Wat doen jullie verdomme hier?' blafte hij toen Diana uit de bus klauterde met haar ongewassen, magere zoon, die als een zwerfhond achter haar wegdook. Het was niet het welkom dat Bobby had gehoopt te krijgen van de vader die hij zich had voorgesteld als een fantastische, romantische held. Hij bleef er echter niet lang bij stilstaan. Hij was het gewend om een onwelkome gast te zijn en bleef stoïcijns toen Diana verkondigde dat ze hem voor de zomer bij zijn vader achterliet terwijl zij ging proberen een baantje te vinden in Santa Barbara.

'Hem hier laten? Bij mij? Dat kun je niet menen,' sputterde Hank vol ongeloof tegen. 'Ik weet niet wat ik met hem moet aanvangen.'

'O?' zei Diana terwijl ze vastberaden terug achter het stuur kroop. 'Zal ik je eens wat vertellen? Dat wist ik ook niet toen je me op mijn zeventiende met hem wegstuurde. Maar we hebben ons aardig gered, nietwaar, Bobby? Nu is het jouw beurt.'

Terwijl zij ruzie maakten, stond Bobby kalm op het trapje voor de deur naast de ene kleine koffer waarin al zijn wereldse bezittingen zaten. Het meeste van wat ze zeiden was hij vergeten, maar hij herinnerde zich nog wel zijn moeders woorden toen ze in een grote stofwolk over de oprijlaan verdween: 'Hij is jouw zoon, Hank,' riep ze uit het raampje. 'Zoek het maar uit.'

Dat had Hank gedaan… door zijn zoon volkomen te negeren.

'Jij doet wat jij wilt, knul,' zei hij toen hij Bobby naar zijn nieuwe slaapkamer bracht, 'dan doe ik wat ik wil.'

En zo ongeveer was het de afgelopen dertien jaar inderdaad tussen hen gegaan. Bobby was niet meer bij Diana gaan wonen, hoewel Diana wel min of meer regelmatig langskwam en hem af en toe voor een verjaardag of voor de kerst naar Santa Barbara liet komen. De teleurstelling die Bobby wellicht gevoeld had vanwege haar verwaarlozing en Hanks gebrek aan ouderlijke betrokkenheid, werd echter ruimschoots goedgemaakt door het pure genot van zijn verblijf op Highwood. Voor het einde van die eerste zomer was hij goed bevriend met de kinderen van de ranchknechten, en belangrijker nog: hij had zijn enige grote liefde ontdekt – paarden.

Voor het eerst in zijn leven had hij het gevoel dat hij ergens echt hoorde.

Hij had eindelijk zijn thuis gevonden.

Hij sprong van Mirages rug en zette zijn hoed af toen hij naar Henri liep, een automatisch gebaar van beleefdheid dat niet in overeenstemming was met de minachtende, geïrriteerde frons op zijn gezicht.

'Wat is het probleem?' Hij gaf de teugels aan een stalknecht en keek de Franse trainer tartend aan. Zelfs zonder hoed was hij ruim vijftien centimeter langer dan hij, en hij zag er bijna dreigend uit.

'Je verpest mijn concentratie,' beet hij de trainer toe. 'Ik denk dat je beter weg kunt gaan.'

Het gezicht van de toch al woedende Duval kleurde nu zorgwekkend paars. Bobby, die bijna zijn hele leven door volwassenen was teleurgesteld, was berucht om zijn gebrek aan respect voor gezag. Dat trekje had zijn vader altijd woedend gemaakt en maakte hem niet bepaald geliefd bij paardentrainers, die ook vaak als moeilijk en arrogant bekendstonden.

'Jij vindt dat iek weg moet gaan?' Henri kon zijn oren niet geloven. 'Ze is míjn paard, *monsieur* Cameron. *Tu comprends*? Van mij!'

'Nou…' Bobby glimlachte sarcastisch en onthulde daarbij een reeks volmaakt rechte, witte tanden. 'In feite is ze van meneer Bremeau, als we eerlijk zijn, nietwaar?'

Zijn stem was zacht en vol, als stroop, met een diepe nasale klank die paarden leek te kalmeren en vrouwen leek op te winden. Jammer genoeg bleek die op de licht ontvlambare Fransman een heel ander effect te hebben. De man wipte in zijn woede van de ene op de andere voet, als een hagedis op heet zand.

'Hij heeft me ingehuurd om een klus te klaren, en jij maakt me dat onmogelijk,' vervolgde Bobby. 'Dus ik wil graag dat je weggaat.'

'Oe durf je?!'

Henri was hels. Wie dacht die yankee-snotneus wel dat hij was, om zíjn stallen binnen te komen walsen, en te denken dat hij hém kon vertellen hoe ze het beste uit het merrieveulen konden halen? Als Bobby niet een meter negentig lang en één bonk keiharde cowboyspieren was geweest, zou hij hem geslagen hebben. Zoals het er nu voor stond, leek hij op een hartinfarct af te stevenen door de inspanning die het hem kostte om zich in te houden.

'Arrogant stuk vreten,' riep hij. 'Wat denk jij verdomme te weten van Mirage? Jij bent nu vier dagen ier en wat heb je met aar bereikt? Helemaal niets, *mon ami*. Niets.' Hij spuugde letterlijk van woede. 'Ik zeg je dat ze met het zweepje moet ebben. Hoe luidt de Engelse uitdrukking? Je kunt geen eieren eten zonder ze te breken, hè?'

Hij stapte naar een terugdeinzende stalknecht, pakte een gemeen uitziend leren jachtzweepje – de Franse variant, met gespleten leren strips aan het met staal versterkte uiteinde – en zwaaide er dreigend mee terwijl hij op het uitgeputte paard af liep, dat ineenkromp en hinnikte van angst.

Bobby ging zwijgend voor Mirage staan en sneed Henri de pas af.

'Raak haar niet aan.'

Hij zei het bijna fluisterend, maar zijn toon was dreigend genoeg om Duval te doen stilstaan. Een paar seconden lang stonden de twee mannen als in een pantomimespel stokstijf tegenover elkaar, terwijl Henri's ogen zich vol haat in die van Bobby boorden. Toen duidelijk werd dat de arrogante Amerikaan niet voor hem opzij zou gaan, draaide Henri zich uiteindelijk woedend om en liep hij naar het huis. Hij smeet gefrustreerd zijn zweepje op de grond.

'Pascal zal ier zeker iets over zeggen,' mompelde hij. 'Volkomen respectloos.'

Toen hij verdwenen was en de stalknechten zich weggehaast hadden om het nieuws over zijn laatste woedeaanval te verspreiden, draaide Bobby zich om naar Mirage.

'Rustig maar, meisje,' fluisterde hij, terwijl hij haar geruststellend tussen de oren aaide en haar onder zijn geoefende vingers meteen voelde ontspannen. 'Maak je maar niet druk. Ik zorg dat hij je geen pijn doet.'

Hij drukte zijn gezicht tegen haar hals en ademde de zware geur van paardenhaar en zweet in die hem altijd wist te kalmeren.

Duval was een klootzak. Hij wou dat hij Mirage mee naar Californië kon nemen en haar voor altijd kon beschermen tegen de meedogenloze man. Dat was echter het enige nadeel van dit werk: net als je tot een paard begon door te dringen en zijn vertrouwen begon te winnen, moest je weg.

Hij had datzelfde dilemma natuurlijk al duizend keer meegemaakt, maar het deed nog steeds pijn... en met Mirage meer dan gewoonlijk.

Toen hij een paar uur later in zijn luxe suite boven in het huis in bad lag, vroeg hij zich af hoe hij het verhaal zou uitleggen aan Bremeau wanneer die de volgende ochtend terugkwam uit Parijs.

Hij was nog maar enkele uren verwijderd van een doorbraak met Mirage, dat voelde hij, maar Duval had met één ding wel gelijk. Hoe vreselijk hij het ook vond om het toe te geven, ze was nog niet klaar om te racen. Hij zag ertegen op haar weer aan zijn brute regime te moeten overdragen en wist zeker dat ze erdoor achteruit zou gaan. Het feit bleef echter dat ze bij de wending nog steeds de voorkeur gaf aan haar linkerbeen. Hij had dat inmiddels moeten corrigeren, maar dat was nog niet gelukt. Het was om razend van te worden.

Hij stapte druipend uit het hete, naar lavendel geurende water, droogde zichzelf af, sloeg de handdoek om zijn middel en liep naar het raam. Hij opende de zware witte luiken en keek naar buiten. Het landgoed van Bremeau in de heuvels boven Ramatouelle vlak bij St.-Tropez was adembenemend mooi. Het huis zelf was een zestiende-eeuws kasteel en de stallen waren rondom de aangrenzende voormalige wijnmakerij gebouwd. Dit deel van de Var was niet alleen paardengebied, maar was ook bezaaid met wijngaarden. De eindeloze rechte rijen wijnstokken verleenden het golvende landschap een symmetrisch, geordend karakter, dat hem aan Napa deed denken.

Hij deed even zijn ogen dicht en ademde de warme, naar kamperfoelie geurende avondlucht in, met daarin vaag de alomtegenwoordige geur van paarden en leer die hem altijd en overal het gevoel gaf thuis te zijn. In de verte hoorde hij het zachte hinniken van Bremeaus volbloedpaarden die boven de oorverdovende kakofonie van de cicaden probeerden uit te komen.

Een paradijs.

Hij droomde ervan thuis in Californië ooit net zulke vurige en fantastische paarden te kunnen trainen als Mirage. Hij had het allang opgegeven met zijn vader over die dromen te praten – hun gesprekken eindigden altijd in luide ruzies –, maar in stilte bleef hij die fantasie koesteren.

Zoals de meeste cowboys beschouwde Hank paardenraces als een gruwel voor de westerse cultuur: prima voor Arabische sjeiks en witteboordenmiljardairs met hun chique stoeterijen, witte hekken, prachtig verzorgde gazons en hypermoderne technologie. Maar niet voor hardwerkende mensen, mannen die verbonden waren met het land en hun kuddes, trotse erfgenamen van hun lang gekoesterde cowboytradities.

Bobby had dat persoonlijk nooit zo begrepen. Hij was trots op zijn cowboyafkomst, maar hij hield ook van paarden... alle soorten paarden, van mustangs tot renpaarden tot exotische Arabische volbloeden. Zijn vader ging nog liever dood dan dat hij Highwood ergens anders voor liet gebruiken dan voor het fokken van vee, dat wist hij, maar wat was er nou op tegen om traditionele cowboyvaardigheden en -technieken te gebruiken voor het trainen van renpaarden? En wie zei dat je op een grote ranch alleen maar slachtvee mocht houden?

Op een dag, als Highwood van hem was...

Hij ontwaakte plotseling uit zijn dagdroom toen hij een koude hand op zijn rug voelde.

'Sorry. Liet ik je schrikken?'

Het was Chantal, Bremeaus jonge en buitengewoon knappe vrouw. Hij had haar niet binnen horen komen en haar koude vingers op zijn warme huid veroorzaakten een schok, zij het dat die niet geheel onplezierig was.

'Nee.' Net als zijn vader was Bobby een man van weinig woorden.

'Ik heb geklopt,' loog ze, 'maar je hebt me zeker niet gehoord. Je zag eruit alsof je heel ver weg was.'

Chantal was half Frans en half Venezolaans, en haar donkere ogen met dichte zwarte wimpers straalden Zuid-Amerikaanse hartstocht uit, hoewel haar Engels foutloos en volkomen accentloos was. Vreemd genoeg leek die Engelse stem in combinatie met het goedgevulde Latijns-Amerikaanse lijf haar seksuele aantrekkingskracht alleen maar te vergroten.

Bobby beet op zijn lip en probeerde niet-sensuele beelden op te roepen, zoals dat van zijn wiskundelerares uit de tweede klas in haar blootje. Gewoonlijk werkte dat wel, maar vandaag niet. Vandaag leek niets te werken. Ze is Bremeaus vrouw, hield hij zichzelf voor.

Hij kon het niet maken.

Hij kon dit absoluut niet maken.

'Ik dacht dat je misschien wel wat gezelschap kon gebruiken,' zei ze met bestudeerde onschuld, waarna ze langzaam en doelbewust met haar vingers door zijn nog vochtige, krullende borstharen woelde.

Hij voelde onvermijdelijk zijn pik hard worden en wou dat hij en het mooie meisje door meer dan een dunne handdoek van elkaar gescheiden waren. Het hielp ook niet dat ze er vanavond nog mooier uitzag dan anders, in een heel kort geel zonnejurkje dat haar volle, cappuccinokleurige borsten nauwelijks verhulde.

'Nee, dank je.' Hij deed zijn best resoluut te klinken. Hij probeerde haar hand weg te duwen, maar op de een of andere manier raakten zijn vingers verstrengeld met de hare. Hij keek strak in haar schaamteloos uitdagende ogen.

Verdomme. Dit werd moeilijk.

Zijn hartslag versnelde, zijn pik ging een eigen leven leiden en sprong op alsof hij geëlektrocuteerd werd. Hij deed zijn uiterste best zich op zijn ademhaling te concentreren.

Hij had het natuurlijk zien aankomen. Chantal was een onbeschaamde flirt. Vanaf de ochtend dat hij op het landgoed was gearriveerd, kwam ze geregeld even langs bij de trainingsbaan waar hij met Mirage aan het werk was. Vaak droeg ze dan niet meer dan een gerafelde korte spijkerbroek en een bikinitopje dat een stripper in Las Vegas niet misstaan zou hebben.

Hij nam het haar overigens niet kwalijk dat ze iets probeerde. Die oude kerel van haar was geen adonis, en dat was nog zacht uitgedrukt. Eerlijk gezegd was Pascal Bremeau een dikke, humorloze, knoflook-kauwende klootzak. Bovendien was hij oud, echt oud, en leek hij negentig procent van zijn tijd weg te zijn voor zaken, waarbij hij zijn verveelde knappe jonge vrouw aan haar lot overliet. Wat verwachtte die kerel dan?

Vrouwen en training gingen echter niet samen. Bobby had een hekel aan alles wat hem zou kunnen afleiden wanneer hij aan het werk was, en madame Bremeau behoorde zeer beslist tot die categorie. Hij had geprobeerd haar te negeren, hij was zelfs een paar keer ronduit onbeschoft tegen haar geweest en had gezegd dat ze hem met rust moest laten en bij de stallen weg moest blijven, dat hij geen belangstelling had. Zijn afwijzing leek haar echter alleen maar vastberadener te maken.

Vandaag was de laatste avond dat Pascal weg was.

En hij was nu niet met de paarden aan het werk...

'Luister eens,' fluisterde hij in een wanhopige poging niet naar haar pupillen te kijken, die zo verwijd waren door wellust dat het leek of ze aan het kalmeringsmiddel voor de paarden had gezeten. 'Dit is echt geen goed idee. Je man...'

'Is er niet,' maakte zij de zin voor hem af, en ze duwde hem tegen het bed en schoof volleerd haar hand onder zijn handdoek naar boven. 'Maar jij wel. Weet je wat grappig is?' Ze schonk hem een ondeugende glimlach en sloeg haar vingers stevig om zijn pik. 'Duval vindt dat je te zacht bent met Mirage, maar ik vind je helemaal niet zacht.'

Barst maar.

Bobby liet zich kreunend op de antieke kanten beddensprei vallen en trok haar boven op zich. God wist dat hij dit niet hoorde te doen – niet met de vrouw van Bremeau –, maar dat meisje leek wel een natuurkracht. Haar weerstaan was zoiets als met je blote handen het tij proberen te keren. Daar was een sterkere man dan hij voor nodig.

Tergend langzaam begon ze hem te strelen; ze likte aan haar handpalm om die vochtig te maken en verhoogde geleidelijk haar snelheid toen hij zijn rug kromde en zijn bekken naar haar omhoogduwde. Hij sloot heel even zijn ogen en toen hij ze weer opendeed, merkte hij dat ze over hem heen geknield zat en haar citroengele jurkje omhoogtrok, waardoor een goed verzorgd heel donker bosje haar zonder een slipje eroverheen zichtbaar werd. Net toen ze zich op hem wilde laten zakken, greep hij haar bij haar taille en gooide hij haar net zo gemakkelijk op het bed alsof ze een lappenpop was.

'Wat doe je?' vroeg ze giechelend, en ze hapte vervolgens naar adem toen hij op haar ging liggen en haar toch al gespreide benen nog verder uit elkaar duwde.

'Ik heb niet graag meisjes bovenop,' zei hij. En daarop stootte hij als een raket bij haar naar binnen, met zo veel kracht dat ze zich aan het hoofdeinde van het bed vast moest houden.

Bobby genoot van seks op een simpele, nuchtere manier. Hij had er echter nooit de passie bij gevoeld die hij voor zijn paarden voelde. Vanaf zijn zestiende oefende hij zo'n aantrekkingskracht op vrouwen uit dat hij de seksuele mogelijkheden die zich voordeden was gaan accepteren als iets waar hij recht op had. Hij genoot ervan op dezelfde manier als van een spelletje golf of een lekker stuk vlees.

Er waren natuurlijk wel vrouwen van wie hij hield – zijn moeder was hem ondanks haar tekortkomingen nog steeds dierbaar, en de meisjes McDonald, Tara en Summer, de dochters van Hanks bedrijfsleider, waren een soort surrogaatzusters voor hem – maar hij was nooit verliefd geweest en had nooit een vaste, semiserieuze relatie gehad. Dat idee was zelfs nog nooit bij hem opgekomen.

Dit duidelijke gebrek aan betrokkenheid leek vrouwen echter niet af te schrikken. Zijn onverschillige graag-of-niet-houding maakte hem alleen maar aantrekkelijker voor de andere sekse. Helaas had zijn ruime ervaring hem niet tot een fijngevoelige minnaar gemaakt. Omdat de meisjes als rijpe appels in zijn schoot vielen, had hij nooit geleerd zijn natuurlijke zelfzuchtigheid in bed in toom te houden. Op drieëntwintigjarige leeftijd joeg hij nog steeds zijn eigen genot na met de onstuimige doelbewustheid van een jonge hengst, zonder zich iets aan te trekken van de behoeften of verlangens van zijn partner.

Terwijl Chantal onder hem lag te kronkelen en zich aan hem vastklampte, voelde hij dat zich bijna onmiddellijk een orgasme opbouwde. Hij deed geen poging zich in te houden, explodeerde in haar als een dam die doorbrak en begroef zijn gezicht in haar hals om zijn kreet van bevrediging te smoren.

Gelukkig leek zij veeleer geamuseerd dan beledigd over de ram-bam-en-klaar-is-keesaanpak, en helemaal niet teleurgesteld dat ze zelf niet was klaargekomen.

'Lieve hemel,' lachte ze, en ze streek haar jurkje glad en duwde haar haren in model terwijl hij uitgeput op het bed neerviel. 'Kort maar krachtig, hè? Doen alle cowboys het zo?'

'Ik heb geen idee.' Hij grinnikte naar haar als een jongetje dat had gekregen wat hij wilde. 'Dat zou je ze moeten vragen.'

Hij kon niet anders dan Chantal bewonderen. Ze was een zeldzaam wezen: een verbluffend mooie meid met een aangenaam ongecompliceerde kijk op seks; een welkome afwisseling met de aanhankelijke meisjes die meenden dat hun liefde hem kon veranderen, met wie hij thuis altijd in bed leek te belanden.

'Ik weet dat ik me schuldig zou moeten voelen,' zei hij met lijzige stem toen zij voor de spiegel haar uitgelopen make-up met haar vinger wegveegde, 'maar dat doe ik niet. Je bent veel te mooi om er spijt van te hebben.'

Chantal glimlachte. Als iemand anders het gezegd zou hebben, zou het gemaakt hebben geklonken, maar Bobby deed niet aan vleierij en iets vertelde haar dat een compliment van hem welgemeend was. Ze wilde zich net omdraaien om hem te bedanken, met nog een aanbod dat hij niet zou kunnen weerstaan, toen ze allebei verstarden door een onverwachte klop op de deur.

'Bobby? Ben je daar?'

Sodeju. Pascal.

'Een momentje.' Hij deed zijn uiterste best om de paniek uit zijn stem te weren en sprong van het bed. 'Ik ben, eh… ik ben niet aangekleed. Wacht heel even, oké?'

'Wat doet hij verdomme thuis?' fluisterde hij tegen Chantal terwijl hij snel zijn broek aanschoot en haar gebaarde zich in de kleerkast te verbergen.

'Ik zou het niet weten,' zei ze schokschouderend. Ze leek zich vreemd genoeg helemaal niet druk te maken om hun precaire situatie. 'Waarom vraag je het hem niet?'

Jezus, Franse vrouwen hadden echt lef, niet te geloven! Als hij niet beter had geweten, zou hij hebben gezworen dat hij haar zag glimlachen toen ze in de reusachtige antieke kleerkast kroop.

Hij vroeg zich even af hoeveel overspelige Franse aristocrates haar daarin waren voorgegaan. Waarschijnlijk honderden. Dit was echter geen moment om de geschiedenis te overdenken. Hij duwde haar helemaal naar achteren, duwde de notenhouten deuren dicht en draaide de sleutel om. En met een lange, diepe zucht om zijn zenuwen te kalmeren opende hij de kamerdeur voor haar echtgenoot.

Bremeau was kennelijk net terug van zijn zakenreis. Hij had zijn formele, driedelige pak nog aan, was lijkbleek en zag er nog slechter uit dan anders.

Bobby's hart sloeg een slag over. Hij zou hen toch zeker niet gehoord hebben?

'Bobby.' De Fransman bewoog al pratend nerveus met zijn korte dikke vingers. 'Dit is eel erg, *mon ami*. Eel erg.'

Verrek. Hij had hen wel gehoord.

Dat was het dan: het einde van zijn carrière en mogelijk zelfs zijn leven, als Pascal het type jaloerse echtgenoot bleek te zijn dat tot moord in staat was. Allemaal om zo'n stomme meid! Hoe had hij zo roekeloos kunnen zijn? En dat terwijl hij nog maar half klaar was met Mirage…

'Et gaat om je vader,' onderbrak Bremeau zijn angstige innerlijke monoloog.

Bobby dacht even dat hij het verkeerd verstaan had.

'Hoezo, mijn vader? Ik begrijp het niet.'

'Et spijt me,' mompelde de oude man onbeholpen. 'Iek… iek weet niet oe iek dit moet zeggen, maar… eh, ij is overleden, Bobby. In zijn slaap. Zo'n vier uur geleden.'

Bobby keek passief naar het bleke gezicht met de dubbele onderkin tegenover hem.

Nee. Nee, dat moest een vergissing zijn. Het hoorde niet op deze manier te gebeuren. Hij was er niet klaar voor.

'Iek eb geregeld dat de elikopter je over een alfuur naar vliegveld Nice brengt. Je begrijpt het toch, hè?'

Bremeaus bezorgde blik werd nog bezorgder. Zou de jongen zijn gebroken Engels niet hebben verstaan? Hij bleef staan wachten tot Bobby iets zou zeggen, maar die leek volkomen van de kaart.

'Bobby? Gaat het?'

De stomverbaasde Bobby slaagde er eindelijk in te knikken.

'Ja. Eh… ja. Het gaat wel. Ik begrijp het,' zei hij zacht. 'Dank je.'

'Et spijt me eel erg.'

Bremeau legde een troostende hand op zijn schouder. Plotseling leek het schuldgevoel waar hij een paar minuten geleden nog niet toe in staat was geweest hem met volle kracht in zijn maag te stompen. Hank was dood. Zijn vader. Dood. En deze Fransman, een volslagen onbekende, probeerde hem te troosten, zich er niet van bewust dat Bobby nog geen vijf minuten geleden met zijn vrouw had liggen rampetampen – de vrouw die zich in de kleerkast verscholen had.

Het leek net een scène uit een slechte soap, alleen was het niet grappig. Zijn vader was dood.

'Het spijt mij ook, Pascal,' fluisterde hij, bijna in zichzelf. 'Geloof me. Het spijt me meer dan je weet. Alles.'

2

Milly Lockwood Groves keek wanhopig naar haar spiegelbeeld.

Ze stond in haar slaapkamer, thuis in Newmarket, en droeg een belachelijke roze baljurk met allerlei strookjes, witte handschoentjes, en de tiara met parels en diamanten van haar overgrootmoeder op haar zorgvuldig opgestoken kastanjebruine haren.

'Nee, mama, alsjeblieft,' kreunde ze. 'Het is vreselijk. Ik lijk wel een suikerspin.'

Hoewel ze de laatste was die dat zou geloven, was Milly in feite een heel mooi meisje, en dat kon zelfs die monsterlijke jurk niet helemaal verhullen. Met haar lengte van een meter zevenenvijftig had ze de perfecte bouw voor een jockey: tenger en jongensachtig, hoewel zich het afgelopen jaar tot haar grote ergernis duidelijk zichtbare borsten hadden ontwikkeld, die bij alles in de weg leken te zitten en tijdens het hollen heel gênant schudden, zelfs als ze een beha droeg.

Ze verlegde haar aandacht van de jurk naar haar gezicht en haar frons werd dieper. Ze gruwde van de massa sproeten op haar neusbrug die ze nooit ontgroeid was, en van de volle, brede mond waar de helft van haar vaders stalknechten 's nachts wakker van lag, maar die ze zelf lelijk en veel te groot vond.

Het enige aan zichzelf dat ze wel mooi vond was haar haar. De zeldzame keren dat ze het los liet hangen, viel het in een prachtige, glanzende kastanjebruine waterval over haar schouders, zoals de geborstelde staart van een showpony. Vandaag had haar moeder er echter op gestaan dat het onder dat belachelijke kroontje werd opgestoken. Ze voelde zich net zo'n plastic ballerina uit een goedkoop muziekdoosje.

'Een suikerspin? Ach, lieverd, wat een onzin.' Linda Lockwood Groves kwam naar haar toe en streek zorgvuldig de kreukels uit de voorkant van haar dochters jurk. 'Je ziet er gewoonweg goddelijk uit. Vind je niet, Cecil?'

Milly's vader, die zo dom was geweest op weg naar de hengstenstal zijn hoofd om de deur te steken, besloot na één blik op zijn dochters smekende, wanhopige gezicht en de vastberaden glimlach van zijn vrouw dat hij zich er maar het beste buiten kon houden.

'Mm-mm,' zei hij vaag en met een nadrukkelijke blik op zijn horloge. 'Sorry, meisjes, ik heb geen tijd. Michael Delaney brengt over een halfuur zijn nieuwe merrie om haar te laten dekken door Easy Victory. Ik moet gaan kijken of de ouwe jongen dat aankan.'

'Het aankan? Easy?' zei Milly gebelgd. 'Natuurlijk kan hij het aan! Hij is een absolute ster. Die stomme merrie van Delaney mag blij zijn. Ik wed trouwens dat het een of ander aftands beest is.'

'Niet bepaald,' zei Cecil grinnikend. 'Het is Bethlehem Star.'

Milly sperde haar ogen open. Bethlehem Star was het product van twee ouders van wereldklasse. Haar moeder was vijf jaar geleden derde geworden in de Kentucky Derby en haar vader, Starlight, had gewonnen in Goodwood.

'Ik wist niet dat Delaney haar gekocht had. Wanneer heeft hij dat gedaan? Heeft Rachel al op haar gereden?'

Rachel Delaney was Milly's gezworen vijand. De meisjes waren allebei kinderen van racefamilies uit Newmarket – Rachels vader, sir Michael Delaney, was een rijke renpaardeneigenaar en Cecil Lockwood Groves runde Newells, een van de meest gerespecteerde en succesvolle stoeterijen van het land – en stonden al bijna vanaf de kleuterschool met elkaar op voet van oorlog. Milly had nooit goed begrepen waarom, maar Rachel had haar altijd al getreiterd. Het enige wat Milly als klein meisje had misdaan, was dat ze beter reed dan haar rivale.

Zelfs nadat ze op haar veertiende gedwongen was te stoppen met rijden – Cecil had geweigerd haar nog een paard te laten bestijgen na een nekblessure waaraan ze op een haar na was overleden – was Rachel haar blijven kwellen. Nu, twee jaar later, verkeerde de relatie tussen de meisjes op een historisch dieptepunt. Milly hoefde Rachels naam maar te horen of ze werd al woest, en bij het idee dat ze een beroemd paard als Bethlehem Star zou berijden, begon haar bloed te koken.

'Lieveling, sta alsjeblieft stil,' zei Linda. 'Je maakt er allemaal kreukels in.'

'Hij heeft haar vorig seizoen voor meer dan een miljoen gekocht op Keeneland,' zei Cecil, waarmee hij alleen de eerste vraag van zijn dochter beantwoordde, 'maar heeft nooit op haar gereden. Prachtig paard, dat wel. Ze is nog maagd, dus ze zou een beetje schichtig kunnen zijn bij Easy. Ik wil erbij zijn voor het geval het onplezierig wordt.'

'Dat lijkt me niet erg waarschijnlijk,' zei Milly smalend. 'Als ze ook maar iets van de andere Delaney-vrouwen heeft, zal ze vlot haar benen spreiden voordat je zelfs maar de kans krijgt "verwend kreng" te zeggen.'

Cecil lachte, maar Linda keek geschokt.

'Milly!' zei ze streng. Als ze ergens een hekel aan had, was het wel grof, onbetamelijk taalgebruik. 'Dat was nergens voor nodig. Laat je vader nu maar gaan. Hij heeft genoeg te doen, en wij ook.'

Cecil volgde de wenk op; hij verdween en liet Milly aan haar lot over.

'Moet ik dit ding echt aan?' zei ze smekend, met haar bovenlip vol walging opgetrokken terwijl ze aan de grote strik op haar achterste trok. 'Het is net of ik een gigantische kont heb.'

Waarom moest ze trouwens naar dat stomme debutantenbal? Al die voorbereidingen hingen haar de keel uit. Haar moeder Linda bedoelde het weliswaar goed, maar koesterde een ziekelijk verlangen om tot de hogere kringen te worden toegelaten, en Milly's debutantenbal was haar meest recente en irritante poging om haar dochter aan een 'leuke' vriend te helpen. En 'leuk' betekende in dit specifieke geval dat hij een titel had, in Eton had gestudeerd en ooit driekwart van Schotland zou erven; dingen die voor Linda heel belangrijk waren, maar voor Milly helemaal niet.

'Kan ik die blauwe niet aan?' vroeg ze hoopvol.

'Die je afgelopen zomer tijdens het feest van de Jockey Club aan had? Die is nu echt niet meer in, lieverd. Bovendien zei je volgens mij dat je hem vreselijk vond en dat hij je bleek maakte.'

'Dat is ook zo,' zei Milly, terwijl ze ondanks haar moeders protesten de roze jurk uitdeed en haar rijbroek aantrok. 'Maar het is het minste van twee kwaden, of niet soms?'

Hoewel ze zelf niet meer mocht paardrijden, hielp Milly zo veel mogelijk op de stoeterij, omdat ze hoe dan ook in de buurt van de paarden wilde zijn, en ze droeg daarbij nog steeds haar rijkleding. Nadat ze in juni met vier vijven en een vier was gezakt voor haar eindexamen, hadden haar ouders er tot haar grote blijdschap in toegestemd haar voortijdig van de peperdure particuliere school te halen. Dat betekende dat ze nog meer tijd in de stallen kon doorbrengen. Zoals Cecil zei: 'Ik mag hangen als ik nog eens dertig mille ga betalen om haar straks thuis te laten komen met drieën en tweeën. Dan kan ze net zo goed voor mij komen werken.'

Milly wees naar de berg roze ruches op de vloer en trok een grimas. 'Eerlijk, mama,' zei ze huiverend, 'als ik alleen maar naar die veemarkt moet zodat een van die aristocratische nietsnutten verliefd op me kan worden, kun je me er niet in dát ding naartoe sturen.'

'Voor de laatste keer, lieverd: het is géén veemarkt,' zei Linda met enige ergernis in haar stem. Omdat ze zelf van bescheiden afkomst was – ze was opgegroeid in een onopvallend halfvrijstaand huis aan de rand van Cambridge, een feit dat ze angstvallig verborgen probeerde te houden voor de andere echtgenotes van de beau monde van Newmarket (die het natuurlijk al jaren wisten) –, spande Linda zich tot het uiterste in om ervoor te zorgen dat Milly niets hoefde te missen van de sociale mogelijkheden die zijzelf als meisje had ontbeerd. Een klein beetje enthousiasme, of zelfs enige dankbaarheid voor haar inspanningen zou leuk geweest zijn.

'Het is een debutantenbal,' zuchtte ze. 'Als je het de kans zou geven, zou je het misschien zelfs leuk vinden. Ik zou er op jouw leeftijd alles voor over hebben gehad om naar zo'n feest te kunnen gaan. Alles!'

'Toen jij zo oud was als ik, had dat nog zin,' zei Milly tactloos. 'De koningin zou erbij zijn geweest en dat hele gedoe zou nog echt iets betekend hebben. Nu moeten we verdomme buigen voor een stuk taart! Dan sta je toch ontzettend voor aap?'

Ze trok fronsend haar rijlaarzen en een vuile groene sweater vol kattenhaar aan, waar hun oude kater Luther op had gelegen. Ze realiseerde zich pas dat ze de tiara nog op had toen ze de sweater over haar hoofd trok.

'Voorzichtig,' riep Linda toen ze haar aan het kostbare sieraad zag trekken alsof het een halster was. 'Als je dat ding kapotmaakt, Milly, dan kom je het eerstvolgende millennium zelfs niet meer in de buurt van die verdraaide stallen, dat zweer ik je. Laat mij maar even.'

Linda had lang geleden al ondervonden dat het dreigement om haar weg te houden bij Cecils stallen het enige was dat Milly serieus nam. Soms kon alleen de belofte van een ritje na het avondeten of een bezoek aan een steeplechase met haar vader de kleine Milly overhalen om haar huiswerk te maken of haar kamer op te ruimen. Ze was nu zestien, maar sommige dingen waren niet veranderd.

Linda negeerde haar jammerprotest – dat kind zou zich kunnen plaatsen voor het olympisch kampioenschap pruilen als dat bestond –, maakte voorzichtig de tiara los uit haar haren en legde hem op het vloeipapier in het doosje.

'Mag ik nu weg?' vroeg Milly botweg. 'Misschien heeft papa hulp nodig. En bovendien wil ik Bethlehem Star zien voordat Easy zijn gang met haar gaat.'

'O, vooruit dan maar,' zei Linda. Ze wou dat Milly haar belangstelling voor de essentie van het paardenfokken een beetje probeerde te verbergen. Sinds ze had moeten stoppen met rijden, was ze geobsedeerd door de stoeterij. En ze hoorde haar enige dochter liever niet praten over de kwaliteit van hengstensperma of de voor- en nadelen van kunstmatige vagina's. Het was al erg genoeg dat Cecil dat deed.

'Maar loop niet in de weg,' riep ze de verdwijnende rug van haar dochter na. 'En als je per se met de paarden moet helpen, let dan alsjeblieft op dat je geen blauwe plekken oploopt op zichtbare plaatsen. Ik wil niet dat je er tijdens het bal uitziet als een rugbyspeler. Milly? Luister je naar me? Milly?'

Het was al te laat. Haar dochter was allang op weg naar de stallen.

Buiten op het erf motregende het gestaag. De oude, half betegelde schuren glommen oranje onder de dreigende grijze hemel, en in de verkrotte duiventil droop het water van de kapotte planken af naar binnen. In tegenstelling tot de meeste andere moderne stoeterijen zag Newells er nog steeds heel traditioneel uit en ging de technologie verscholen achter dezelfde pittoreske rijen stallen en bijgebouwen die er al bijna driehonderd jaar stonden. Het was in Milly's ogen de mooiste plek op aarde.

Connor, de nieuwste en jongste stalknecht, veegde de modder weg met een harde bezem.

'Morgen,' zei Milly opgewekt toen ze hem voorbijliep. Hij bloosde en mompelde iets onverstaanbaars dat misschien als 'hallo' was bedoeld. Hij was pas zestien en waanzinnig verliefd op de dochter van de baas. Niet dat Milly daar ooit iets van had gemerkt. Ze was een echte wildebras en toonde tot haar moeders teleurstelling nog geen enkele belangstelling voor jongens. Met uitzondering van Frankie Dettori en de nieuwste knappe jockey, Robbie Pemberton, wier posters ze boven haar bed had hangen, was ze alleen geïnteresseerd in mannelijke wezens met vier benen die haar voorliefde voor pepermuntjes en suikerklontjes deelden.

'Precies op tijd,' luidde de warme begroeting van Nancy MacIntosh, de vaste dierenarts van Newells, toen ze de hengstenstal binnenslenterde. 'O, slecht nieuws, trouwens. Rachel is met haar vader meegekomen.'

'Dat meen je niet!' zei Milly woedend. 'Sinds wanneer komt dat kreng mee voor de dekking?'

'Kweenie,' zei Nancy, en ze haalde haar schouders op. 'Maar ze is nu hier. Ze loopt kennelijk door de dekstal te paraderen alsof ze de koningin is.'

Achter Nancy stonden Pablo, Easy's Argentijnse verzorger, en Davey Dunlop, die zich mocht verheugen in de titel van peniswasser. Beiden grinnikten toen ze Milly zagen. Al het personeel op Newells was op de dochter van de baas gesteld. In tegenstelling tot haar broer Jasper was ze nooit beledigend of arrogant, en ze wist genoeg van haar vaders paarden om zich echt nuttig te maken.

Milly was al gek op paarden sinds de dag dat ze voor het eerst naar een opstapkruk kon waggelen. Ze was opgegroeid op een prestigieuze en succesvolle stoeterij – haar vader kreeg cliënten uit de hele racewereld over de vloer, van Dublin tot Dubai en van Kentucky tot Kempton, die hun bekroonde hengsten bij hem wilden plaatsen – en had er altijd van gedroomd op een dag zelf op volbloedpaarden naar de overwinning te rijden.

Maar dat was voordat het ongeluk alles had veranderd.

Milly herinnerde zich zelf niets van die noodlottige dag twee jaar geleden: haar val, voorover in de sloot; de zes minuten waarin de ambulancebroeders verwoede maar vergeefse pogingen deden haar bij bewustzijn te brengen; haar vader die met een asgrauw gezicht en met haar hand in de zijne naast haar in de ambulance zat. Het was alsof het iemand anders was overkomen.

Tot dat moment was paardrijden haar lust en haar leven geweest en racen haar toekomst. Ze was een typisch vaderskindje, liep overal achter Cecil aan en smeekte hem haar mee te nemen naar steeplechases of op de vele reizen die hij maakte op zoek naar nieuwe hengsten. Het had haar overigens weinig moeite gekost hem over te halen. Cecil was dol op zijn dochtertje en vond het prachtig zoals ze onbevreesd pony's besteeg die tien keer groter waren dan zij, of kraaiend van verrukking zonder helm over de velden galoppeerde.

Al heel vroeg was duidelijk dat ze een buitengewoon talentvolle ruiter was. Nadat ze iedereen van de tafel had geveegd tijdens alle plaatselijke behendigheidswedstrijden en ponyclubevenementen – haar kamer was van muur tot muur behangen met rozetten, bijna allemaal eerste prijzen – was ze mee gaan doen aan wedstrijden op regionaal en nationaal niveau, waar ze alle andere aankomende talenten uit Newmarket volledig inmaakte, ook Rachel Delaney. Haar grootste triomf was dat de Jockey Club haar 'de grootste belofte onder de zestien jaar' noemde toen ze pas veertien was, een titel die Rachel veel meer dwarszat dan Milly ooit zou weten.

Ironisch genoeg was Cecil zelf degene geweest die erop had aangedrongen dat ze meedeed aan het driedaagse evenement. Milly had eigenlijk niet willen gaan, omdat ze daardoor een belangrijk raceweekend in Newmarket zou missen. Hij had haar er echter van overtuigd dat het goed voor haar zou zijn om zich op meer vlakken te bekwamen. Om hem een plezier te doen had ze toegestemd.

Het enige waar hij in het ziekenhuis aan kon denken, terwijl het leven van zijn lieve meisje aan een zijden draadje hing, was dat het zijn schuld was geweest als ze dood was gegaan. Toen de dokters hem vertelden dat het wel goed zou komen met haar, leek het of hij een nieuwe kans had gekregen: een kans om haar te beschermen zoals een vader dat hoorde te doen. En dat betekende niet meer paardrijden. Nooit meer.

Milly dacht daar natuurlijk anders over.

'Maar de dokter zegt dat alles weer goed komt, papa,' zei ze wanhopig toen Cecil haar in de auto op weg van het ziekenhuis naar huis zijn beslissing meedeelde. 'Al mijn werfels…'

'Wervels,' corrigeerde Linda afwezig.

'Die zijn allemaal in orde. Over een halfjaar zijn ze weer precies zoals eerst, zei meneer Stafford. Ik zit in een mum van tijd weer in het zadel, zei hij. Alsjeblieft, papa. Je kunt me niet verbieden te rijden. Alsjeblieft!'

'Het kan me geen moer schelen wat meneer Stafford heeft gezegd!' De vader die ze altijd had verafgood als haar held en beschermer keek om naar de achterbank en ging tegen haar tekeer als nooit tevoren. 'Je had verdomme wel dood kunnen zijn, Mill, snap je dat? Jij rijdt niet meer, niet over zes maanden, en nooit meer zolang je onder mijn dak woont. Het is voor je eigen bestwil. En nu wil ik er geen woord meer over horen.'

Helaas voor Cecil zou hij er nog heel wat woorden over horen. Zijn eigen koppigheid werd ruimschoots geëvenaard door die van zijn dochter, en gedurende de twee jaar sinds dat gesprek in de auto was Milly blijven proberen hem van gedachten te doen veranderen. Ze was ervan overtuigd dat hij uiteindelijk wel zou toegeven, als ze maar lang genoeg volhield.

Dat was echter niet gebeurd. Nog niet, tenminste. En ondertussen had ze moeten toezien hoe niet alleen Rachel, maar ook Jasper – die de rijvaardigheid bezat van een verlamde mestkever – een professionele carrière als jockey was begonnen, en dat zij allebei het leven leidden dat zíj had moeten leiden. Erger nog, nu ze niet meer reed, had haar moeder besloten haar weer voor zichzelf op te eisen door de vrijgekomen tijd te vullen met wat zij geschiktere en vrouwelijker bezigheden vond, zoals amateurtoneel en natuurlijk de eindeloze reeks feestjes en bals die Milly verafschuwde.

'Het heeft geen zin om dag en nacht gekleed als een vogelverschrikker te lopen mokken in de stallen,' zei Linda. 'Je moet er eens wat vaker uit.'

'Je doet net of ik geesteziek ben, mam,' zei Milly gepikeerd.

Linda reageerde daar echter niet op. Als ze eenmaal iets in haar hoofd had, denderde ze voort met de onhoudbare vastberadenheid van een Sherman-tank. Milly's lot was bezegeld.

Het personeel van Newells was net één grote familie, en nadat ze haar van een heerlijk onbezorgde jeugd hadden zien genieten, vonden ze het vreselijk te moeten aanzien hoe ongelukkig Milly in haar tienerjaren was. Niet alleen was haar de liefde van haar leven, paardrijden, ontnomen; haar ouders leken ook nog eens vastbesloten haar te beledigen met pogingen haar te veranderen en haar mee te slepen naar feestjes, toneelstukken en kooklessen; allemaal dingen waar ze overduidelijk een hekel aan had.

De uren die ze in de stoeterij doorbracht met Nancy, Pablo en de anderen werden algauw Milly's reddingslijn, het enige waardoor het thuis enigszins draaglijk bleef.

Ze ging naast Easy staan en duwde vol genegenheid haar neus tegen zijn schouder.

'Ik zou bij hem uit de buurt blijven als ik jou was,' zei Pablo. 'Hij is vanochtend erg opgewonden. Nietwaar, jongen?'

Easy, tegendraads als altijd, besloot het ongelijk van zijn verzorger te bewijzen door plotseling stokstijf te blijven staan, alsof hij deelnam aan een wedstrijdje standbeeld-staan. Een blik op zijn kardinale delen, zoals de veearts het noemde, verraadde hem echter meteen.

'Goeie genade!' riep Milly lachend uit toen haar oog op zijn indrukwekkend gezwollen aanhangsel viel. 'Moet je kijken. En hij heeft de merrie nog niet eens gezien.'

'We hebben hem alvast een kwartiertje opgegeild,' zei Nancy.

Dat hield in dat ze de hengst bij een bronstige, goedkope standardbred merrie hadden gezet om hem alvast in de stemming te brengen voordat zijn officiële 'afspraakje' arriveerde. Niemand wilde dat Easy bij de dekstal aankwam terwijl hij er nog niet klaar voor was of niet in de stemming was om zijn werk te doen, vooral niet bij een zo waardevolle partner als Bethlehem Star.

'Ik hoop alleen dat ze hem niet te lang laten wachten,' zei ze met een blik op haar horloge. 'Moet je kijken, hij is er helemaal klaar voor.'

'Morgen, iedereen.'

Er was een collectieve zucht hoorbaar toen Jasper de stal binnen kwam paraderen. Milly's oudere broer was donker en buitengewoon knap op een klassieke manier, maar daarbij ook afgrijselijk ijdel, lui en verwend. Zijn moeder had hem vanaf zijn babytijd veel te veel verwend – hij was altijd Linda's lieveling geweest – en had zijn natuurlijke egoïsme de vrije loop gelaten, waardoor het nu bijna grensde aan grootheidswaanzin.

'Wat moet je?' vroeg Milly nors. Ze had zich erop verheugd vanochtend toezicht te houden op de dekking. Het laatste wat ze wilde was dat J problemen kwam veroorzaken.

'O, wat ben je weer charmant,' zei hij. Toen hij zichzelf zag in de smoezelige spiegel naast het prikbord nam hij even de tijd om zijn haar goed te doen en een verdwaald sliertje spinazie tussen zijn tanden uit te halen. 'Ik dacht: laat ik even langsgaan en jullie een handje helpen. Je hoeft niet meteen je stekels overeind te zetten.'

'Onzin,' zei Milly, en daarmee bracht ze perfect onder woorden wat de anderen dachten. Jasper had nog nooit belangstelling getoond voor de stoeterij, of voor Easy, en hij kwam ook nooit 'een handje helpen', tenzij dat hem iets opleverde. 'Je bent zeker hier om Rachel te zien?'

'Rachel? Is die er ook? Daar wist ik niets van.' Zijn geveinsde onschuld kon niemand overtuigen. Net als de rest van de mannelijke bevolking van Newmarket vond hij Rachel Delaney geweldig; natuurlijk niet zo geweldig als hij zichzelf vond, maar toch leuk genoeg om met haar te flirten.

Milly klemde gefrustreerd haar kiezen op elkaar. Alsof het nog niet erg genoeg was dat dat kreng hier was, kreeg ze er nu ook nog haar idiote broer in casanova-stemming bij.

'Loop niet in de weg, begrepen?' beet ze hem toe. 'De merrie is nog maagd, dus het kan vervelend worden.'

Maagdelijke merries stonden erom bekend dat ze flink naar hun toekomstige minnaars konden uithalen. Milly had al diverse keren meegemaakt dat een hengst zo zwaar verwond werd door een weerbarstige merrie dat hij moest worden afgemaakt. Ze zou het zichzelf nooit vergeven als Easy zoiets overkwam.

'Maak je niet dik,' zei Jasper. 'Zoals ik al zei: ik ben hier om te helpen. Ik zal heel braaf zijn.'

'J?' Cecil kwam binnen en stond meteen stil toen hij zijn zoon voor de spiegel zag staan, even misplaatst als een figurant op de verkeerde filmset. 'Wat doe jij hier?'

'Jezus, jij ook al?' zei Jasper, en hij deed zijn best beledigd te kijken. 'Je zeurt me altijd aan mijn kop dat ik meer belangstelling zou moeten tonen voor de stoeterij. En nu ik dat doe, is het weer niet goed.'

Cecil fronste zijn voorhoofd. Het toneelspel van zijn zoon irriteerde hem mateloos. Als Linda nou maar eens niet zo verdomd toegeeflijk tegenover die jongen was...

'Ja, ja, het is al goed,' zei hij. 'Maar zorg dat je niet in de weg loopt, oké? Het is een belangrijke dekking en ik wil niet dat iemand het verpest.'

'Alsof ik dat zou doen!' zei Jasper verontwaardigd.

Milly wendde zich naar haar vader en veranderde van onderwerp. 'Hoe is het met de merrie?' vroeg ze bezorgd.

'Wel goed, geloof ik,' zei Cecil. 'Een beetje onrustig, maar we hebben haar een flinke dosis Domosedan gegeven om haar wat te kalmeren. Ik denk niet dat ze problemen zal veroorzaken.'

Jasper kneep zijn ogen tot spleetjes. Hij werd er gek van dat iedereen op de stoeterij, inclusief zijn vader, Milly met respect behandelde terwijl hij als een lastig schooljongetje aan de kant werd geschoven. Wie dacht ze wel dat ze was?

'Je weet dat Rachel daarbinnen is,' zei Cecil zijdelings tegen Milly toen ze, met Nancy en Easy voorop, naar de dekstal liepen.

'Dat heb ik gehoord, ja.'

'Wees beleefd, oké?'

'Hmm,' gromde Milly. 'Ik zal het proberen.'

'Niet proberen,' zei Cecil streng, 'gewoon doen. Dit zijn zaken, Mill. Ik wil niet dat je mijn grootste klant woest maakt vanwege een of andere kinderachtige vete. Begrepen?'

'Ja, ja, oké.' Ze knikte met tegenzin. 'Ik begrijp het. Ik houd mijn mond wel dicht.'

'Maak je geen zorgen,' zei Pablo zacht toen haar vader buiten gehoorsafstand was. 'Rachel Delaney is een verwaand kreng. We hebben allemaal een hekel aan haar.'

Milly grinnikte. 'Bedankt. Fijn om te weten dat ik niet de enige ben die er zo over denkt. J loopt kwijlend achter haar kont aan, en zelfs mama lijkt haar helemaal het einde te vinden.'

'O ja?' vroeg Pablo, met één wenkbrauw sceptisch opgetrokken. 'Nou…' Hij ging nog zachter praten. 'Dat moet hem dan wel heel wat kwijl kosten, met die dikke kont van haar.'

Zelfs Milly moest daar om lachen.

'O, Pablo,' zei ze, en ze sloeg haar armen om zijn nek en kuste hem op zijn wang. 'Je bent echt een schat.'

In feite zag Rachel er, ondanks Pablo's onflatteuze opmerking over haar achterwerk, die ochtend nog beter uit dan gewoonlijk. Ze hing aan de arm van haar liefhebbende vader in een strakke witte rijbroek en zwart jasje, dat perfect op maat was gemaakt om zowel haar slanke taille als haar onnatuurlijk grote borsten te benadrukken. Ze had wel iets van Jessica Rabbit uit *Who Framed Roger Rabbit?*.

Hoewel Milly er nooit iets van had begrepen, was Rachels haat jegens haar feitelijk heel ongecompliceerd. Milly was het insect op haar voorruit, het zand in haar oester; de enige onbetekenende maar niettemin hoogst irritante sta-in-de-weg in haar verder perfecte leventje. Ze was al het rijkste, knapste en meest benijde meisje in Newmarket. Wat ze echter meer dan wat ook wilde, wat ze als haar geboorterecht beschouwde, was de beste en meest bewonderde vrouwelijke ruiter van het land te zijn. En Milly Lockwood Groves maakte dat onmogelijk.

Het feit dat Milly nooit had gevonden dat ze met Rachel moest wedijveren – dat ze puur voor haar plezier reed – maakte Rachel alleen maar nog woester. Daarbij vond ze het een belediging dat Milly zich niet eens van haar woede bewust was. Tegen de tijd dat Milly het ongeluk kreeg, was Rachels haat al zo diepgeworteld en zozeer deel geworden van haar leven dat ze die onmogelijk nog opzij kon zetten. Milly was de vijand en zou dat altijd blijven.

'O, kijk, papa, daar komt hij aan,' piepte ze toen Easy statig de dekstal binnenstapte. Een van de dingen aan Rachel waar Milly zo'n hekel aan had, was haar stem: een geforceerde, schelle, kleinemeisjesstem, die klonk alsof ze helium had ingeademd. Natuurlijk leken de mannen het prachtig te vinden.

'Hemeltjelief, hij is niet bepaald een lentekuikentje wel? Hoe oud is dat paard eigenlijk?'

'Hij is vijftien en ontzettend goed in vorm,' brieste Milly. Cecil schonk haar een waarschuwende blik, maar die negeerde ze. 'En zijn spermacellen zijn allemaal olympische winnaars, nietwaar, jongen?' kon ze niet laten eraan toe te voegen.

'O, hallo, Milly,' zei Rachel op de toon van een hertogin die de aanwezigheid van een nieuw hulpje in de huishouding opmerkt. 'Ik had je niet gezien. Kom je naar mijn merrie kijken? Is het geen schoonheid?'

Míjn merrie? Alsjeblieft zeg, doe me een lol, dacht Milly.

'Ze is inderdaad een schoonheid,' zei Jasper, die naar voren kwam om
Rachel op beide wangen te kussen. 'Je bent vast heel blij met haar.'

'Nou en of. Ik heb haar van papa gekregen,' zei Rachel stralend.

Natuurlijk, dacht Milly bitter. Sir Michael Delaney was een heel aardige
man, maar hij had een blinde vlek als het om zijn dochter ging. De succes-
jes die Rachel als junior-jockey had behaald, had ze bijna geheel te danken
aan het feit dat haar vader er miljoenen tegenaan had gegooid om haar
niet alleen van de allerbeste paarden, maar ook van hypermoderne trainingsfaciliteiten, trailers en uitrusting te voorzien, die andere ruiters van
haar niveau zich nooit zouden kunnen veroorloven.

'Mag ik u vragen, sir Michael,' zei ze, Rachel bewust negerend, 'waarom
u haar nog nooit aan een paardenrace hebt laten meedoen?'

'Weet je, Milly, daar kan ik niet goed de vinger op leggen,' zei hij, terwijl
hij peinzend over zijn dikke buik wreef. 'Ze liep een beetje mank net nadat
ik haar in Kentucky had gekocht. De veeartsen zeiden dat ze alles onder
controle hadden, maar ik had steeds het gevoel dat ze niet helemaal in orde
was. Ik neem aan dat ik gewoon geen risico met haar wilde nemen.'

Milly bedacht weer hoe graag ze haar vaders grootste klant mocht, en
vroeg zich af hoe zo'n fatsoenlijke, bescheiden man in hemelsnaam zo'n
monsterlijke dochter kon hebben verwekt. Er waren niet veel eigenaren
die een miljoen zouden neertellen voor een renpaard en dan niet 'het risico wilden nemen' om haar te laten racen. Rachels vader was duidelijk echt
met zijn dieren begaan.

'Het was altijd al míjn plan om met haar te fokken,' mengde Rachel zich
gewichtig in het gesprek. 'Nietwaar, papa?'

'Juist,' zei Cecil, die de spanning tussen de twee meisjes voelde groeien.
'Laten we maar beginnen, oké?'

Easy was bedwelmd door de geur van de merrie en werd met opengesperde neusgaten en rollende ogen zonder verdere plichtplegingen door
Pablo naar voren geduwd. Met een almachtig gebrul richtte hij zich op zijn
achterpoten op en kwam op de rug van Bethlehem Star weer neer. Davey
kwam op precies het goede moment naar voren, pakte de penis van de
hengst beet, leidde hem bij de merrie naar binnen en hield hem op z'n
plaats tot de daad na ongeveer twintig seconden volbracht was.

Vijftigduizend pond voor twintig seconden werk, dacht Milly, een behoorlijk lucratief baantje.

Zelfs zij moest toegeven dat de merrie zich voorbeeldig had gedragen.

Ze had niet getrapt of gebokt, niets. De Domosedan leek goed te hebben gewerkt. Heel even voelde ze nog een steek van afgunst dat dit prachtige paard, en weldra ook haar veulen, aan Rachel toebehoorde. Soms leek het of dat meisje ter wereld was gekomen om haar te kwellen.

'Zien we je de vierde in Epsom?'

Tot haar afgrijzen zag Milly dat Rachel niet alleen die vraag aan Jasper stelde, maar dat ze hem daarbij ook nog koket aankeek en haar lange blonde haren in een overduidelijk flirterig gebaar over haar schouder gooide.

O, god, nee, alsjeblieft. Laat hem niet voor haar vallen!

Tot voor kort had Rachel meegedraaid in het juniorencircuit en hadden haar pad en dat van Jasper elkaar dus zelden gekruist. Sinds ze echter zeventien was geworden, nam ze af en toe deel aan dezelfde evenementen als hij. Voor zover Milly wist waren ze niet meer dan kennissen. Nu drong zich echter de afschuwelijke mogelijkheid aan haar op dat hun relatie misschien verder ging dan dat.

'Zeker weten,' glimlachte hij. 'Mijn deelname in de Oaks is trouwens bevestigd. Ik wist niet zeker of je dat al wist.'

Milly's maag draaide zich om toen de hand van haar broer over Rachels in witte rijbroek gehulde billen gleed en er duidelijk zichtbaar in kneep.

'Nee, dat wist ik niet,' zei ze met gepaste bewondering. 'Wat spannend. Wat zul je blij voor hem zijn,' vervolgde ze wraakgierig tegen Milly, heel goed wetend dat die vreselijk jaloers moest zijn.

Epsom was in huize Lockwood Groves om diverse redenen een bijzonder teer punt geworden. Niet alleen was Jasper als door een wonder gekozen om in de Oaks te rijden – Marcus O'Reilly, een veelbelovende Ierse eigenaar en een van Cecils cliënten, was zijn beste jockey kwijtgeraakt door verwonding tijdens een val in de 1000 Guineas, en had zijn onwillige trainer overgehaald Jasper een kans te geven op zijn geweldige drie jaar oude merrie, Marigold Kiss –, maar bovendien zou Milly het evenement moeten missen. De avond van de vierde juni vond dat afschuwelijke debutantenbal plaats, en Linda had erop gestaan dat ze de hele dag in Londen doorbracht om zich 'voor te bereiden'.

'Milly is er die dag niet bij,' wreef Jasper expres nog wat zout in haar wond. 'Maar het zou heel veel voor me betekenen als ik wist dat jij er was om me aan te moedigen, Rachel.'

'Natuurlijk ben ik erbij!' Daar was dat stemmetje weer, als een platenspeler op een te hoog toerental. Milly's handen gingen al jeuken als ze het alleen maar hoorde. Ze wou dat ze een kussen bij de hand had. Niemand kon het haar toch zeker kwalijk nemen als ze die kleine heks smoorde?

'Maar zeg eens, Milly, wat ben jij de vierde van plan?' Ze had niet nog meer uit de hoogte kunnen klinken als ze het geprobeerd had. 'Een van je toneelstukjes, zeker?'

'Nee,' zei Cecil, zich duidelijk niet bewust van Rachels gestook. 'Milly gaat naar het debutantenbal.'

Waarom kon hij nou niet één keer zijn mond houden, dacht Milly moedeloos.

'Echt waar, Milly?' Rachel giechelde. Als haar stem nog hoger werd, konden alleen vleermuizen haar nog horen. 'Wat leuk! Je moet je moeder vragen wat mooie foto's te maken. Ik kan me jou trouwens niet voorstellen in een baljurk, jij wel, papa?'

'Hmm? Eh, nee, ik denk het niet.' Sir Michael keek nog steeds naar zijn merrie en luisterde niet echt.

'Ze zal er fantastisch uitzien,' zei Cecil stralend, en hij sloeg zijn arm om zijn mokkende dochter.

'Daar ben ik van overtuigd,' zei Rachel met een triomfantelijke blik. 'En ik ben er ook van overtuigd dat we allemaal trots zullen zijn op Jasper in de Oaks.'

Weer een kneepje in Rachels billen. Milly werd er bijna beroerd van.

Cecil en sir Michael waren zich geen van beiden bewust van wat zich voor hun ogen afspeelde. Nancy, die het wel in de gaten had, glimlachte vol sympathie naar Milly.

Ze had absoluut geen zin in dat bal en baalde er vreselijk van dat ze de Oaks zou mislopen, ook al zou niet zij daar racen, maar haar verachtelijke broer. Maar dat Rachel en Jasper een stel werden... dat zou pas echt erg zijn.

3

'Kan ik u iets brengen, meneer? Iets te drinken?'

De overijverige Franse stewardess hield haar hoofd een beetje schuin en glimlachte naar Bobby. Ze was een knappe meid, maar hij registreerde nauwelijks haar aanwezigheid, laat staan haar uiterlijk.

'Koffie,' zei hij. Hij moest over zo veel dingen nadenken voor hij morgen thuiskwam dat hij wakker moest blijven. 'Alstublieft,' voegde hij er even later aan toe.

Het was pas een paar uur geleden dat Pascal hem over Hanks dood had ingelicht en het was nog steeds niet echt goed tot hem doorgedrongen. Hij had nauwelijks tijd gehad om Chantal uit zijn kamer te zetten en zijn spullen in een tas te gooien voordat de helikopter was verschenen om hem naar Nice te brengen. Het lawaai en de draaiende wieken van de helikopter hadden de paarden bang gemaakt. Zijn laatste beeld van de ranch was er een van angstig hinnikende en rondrennende paarden, hun oren platgedrukt uit protest. Hij had gekeken of hij Mirage zag, maar het dier was zo verstandig geweest binnen te blijven. Ze was een slim paard en hij vond het vreselijk haar bij de opvliegende Henri achter te moeten laten, maar daar was niets aan te doen.

Nu zat hij op de late vlucht naar Londen. Het was al te laat geweest voor een rechtstreekse vlucht naar Californië, dus moest hij overnachten in Londen en daar morgenochtend de eerste vlucht naar LA nemen. Meestal had hij een hekel aan overstappen, maar deze keer was hij blij met de vertraging. Hij had meer tijd nodig om zijn gedachten op orde te brengen.

Zijn vaders dood was niet helemaal onverwacht gekomen. Hij was al een oude man van zestig geweest toen zijn enige zoon werd geboren en was nu in de tachtig. Bovendien had hij al een poosje last van zijn hart. Toch was Hank Cameron een van die mannen van wie je je nooit kon voorstellen dat ze er niet meer zouden zijn. Als een van de laatste Californische cowboys van de oude stempel had hij evenzeer deel uitgemaakt van het landschap in de Santa Ynez-vallei als de wijngaarden en de golvende heuvels. Zo lang Bobby hem had gekend, waren ze water en vuur geweest. Hij had zijn vader altijd als een sterke man beschouwd en was geschokt nu hij niet sterker bleek te zijn dan de dood.

En nu werd hij, Bobby, geacht in Hanks voetsporen te treden. Bij die gedachte ging zijn toch al pijnlijke hoofd steeds harder bonken. Hij zou Highwood 'vrij en onbezwaard' erven, zoals Hank placht te zeggen, maar in werkelijkheid was de Cameron-ranch geen van beide. Bobby kende weliswaar niet alle details, maar hij wist dat de ranch jaren had geworsteld om quitte te spelen en dat zijn vader gedwongen was geweest een smak geld te lenen met de grond als onderpand. Als Hank niet blut was, had hij daar toch beslist dichtbij gezeten.

Het ironische van het verhaal was dat hij op papier een rijk man was geweest. Highwood was een fortuin waard sinds Hanks vader Toby Cameron in de jaren twintig een rijke oliebron op zijn grondgebied had ontdekt.

Er waren projectontwikkelaars en mijnbouwbedrijven naar Santa Barbara County gekomen, die Toby een voor die tijd obsceen bedrag hadden geboden voor zijn grond, maar hij had geen belangstelling gehad.

'Ik ben een cowboy en dit is cowboyland. Dat is het altijd geweest en dat zal het altijd blijven,' had hij tegen hen gezegd.

Bobby had dat verhaal waarschijnlijk wel meer dan duizend keer van zijn eigen vader gehoord. Het was een mantra waarmee hij als kleine jongen was opgegroeid, en hij had altijd gedacht dat hij op een dag hetzelfde tegen zijn eigen zoon zou zeggen: 'Dit is cowboyland en dat zal het altijd blijven.'

De familietraditie voortzetten.

Zorgen dat zijn vader trots op hem was.

Helaas was het vasthouden aan hun principes en de levenswijze van het Oude Westen de Camerons duur komen te staan. De winsten uit de veehandel daalden en er was grote behoefte ontstaan aan diversiteit. Veel plaatselijke ranches richtten zich op het toerisme om hun inkomen op te vijzelen, sommige met veel succes. Ze rekenden astronomische bedragen om met rijke zakenlui uit LA door de vallei te trekken en ze te leren rijden als cowboys. Sommige van die zogenaamde vakantieboerderijen gingen verder dan andere en gaven lessen in lassowerpen en zelfs jodelen. Hank wilde daar niets van weten.

'Highwood veranderen in zo'n verdomd Disney-park? Over mijn lijk,' raasde hij altijd tegen iedereen die het in zijn hoofd haalde hem voor te stellen publiek op de ranch toe te laten. 'Dit leven is ons erfgoed, onze geschiedenis. Daar is onze grote natie op gebouwd. En jij vindt dat ik dat moet gaan exploiteren?'

Bobby moest nog steeds lachen als hij mensen tegenkwam die aannamen dat hij vreselijk rijk was en het leven van een miljonair leidde.

'Ben jij de zoon van Hank Cameron? Van de Highwood-ranch? Jezus, man, dan zwem je zeker in het geld. Is dat niet het waardevolste stuk land van Californië of zoiets?'

Ze weigerden te geloven dat hij nooit een nieuwe auto had gehad. Dat hij als kind niet op een particuliere school had gezeten of zijn zomervakanties niet op Hawaï had doorgebracht. Zelfs als volwassene had hij altijd tweedeklas gereisd (tenzij een rijke eigenaar als Bremeau natuurlijk de rekening betaalde, zoals vandaag). De afgelopen twee jaar had hij goed verdiend als paardentrainer in het internationale circuit, maar hij stopte al zijn verdiensten terug in de kas van het noodlijdende Highwood.

Hij mocht officieel dan rijk zijn nu Highwood eindelijk van hem was, maar in werkelijkheid was hij blut.

Met zijn voorhoofd tegen het koele kunststof van het raampje gedrukt probeerde hij vormen of schaduwen te herkennen in de duisternis buiten het vliegtuig, maar er waren zelfs geen sterren waarop hij zich kon oriënteren. Thuis zou het nu twee uur in de ochtend zijn. Hij vroeg zich af of Wyatt, Dylan en de andere ranchknechten lagen te slapen. Of dat zij ook wakker lagen en zich een wereld – hun wereld – probeerden voor te stellen zonder Hank Cameron.

'Uw koffie, meneer.'

Het meisje was terug. Ze gaf hem een kop met iets wat eruitzag en rook als slootwater. In de eersteklas zat het slootwater in een porseleinen kopje, dacht hij, maar het bleef slootwater. Hij trok een grimas toen hij een slok nam. Het spul was in elk geval sterk.

'Dank u,' zei hij, en hij rolde met zijn krachtige brede schouders in een poging zijn stijve spieren wat te ontspannen. Hij was doodmoe, maar het leek niet gepast om te gaan slapen. Dat zou zijn alsof hij de zon liet ondergaan over de dood van Hank. Dan zou het werkelijkheid worden.

En daar was hij niet klaar voor. Nog niet.

Dylan McDonald gaf zijn pony een klopje op de nek en wikkelde de teugel losjes om de paal voor het huis. Toen hij zeker wist dat het paard bij de waterbak kon, maar zijn moeders petuniabed niet kon bereiken, nam hij zijn hoed af en liep de veranda op.

'O, Dyl, daar ben je.' Zijn zus Summer, bij de plaatselijke jongens bekend als 'Summer Lovin' omdat ze er zo goed uitzag met haar lange gebruinde benen en platinablonde haren, zwaaide naar hem van de andere kant van het erf. Ze droeg haar favoriete groene korte broek en een T-shirt en had een stapel boeken onder de ene arm en een half opgegeten broodje in haar vrije hand. Ze was kennelijk op weg naar de bibliotheek om te studeren.

Summer was degene met hersens in de familie. Ze zou in september een halfjaar eerder dan normaal de toelatingstoets doen en werkte zich het hele jaar al uit de naad om hoog genoeg te scoren, zodat ze volgend jaar naar Berkeley kon.

'Pap zoekt je,' zei ze. 'Ik denk dat hij wil dat je Bobby van het vliegveld gaat halen.'

'Leuk,' zei Dylan. 'Waar is hij?'

'Volgens mij in de keuken.' Ze kroop in haar oude pick-up en gooide de boeken op een stapel kapotte hoofdstellen op de passagiersstoel. 'Mam en hij hebben het de hele ochtend al over de begrafenis. Echt deprimerend.'

De kinderen McDonald – Dylan en zijn twee zussen Tara en Summer – waren allemaal op Highwood geboren en getogen. Hun vader Wyatt was de bedrijfsleider en was meer dan veertig jaar de rechterhand van Hank Cameron geweest. De band met Wyatt leek voor Hank nog het meest op vriendschap, ook al was de grotendeels zwijgzame, symbiotische relatie tussen de twee mannen wel wat gecompliceerder dan een simpele vriendschap. Hank had Wyatt vertrouwd en op hem gebouwd. Wyatt had zijn baas de onwankelbare, onvoorwaardelijke loyaliteit geschonken die deel uitmaakte van de cultuur op Highwood.

Beiden waren hardwerkende, eerlijke mannen. Maar terwijl Wyatt verknocht was aan zijn vrouw en kinderen, en als lid van het kerk- en schoolbestuur en penningmeester van de sportvisclub een druk sociaal leven leidde in de plaatselijke gemeenschap, was Hank zo gesloten en teruggetrokken dat je hem bijna een kluizenaar kon noemen. Het was moeilijk geweest om hem echt te leren kennen, en nog moeilijker om hem aardig te vinden.

Maar Wyatt had hem begrepen en zijn kinderen waren vanaf hun geboorte gewend geweest aan Hanks zwijgende, zwaarmoedige aanwezigheid aan de rand van hun bestaan. Dylan en Summer konden niet doen alsof ze echt verdrietig waren om zijn overlijden, maar ze maakten zich wel zorgen om hun vader. Wyatt was bij de oude man geweest toen die stierf en had zijn hand vastgehouden in de dood, net zo stevig en standvastig als hij dat tijdens zijn leven altijd had gedaan.

Dylan wist zeker dat de dood van de baas een flinke klap was geweest voor zijn vader. Wyatt toonde zijn gevoelens echter nooit zo en tot dusver had hij, echt iets voor hem, puur praktisch gereageerd. Binnen een uur had hij de begrafenisondernemer in Solvang gebeld en het droevige bericht naar Bobby en naar zijn moeder in Santa Barbara gestuurd. Vanochtend was hij, in plaats van zoals gewoonlijk bij zonsopkomst met Dylan uit te rijden om de koeien naar de lager gelegen weiden te brengen, met Maggie thuisgebleven om een lijstje te maken van wat er moest gebeuren in voorbereiding op de begrafenis, die waarschijnlijk aanstaande dinsdag zou plaatsvinden.

Dylan liep de keuken in, waar zijn beide ouders aan tafel zaten, omringd door een zee van notitiebriefjes met het telefoonboek geopend ernaast.

'Hé.' Maggie McDonald keek haar enige zoon stralend aan toen die naar haar toe liep en haar een kus gaf. Met zijn lange sterke benen, lichtelijk gebogen door het vele paardrijden, zijn bos donkere krullen en zijn eerlijke, ruige, ietwat verbrande gezicht, was Dylan niet zo knap als Bobby. Met ruim een meter zeventig was hij wat aan de kleine kant en zijn dikke nek en fors bovenlichaam gaven hem iets van een jonge stier. Er lagen echter zo'n speelsheid en warmte in zijn ogen dat zelfs de 'onvolkomenheden' in zijn uiterlijk – zijn gebroken neus, zijn smalle bovenlip, die helemaal verdween wanneer hij glimlachte – hem op de een of andere manier aantrekkelijk maakten. Maggie wist natuurlijk dat ze bevooroordeeld was, maar niemand kon ontkennen dat hij er goed uitzag dat hij was opgegroeid tot een doorgewinterde rancher, in elk geval uiterlijk.

Innerlijk was het een ander verhaal, wist zijn moeder. Haar zoon had altijd moeite gehad met het cowboyleven. Zijn zusters waren vrij om te gaan studeren en zouden uiteindelijk wel trouwen en de vallei verlaten, maar hij had die vrijheid niet. Zijn lotsbestemming was al bepaald: hij werd geacht op een dag het werk van zijn vader over te nemen en op Highwood te blijven. Het zou Wyatts hart breken als hij die erfenis de rug toekeerde. Dat was simpelweg geen optie.

Voor zijn vader was het werk op de ranch een roeping; hij genoot van elke seconde, maar Dylan was anders. Hij was een getalenteerd kunstschilder en had een paar prachtige landschappen geschilderd: levendige explosies van oker en irisblauw, die ruimschoots goed genoeg waren voor de galeries in Los Olivos. Hij hield zijn talent echter voor zichzelf in de wetenschap dat een leven als professioneel kunstschilder niet voor hem was weggelegd.

Niet dat hij niet van de ranch hield. Highwood, met zijn prachtige groene weilanden, grote oude bomen en bodem die zo rijk en vruchtbaar was dat je hem door het gras heen bijna kon ruiken, was zijn thuis. En net als de rest van het gezin was hij bovenmatig trots op dat alles. Maggie wist echter dat hij zich hier soms opgesloten voelde; zo niet door het land zelf, dan toch door het gewicht van Wyatts verwachtingen, die zwaar en onwrikbaar op zijn schouders drukten. Hij klaagde er nooit over, maar ze had toch met hem te doen.

'Er staat koffie op het fornuis en er liggen bacon en muffins in de warmhoudoven als je honger hebt,' zei ze.

'O, ik hoef niets. Ik heb een paar uur geleden samen met de jongens gegeten.' Hij schonk een kop koffie in, schepte er drie volle lepels suiker in en ging naast haar zitten. 'Summer zei dat je me zocht?'

'Wat? O, ja.' Wyatt keek op van zijn papieren en wreef met de rug van zijn hand over zijn vermoeide ogen en de wallen eronder. Hij was ooit een heel knappe man geweest, maar de lange jaren van het buitenleven, hard werken en paardrijden hadden hun tol geëist en zijn huid was nu leerachtig bruin met een fijn netwerk van rimpeltjes, als een opgedroogde rivierbedding. Gewoonlijk was er onstuitbare energie af te lezen uit zijn ogen, die als twee scherven lapis lazuli in de gebarsten aarde van zijn gezicht lagen te schitteren. Vandaag was dat echter niet het geval. Vandaag zag hij er verslagen en uitgeput uit.

Jezus, dacht Dylan. Hij heeft waarschijnlijk de hele nacht geen oog dichtgedaan.

'Bobby's vliegtuig landt vanmiddag om drie uur.' Hij klonk moe, maar wel geconcentreerd. Er viel nog veel te organiseren. 'Ik neem aan dat jij hem wel wilt gaan halen?'

'Hoe moet het dan met de nieuwe levering?' vroeg Dylan, en hij nam vervolgens een grote slok van zijn moeders heerlijke, zoete koffie. 'Om twaalf uur krijgen we vijftig stuks vee binnen, weet je nog?'

Wyatt legde zijn hoofd in zijn handen en kreunde. 'Verdomme. Helemaal vergeten. Daar zit ik vandaag nou net op te wachten.'

'Het komt wel goed,' zei Maggie, en ze reikte over de hoek van de tafel heen en masseerde de nek van haar man. 'Ik weet zeker dat Willy dat wel kan doen.'

Wyatt schudde aarzelend zijn hoofd. 'Niet in zijn eentje.'

'Nou, Little Bob kan hem toch helpen? En een van de meisjes kan vanmiddag de ronde wel rijden als dat nodig is. Ik vind echt dat Dylan er voor Bobby moet zijn. Wie weet hoe die arme jongen eraan toe is.'

Dylan en Bobby scheelden maar een maand en waren onafscheidelijke vrienden, bijna broers, sinds Bobby als magere tienjarige voor het eerst naar Highwood was gekomen. Zelfs toen al had Dylan nooit iemand ontmoet zoals hij. Hemzelf was bijgebracht dat hij zijn vader bijna als een god moest respecteren, en hij keek met zwijgend ontzag toe terwijl Bobby overal de strijd over aanging met Hank, variërend van naar bed gaan en spijbelen tot de hoeveelheid tijd die hij aan paardrijden besteedde.

Zijn ouders hadden geprobeerd hem uit te leggen dat Bobby een 'probleemkind' was, dat zijn slechte gedrag voortkwam uit het wetteloze hippiebestaan dat hij met zijn moeder had geleid. Maar in Dylans ogen leek Bobby allesbehalve een 'probleemkind'. Hij leek onbevreesd, exotisch en gewoon geweldig. Als Hank hem vanwege de een of andere overtreding had geslagen, liet hij zijn blauwe plekken aan Dylan zien met de machotrots van een teruggekeerde oorlogsheld. En toen de kinderen op school, die jaloers waren omdat hij later Highwood zou erven, hem niet toelieten tot hun kliekjes en niet uitnodigden voor hun verjaardagsfeestjes, haalde hij daar zijn schouders over op met een onverschilligheid waarvoor Dylan een sprakeloze bewondering voelde.

Bobby, van zijn kant, nam Dylan in vertrouwen en bouwde op hem als op geen ander. Hij had in zijn korte leventje nog nooit oprechte loyaliteit ervaren – behalve van paarden – en Dylans standvastige vriendschap was een openbaring voor hem geweest.

Het getuigde van Dylans goedhartige, toegewijde aard dat het zelfs nooit bij hem was opgekomen om jaloers te zijn op het feit dat Bobby Highwood zou erven terwijl hij was voorbestemd zijn leven daar door te brengen als knecht. Dat zijn beste vriend ooit zijn baas zou worden was in zijn ogen net zo natuurlijk en onvermijdelijk als dat de zon elke ochtend opkwam. Het was gewoon een vaststaand feit.

Zijn toewijding nam ook niet af in hun tienertijd, toen Bobby altijd de mooiste meisjes kreeg. Ze vonden Dylan allemaal 'schattig' en 'lief', maar hij was gewoon veel te aardig om op dezelfde manier indruk op hen te maken als Bobby Cameron, de James Dean van Solvang. Meestal maakten ze schaamteloos misbruik van Dylan om bij Bobby in de buurt te komen en kwamen ze, als het allemaal voorbij was, terug om op zijn schouder uit te huilen. Maar de altijd laconieke Dylan leek dat niet erg te vinden.

Toen ze negentien waren en Bobby zijn vader weer eens had getrotseerd door een baantje als paardentrainer aan te nemen in Florida, waren de jongens voor het eerst fysiek van elkaar gescheiden. Maar hoe verschillend hun volwassen levens ook waren, de band die ze in hun jeugd hadden gesmeed, was niet verdwenen. Bobby bleef Dylans held. En Dylan bleef een van de weinige constanten in Bobby's verder tumultueuze leven, een anker waar hij meer op vertrouwde dan hij zou willen toegeven.

'Ik geloof dat je gelijk hebt,' zei Wyatt met een vermoeide glimlach naar zijn vrouw. 'Bobby is nu het belangrijkst. Ik handel die levering wel af. Dyl moet naar LAX.'

'Ja, baas.' Dylan knikte respectvol. Hij was blij te kunnen gaan, maar ook een beetje nerveus. Hij wist waarschijnlijk beter dan wie ook hoe moeilijk en complex de relatie tussen Bobby en Hank was geweest; dat Bobby diep in zijn hart alleen maar had gewild dat zijn vader zijn talent als paardentrainer zou erkennen, zou zeggen dat hij trots op hem was en hem een schouderklopje zou geven.

Maar dat had hij nooit gedaan. En nu kon het niet meer.

Bobby was altijd de sterkste van hen tweeën geweest, maar nu werd hij,

Dylan, geacht die rol op zich te nemen en zijn vriend te steunen in diens verdriet. Hij had eerlijk gezegd geen idee hoe hij dat moest doen.

Tegen de tijd dat hij LAX bereikte, deed zijn hele lijf zeer van vermoeidheid.

Hij was al vanaf vijf uur op. Dat was voor hem de normale tijd, maar de afgelopen nacht was niemand op de ranch voor twee uur gaan slapen, en hij was afgepeigerd. De rit naar LA was als altijd verschrikkelijk geweest; het verkeer op de 101 kwam naarmate hij dichter bij de stad kwam steeds langzamer vooruit onder de verschroeiend hete middagzon. Het zou minder erg zijn geweest als zijn truck airconditioning had gehad. Zijn halfhartig sputterende ventilator was echter niet opgewassen tegen een temperatuur van bijna vijfendertig graden en toen hij eindelijk het vliegveld bereikte, droop hij letterlijk van het zweet en plakte zijn T-shirt aan zijn rug.

Hij kon er met zijn verstand niet bij dat mensen ervoor kozen in LA te wonen. Hij begreep de aantrekkingskracht van een leven in de stad wel; Parijs, Londen, zelfs San Francisco waren plaatsen waar hij wel eens van droomde. In zijn dagdromen kon hij zichzelf wel in een van die wereldsteden zien wonen en werken in een klein atelier, als hij maar niet aan de ranch vastgeketend zat. Maar LA? Dat was één reusachtige, lelijke, zielloze parkeerplaats.

Het leek ongelooflijk dat de plattelandsidylle van Highwood, met zijn prachtige vergezichten, zijn rotsvaste arbeidsethos, geschiedenis en familienormen en -waarden, zo dicht bij deze van smog vergeven, materialistische en steriele plek lag. In Dylans ogen was LA een krankzinnig geworden voorstad, maar dan zonder voorstedelijke families als de Brady Bunch die het nog een hart en een moreel anker hadden kunnen geven. De stad maakte hem altijd neerslachtig.

Hij had onderweg geprobeerd afleiding te vinden door te bedenken wat hij tegen Bobby zou zeggen wanneer hij hem zag. Wat zeg je tegen iemand wiens vader net is overleden? 'Het spijt me voor je,' klonk veel te formeel, maar zijn gebruikelijke 'Hoe is het met je, man?' klonk onder de omstandigheden ook niet juist.

Helaas, of eigenlijk gelukkig maar, had hij geen enkele ervaring met een dergelijk verlies. Hij was er nog het dichtst bij gekomen toen zijn eerste pony, Sapphire Blue, haar been brak toen ze uit de stal probeerde te ontsnappen en daarna afgemaakt moest worden. Hij was toen acht geweest en het had maanden geduurd voor hij eroverheen was.

Maar hij besefte heel goed dat dat hem nauwelijks afdoende had voorbereid op vandaag.

Toen Bobby eindelijk, kennelijk ook behoorlijk uitgeput, de aankomsthal binnenstapte, had hij het opgegeven naar de perfecte openingszin te zoeken. Hij liep naar zijn vriend toe en sloeg gewoon zijn armen in een stevige omhelzing om hem heen in de hoop dat dat voldoende was.

'Fijn om je te zien,' zei hij, en hij nam Bobby's tas over.

'Jou ook,' zei Bobby. Hij glimlachte, en dat was een goed teken. Het was typisch Bobby dat hij er beter mee om leek te gaan dan iedereen had verwacht.

'Ik had niet verwacht dat je me zou komen halen,' zei hij. 'Het is niets voor de baas om je zo lang vrij te geven op een werkdag.'

'De baas?' Dylan keek verbaasd op. Iedereen had Hank altijd de baas genoemd. 'Bedoel je pa?'

'Natuurlijk,' zei Bobby. 'Wie anders? Nu Hank er niet meer is, runt Wyatt de ranch toch, of niet?'

'Kom op, man.' Dylan schonk hem een blik vol genegenheid. 'Hij heeft de ranch altijd al gerund, dat weet je best. Maar dat maakt hem nog niet de baas. Jíj bent nu de baas. De enige echte.'

Bobby fronste zijn voorhoofd en keek naar de grond.

'Zeg dat niet.'

'Waarom niet?' zei Dylan. 'Het is waar.'

'Het mag dan wel waar zijn,' zei Bobby zuchtend, 'maar het klinkt zo vreemd, snap je? Ik ben er niet klaar voor, Dyl,' gaf hij toe. 'Je weet niet hoe het is.'

Dat was een zeldzaam blijk van kwetsbaarheid. Dylan wist niet hoe hij moest reageren en luisterde zwijgend.

'Mijn hele leven probeer ik hem al trots te maken. En dat is me nooit gelukt. En nu is hij doodgegaan en daar was ik niet eens bij. Zelfs dát kon ik niet goed doen.'

'Hé, kom op,' protesteerde Dylan. 'Dat is niet waar. Je kon toch niet weten…'

Maar Bobby wuifde zijn woorden weg.

'Misschien niet. Maar dat is nog niet het ergste. Weet je wat het ergste is?'

Dylan schudde zijn hoofd.

'Het enige waaraan ik verdomme heb kunnen denken sinds het gebeurd is, is hoe ik in godsnaam de baas moet zijn. Ik bedoel maar, hoe harteloos is dat? Hank is dood en ik maak me druk over mezelf. Bang dat ik niet in zijn schoenen zal kunnen staan.'

'Wat bedoel je?'

'Ach, kom nou,' zei Bobby. 'Je weet best wat ik bedoel. Ik zal nooit zelfs maar half de cowboy zijn die hij was, en dat weet iedereen.'

Dylan voelde met hem mee. Hij had al moeite genoeg om aan de verwachtingen van zijn eigen vader te voldoen. Hoeveel moeilijker moest het voor Bobby zijn, als zoon van een legendarische cowboy?

'Luister naar me,' zei hij toen ze door de dubbele schuifdeur de verstikkende warmte in liepen. 'Vergeet dat maar, oké? Je hoeft niet in Hanks schoenen te gaan staan. Je bent toch altijd gewoon jezelf geweest, of niet soms?'

'Dat zal wel,' zei Bobby.

'Nou? Hou dan gewoon je eigen schoenen aan.'

Bobby glimlachte meelijwekkend. Was het maar zo simpel.

Hij wist hoe Dylan hem zag, hoe iedereen hem zag: als Hanks rebelse zoon, het joch dat de regels overtrad, dat altijd precies deed wat hij zelf wilde. Maar wie was hij nu zijn vader dood was en hij niemand meer had om zich tegen af te zetten?

Voor het eerst in zijn leven moest hij echt verantwoordelijkheid gaan dragen. Highwood was van hem. Alle mensen die er werkten, waren nu van hém afhankelijk voor hun dagelijks brood. Het was tijd om het genotzuchtige, rebelse kind dat hij was geweest voorgoed te begraven, tijd om volwassen te worden. Eerlijk gezegd maakte die gedachte hem doodsbenauwd.

'Geloof me nou maar,' zei Dylan. 'Je wordt een fantastische baas. Hier wacht je toch je hele leven al op, of niet dan?'

Ja, dacht Bobby. Ja, dat is zo. Maar waarom was hij dan zo bang?

'Bedankt, man,' zei hij. Ze hadden de parkeerplaats bereikt en hij keek toe terwijl Dylan zijn tas achter in de truck gooide alsof die niets woog. Voor de duizendste keer dankte hij om het even welke god in de hemel voor Dylan McDonald.

Wat de toekomst ook in petto had voor hemzelf en Highwood, hij voelde zich beter bij de wetenschap dat Dylan daar deel van uit zou maken.

4

Jasper Lockwood Groves zat nerveus op de rug van Marcus O'Reilly's steigerende voskleurige jonge merrie, Marigold Kiss. Hij zat zo te bibberen in het zadel dat hij bang was dat hij zou moeten overgeven en hij was zich er ook sterk van bewust dat hij hevig zat te zweten tijdens zijn laatste ronde over het inloopveld van Epsom Downs onder de hete junizon.

Vaste bezoekers van elke leeftijd, klasse en sekse liepen vrolijk babbelend tussen de omheinde velden. Sommigen liepen met hun wedstrijdboekjes in de hand tussen de hokjes van de bookmakers heen en weer. Anderen waren zich kennelijk nauwelijks bewust van de races en de weddenschappen. Ze dronken en flirtten wat en genoten simpelweg van de feestelijke sfeer.

Bijna iedereen had zich opgetut voor de gelegenheid. Op de goedkoopste plaatsen tegen de heuvel hadden de vrouwen het warme weer aangegrepen om de kortste rokken en laagst uitgesneden topjes aan te trekken die je ooit buiten de rosse buurt van King's Cross zag. Ook op de tribune waren korte rokken en naaldhakken te zien, maar daarnaast aardig wat tweed, gemakkelijke schoenen en zedig bedekte grote boezems die door de warmte onder hun twinsets en parels onbehaaglijk op en neer gingen. Op de duurste plaatsen, op de eretribune, wemelde het van de veelkleurige hoeden en veren.

Ook de mannen hadden hun best gedaan. Zakelijke gezelschappen, 's ochtends nog netjes in het pak, genoten nu met opgerolde hemdsmouwen en losse stropdassen van hun vierde of vijfde pint Guinness en bespraken hun (over het algemeen bedroevende) successen bij de bookmakers tot dusver. Landheren, boeren, zelfs een groepje getatoeëerde venters uit East End die het vrijgezellenweekend van hun maat vierden… ze liepen allemaal vrolijk, en veelal enigszins dronken, over Epsom Downs rond.

Jasper zweette zich een ongeluk en voelde niets van hun zorgeloze uitbundigheid. Zijn grootste zorg was nu niet de race – hij maakte toch geen enkele kans om die te winnen – maar het feit dat de kleur van zijn verhitte gezicht vreselijk vloekte met zijn paars-roze zijden kleding, die aangaf dat hij voor Marcus reed. Had die verdomde Paddy geen andere kleuren kunnen kiezen? Zoals het donkergroen met bruin waarin Robbie Pemberton er zo verdomd goed uitzag, terwijl hij aan de andere kant van het inloopveld ontspannen en vol vertrouwen met zijn eigenaar en trainer stond te kletsen.

Rachel was gekomen, zoals ze beloofd had, en zag er nog verleidelijker uit dan die dag op Newells, in een heel korte neonroze mini-jurk met reusachtige zwarte knopen aan de voorkant, kniehoge zwarte Jimmy Choo's en een ingewikkelde hoofdtooi met zwarte veren, ongetwijfeld van Philip Treacy of een andere peperdure ontwerper. Het stond haar echter wel, op een sletterige, ik-ben-zo'n-lekker-stuk-dat-ik-kan-aantrekken-wat-ik-wil-manier. Alleen al de gedachte aan haar bezorgde hem een beginnende erectie die hij zo vlak voor de race echt niet kon gebruiken. Als hij haar vanavond, na weken van gespannen verwachting, niet eens flink te pakken kon nemen, zouden zijn ballen waarschijnlijk ontploffen.

Ze had gretig genoeg geleken toen ze daarstraks met hem was komen praten: ze had haar haren over haar schouders gegooid, gegiecheld en haar borsten tegen elkaar geduwd, zodat hij haar decolleté nog beter kon zien. Als dat geen avances waren wist hij het niet meer. Maar toen had hij dat vreselijke zijden pakje nog niet aangehad, en paradeerde die klootzak van een Pemberton nog niet over het inloopveld alsof dat van hem was.

Iedere vrouw op aarde leek een oogje te hebben op Robbie, en Jasper kon niet anders dan aannemen dat Rachel wat dat betreft geen uitzondering was. Zelfs zijn schijnheilige zusje, die voor zover hij wist het seksuele bewustzijn van een amoebe had, liep te kwijlen als ze die kerel zag. Híj had al die drukte nooit begrepen. Pemberton was dan wel verreweg de succesvolste van de nieuwe generatie vlakkebaanjockeys na Frankie Dettori, maar hij bleef een lelijke dwerg.

Hij was ongebruikelijk klein, zelfs voor een jockey, en zag er althans in Jaspers ogen met zijn kleine wipneus en sluike zwarte lokken uit als het liefdeskind van een kabouter en een glibberige Italiaanse ober. Bepaald geen Brad Pitt dus, hoe je het ook bekeek.

Jasper – lang en knap, maar weinig talentvol – was chronisch jaloers op iedereen bij wie dat andersom was. Hij koesterde een bittere haat jegens Robbie om diens succes op de renbaan en bij de vrouwen.

Als kleine jongen had hij er net als al zijn vriendjes in Newmarket van gedroomd een kampioen-jockey te worden. Helaas was al vroeg duidelijk geworden dat hij weliswaar een competente ruiter zou kunnen worden, maar dat het hem aan het noodzakelijke talent ontbrak om de top te bereiken. Milly, met haar instinctieve verstandhouding met paarden en haar kamikazeachtige vastberadenheid om tegen elke prijs te winnen, was de onbetwistbare ster in de familie Lockwood Groves, iets waarom haar oudere broer haar heimelijk altijd had gehaat.

Als Milly dat ongeluk niet had gekregen, was hij een paar jaar geleden misschien wel gestopt met wedstrijdrijden. Maar toen zijn zusje buiten beeld raakte en zijn liefhebbende moeder bereid bleek niet alleen veel geld maar ook Cecils eersteklaspaarden en onschatbare connecties in de race-wereld beschikbaar te stellen om zijn carrière een zetje te geven, leek het onbeleefd om het niet op z'n minst te proberen... vooral omdat het alternatief was dat hij op de stoeterij ging werken. Anders dan bij Milly bleef Jaspers belangstelling voor het dekken strikt beperkt tot zijn eigen activiteiten op dat gebied. Al die onzin over stambomen vond hij maar saai.

Zijn vader zou willen dat hij zijn pogingen op de renbaan opgaf en zich in het familiebedrijf bekwaamde. Cecil had echter gemerkt dat het net zo moeilijk was Jasper naar de dekstal te krijgen als veren te plukken van een kikker. Hij werd in zijn luiheid gesteund door zijn moeder, die hem op een bijna ongezonde manier toegewijd was.

'Hij is nog jong, lieverd,' had Linda het afgelopen zomer voor hem opgenomen nadat een ziedende Cecil erachter was gekomen dat Jasper voor de paardenrennen in Sandown drie mille had uitgegeven aan meisjes en feestjes. 'Hij heeft nog tijd genoeg om alles over het bedrijf te leren. We mogen hem dat beetje plezier, of de kans om het beste uit zijn talent te halen, niet misgunnen.'

'Talent? Wat voor talent?' had Cecil uitgeroepen.

Linda wilde daar echter niets van weten. Zelfs alle bewijs van de wereld kon haar niet van het idee afbrengen dat haar elegante, knappe jongen de beste jockey van Engeland was. Ze legde de schuld van zijn beroerde prestaties steevast bij slechte paarden of inadequate trainers. Met zijn aangeboren ijdelheid duurde het niet lang voor hij zichzelf ervan wist te overtuigen dat zijn moeder gelijk had: misschien had hij inderdaad meer talent dan de mensen hem toedichtten. Doordat meisjes van York tot Epsom die indruk versterkten door zich – verblind door zijn gladde charme, knappe uiterlijk en tandpastaglimlach – van alle kanten op hem te storten groeide zijn ego al snel tot ongekende omvang.

'Prachtig paard.'

Robbie stond plotseling naast Jasper. Omdat hij de race feitelijk al in zijn zak had, kon hij het zich veroorloven vriendelijk te zijn, en toonde hij niets van de zenuwen van de andere ruiters, van wie velen de Oaks als het toppunt van hun carrière beschouwden.

'Dit ouwe beest?' zei Jasper uit de hoogte. 'Je maakt zeker een grapje? Ze loopt bijna op krukken.'

Het was onder jockeys een doodzonde om je eigen rijdier af te kraken, maar Jasper deed het voortdurend. Hij wist dat het hem een slechte reputatie opleverde, maar het alternatief zou zijn dat hij de schuld voor zijn belabberde prestaties bij zichzelf legde, en dat zou zijn kwetsbare zelfbeeld nooit toestaan.

'Ik zag je met de verrukkelijke juffrouw Delaney praten,' veranderde Robbie van onderwerp met een naar hij meende kameraadschappelijke knipoog, die Jasper echter helemaal verkeerd opvatte. 'Wilde je een kansje bij haar wagen?'

'En wat dan nog?' brieste Jasper. 'Je hebt echt geen monopolie op alle mooie meisjes, hoor.'

'Rustig maar. Je hoeft niet zo geïrriteerd te doen,' zei Robbie, en zijn glimlach stierf weg. Cecil Lockwood Groves was een aardige kerel, maar zijn zoon was een hufter. 'Ik wou alleen maar een praatje maken.'

'Zak,' mompelde Jasper terwijl hij van Robbie wegreed. Alleen maar een praatje maken! Het was duidelijk dat hij achter Rachel aan zat; hij was alleen niet mans genoeg om het toe te geven. Nou, hij kon doodvallen. Die wedstrijd zou de lelijke bastaarddwerg niet winnen!

Hij keek omhoog naar de eretribune en raakte ontmoedigd toen hij zijn moeder geanimeerd met de Delaneys zag praten. Linda was een vreselijke snob en probeerde in de gratie te komen bij iedereen die een titel droeg. Sir Michael Delaney mocht dan in Barnsley geboren zijn en zijn ridderschap hebben verdiend door een textielimperium op te bouwen, maar hij hoorde nog altijd tot die categorie; en bij uitbreiding ook zijn dochter. Linda had de zogenaamde 'vete' tussen Milly en Rachel altijd afgedaan als puberale onzin. En ze was zeker niet van plan zich erdoor te laten ontmoedigen in haar slaafse enthousiasme tegenover de Delaneys.

Jasper zag dat ze haar verrekijker op hem richtte en zwaaide. Ze moedigde lady Delaney zelfs aan hetzelfde te doen. Jezus, ze zag er vreselijk uit. Zelfs van deze afstand kon hij haar felgroene pakje en bijpassende hoed niet over het hoofd zien. Het behoefde geen betoog dat Linda's blinde liefde voor haar zoon niet werd beantwoord. Hoewel hij besefte dat hij haar te vriend moest houden, vooral als hij zijn zakgeld niet kwijt wilde raken, had hij haar openlijke adoratie altijd vreselijk beschamend gevonden.

Wat deed ze hier trouwens? Hoorde ze niet in Londen te zijn, om bloemen of zoiets te regelen voor dat stomme bal van Milly?

Tandenknarsend zwaaide hij terug, en hij bad dat ze niets zou doen wat zijn kansen bij Rachel zou kunnen verkloten.

Gelukkig werden zijn gedachten al snel afgeleid door de doordringende, afgemeten stem van de steward die over het inloopveld weerklonk: 'Naar de hekken, alstublieft!'

Er ging een zichtbare huivering van opwinding over de drukke Lonsdale Enclosure en de heuvel, waar bijna alle goedkope kaartjes waren opgekocht door gezinnen, lokale enthousiastelingen en hele wagonladingen lachende Ieren.

'Startposities innemen!'

Jasper hoorde zijn darmen weer dreigend rommelen en baande zich met de andere negen ruiters een weg naar de starthekken. Sommige paarden hadden van opwinding over de komende race hun ogen en neusgaten opengesperd en hadden het schuim om de mond staan. Andere, zoals Marigold Kiss, stonden er kalm bij en leken net zo ongeïnteresseerd als de koningin tijdens een optreden van het koninklijke variété.

Verdomde Ierse ploeteraar, dacht Jasper grimmig. Ze kon maar beter haar best doen zodra ze van start waren gegaan.

Bijna voor hij het in de gaten had, vlogen de starthekken open en gingen ze inderdaad van start. Hij was zich vaag bewust van het gebrul van de menigte en het oorverdovende hoefgetrappel dat hem omringde toen Marigold Kiss zich in de strijd stortte.

Jammer genoeg werd hij volkomen verrast door haar eerste uitbarsting van snelheid nu ze geconfronteerd werd met echte, levende tegenstanders.

'Shit!' riep hij toen zijn linkervoet uit de stijgbeugel gleed en hij merkte dat hij gevaarlijk over het zadel schoof. Hij werd zelfs bijna afgeworpen voordat hij er uiteindelijk in slaagde zich weer op te richten en zijn evenwicht hervond. 'Dubbel shit!'

Tegen de tijd dat hij weer op adem was gekomen waren de cruciale eerste seconden natuurlijk al voorbij. Zijn paard voelde zijn gebrek aan concentratie en beheersing aan en viel terug in een rustigere gang. Een paar seconden later zag Jasper tot zijn grote woede het grijze paard van Robbie voorbijstuiven naar de voorste gelederen, terwijl hij en Marigold Kiss nog verder achterop raakten.

'Vooruit, kreng!' brulde hij tegen het lawaai in, en hij sloeg bijna constant met zijn zweepje tegen de rechterflank van de jonge merrie. 'Lopen!'

Een gevoeligere, meer ontvankelijke ruiter zou wellicht een manier gevonden hebben om dat cruciale beetje extra energie en snelheid uit het jonge paard te krijgen toen dat het hardst nodig was. Jaspers krankzinnige, ongenuanceerde klappen met de zweep en geschreeuw leken echter een averechts effect te hebben. Voor hij het zich realiseerde lag de eerste mijl van de golvende, U-vormige baan al achter hem. Tegen de tijd dat hij de heuvel op ging naar de laatste tweehonderd meter, was hij nog verder teruggevallen en hij eindigde op een bepaald niet heldhaftige negende plaats.

Vol van verspilde inspanning en teleurstelling bracht hij het paard recht voor de tribune tot stilstand. Hij was net op tijd om te horen verkondigen dat Robbie Pemberton, zoals voorspeld, had gewonnen met anderhalve lengte.

Een golf van afgunst spoelde over hem heen toen hij zijn rivaal langzaam naar het winnaarsgedeelte zag rijden en hem de geschreeuwde vragen van de pers zag beantwoorden met de verlegen knikjes en het eenlettergrepige gemompel waarom hij bekendstond. Robbie sprong niet als Dettori nog tijdens het rijden van zijn paard; hij was niet geneigd tot onbetamelijk vertoon van emoties. Hij was een jockey van de oude school – het sterke en zwijgzame type – die zowel bij vrouwen als bij eigenaren in de smaak viel.

En nu zelfs nog meer, veronderstelde Jasper, nu hij twee van de drie belangrijkste races voor jonge paarden op zijn naam had geschreven. Wat een mazzelaar.

Jasper keerde ontroostbaar terug naar het inloopveld en werd daar al snel aangeklampt door een droefgeestige Marcus O'Reilly en Dominic Beale, Marigolds trainer.

'Pech gehad,' zei Marcus met teleurstelling in zijn stem terwijl hij Marigolds nek aaide. 'Je hebt je best gedaan, jongen.'

Marcus was een dikke, joviale Ier die renpaarden hield voor de lol en het winnen van races zag als niet meer dan de slagroom op de toch al bijzonder lekkere taart. Hij had niet de gewoonte zijn jockeys uit te kafferen, al hadden ze nog zo slecht gepresteerd. Bovendien had hij drie van zijn beste hengsten bij Cecil Lockwood Groves ondergebracht, dus hij wilde geen ruzie met de zoon van de fokker.

'Er kwam helemaal geen pech aan te pas.'

Dom Beale, die met zijn hoofd in zijn handen had toegekeken terwijl maanden hard werk werden verpest door deze idioot van een armzalige jockey, verkeerde duidelijk niet in dezelfde stoïcijnse, vergevingsgezinde stemming als zijn baas. Anders dan Marcus trainde hij renpaarden omdat hij wilde winnen, en hij blafte geregeld veel ervarener ruiters dan Jasper keihard af als hun prestatie onder de maat was.

Jasper had verschrikkelijk gereden.

'Noem jij jezelf een jockey? Zelfs mijn blinde grootmoeder had een betere race kunnen rijden!' brieste hij. 'Dit is geen eierrace bij de ponyclub, knul. Dit is verdomme Epsom. Je was een schande. En mocht je het je afvragen, St. Leger kun je wel vergeten.' Hij schudde vol afkeer zijn hoofd. 'Jezus christus!'

'Kom op, Dom, rustig aan,' zei Marcus. 'Ik weet zeker dat de jongen zijn best deed.'

Jasper zag vuurrood, maar of dat van woede, schaamte of uitputting was, was niet te zeggen. Over zijn rechterschouder zag hij Rachel heupwie-gend zijn kant op komen. Haar uitdagende laarzen zakten bij elke stap weg in het gras. De moed zonk hem in de schoenen, hoe geweldig ze er ook uit-zag. Het laatste wat hij wilde, was dat ze zag dat hem als een ondeugend kind de mantel werd uitgeveegd door Dom Beale.

Gelukkig werd ze aangesproken door een verdwaalde verslaggever, die ongetwijfeld haar reactie wilde horen op Pembertons prestatie. Rachel had vandaag zelf niet gereden, maar begon ook al naam te maken als wed-strijdruiter en ze werd herhaaldelijk geciteerd door de pers, die dol op haar was, deels omdat ze de dochter was van sir Michael Delaney en deels om-dat ze zo'n schoonheid was.

Goede vrouwelijke jockeys waren schaars. Knappe goede vrouwelijke jockeys waren zeldzaam als goudstof.

Terwijl zij werd opgehouden, baande Linda, die eruitzag als een mense-lijke limoen in haar felgroene pakje, zich een weg naar Jasper.

'Lieverd,' zei ze, haar gezicht een toonbeeld van medelijden en bezorgd-heid. 'Wat een vreselijke pech.'

Voor één keer was hij oprecht blij haar te zien. Zelfs Beale zou moeten inbinden nu er een dame aanwezig was.

'Je bent vast volkomen uitgeput.'

'Hallo moeder,' zei hij terwijl hij afsteeg en de tierende trainer de rug toekeerde om haar een kus te geven. 'Ik had je hier niet verwacht. Moest jij niet in Londen van alles regelen voor vanavond?'

'Eigenlijk wel, ja.' Ze keek vanonder haar hoed naar hem op met de ver-erende, liefdevolle blik die ze voor haar zoon reserveerde. Ze bezat de aan-trekkingskracht van een oudere vrouw die altijd superslank was geweest en van nature gezegend was met een jeugdige huid. Jammer genoeg had ze de neiging dat geschenk teniet te doen door te veel make-up te gebruiken en maakte ze de vergissing te denken dat een duur designerlabel een ex-cuus was voor schreeuwerige, vulgaire outfits zoals het groene geval van Jean Muir dat ze vandaag droeg.

'Maar ik kon je eerste klassieker voor jonge renpaarden toch niet zo-maar voorbij laten gaan?' zei ze met een onnozele grijns.

Door zich naar O'Reilly te wenden slaagde Linda er behendig, zij het onbedoeld, in de nog steeds ziedende Dominic buiten hun kleine kringe-tje te sluiten. Toen hij er uiteindelijk vandoor ging omdat hij het gekus en de grapjes niet langer kon verdragen, slaakte Jasper een zucht van verlich-ting.

Enkele ogenblikken later arriveerde Rachel, wier interview was afgelo-pen. Ze omhelsde Jasper als een verloren pup die na lange tijd eindelijk bij zijn baasje terugkeert. Hij had zich duidelijk geen zorgen hoeven te maken: zijn slecht gekozen wedstrijdkleding en belabberde prestatie leken haar niet te hebben ontmoedigd.

'Alles goed met je?' vroeg ze, terwijl ze haar hand in de zijne legde. 'Je zult wel vreselijk teleurgesteld zijn.'

'Dat was ik inderdaad,' zei hij, in haar hand knijpend. Fluisterend, zodat Marcus het niet kon horen, voegde hij eraan toe: 'Dat verdomde paard had vanaf het begin de handrem erop. Ik had geen schijn van kans.'

Als Rachel het al oneens was met zijn relaas liet ze dat in elk geval niet blijken.

Hij trok haar dichter naar zich toe en grinnikte wellustig. 'Maar ik begin me nu al beter te voelen. Veel beter zelfs.'

Hij streek met zijn duim over de binnenkant van haar pols en merkte tot zijn genoegen dat haar ademhaling versnelde. Dat werd een makkie.

'Ga je mee ergens anders heen?' fluisterde hij in haar oor terwijl hij heimelijk een warme, ruwe hand in haar jurk stak. Zijn moeder was nog druk in gesprek met O'Reilly, dus konden ze net zo goed nu meteen hun kans waarnemen.

'Nou en of,' zei ze giechelend. 'Ik dacht al dat je het nooit zou vragen.'

Een halfuur later lag Jasper op zijn rug op de vloer van Marigolds box met een naakte Rachel schrijlings op hem, die haar hoofd in haar nek gooide en kreunde in een zeer overtuigend vertoon van seksuele extase.

'O, ja!' hijgde ze, en haar spieren spanden zich krachtig samen om zijn pik toen haar orgasme vat op haar kreeg. 'O god, ja!'

'Zeg mijn naam,' zei hij. 'Zeg dat ik de beste ben die je ooit hebt gehad.'

'O, Jasper,' hijgde ze plichtsgetrouw. 'Ga alsjeblieft door! Je bent de beste! Je bent de beste aller tijden!'

Hij kwam klaar in drie korte, harde stoten, pakte haar stevige billen vast om zichzelf nog dieper in haar te kunnen trekken en maakte onwillekeurig een geluid dat deels zucht en deels triomfkreet was.

Hij had het gedaan. Hij had de meest fantastische meid in de racewereld geneukt.

Robbie Pemberton mocht dan de favoriet van de bookmakers zijn, hij speelde nog steeds de tweede viool na Jasper Lockwood Groves als het om de vrouwtjes ging. Rachel had iedere man op de renbaan kunnen krijgen... maar ze had hem gekozen.

Niet Robbie. Hem.

Rachel kwam langzaam van zijn snel slap wordende pik af en pakte een handvol stro om zichzelf schoon te vegen. De seks was goed geweest. Niet geweldig, maar zeker niet slecht, en zijn pik was tenminste redelijk groot geweest.

Niettemin was het een geslaagde missie – het was haar gelukt om de broer van Milly Lockwood Groves te verleiden – en om die reden kon ze het niet nalaten te glimlachen.

Als Jaspers vriendin zou ze over onbeperkte mogelijkheden beschikken om Milly te irriteren. Ze kon voortdurend bij de stallen rondhangen en de paarden berijden die voor haar rivale verboden waren. En wat kon er gemakkelijker zijn dan in het gevlij komen bij de ordinaire, maar pretentieuze moeder van Milly en Jasper?

Na de manier waarop Milly haar in hun kinderjaren de baas was geweest door moeiteloos elke behendigheidswedstrijd of steeplechase van de ponyclub te winnen, en het feit dat ze háár plaats had ingepikt bij de nationale wedstrijden onder de zestien, was dit niet meer dan Milly's verdiende loon.

Heerlijk.

Het was ook vreselijk gemakkelijk geweest. Ze begreep niet waarom ze er niet al jaren geleden aan had gedacht. Ze had de ijdele Jasper er zelfs van weten te overtuigen dat het allemaal zijn idee was geweest. Hij beschouwde zichzelf kennelijk als een echte donjuan. Maar goed, als hij zichzelf wilde wijsmaken dat zij onschuldig en machteloos tegenover zijn dierlijke magnetisme stond, dan had zij daar geen problemen mee. Het enige wat telde was dat ze Milly een hak kon zetten. En deze keer had ze het echt prima voor elkaar.

Milly zat later die avond naast haar moeder in een zwarte taxi en was er na aan toe iemand neer te schieten... misschien wel zichzelf.

Tegen de tijd dat Linda was teruggekeerd in de flat in Pimlico, borrelend van enthousiasme over Robbie Pembertons triomf en met de gebruikelijke verontschuldigingen voor Jaspers belabberde prestatie – Milly begreep gewoonweg niet hoe een serieuze eigenaar als Marcus een idioot als haar broer had kunnen kiezen om in een prestigieuze race te rijden –, was zij al aan het eind van haar Latijn geweest. Alsof het al niet erg genoeg was om de Oaks te moeten missen en naar dat verdraaide stomme bal te moeten, was ze ook nog eens de hele middag gedwongen een pedicure te ondergaan, haar haren te laten föhnen en zich te laten harsen tot ze zich net een geplukte kip voelde.

Ze vroeg zich af wat de vrouwen bezielde die zich elke week vrijwillig aan dergelijke kwellingen onderwierpen, terwijl het lieve maar oerstomme meisje dat Linda een klein fortuin had betaald om naar de flat te komen en haar 'haren te doen' voor het bal, aan de zoveelste preek over haar gespleten punten begon.

'Gebruik je eigenlijk ooit wel eens conditioner?' vroeg ze tijdens haar verwoede pogingen een kam door Milly's verwarde haren te halen. 'Je zou het echt vaker moeten laten knippen, weet je. En regelmatig laten behandelen met hot oil.'

Ik stort mezelf nog liever in de hete olie dan dat ik dit allemaal nog een keer doormaak, dacht Milly, maar ze probeerde beleefd te blijven en zich te beheersen. De enige keer dat ze zich die dag liet gaan was toen Karen, de mollige 'dame' van Colour Me Beautiful, haar ervan probeerde te overtuigen dat alle problemen in haar leven werden veroorzaakt doordat ze niet genoeg paars droeg.

'Als je het paars mengt met het roze boven je ogen, zó,' blaatte ze stompzinnig, 'dan zul je het met me eens zijn dat dat een prachtig, subtiel effect geeft.'

'Subtiel? Bent u soms blind?' Milly kon zich niet langer inhouden en verloor eindelijk haar kalmte. 'Ik zie er in die idiote jurk toch al uit als Barbara Cartland, moet ik nou ook nog Dame Edna worden?'

In feite zag ze er, ondanks de frons waarmee ze achter in de taxi zat, niet half zo slecht uit als ze dacht. Ze had de strijd met haar moeder gewonnen. Ze droeg de lange strakke blauwe jurk van tafzijde in plaats van het roze monster, en zag er heel geraffineerd uit, in elk geval als ze zat… De diamanten schoenen van Manolo Blahnik waren prachtig, maar ze kon er niet op staan, laat staan lopen.

Het huidskleurtje uit een tube waar ze zich die middag zo hevig tegen had verzet was in feite heel goed uitgevallen, zodat de ijsblauwe jurk haar niet meer zo bleek maakte. En met haar loshangende glanzende haren, een klein beetje bruine oogschaduw en wat dagcrème op haar gezicht zag ze er ouder, eleganter en – al zou ze dat zelf niet gedacht hebben – heel sexy uit.

'Ik wist wel dat hij het zou verprutsen.' Ze had het nog steeds over Jaspers afgang die middag op Epsom. 'Paarden voelen het aan als een jockey geen benul heeft waar hij mee bezig is.'

'Praat geen onzin, Milly,' zei Linda kortaf. 'Dat paard was overtraind. Dat kon iedereen zien.'

'Wat een geouwehoer,' zei Milly. 'Ik wed dat ik veel meer uit haar had kunnen halen. Ze deed het eerder dit jaar in Ierland ook heel goed. Jasper is het probleem.'

'Lieverd, ik weet dat het moeilijk voor je is dat je broer een professioneel jockey is,' berispte Linda haar, 'maar het is nergens voor nodig dat je hem voortdurend afkraakt.'

'Zei je "professioneel"?' sputterde Milly. 'Jasper? Wat een giller! O'Reilly heeft hem alleen gekozen omdat hij pap te vriend wil houden. Bovendien kraak ik hem niet af. Ik zeg gewoon waar het op staat.'

'Je was er niet eens bij, lieverd,' wees Linda haar op redelijke toon terecht.

'En dat was verschrikkelijk oneerlijk,' sprong Milly voor de zoveelste keer die avond op haar stokpaardje. 'Die stomme Rachel Delaney mag in het hele land rijden, en ik mag niet eens gaan kijken als mijn eigen broer zichzelf voor paal zet tijdens een van de belangrijkste evenementen van het jaar.'

Linda zuchtte. Ze had meer dan genoeg van dit zinloze, steeds terugkerende gesprek.

'Laten we het daar nou niet weer over hebben,' zei ze vermoeid. 'Niet vanavond. Je weet waarom we je niet laten rijden, en wat Rachel wel of niet doet, is helemaal niet van belang. Ik zat vandaag trouwens bij haar en haar ouders op de eretribune en ik moet zeggen dat ik haar bijzonder charmant vond.'

Milly rolde met haar ogen. Hoe kon haar moeder zo blind zijn?

'Ze was ook buitengewoon complimenteus over Jasper,' kwebbelde Linda verder. 'Denk je dat die dwaze vete waar je het steeds over hebt misschien voorbij zou kunnen zijn? Ik merkte er van Rachels kant namelijk heel weinig van. Ze vroeg zelfs naar je. Ze wilde alles weten over je jurk…'

Milly luisterde niet eens meer. Dat Rachel 'complimenteus' was over Jasper kon maar één ding betekenen.

'O, dus ze liep om Jasper heen te draaien, hè?' zei ze ongelovig. 'Wat een verrassing. Hij is zo ijdel dat hij daar waarschijnlijk als een blok voor gevallen is, klopt dat?'

'Ik heb geen idee waar je het over hebt, Milly,' zei Linda stug, 'maar je broer is níét ijdel.'

'Ha! En niet zo beetje ook!' Milly's stem droop van het sarcasme. 'Ben ik de enige die doorziet waar ze hem voor gebruikt?'

'Hem gebruikt?' Linda keek haar dochter verbaasd aan.

'Om mij te stangen,' zei Milly geërgerd. 'Toe nou, mam. Ze heeft zelfs jou ervan overtuigd dat ze rechtdoorzee is. Mijn eigen moeder!'

'Je gedraagt je belachelijk.' Linda liet haar poederdoos terug in haar tas vallen en klikte die stevig dicht om aan te geven dat het onderwerp was afgesloten. 'Laten we ons liever op vanavond concentreren, oké? En probeer alsjeblieft te glimlachen als we daar zijn, lieverd. Niemand wil met je dansen als je als een kind van drie loopt te mokken.'

Milly tuurde nukkig naar buiten. Wanneer zouden haar ouders het eindelijk begrijpen? Als haar vader nou maar die idiote angst opzijzette en haar nog een kans gaf met racen, dan zou alles anders kunnen zijn. Maar nee. Haar moeder had haar grootse plannen al klaar: een carrière en een vette erfenis voor Jasper, en een huwelijk vol opoffering op een of ander afschuwelijk landgoed voor haar. En Cecil zou het allemaal gewoon laten gebeuren.

En om het nog een graadje erger te maken leek Rachel Delaney er nu ook nog op gebrand haar eigen familie tegen haar op te zetten. Was het niet genoeg dat ze haar plaats als belangrijkste vrouwelijke jockey van Engeland had afgenomen?

Kennelijk niet.

'Hoor eens, lieverd,' zei Linda, die haar somberheid aanvoelde. 'Ik weet dat je teleurgesteld bent omdat je er vandaag niet bij kon zijn. Maar wil je niet in elk geval probéren er een leuke avond van te maken? Het is je debutantenbal! Er is meer in het leven dan alleen paardenraces, weet je. Ik snap niet waarom je jezelf per se zo wilt beperken.'

Nee, dacht Milly droefgeestig terwijl ze naar de zilverkleurige weerspiegeling van de maan in het smerige water van de Theems keek. Ze naderden Westminster en ze zag de vertrouwde gevel van de Big Ben, die van onderaf door schijnwerpers werd verlicht. Je snapt het inderdaad niet... omdat je nooit naar me luistert. Jij niet, en pap ook niet.

Niemand luistert ooit naar mij.

Haar moeder hechtte grote waarde aan punctualiteit en verscheen meestal als eerste op een feestje, dus was Milly opgelucht dat ze deze keer op een fatsoenlijk tijdstip bij het Grosvenor House Hotel arriveerden. Ze betaalden de taxichauffeur en liepen naar de balzaal, Linda gracieus schrijdend, Milly strompelend op de Manolo's als een babygiraf op stelten.

In een hoek dicht bij de bar stond al een groepje jongens, niet ouder dan eenentwintig, bij elkaar. Ze lachten te hard om elkaars grappen. De meesten zagen eruit om door een ringetje te halen, maar sommigen probeerden op te vallen in een bijzonder vestje vol rode zoenlippen of kleurrijke tekenfilmfiguurtjes.

Milly vond het deprimerend. Wat een zootje prepuberale feestneuzen. Wat deed ze hier in hemelsnaam?

'Kijk, lieverd, daar heb je Harry Lyon,' zei Linda, enthousiast naar de kleinste en meest puisterige van de jongens wijzend, die een Schots geruit vestje droeg, waarschijnlijk een toespeling op zijn aristocratische Schotse afkomst. 'Je kent Harry toch? Hij speelde vorig jaar met kerst Algernon in *Het belang van Ernst*. Weet je nog?'

Milly schudde haar hoofd. Ze had haar uiterste best gedaan de troep klungels en druiloren van de theatergroep te vergeten met wie ze vele weekends had moeten doorbrengen, zodat ze alle opwinding van de renbaan had gemist die Jasper wel had kunnen ervaren.

Linda was echter op dreef en negeerde haar hoofdschudden en verveelde blik. 'Harry zat tot vorig jaar op Eton,' dweepte ze. Ze beschouwde dat kennelijk als een aanbeveling. 'Ik denk dat hij nu op Sandhurst zit, net als zijn vader vroeger. Joehoe! Harry!'

Ze zwaaide vrolijk naar de ongelukkig kijkende jongen, die meteen voor de gek werd gehouden door zijn vrienden. Even later trok ze een vernederde Milly door de zaal mee naar hem toe.

'Je kent Milly nog wel, hè?' zei ze opgewekt, en ze duwde haar dochter naar voren als een ritueel offer. 'Ze kent hier niet veel mensen. Ik vroeg me af of je zo vriendelijk zou willen zijn haar onder je hoede te nemen, tot er meer meisjes zijn gearriveerd?'

Alsjeblieft, God, ik wil dood, dacht Milly, en ze slaagde erin een wanhopige glimlach te produceren voor Harry en zijn vrienden. Hij glimlachte terug. Kennelijk voelde hij zich net zo slecht op zijn gemak als zij, en herinnerde hij zich haar ook niet meer van de toneelgroep. Toen Linda verdween om zich aan de andere kant van de dansvloer bij Harry's moeder te voegen, wisten ze zich even geen van beiden een houding te geven. De andere jongens, volkomen van hun stuk door de plotselinge aanwezigheid van een echt, levend, aantrekkelijk meisje in hun midden, waren vertrokken en hadden hun vriend aan zijn lot overgelaten.

'Wil je… misschien dansen?' mompelde hij uiteindelijk. Hij probeerde oogcontact te houden en zijn blik niet te laten afdwalen naar Milly's gebronsde borsten, die uit hun blauwe tafzijden gevangenis leken te willen ontsnappen.

Arme knul. Hij leek zich nog veel ongemakkelijker te voelen dan zij.

'Niet echt,' zei ze. 'Maar ik zou wel wat te drinken lusten.'

'Het enige wat ze op het moment serveren is die vreselijke alcoholvrije punch.' Hij wees naar een grote zilveren schaal achter hen, met een of andere Tsjernobyl-groene vloeistof en de helft van de Europese fruitberg erin. 'Ik geloof dat een stel van de moeders zich zorgen maakte dat de jongens zich zouden bezatten voor de eigenlijke ceremonie begon. Milo Saunders was vorig jaar kennelijk vreselijk dronken en probeerde zijn hand in de jurk van Rachel Delaney te steken net voordat ze werd voorgesteld.'

'Hmm,' zei Milly snuivend. 'Hij moet wel dronken geweest zijn om het met dat kreng te willen aanleggen.'

Harry grinnikte. Hij had in het verleden ook kennisgemaakt met de ijdele, hatelijke Rachel en was geen fan van haar.

'Ik neem aan dat er straks wel bier geschonken zal worden, maar de eerste paar uur in elk geval niet.'

Milly's gezicht betrok. Ze had nog nooit van haar leven zo'n behoefte gehad aan een stevige borrel als vanavond.

'Ik heb wel een paar jointjes, die ik eerder vandaag gerold heb,' zei hij aarzelend. Hij hoopte dat ze niet pertinent tegen was en gillend naar haar moeder zou rennen om hem er ten overstaan van de hele zaal van te beschuldigen dat hij drugs dealde. Algauw zag hij haar tot zijn opluchting echter ondeugend glimlachen.

Hij haalde een zilveren sigarettendoosje uit zijn binnenzak en gunde haar een steelse blik op drie onberispelijk gerolde joints.

'Hier is iets wat Harry eerder heeft gemaakt,' giechelde ze in haar beste imitatie van Valerie Singletons Blue Peter.

'Met dubbelzijdig plakband, zodat het sneller ging!' maakte hij het voor haar af, en ze brulden allebei van het lachen. Het leek plotseling helemaal niet meer zo moeilijk om met haar te praten. 'Dus je rookt ook?'

'Vanavond in elk geval wel.' Ze rolde met haar ogen in de richting van de andere debutantes, die opgewonden kletsten en naar de jongens wezen alsof ze nog nooit iemand van het mannelijk geslacht hadden gezien. 'Wat een godsgruwelijke nachtmerrie.'

'Ik weet het,' zei Harry begripvol. 'Mijn moeder heeft me gedwongen te komen. Met een rijzweepje in haar hand.'

'De mijne ook,' zuchtte Milly. 'Ik geloof dat ze me wil verkopen aan de hoogste bieder. Kom mee.' Ze pakte Harry bij de hand en trok hem mee naar de nooduitgang. Misschien was hij toch niet zo'n aristocratische niksnut. 'Laten we snel maken dat we hier wegkomen met die jointjes.'

Twee uur later lag ze languit op een plat dak aan de achterkant van het hotel, lekker warm in Harry's smokingjasje, naar de sterren te kijken. Ze waren allebei stoned.

'Denk je dat ze ons al gemist hebben?' vroeg Harry. Hij nam een hap van de reep die hij beneden uit de cadeaushop had gejat en gaf hem toen aan Milly. Hij had inmiddels vreselijke trek.

'Kweenie,' zei ze, dankbaar van de chocolade etend. 'Waarschijnlijk wel… O!' riep ze plotseling uit, alsof haar net iets vreselijk belangrijks te binnen schoot. 'Denk je dat we het buigen voor de taart hebben gemist? Mijn moeder wordt vast razend als dat zo is.'

Harry begon weer te giechelen. 'Buigen voor de taart!' zei hij telkens weer, tot de woorden zo belachelijk klonken dat ze allebei dubbelsloegen van het lachen.

'Heb ik je al verteld,' zei Milly toen ze eindelijk weer op adem was, 'dat ik Rachel Delaney haat? Ik haat haar, haat haar, háát haar!'

'Ja, dat had je al gezegd,' zei hij, langzaam knikkend. 'Twee keer zelfs. Of was het nou drie keer? En je hebt me ook verteld dat ze achter je broer aan zit…'

'Die ik ook haat.'

'Die je ook haat. En dat ze een beroerde ruiter is, en dat ze alleen maar op aarde is om jou het leven zuur te maken.'

Milly keek hem stralend aan. 'Je hebt dus toch geluisterd?'

'Natuurlijk,' zei Harry. 'Hoe kan ik anders, bij zo'n mooi meisje als jij?'

Milly bloosde. Ze voelde zich plotseling erg onzeker. Harry was heel aardig, maar ze viel absoluut niet op hem en ze was te onervaren om een compliment te accepteren zonder het te verprutsen. Ze had op dat gebied weinig oefening gehad; de meeste jongens schrokken – lang voor ze de kans kregen iets aardigs te zeggen – terug voor de tegendraadse robbedoes die ze was.

'Misschien kunnen we beter terug naar binnen gaan,' mompelde ze slecht op haar gemak. 'Ik heb geen idee hoe lang we al hier buiten zijn, jij wel?'

Harry schudde zijn hoofd. Hij had zin om haar te kussen, maar durfde het niet. Het was bovendien zo'n heerlijke, ontspannen avond geweest – Milly was echt een bijzondere meid – dat hij het nu niet wilde verpesten door een ondoordachte uitval.

'Ik weet het niet,' zei hij. 'Maar je hebt gelijk. We kunnen maar beter teruggaan.' Hij kwam wat onvast overeind en veegde zijn broek schoon, stak haar toen ridderlijk zijn hand toe en trok haar overeind. Al snel was het onbehagen verdwenen en wankelden ze, giechelend als kleine kinderen, over het dak. Op een gegeven moment moest Milly zo vreselijk lachen dat ze uitgleed en op de brandtrap viel, waarbij ze haar enkel pijnlijk omzwikte.

'Verdomme!' zei ze toen ze iets voelde knappen onder haar voet. 'Volgens mij is de hak van een van mijn Manolo's afgebroken. Die dingen hebben mam een fortuin gekost.'

'Dat doet er niet toe,' zei Harry bezorgd. 'Hoe is het met jóú?'

'O, goed hoor,' zei ze zorgeloos. Ze was vroeger vaak van galopperende paarden gevallen en had een hoge pijndrempel. 'Ik weet alleen niet of ik kan lopen. Misschien moet je me even helpen weer naar binnen te komen.'

Toen ze een paar minuten later de balzaal binnenstrompelden, zagen ze tot hun schrik dat zowat de helft van de debutanten en hun partners al weg was en het feestje kennelijk op zijn einde liep. De prachtige, witgeglazuurde, vier verdiepingen tellende taart, het middelpunt van de avond en de ceremonie, was al in honderden stukjes gesneden, waarvan sommige gretig werden verschalkt door de paar nog resterende moeders, of in papieren servetjes werden gevouwen en in hun handtassen werden gestopt, waarschijnlijk voor het nageslacht.

Verdomme. Haar moeder zou uit haar vel springen.

'Milly!' Precies op dat moment verscheen Linda, haar ogen tot spleetjes geknepen en haar lippen boos samengeperst. Ze werd vergezeld door een al even dreigend kijkende mevrouw Lyons, Harry's moeder. 'Waar zat je in hemelsnaam? We hebben je overal gezocht! Als ik niet wist dat je bij Harry was, had ik de politie gebeld.'

'Het is mijn schuld, mevrouw Lockwood Groves,' zei Harry nobel. Hij mocht dan een soldaat in het Britse leger zijn, maar Milly betwijfelde of hij ooit tegenover twee zulke angstaanjagende tegenstanders had gestaan als hun moeders, en ze was erg dankbaar voor zijn steun. 'We zaten op het dak te praten en moeten de tijd vergeten zijn.'

'De tijd vergeten? Jullie zijn alles misgelopen! Hoe kon je, Milly, na alles wat ik heb gedaan?'

Er prikten tranen in haar ogen en Milly kon zien dat haar moeder niet alleen boos, maar ook oprecht gekwetst was. Voor het eerst die dag voelde ze zich een beetje schuldig over haar eigen gedrag. Oké, ze had dus de Oaks moeten missen voor een stom bal, en ze had alle reden om daar kwaad over te zijn. Maar diep in haar hart wist ze dat haar moeder, hoe dwaas ze ook was, wel degelijk het beste met haar voorhad. Ze wist ook dat ze zich uit de naad had gewerkt om alles voor die avond voor elkaar te krijgen.

'Het spijt me,' zei ze welgemeend. Jammer genoeg werd het effect van haar verontschuldiging tenietgedaan doordat ze opnieuw struikelde met de kapotte schoen, op de vloer gleed en Harry in haar val meesleurde, waarna ze allebei weer de slappe lach kregen. Ze wist dat het niet grappig was, maar ze was zo high dat ze er niets aan kon doen.

'Ga naar beneden en stap in de auto,' schreeuwde Linda. Dat Milly haar uitlachte, na alles wat er al was gebeurd, was de druppel. 'Kijk nou hoe je eruitziet!' Ze beefde van woede. 'Denk je ooit wel eens aan iemand anders dan jezelf?'

Milly durfde niet naar haar op te kijken. Ze keek heel even naar Harry en meende een vluchtige, meelijdende glimlach te zien toen ze moeizaam overeind kwam. Het had echter geen zin om bij hem of wie dan ook naar steun te zoeken. Hij kon helemaal niets zeggen of doen om haar te redden.

'Je vader zal hierover worden ingelicht, jongedame, zodra we thuis komen,' beet Linda haar toe. En daarna deelde ze haar de genadeklap uit: 'En denk maar niet dat je deze zomer nog mag helpen op de stoeterij. Zolang jij je niet fatsoenlijk kunt gedragen, kom je niet meer in de buurt van die paarden, en daarmee basta.'

Milly sperde vol afgrijzen haar ogen open. De hele zomer? Dat meende ze toch zeker niet?

'Ik meen het, Milly,' zei Linda, op een toon die haar tot op het bot verkilde. 'De stallen zijn vanaf morgen voor jou verboden terrein.'

5

De begrafenis van Hank Cameron was het grootste evenement in Solvang in meer dan veertig jaar.

Cowboys uit de hele staat kwamen hun respect en eer betuigen bij het heengaan van een Californische legende. Het was eigenlijk vreemd hoe de reputatie van de oude man tijdens zijn leven was gegroeid. Ondanks, of misschien juist dankzij, zijn teruggetrokken leven en de angstvallig bewaakte privacy op Highwood, leek het beeld van Hank Cameron als de laatste ware cowboy diep in het bewustzijn van de mensen te zijn geworteld.

Bobby's moeder had hem, in een zeldzaam ogenblik van wijsheid, eens verteld dat de mensen Hank vereerden omdat ze iets nodig hadden om in te geloven. Een held aan wie ze zich konden vastklampen terwijl hun manier van leven, hun traditionele westerncultuur, hun onverbiddelijk ontglipte. Als de mensen tegenwoordig aan cowboys dachten, dan was dat de Hollywood-versie: Clint Eastwood, John Wayne, de Marlboro Man. Misschien kwamen ze in hun stationwagens en suv's, met hun te zware kinderen aan hun gameboys gekluisterd op de achterbank, hierheen voor een weekend op een vakantieboerderij, waar de westernerfenis hun op een dienblaadje werd aangereikt met een reusachtige hoed en een bord vol spareribs erbij. Maar de echte cowboytradities, het oude leven van de veeboeren dat eens het kloppende hart had gevormd van de Santa Ynez-vallei, dat was op sterven na dood. Hank Cameron, zijn Highwood-ranch en alles waarvoor die gestaan had... het waren voor veel mensen de laatste bastions van die dierbare, maar verdwijnende wereld.

Bobby zag er stijfjes en formeel uit in zijn zwarte pak met stropdas en kon zich niet herinneren dat hij zich ooit zo onbehaaglijk had gevoeld. Alsof de hitte en de jeukende stof van zijn broek al niet erg genoeg waren, had hij ook nog het gevoel dat alle ogen op hem gericht waren en de mensen leken te wachten op een of andere uitbarsting van emotie.

Wat wilden ze in godsnaam van hem? Iedereen wist dat hij en zijn vader niet met elkaar overweg hadden gekund. Toch voelde hij zich harteloos nu hij zag dat overal om hem heen vreemden hun ogen droogdepten terwijl hij geen traan kon laten. Hij kreeg het warmer van de druk om de menigte iets te moeten laten zien dan van de blakerende middagzon.

Niet dat hij geen gevoelens had; die waren alleen zo verdomd verwarrend. Er raasde een storm van verdriet en opluchting, woede en spijt door zijn hoofd, dat bonkte van de pijn. Bovendien was hij zijn vaders zoon en had hij nooit zijn hart op de tong gedragen.

'Wees niet te hard voor jezelf,' zei Maggie McDonald, die zijn arm beetpakte toen ze na het vertrek van de laatste rouwenden eindelijk terugliepen naar de ranch. 'Iedereen gaat er op zijn eigen manier mee om. Verdriet is meer dan alleen maar tranen.'

Bobby glimlachte dankbaar. Maggie was lang geleden een surrogaatmoeder voor hem geworden. Hij hield nog wel van Diana – ze waren allebei rebelse, rusteloze geesten en waren de afgelopen jaren weer tamelijk hecht met elkaar geworden –, maar het was een opluchting om een tweede moeder te hebben die alle stabiliteit en wijsheid bezat die de eerste miste.

'De ranch runnen wordt al een hele uitdaging zonder dat je je ook nog druk loopt te maken over wat de mensen over je zeggen,' merkte ze op. 'Bovendien begrijpen de mensen het echt wel, Bobby. Beter dan je waarschijnlijk denkt.'

'Het zal wel,' zei hij weifelend. Hij was bijna zijn hele leven een buitenstaander en een eenling geweest en deelde niet haar vertrouwen in de menselijke natuur. Op één punt had ze echter wel gelijk, bedacht hij toen hij het hek voor haar openmaakte en ze de lange oprijlaan op liepen: Highwood zou een verdomd grote uitdaging worden. Met alle voorbereidingen voor de begrafenis had hij nauwelijks tijd gehad om de boeken in te kijken, laat staan om een strategie te bedenken om het tij voor de noodlijdende ranch te keren.

Hij kon echter niet langer om de hete brij heen draaien en moest nu snel iets verzinnen.

Na een slapeloze nacht zadelden Wyatt en hij de volgende ochtend hun paarden voor een lange rit over het terrein van de ranch. Bobby luisterde, merendeels zwijgend, terwijl de oudere man een paar van de grootste probleemgebieden aanwees en hem inlichtte over de beroerde financiële toestand van Highwood.

'Het staat er slecht voor,' begon hij op nuchtere toon, toen ze de hoge weilanden op reden aan de andere kant van de kreek die door de vallei heen kronkelde. 'Erg slecht. Maar ik neem aan dat je dat al wist, klopt dat?'

'In grote lijnen,' zei Bobby, die snel afsteeg om een verrot stuk hekwerk af te breken dat was losgeraakt en gevaarlijk uitstak. Zo'n scherpe punt had het vee kunnen verwonden. 'Maar je weet hoe pa was. Hij praatte niet graag over cijfers. Met mij in elk geval niet.'

Wyatt grinnikte. 'Vat het niet persoonlijk op, jongen. Ik heb bijna mijn hele leven met je vader samengewerkt en ik moest altijd strijd met hem leveren om hem zover te krijgen dat hij de boeken met me doornam. Hier buiten…' Hij wees naar de licht golvende weilanden die hen omringden terwijl Bobby lenig weer op zijn pony sprong. 'Hier buiten was Hank geniaal, dat kan ik niet ontkennen. Maar daarginds' – hij wees naar het kantoor van de ranch, een vlekje met een rood dak ver beneden hen in de vallei – 'had je vader ongeveer evenveel nut als een waterpistool bij een bosbrand.'

Ze reden een poosje verder terwijl Wyatt de belangrijkste zaken uitlegde waar de ranch als bedrijf mee te maken had. De prijs van rundvlees was de afgelopen drie jaar bijna gehalveerd, en alle plaatselijke veeboeren hadden daaronder geleden. Doordat Hank echter had volhard in het fokken van traditionele rassen, in plaats van het tegenwoordig meer gebruikelijke en winstgevender Engelse slachtvee, had Highwood meer geleden dan de meeste ranches, en zijn weigering om er iets anders bij te doen was financieel ook nadelig geweest voor de ranch.

'Eerlijk gezegd,' zei Wyatt toen hij de hele litanie van hun zakelijke problemen had doorgenomen, 'weet ik niet eens of we zonder jouw inkomsten als paardentrainer de afgelopen twee jaar de rente en aflossing wel hadden kunnen betalen. Dat weet ik echt niet.'

'Jezus,' zei Bobby. Hij schudde zijn hoofd, veeleer van frustratie dan van boosheid. Hij had altijd een immens respect gehad voor Dylans vader en dat zou altijd zo blijven. Maar hoe had Wyatt kunnen toestaan dat zijn eigen vader het zo ver liet komen?

'Waarom heb je me dat niet eerder verteld? Misschien had ik dan iets kunnen doen.'

Wyatt keek hem doordringend aan.

'Nou, Bobby Cameron,' zei hij goedmoedig. 'Je weet zelf het antwoord op die vraag. Het was niet aan mij om dat te doen. Je vader was de baas.'

Hij had natuurlijk gelijk. Hank zou er niet over gepeinsd hebben zijn financiële problemen met iemand te delen, en al helemaal niet met zijn 'koppige' zoon. Daar was hij te trots voor geweest.

'Ik vertel het je nu,' zei Wyatt, 'omdat jij nu de baas bent.'

Dat hoor ik wel vaker, dacht Bobby.

Wat ironisch dat het zijn inkomsten als paardentrainer waren geweest die Highwood van de ondergang hadden gered. Zijn ouweheer was het nooit met zijn carrièrekeuze eens geweest, vooral niet toen hij daarvoor

Californië moest verlaten. Hij had Bobby's klanten altijd 'die gasten uit Kentucky met hun chique broeken' genoemd. Die minachting gold iedereen, van kleine lokale fokkers met een renpaard op de tweede plaats in de San Rafael Stakes tot sjeik Mohammed in eigen persoon. Als iemand het hem gevraagd had, zou hij waarschijnlijk zelfs de koningin van Engeland 'een van die gasten uit Kentucky met hun chique broeken' hebben genoemd.

Bobby leunde achterover in het zadel en liet de teugels wat vieren. Ze hadden bijna het hoogste punt van het terrein bereikt. Het was al na vijven, maar de late zomerzon deed nog goed zijn best en hij overzag zijn stukje paradijs door een trillend hittewaas. Ver weg, buiten de grenzen van de ranch, zag het land er droog en stoffig uit na vier maanden zonder een druppel regen. Maar Highwood, met zijn goed verzorgde en geïrrigeerde velden, lag groen aan zijn voeten, als de magische Smaragdstad van Oz.

Nu hij er zo op neerkeek, werd hij overweldigd door liefde voor deze plek. Heel even dacht hij dat de tranen die hij bij zijn vaders begrafenis niet had kunnen plengen, eindelijk zouden komen.

'Ik ben niet van plan dit kwijt te raken, Wyatt,' fluisterde hij. 'Ik sta niet toe dat we ten onder gaan.'

'Ik ben blij dat te horen,' zei Wyatt, die zijn pony naast hem tot stilstand bracht. 'En daar heb ik ook nooit aan getwijfeld, jongen.'

Wyatt hield van Bobby als van een eigen zoon. Hoewel hij diens opstandigheid altijd had afgekeurd, begreep hij wel waar die vandaan kwam. Hank had als vader niet veel voorgesteld, en Diana was zelf nog een kind geweest toen Bobby werd geboren; het was dan ook geen wonder dat de jongen volgens zijn eigen regels had leren leven.

Ondanks zijn verzet tegen elke vorm van gezag, vooral dat van zijn vader, had Bobby echter duidelijk een groot plichtsbesef; niet alleen jegens Highwood, maar ook jegens de cowboytradities die de familie Cameron zeven generaties lang had hooggehouden. Hank had altijd gemeend dat hij met zijn carrière als paardentrainer zijn afkomst verloochende en zijn naam verraadde, maar hij had het mis gehad. Als hij zijn zoon nu zou kunnen zien, zo overweldigd door liefde voor de ranch, dan zou hij beseffen dat de jongen in zijn hart altijd al een cowboy was geweest en dat altijd zou blijven.

Dat was meer dan Wyatt van zijn eigen zoon kon zeggen.

'Zoals ik het zie,' zei Bobby, die zijn keel schraapte en met enige moeite zijn emoties onder controle kreeg, 'hebben we twee mogelijkheden. Of we gaan door zoals we bezig zijn en proberen iets te maken van de veehandel…'

'En gaan erbij ten onder,' zei Wyatt.

'En gaan erbij ten onder,' stemde Bobby met hem in. 'Of we proberen iets nieuws.'

'Hmm.' Wyatt besloot hem een beetje te plagen. 'En iets nieuws heeft zeker niets te maken met het trainen van volbloeden, of wel?'

'Bijna goed,' zei Bobby grinnikend. 'Maar niet helemaal.'

'O?' Wyatt keek hem met gepaste verbazing aan.

'Quarterhorses. Renpaarden voor de korte baan,' legde Bobby uit.

'Wat is daarmee?'

'Trainen, ja. Maar geen volbloeden. Quarterhorses. Dat is het antwoord.'

'Waarop?' vroeg Wyatt. 'Praat niet in raadsels, wil je? Daar ben ik te oud voor.'

Bobby wierp hem zijn teugels toe, sprong op de grond en begon al pratend heen en weer te lopen en opgewonden met zijn armen te zwaaien.

'Ik heb hier veel over nagedacht. Sinds ik in Frankrijk het nieuws kreeg... over pa.' Hij streek zijn haren uit zijn ogen en keek Wyatt recht aan. 'En ik besef dat ik paarden móét trainen. Dat heb ik nodig. Net als lucht, als water, als...' Hij zocht naar de beste woorden om het uit te leggen. 'Het is niet wat ik doe; het is wie ik ben.'

'Dat weet ik, wel,' zei Wyatt zacht. 'We begrijpen het allemaal, Bobby.'

'Nou, pa anders niet,' zei Bobby naar waarheid. 'Hij heeft het nooit begrepen. Hij was er faliekant tegen en dat is nou juist het probleem.'

'Hoe bedoel je?'

'Ik zou hier morgen een trainingsstal voor volbloedrenpaarden kunnen openen,' zei hij, zich omdraaiend naar het prachtige uitzicht beneden hen. 'Maar ik weet dat ik dan 's nachts wakker zou liggen van het geluid van Hank die zich omdraait in zijn graf.'

Wyatt grinnikte.

'Ik meen het serieus,' zei Bobby. 'Zo veel gebrek aan eerbied voor zijn nagedachtenis, dat zou ik niet kunnen. Echt niet, Wyatt.'

Wyatt zweeg. Bobby was een betere zoon dan Hank een vader was geweest, dat was zeker. Zijn loyaliteit, zelfs na de dood, jegens een man die hem nooit enige genegenheid had betoond, was ontroerend.

'Dus daarom dacht ik aan quarterhorses,' vervolgde hij. 'Oké, het is geen vee. Maar quarterhorse-racen is een cowboysport, niet dan? Niemand, zelfs pa niet, zou kunnen zeggen dat ik de familie in de steek laat of mijn afkomst verloochen als ik quarterhorses ga trainen. En daar is bovendien goed geld mee te verdienen.'

'Dat zal best' zei Wyatt. 'Maar vergeet je niet iets heel belangrijks?'

Bobby keek hem niet-begrijpend aan.

'Geld,' zei Wyatt. 'Het scheelt nu al maar zó weinig of we kunnen onze leningen niet afbetalen.' Hij hield zijn duim en wijsvinger omhoog, met maar heel weinig tussenruimte. 'Waar denk je het startkapitaal vandaan te halen om een trainingsstal op te zetten, of dat nu voor quarterhorses is of niet? Afgezien van naar olie gaan boren...'

Bobby keek hem vol afgrijzen aan.

'Over mijn lijk!'

'Het mijne ook,' zei Wyatt. 'Het mijne ook. Maar voor trainingsfaciliteiten heb je geld nodig, Bobby. Je hebt hier niet goed over nagedacht.'

'Natuurlijk wel,' zei Bobby uit de hoogte. Hij pakte zijn teugels terug en kroop weer in het zadel. Hij klopte daarbij zijn pony liefdevol op haar nek en krauwde tussen haar oren. Hij was tegenwoordig een grote man, dacht Wyatt, maar als het om paarden ging was hij nog steeds net een smoorverliefd kind van negen.

'Ik rond mijn trainingsopdrachten voor de rest van het jaar af, zodat ik wat kan sparen. Ik heb binnenkort een klus in Florida, en daarna eentje van acht weken in Engeland. Lord huppelepup heeft me een klein fortuin geboden om twee van zijn jonge hengsten te trainen.'

'Dat is geweldig,' zei Wyatt, en hij probeerde een beetje enthousiast te klinken. 'Maar ik denk dat je het nog steeds niet begrijpt. Met zes maanden loon zet je geen paardenfarm op. Bovendien zijn we alles wat je kunt verdienen al aan de bank schuldig. Dat probeer ik je net uit te leggen.'

'Oké, dan zoeken we wel een partner,' zei Bobby opgewekt. 'Een investeerder. Sommigen van de eigenaren voor wie ik heb gewerkt, zijn ontzaglijk rijk. Een van hen zal me wel willen steunen. Dat wordt een fluitje van een cent.'

Wyatt verzette zich tegen een knagend gevoel van onbehagen. Het vertrouwen van de jeugd was leuk en aardig, maar ervaring was veel meer waard. Bobby zag de fantasie om 'cowboypaarden' te trainen op Highwood als het ideale compromis, dat het hem mogelijk maakte zijn dromen na te jagen en tegelijk zijn Cameron-erfenis trouw te blijven. Een vreemde in het bedrijf binnenhalen was echter een grote stap, die je niet te snel moest nemen.

'Luister eens,' zei hij, 'ik ben niet tegen het idee. En zoals ik zei, ben jij de baas, maar ik vind wel dat we het er nog eens goed over moeten hebben. Een investeerder van buitenaf binnenhalen brengt een hoop risico voor Highwood mee. Een partnerschap kan lastig zijn, Bobby. Het kan misgaan.'

'Het is al misgegaan,' zei Bobby botweg. 'We zijn blut.'

Wyatt zuchtte. Daar kon hij helaas niets tegen inbrengen.

'Rustig maar.' Bobby grinnikte. 'Ik mag dan geen cowboylegende zijn, zoals mijn vader, maar ik heb wel verstand van paarden. En ik weet dat ik er iets van kan maken. Vertrouw me.'

'Het is geen kwestie van vertrouwen…' begon Wyatt, maar Bobby luisterde niet. Hij had zijn paard al de sporen gegeven en galoppeerde met gevaarlijk hoge snelheid de steile helling af, zodat zijn bedrijfsleider alleen nog een stofwolk had om tegen te praten.

Terug op Highwood was het een drukte van belang. Ranchknechten liepen als werkmieren heen en weer van het vee naar de tractorschuur, de stallen en het kantoor in een poging voor het donker zo veel mogelijk werk te verzetten.

Tara, de oudste van de twee dochters McDonald, bemande de telefoon in de voormalige schuur die als kantoor fungeerde. De telefoon had de hele middag roodgloeiend gestaan; maar al te vaak belden er boze of bezorgde crediteuren die Wyatt wilden spreken, of potentiële investeerders die een afspraak wilden maken met Bobby. De Camerons mochten dan gezworen hebben nooit de olie die onder Highwood zat naar boven te laten halen, de rest van de wereld gaf de moed nog niet op. Hank had met zijn beruchte koppigheid bijna alle oliemaatschappijen afgescheept. Zijn dood bood echter nieuwe kansen en nu probeerde iedere olie-investeerder van Canada tot Texas de nieuwe baas van Highwood als eerste een aanbod te doen dat hij niet kon weigeren.

Tara schonk Bobby een getergde glimlach toen ze hem binnen zag komen, en gebaarde hem te gaan zitten terwijl zij het gesprek met de volhardende beller van dat moment afhandelde.

'Ik geef het aan hem door, meneer O'Mahoney. U hebt mijn woord. Nee, ik geloof niet dat het zin heeft vanavond nog eens te bellen. We verwachten hem pas heel laat terug. Ja. Ja, ik zal hem vragen u morgen terug te bellen. Ja hoor. Meteen 's ochtends vroeg, dat beloof ik u.'

Ze legde de hoorn neer, leunde achterover in haar stoel en haalde uitgeput haar handen door haar haren. 'Sodeju, Bobby,' zei ze hoofdschuddend. 'Je hebt geen idee hoe druk het hier vanmiddag is geweest. De telefoon stond roodgloeiend.'

'Dat kan ik me wel voorstellen,' zei hij glimlachend.

Tara was twee jaar jonger dan Dylan en hij, maar op de een of andere manier had hij haar altijd als een oudere zus gezien. Ze was minder knap en steviger van bouw dan Summer, en was de verstandigste van de familie. Ze was door en door aardig en net zo optimistisch als haar broer. Ze had bovendien de beste eigenschappen van haar ouders geërfd – Maggies rustige temperament en Wyatts ontspannen gratie – en combineerde die met haar eigen ondeugende gevoel voor humor. Ze mocht dan niet het meest sexy meisje op aarde zijn, ze was zo'n leuke meid dat ze nooit gebrek had aan vriendjes. Net als iedereen op Highwood was Bobby dol op haar.

'Is er iets wat ik meteen moet doen?' vroeg hij.

Ze schudde haar hoofd en gaf hem een netjes getypt A-4'tje met BE-RICHTEN als kop.

'Ik heb de belangrijkste genoteerd. Die kerel van de Wells Fargo heeft weer gebeld voor pa.'

Bobby kromp ineen. Wyatt had hem net verteld dat de bank de deur platliep sinds de begrafenis was aangekondigd. Als ze nog meer geld wilden zien, hadden ze pech, in elk geval tot hij betaald had gekregen voor zijn werk bij Pascal Bremeau.

'Zeg iedereen maar dat ze van nu af aan mij moeten hebben,' zei hij terwijl hij een stoel bijschoof, ging zitten en zijn voeten op het bureau legde. Zelfs met de problemen waar ze voor stonden begon hij steeds meer te genieten van het gevoel de baas te zijn. 'En zeg daarna maar dat ik niet te spreken ben. Voor onbepaalde tijd. Verder nog iets?'

'Niet echt.' Ze wreef in haar ogen. Het was een lange dag geweest. 'Een hoop advocaten, een hoop oliemaatschappijen.' Bobby maakte een ongeduldig gebaar alsof hij een vlieg wegjoeg. 'O, en die kerel van de rodeo belde over de stier.'

'Verdorie, dat was ik helemaal vergeten,' zei Bobby. De meeste stieren werden geslacht, maar zo nu en dan verkocht Highwood een buitengewoon levendige, agressieve stier die tegen zijn 'pensioenleeftijd' aan zat aan de plaatselijke rodeo, zodat een of andere gek zijn lijf en leden kon riskeren in een poging hem te berijden. 'Hebben ze iemand gestuurd om hem op te halen?'

'Dyl is ermee bezig,' zei Tara grinnikend. 'Het heeft Willy en hem de hele middag gekost om hem te pakken te krijgen en nu is hij woest.'

Toen hij dat hoorde, liep Bobby weer naar buiten en over het erf naar de veekraal, waar een paar knechten toekeken terwijl Dylan zijn uiterste best deed om duizend kilo woedende spieren een trailer in te krijgen.

Degene die op de rug van dit beest moest zien te blijven, zou daar een zware dobber aan krijgen. Dylan en zijn paard dansten in opperste concentratie om de woedende stier heen en probeerden hem naar het hek te drijven dat eerst naar een kleinere kooi leidde en dan een smalle baan met houten wanden op, vanwaar hij uiteindelijk in de wachtende trailer terecht zou komen. Tot dusver had hij nog niets bereikt.

'Nee maar, grote jongen,' zei hij grinnikend toen de stier dreigend zijn neusgaten opensperde en zijn kop liet zakken voor een nieuwe aanval. 'Wat heb jij slechte manieren.'

Voor een jongen wiens enige ambitie het was kunstschilder te worden, was Dylan begiftigd met een aangeboren virtuositeit in het ranchwerk. Was Bobby er geniaal in moeilijke paarden te kalmeren, Dylan had dezelfde gave als het om vee ging. Hij kende volstrekt geen vrees en was een buitengewoon vaardige ranchknecht, die snel, goed en betrouwbaar was in zijn werk. Bij het brandmerken deed hij soms wel twee kalveren in een minuut; hij pakte de bange dieren in een houdgreep, stopte ze in bad, ontwormde ze en brandmerkte ze ten slotte met de duidelijk herkenbare HD van Highwood op de linkerflank.

'Kun je niet beter dan dat?' riep Bobby, waarop Dylan even snel zijn middelvinger naar hem opstak. Hoewel ze elkaar zeer toegewijd waren, waren de jongens ook altijd in alles elkaars concurrenten geweest. Bobby probeerde Dylan van zijn stuk te brengen, maar dat zou hem niet lukken. Zijn aanwezigheid zorgde alleen maar voor nog meer motivatie.

Dylans paard, een oudere merrie die Helena heette, wist precies wat ze deed als het op koppig vee drijven aankwam en was ondanks haar gevorderde jaren nog buitengewoon wendbaar in de kraal. Hij leidde haar voorwaarts naar de achterhand van de stier en slaagde er eindelijk in het reusachtige dier door het hek de kooi in te drijven, waar Willy, een opgewekte, kleine man van in de veertig, klaarstond om het hek achter hem te sluiten. Een paar seconden later liep de stier kalm de trailer in, met een blik in zijn ogen alsof hij dat al die tijd al van plan was geweest, als iedereen hem nou maar gewoon met rust had gelaten.

Dylan wendde zich triomfantelijk tot Bobby. 'U zei?'

'Oké, oké, ik geef het toe,' zei Bobby glimlachend. 'Je bent goed.'

'Goed?' Dylan trok quasi verbaasd zijn wenkbrauwen op. 'Wat dacht je van briljant?'

'Nou, zo ver zou ik niet willen gaan,' zei Bobby. 'Helena was briljant.' Hij stak zijn hand in zijn broekzak, haalde er een paar van de zuurtjes uit die de merrie zo lekker vond en hield haar die op zijn gestrekte hand voor terwijl Dylan afsteeg. 'Jij mocht alleen met haar meerijden.'

'O ja, natuurlijk, ga vooral door.' Dylan rolde theatraal met zijn ogen. 'Gun het paard maar alle eer.'

Het was fijn om weer grappen te maken, en nog fijner om zijn voeten uit de stijgbeugels te halen en te weten dat hij eindelijk klaar was voor die dag. Zijn vader had het sinds Hanks dood zo druk gehad met andere dingen dat zijn eigen werklast was verdubbeld en hij nog minder tijd overhield dan gewoonlijk om te schilderen. Dat was nog niet zo'n ramp, maar hij vermoedde dat het alleen maar nog erger zou worden zodra Bobby weer verdween om paarden te gaan trainen. Wyatt zou zijn handen vol hebben aan de financiën, wat inhield dat er nog meer van de dagelijkse leiding van de ranch op hem neer zou komen.

'Lange dag?' vroeg Bobby toen hij de wallen onder zijn ogen zag.

'Lang? Natuurlijk.' Dylan haalde zijn schouders op en deed zijn best niet zo terneergeslagen te kijken als hij zich voelde. 'Dat zijn de dagen toch altijd?'

'Wil je erover praten?' Hoewel Dylan een dapper gezicht opzette, was hij een open boek voor Bobby. Die wist dat zijn vriend zich gevangen voelde op de ranch, doordat hij niet verder kon gaan met schilderen. Hij voelde met Dylan mee, ook al kon hij hem geen praktische hulp bieden. Uiteindelijk hield alleen zijn loyaliteit jegens Wyatt Dyl hier. En daar kon niemand iets tegen inbrengen, Bobby nog het minst van allemaal.

'Nee,' zei Dylan. 'Er valt niets te zeggen, wel dan? En trouwens,' zei hij glimlachend toen zijn van nature goede humeur zich hersteld had, 'genoeg over mij. Hoe was jouw dag?'

'Prima,' zei Bobby. 'Ik heb een goed gesprek gehad met je vader.'

Beide jongens hadden hun hoed afgezet en hielden die in hun linkerhand toen ze naar het huis van de McDonalds liepen. Bobby had nog steeds zijn kamer in het grote huis aan de andere kant van de ranch achter de veekralen, maar dat was zo reusachtig en zo leeg, zeker nu zijn vader er niet meer was, dat hij 's avonds meestal bij Dylan thuis bleef eten. Ze droegen allebei een vuile spijkerbroek en sporen, maar zagen er verder totaal verschillend uit: Bobby met zijn lange benen, soepele pas en de witblonde haren van een Zweedse peuter; en Dylan, stevig, gedrongen en donker, die twee keer zo snel moest lopen om zijn vriend bij te houden.

'Als je een paar biertjes opentrekt, zal ik je er alles over vertellen.'

'Klinkt goed,' zei Dylan. Hij hoopte, omwille van hen allemaal, dat het 'goede gesprek' van Bobby en Wyatt geresulteerd had in een of ander plan. Want hoezeer hij het ranchleven ook haatte, het was momenteel wel de broodwinning van zijn hele familie. Als Highwood ten onder ging, betekende dat ook het einde voor hun thuis, het pensioen van zijn ouders, en niet te vergeten het studiefonds van Summer.

Hun aller toekomst lag nu in Bobby's handen.

6

De weken na het fiasco van het debutantenbal waren een hel op aarde voor Milly.

Cecil, die zich gewoonlijk niet bemoeide met de frequente geschillen tussen moeder en dochter, was het voor één keer helemaal met Linda eens toen hij hoorde wat zich in Londen had afgespeeld.

'Na alles wat je moeder heeft gedaan,' zei hij de ochtend na het bal verwijtend tegen haar, 'was het vreselijk van je om zoiets te doen. Vreselijk.'

'Nou, het zou niet gebeurd zijn als jullie me niet hadden gedwongen naar dat stomme bal te gaan,' beet ze van zich af, omdat ze wel wist dat ze fout zat. 'Als ik degene was geweest die op Epsom had gereden, in plaats van meneer Muppet hier...'

'Hou daar eindelijk eens mee op, Milly, voor we allemaal hoofdpijn krijgen,' zei Jasper vanachter zijn *Racing Post*. Hij had de nacht bij Rachel doorgebracht, was die ochtend om acht uur binnengekomen met een grijns van hier tot ginder op zijn gezicht en liet zich sindsdien in lyrische bewoordingen uit over zijn nieuwe 'vriendin' om het Milly extra onder de neus te wrijven. 'Je hebt al twee jaar niet op een paard gezeten. Hoe denk je dat je het er afgebracht zou hebben in de Oaks, hmm?' Met een tevreden glimlach herhaalde hij schaamteloos de woorden waarmee Dominic hem de vorige dag om de oren had geslagen: 'Het was verdomme Epsom, geen eierrace bij de ponyclub.'

Hoewel zijn slechte prestatie en de publieke schrobbering die hij van O'Reilly's trainer had ontvangen hem nog steeds dwarszaten, bezorgde de succesvolle verleiding van Rachel hem een roes die door niets kon worden bedorven. Na die eerste keer in de trailer gisteren hadden ze het, op haar verzoek, nog twee keer gedaan: een keer op de achterbank van zijn Range Rover op weg naar huis, in de verharde berm van de M11; en daarna nog eens in haar slaapkamer in Mittlingsford, de prachtige victoriaanse predikantswoning van de Delaneys, een paar dorpen van Newells vandaan.

Gezien het feit dat ze pas zeventien was – maar een jaar ouder dan Milly – was hij verrukt geweest te merken dat Rachel in bed ongelooflijk vroegrijp was en bijna nymfomaan in haar gulzigheid. Haar naakte lichaam was nog opwindender dan hij gedacht had – ze had tieten waarbij die van Pamela Anderson in het niet vielen – en ze wist ook precies wat ze ermee moest doen en wrong haar lenige ledematen in alle mogelijke posities om zichzelf en hem genot te bezorgen.

Terwijl hij van de koffie nipte die hij die ochtend heel hard nodig had, zag hij weer haar prachtige, meloengrote borsten voor zijn ogen op en neer gaan, voelde hij weer haar harde roze tepels plagend langs zijn lippen strelen, en al snel moest hij zijn uiterste best doen om weer een erectie te onderdrukken. Jasper had al met heel veel meisjes geslapen – groupies genoeg in de renpaardenwereld van Newmarket – maar Rachel Delaney was zonder enige twijfel de beste die hij ooit had gehad. En nu had hij haar voor altijd binnen handbereik.

Was dat niet fantastisch?

En alsof dat nog niet genoeg reden was om feest te vieren, kreeg toen hij thuiskwam Milly net de mantel uitgeveegd door Cecil omdat ze zichzelf te schande had gemaakt tijdens het debutantenbal. Wel, wel, wel. Papa's lieverdje had het dus eindelijk grondig verbruid.

Dat deed hem buitengewoon veel genoegen.

Jasper had een hekel aan Milly omdat ze weigerde hem als jockey serieus te nemen en hem voortdurend publiekelijk voor gek zette. Hij was vreselijk zelfingenomen, kon absoluut niet om zichzelf lachen en zag al haar kinderlijke schimpscheuten als serieuze aanvallen op zijn waardigheid. Hij vond het vooral vreselijk als ze hem bekritiseerde in het bijzijn van meisjes op wie hij indruk probeerde te maken. Hij zou nooit meer die keer vergeten, of vergeven, dat ze tegen Becca Davies, een razend knappe paardenverzorgster die hij afgelopen kerst op het punt stond te verleiden, had gezegd dat zijn bijnaam op de ponyclub Johnny Schijtbroek was. Wat een vernedering! Zelfs nu nog bloosde hij tot in zijn haarwortels toe als hij eraan dacht, en daar had hij een hekel aan, omdat het zijn volmaakte uiterlijk bedierf.

Zijn vader liet zelden een gelegenheid voorbijgaan om hem eraan te herinneren hoe perfect zijn zusje was. Het was altijd: 'Milly doet dit', en 'Milly heeft daarmee geholpen', en 'Waarom kun je niet wat meer op Milly lijken?' Maar vanochtend voelde hij zich als de verloren zoon die was teruggekeerd. Voor de afwisseling werd het kalf voor hém vetgemest. En allemachtig, wat was dat een goed gevoel.

Zijn moeder was onvermurwbaar: Milly mocht de komende maand niet eens in de buurt van een paard komen, wat inhield dat ze hem eindelijk niet meer in de haren kon zitten op de renbaan. Beter nog, Cecil had het erover haar tijdens die maand naar een kook- en bloemschikcursus in Cambridge te sturen. Voor een wildebras als Milly zou een hele maand van 'vrouwelijke activiteiten' gelijkstaan aan een marteling.

Een buitengewoon gepaste straf, dacht hij opgewekt.

Milly negeerde zijn opmerking over haar rijvaardigheid en wendde zich weer tot haar vader.

'Kun je geen andere straf voor me bedenken?' smeekte ze. 'Het is krankzinnig om me weg te houden uit de stoeterij, pap, dat weet je. Juni is een van onze drukste maanden. Wie moet Pablo en Nancy helpen als ik er niet ben? Jasper soms?'

Cecil zuchtte. Hij had zelf ook al bedacht dat Jasper een beroerde vervanger voor Milly zou zijn in deze drukke periode, maar hij was niet van plan dat toe te geven, of haar ook maar een centimeter tegemoet te komen. Deze keer was ze te ver gegaan en daar moest ze voor gestraft worden.

'We redden ons wel,' zei hij vastberaden.

'Natuurlijk,' zei Jasper, ziedend om de implicatie dat hij in de stoeterij ongeveer zo welkom zou zijn als een psychiater bij een Scientology-bijeenkomst. 'Je bent echt niet onmisbaar, hoor.'

'Eerlijk gezegd, Milly,' zei Linda met samengeknepen lippen, 'verbaast het me dat je het lef hebt je vader ook maar ergens om te vragen na die schandalige vertoning in Londen gisteren.' Ze zag er in haar roze kamerjas bleek en huilerig uit na een doorwaakte nacht en was net op tijd binnengekomen om te horen dat Milly weer haar zin probeerde te krijgen bij Cecil. Dat zou niet werken, deze keer niet.

'Ja, heus, Milly,' deed Jasper met nauwelijks verhuld genoegen een duit in het zakje. 'Je mag die arme mam wel een béétje meer respect tonen.'

Milly liet zich achteroverzakken in haar stoel en keek hem vuil aan, maar wist wel beter dan nog verder aan te dringen. Het was duidelijk dat ze haar ouders niet op andere gedachten kon brengen.

Het idee een maand niet bij de paarden te mogen komen was nog erger dan de gedachte aan de nieuwe 'romance' tussen Jasper en Rachel en dat wilde heel wat zeggen. Maar wat kon ze eraan doen? Ze had het deze keer echt goed verpest en zou de consequenties moeten dragen.

Twee weken na dat deprimerende ontbijt lag ze op zondagochtend uit te slapen – voor het eerst sinds ze elke ochtend om zeven uur de bus naar Cambridge moest nemen zodat ze om kwart over acht present was voor die afschuwelijke cursus huiselijke vaardigheden bij Madeleine Howard – toen ze werd gewekt door een oorverdovend gekraak aan de andere kant van haar raam.

Ze sprong uit bed en zag Radar, een van haar vaders nieuwe hengsten, met grotesk bevende en schokkende knieën en een snottebel aan zijn neus achterwaarts tegen de zijkant van de trailer wankelen terwijl Cecil en Nancy hem overeind probeerden te houden.

'Mill, kom hier!' riep Cecil toen hij zijn nog suffe dochter voor het raam zag staan. 'We hebben hulp nodig.'

Ze stak haar blote voeten in een paar sportschoenen en rende in haar pyjama de trap af en het erf op.

'Ga hier staan, op mijn plaats,' hijgde Nancy. Haar dunne blonde haar plakte aan haar voorhoofd en wangen, die bezweet waren door haar inspanningen. De dierenarts was weliswaar sterk voor haar postuur, maar ze was amper een meter zestig en het was geen sinecure om een dier zo groot als Radar staande te houden. 'Duw je schouder zo hard mogelijk tegen zijn flank,' zei ze. 'Ik ga snel een kalmeringsspuit halen.'

Milly gehoorzaamde zwijgend en zette zich uit alle macht schrap tegen het angstige dier. Ze zag haar vader bij de achterhand van het paard een lelijk gezicht trekken van inspanning en probeerde zo veel mogelijk van de zevenhonderd kilo te ondersteunen om hem te helpen.

'Heeft hij dit al eerder gedaan?' vroeg ze.

'Twee keer,' zei Cecil hijgend. Zijn gezicht was vuurrood en hij zweette als een otter tijdens een hittegolf. Haar vader was altijd al wat te zwaar geweest, maar Milly merkte nu dat zijn conditie zorgwekkend slecht was. 'Nancy heeft alle mogelijke tests gedaan. Afgezien van een lichte verhoging kunnen we lichamelijk niets aan hem ontdekken. Het is vreemd, maar het gebeurt alleen als hij een paardentrailer ziet. Het lijkt wel psychisch.'

'Misschien is hij bang. Een slechte herinnering of zo, van toen hij jonger was?'

'Misschien,' gromde Cecil. 'Maar behalve een paardenpsychiater erbij halen weet ik niet wat we eraan zouden moeten doen.'

Radar beefde nog steeds oncontroleerbaar en keek wild en met opengesperde ogen van angst om zich heen. Na wat een eeuwigheid leek kwam Nancy aanrennen met haar oude leren veeartsentas, en ze haalde er een lange zilverkleurige spuit uit. Ze vulde die met een heldere vloeistof uit een ampul van 30 cc en spoot hem leeg in Radars schouder. Binnen enkele seconden nam het beven af en verdween toen helemaal. Vader en dochter verlichtten voorzichtig de druk en deden toen een stap opzij. Radar was nog steeds wat onvast ter been en wankelde een beetje, maar bleef wel op eigen kracht overeind.

'Oké. Breng hem maar terug naar de stal,' zei Cecil met een knikje naar Nancy. 'Hij is duidelijk niet in staat om te reizen, wel?'

Ze schudde haar hoofd, leidde de verward kijkende Radar weg en liet haar baas en zijn dochter hijgend van vermoeidheid tegen de paardentrailer geleund achter.

'Bedankt,' zei Cecil met een glimlachje naar Milly. Ze hadden nauwelijks met elkaar gesproken sinds het rampzalige debutantenbal, en hij was net zo blij als zij om eindelijk het ijs te kunnen breken. 'Ik weet niet waar Davey en Pablo uithangen, of je broer, trouwens. Hij had vanochtend hier moeten zijn om me te helpen. Het is maar goed dat jij er was; Joost mag weten wat we anders hadden gedaan.'

'Waar zou je hem heen brengen?' vroeg Milly.

'Cedarbrook Farm,' zei Cecil. Dat was een concurrerende stoeterij dertig kilometer ten noorden van Newells. 'Anne Voss-Menzies denkt erover hem te kopen.' Hij schudde teleurgesteld zijn hoofd. 'Dacht erover hem te kopen, moet ik waarschijnlijk zeggen. Ik zal haar moeten vertellen wat er gebeurd is en dat we niet komen. Ga mee.' Hij sloeg zijn arm om haar heen en liep met haar naar de keuken. Ondanks al hun woordenwisselingen over haar paardrijden was hij dol op zijn dochter en hij had zich de afgelopen weken bijna net zo ellendig gevoeld als zij wanneer hij haar 's ochtends mismoedig naar Cambridge zag vertrekken.

'Laten we die oude draak gaan bellen, dan maak ik daarna een ontbijtje voor je klaar.'

De keuken van huize Lockwood Groves was altijd al deels verzamelplaats voor het gezin en deels kantoor geweest. Er lagen stapels papieren op de tafel die met de stoeterij te maken hadden, en op de vensterbanken en praktisch alle kastplanken die niet door Linda's kookboeken of exotische kruiden en specerijen in beslag werden genomen, lagen vergeelde exemplaren van de *Racing Post*. Milly's moeder was een uitstekende kokkin – ook zo'n vrouwelijke vaardigheid die zij niet had geërfd – en Cecil werd alleen zo nu en dan op zondagochtend toegelaten aan Linda's dierbare kobaltblauwe Aga om zijn befaamde roereieren te maken.

Milly keek toe terwijl hij, met een oude draagbare telefoon tegen zijn oor geklemd, met één hand een kom eieren klopte en tegelijk een lastige Anne Voss-Menzies probeerde te kalmeren. Ze herinnerde zich de zondagochtend dat oma Mellon, Linda's nuffige en veeleisende moeder, een potje had opgepakt waarvan zij meende dat er eiwit in zat en de inhoud in een kom had gegoten om die te kloppen. Even later was een van afschuw vervulde Cecil binnengekomen en had verkondigd dat ze zojuist voor twintigduizend pond sperma van een van zijn beste hengsten had verpest. Het was de laatste keer geweest dat oma Mellon ooit ontbijt had klaargemaakt op Newells, of zelfs maar naar een bord roereieren had gekeken.

'Dwaas oud wijf,' zei Cecil toen hij aan het einde van het gesprek de eieren in een pan met gesmolten boter goot. De onverzettelijke mevrouw Voss-Menzies was op z'n best al geen gemakkelijk mens, en was woedend geweest over de tegenvaller met Radar vanochtend. 'Ze kletste me de oren van het hoofd. Het is toch niet mijn schuld dat dat paard niet wil reizen?'

'Ben je teleurgesteld?' vroeg Milly terwijl ze twee dikke sneden vers meergranenbrood afsneed voor bij de eieren en de kast opendeed om borden te pakken.

'Niet echt.' Hij grinnikte naar haar. 'Ik wilde hem eigenlijk toch niet verkopen. Zijn eerste veulens waren niet fantastisch, maar ik denk nog steeds... je weet wel, met de juiste merries...'

Milly vond het prachtig zoals haar vader altijd de schuld bij de merries legde als het kroost van een van zijn hengsten tegen bleek te vallen op de renbaan.

'Maar goed, lieverd, hoe is het met jou?' Hij liet de smakelijk uitziende, dampende eieren op hun borden glijden, maalde er wat peper overheen, zette ze toen met een zwierig gebaar op de tafel en kwam bij haar zitten. 'Hoe gaat het bij Madeleine Howard?'

Milly rolde met haar ogen. 'Afschuwelijk,' zei ze met haar mond vol brood en eieren. 'Kun je niets doen? Mam vragen me met rust te laten? Ik bedoel, het is echt vreselijk, pap. Die lessen in bloemschikken zijn zó ontzettend saai.'

Cecil haalde zijn schouders op en hapte hongerig in zijn ontbijt. 'Het is je eigen schuld.'

'Dat weet ik,' zei ze. 'Maar kom op, pap, bloemschikken? We leven in de eenentwintigste eeuw, hoor. Het is al erg genoeg dat ik niet van je mag rijden, maar nu moet ik ook nog petunia's in een vaas zetten en placemats klaarleggen! Ik bedoel, hallo! We leven niet meer in 1850, met koningin Victoria op de troon!'

Cecil lachte om haar verontwaardiging en de cynische, verongelijkte intonatie waarmee alle tieners tegenwoordig behept leken te zijn, het resultaat van een niet-aflatend tv-dieet van Amerikaanse en Australische series en soaps. Ze kon hem af en toe razend maken, vooral als het om haar wens om te rijden ging, maar hij kon niet anders dan haar volharding bewonderen. Hijzelf gaf een uitdaging al niet snel op, maar Milly helemaal niet.

Hij vond het ook prachtig zoals ze als zestienjarige altijd overal een antwoord op had.

'Je hebt je moeder echt van streek gemaakt, weet je,' ging hij door. 'Dat bal was erg belangrijk voor haar. En ze deed het voor jou, dat weet je.'

'Ja, ik weet het,' zei Milly. 'Ik begrijp ook wel dat mama boos is. Maar die cursus is pure marteling, echt waar. En ik ben al twee weken niet bij de paarden geweest!'

Ze gaf het woord 'weken' dezelfde nadruk als waarmee een gevangene 'jaren' zou zeggen. Misschien was ze inderdaad wel genoeg gestraft. Zoals ze daar tegenover hem zat, haar haren nog steeds in de war en met een oude, gekrompen blauwe pyjama van hem aan, leek ze wel twaalf. Cecil voelde zijn vastberadenheid afnemen.

Hij dacht even aan Jasper. Was zijn zoon maar half zo toegewijd aan de stoeterij als Milly. De jongen was bijna vierentwintig, maar gedroeg zich nog steeds alsof de wereld verplicht was hem te onderhouden. Hij had vanochtend om acht uur op het erf moeten staan om hem te helpen Radar klaar te maken voor de rit. In plaats daarvan was hij gisteravond naar een of ander feest gegaan met dat meisje van Delaney, en sindsdien had Cecil niets van hem gehoord of gezien. Zijn bed was duidelijk niet beslapen.

'Luister eens,' zei hij tegen Milly, die hem nog steeds met grote, smekende ogen aankeek. 'Ik beloof niets. Maar ik zal met je moeder praten over die cursus bij Madeleine Howard. Het punt is dat ik, nu J tot oktober veel weg zal zijn om wedstrijden te rijden, best wat extra hulp zou kunnen gebruiken.'

Milly's gezicht klaarde op.

'Tijdelijk,' dekte Cecil zichzelf snel in.

'Natuurlijk,' zei ze, driftig knikkend. Nu ze haar vader aan haar kant had, zou haar moeder uiteindelijk wel toegeven. 'Ik begrijp het.'

'Michael Delaney laat een gespecialiseerde trainer overkomen uit Californië om met de twee nieuwe veulens te werken die hij in april gekocht heeft,' vervolgde Cecil. 'Weet je nog?'

Milly knikte. Ze vergat nooit een paard.

'Lady D heeft kennelijk botweg geweigerd die kerel onderdak te geven,' zei Cecil. 'Een hoop onzin over een verbouwing op Mittlingsford of zoiets. Hoe dan ook, het komt erop neer dat ik heb aangeboden hem hier onder te brengen. En dat is prima, alleen betekent het dat ik tijd moet uittrekken om de vriendelijke gastheer te spelen, waardoor we nog meer mankracht tekortkomen op de stoeterij.'

'Ooo,' zei Milly met een opgetrokken wenkbrauw. 'Een gespecialiseerde trainer, hè? Daar zal Victor niet blij mee zijn.' Victor Reed was de paardentrainer van sir Michael Delaney, die vier dagen per week met zijn paarden op het galoppeerterrein van Newells bezig was.

'Nee,' zei Cecil, niet in staat een glimlach te onderdrukken. Hij had de verwaande Reed nooit gemogen. 'Dat zal hij zeker niet. En ikzelf eigenlijk ook niet. Ik heb wel wat beters te doen dan voor Michael op een yank te passen, maar er is niets aan te doen. Dus ik zou je hulp inderdaad wel kunnen gebruiken, zolang je moeder akkoord gaat…'

'Jee, joepie!' riep Milly uit, en ze sprong van haar stoel, kroop op zijn schoot en sloeg als een klein meisje haar armen om hem heen.

'Ik heb je gezegd dat ik niets beloof,' zei Cecil, die probeerde streng te kijken, maar daar bepaald niet in slaagde.

'Ik weet het,' zei Milly liefjes, met de gratie en diplomatie van een kind dat weet dat het al gewonnen heeft. 'Als je maar met mama praat. Meer vraag ik niet.'

Bobby zakte verder door zijn knieën om de vetlok van de jonge merrie beter te kunnen onderzoeken. 'Het ziet er niet goed uit,' zei hij hoofdschuddend.

Hij was in Florida, op het landgoed van de schatrijke krantenmagnaat en paardeneigenaar Randy Kravitz in Palm Beach. Randy had hem ingehuurd om met het prachtige jonge paard te werken waarvan hij het been nu in zijn hand hield, maar als hij had geweten hoe ernstig het dier gewond was, zou hij niet zijn gekomen.

In de stal waren behalve hij de attente verzorger van het paard, die ziek leek van de zenuwen, en Sean O'Flannagan. Sean was een enthousiaste Ierse feestvierder, een paar jaar ouder dan Bobby, maar ook een van de meest gerespecteerde paardenartsen aan de westkust en een van Bobby's weinige echte vrienden in de racewereld.

'Ga eens opzij, wil je?' vroeg hij Bobby, die dat deed. 'Laat mij nog eens kijken.'

Hij liep heen en weer door de propere stal met airconditioning en inspecteerde de wond van het dier nog eens vanuit alle mogelijke hoeken.

'Ik blijf erbij dat het prikkeldraad was,' zei hij voor de derde keer. 'Geen twijfel mogelijk.'

Net als Bobby had Sean de reputatie arrogant te zijn, al temperde hij die eigenschap met zo veel charme dat de mensen hem gemakkelijker vergaven dan zijn vriend.

'Onzin,' antwoordde de woedende verzorger. 'Je kunt dat zo vaak zeggen als je wilt, maar daarom is het nog niet waar. Ik heb haar de afgelopen drie dagen geen moment uit het oog verloren. En zelfs al was dat wel zo, er is geen prikkeldraad op Manley Falls. Dit is verdomme niet een of andere gammele tent in County Kildare, makker.'

Terwijl de twee mannen elkaar kwaad aankeken, stapte Bobby nog eens naar voren en haalde voorzichtig zijn vinger langs de wond. Hij voelde de jonge merrie even met haar been trekken, maar ze leek te beseffen dat ze geholpen werd en haalde daarom ondanks de pijn niet naar hem uit.

'Wat het ook is, het is diep,' zei hij zacht. 'Volgens mij moet ze het been zeker de eerste drie weken niet belasten. Sean?'

Sean trok een grimas. Het was een lastig geval.

Hij was vandaag alleen gekomen omdat Bobby het had gevraagd. Hij was in de stad met zijn baas, Jimmy Price, een van de weinige eigenaren die nog rijker waren dan Kravitz. Als Jimmy erachter kwam dat hij erbij beunde voor zijn concurrent, zou hij hem ontslaan voordat je de kans kreeg 'contractbreuk' te zeggen. Randy had beloofd zijn mond te houden over het bezoek van vandaag en had hem bovendien een klein fortuin betaald voor zijn advies, wat zijn zenuwen aardig had weten te kalmeren. Maar het bleef een lastig geval.

Enerzijds was de snee inderdaad diep. Anderzijds wilde Kravitz echter duidelijk dat het paard fit werd verklaard voor de Kentucky Oaks binnenkort, de merrieveulenversie van de Derby. Hij had Bobby speciaal laten overvliegen om haar daarop voor te bereiden. Als Sean nu zei dat ze niet kon rijden, spoelde hij in feite honderdduizenden dollars van 's mans investering door de plee.

'Ik weet het niet,' zei hij hoofdschuddend. 'Als we er een kompres op doen, haar een week volledige rust geven en volgende week de fysiotherapeut laten komen, is er een kans dat ze het nog kan halen.'

'Natuurlijk kan ze het halen!' snauwde de verzorger. 'Het is maar een schrammetje. Doe me een lol, jongens.'

Bobby rechtte zijn rug en trok zijn schouders op. Dat paard kon onmogelijk een wedstrijd lopen, maar uiteindelijk was het niet zijn probleem of zijn verantwoording. Hij had medelijden met de verzorger, die bijna zeker ontslagen zou worden, ondanks zijn beweringen dat hij onschuldig was en goed op het dier had gelet. Het moest hartverscheurend zijn na zo veel maanden werk, maar hij kon er niets aan doen.

'Het is jouw beslissing,' zei hij tegen Sean terwijl hij zijn stetson pakte en die weer op zijn blonde haren zette. 'Maar ik ga haar niet trainen. Ik zal het Kravitz vanavond laten weten.'

Hij liep naar buiten, het smetteloze erf voor de stal op, en liet Sean en de verzorger het onder elkaar uitvechten. Hij boog voorover en strekte zijn pijnlijke nek tot hij een bevredigende knak hoorde. Hij was teleurgesteld. Hij verheugde zich er al weken op de jonge merrie te gaan trainen. De hengsten waarmee hij de afgelopen veertien dagen in Dubai had gewerkt, waren niets geweest om over naar huis te schrijven; al had hij een flinke smak geld gebeurd voor zijn inspanningen en was hij daar beslist blij mee.

Hij keek om zich heen en vroeg zich af hoeveel Kravitz de afgelopen tien jaar aan deze hele zaak had uitgegeven. Twintig miljoen? Misschien dertig? Manley Falls, genoemd naar een kampeerterrein in Montana, waar Kravitz als kind zijn zomers had doorgebracht, was het soort farm waar bescheidener eigenaren alleen maar van konden dromen. Het had niets van de natuurlijke schoonheid of elegantie van een ranch als Highwood. Het geheel was ontworpen voor optimale efficiëntie en functionaliteit, met klimaatbeheersing in de stallen en schuren, vlakke, verlichte velden en uitgestrekte, onberispelijk onderhouden galoppeerterreinen, beschermd tegen de blakerende Californische zon door strategisch geplaatste rijen palmen. Met de wit gestuukte, klinisch aandoende bijgebouwen deed het Bobby meer denken aan een fabriek dan aan een paardenfarm. Maar het bleef indrukwekkend.

En wat ze ook deden op Manley Falls, het werkte. Kravitz had hier twee Kentucky Derby-winnaars getraind, en winnaars van de Dewhurst, de Aga Khan en de National Stakes in Europa. Hij was een eigenaar om rekening mee te houden; het was een zeldzaam privilege om te worden gevraagd met een van zijn paarden te werken, en dat wist Bobby.

'Ik kijk het nog een dag aan,' zei Sean, die nu ook naar buiten kwam.

'Tijdverspilling,' zei Bobby afwijzend. 'Ze is niet op tijd beter voor de Oaks, en dat weet je. Ze lijdt pijn.'

'Niet zo veel pijn als ik zal lijden als Jimmy te weten komt dat ik vandaag hier was,' zei Sean grinnikend, terwijl hij zijn vingers als een denkbeeldig mes langs zijn keel haalde en melodramatische gorgelende geluiden maakte.

Bobby lachte. Hij kende Sean al jaren en ze hadden altijd goed met elkaar overweg gekund, hoewel de Ier veel zakelijker was als het om paarden ging. Sean zag een renpaard uiteindelijk toch als een investering, niet als een huisdier. Het was zijn taak om zijn dieren op de been te helpen en aan het racen te krijgen, niet om ze te vertroetelen.

Bobby noemde hem een harteloze klootzak en Sean noemde Bobby een sentimentele dwaas, maar ze respecteerden elkaars expertise en professionalisme enorm.

'Maar genoeg over het werk,' veranderde Sean van onderwerp. 'Ik neem aan dat je nog wel naar dat feest gaat vanavond?'

Een van de grootste beschermheren van polo in Palm Beach gaf die avond een groot feest en het voltallige personeel van Manley Falls was uitgenodigd. De meesten van hen waren er al drie weken vreselijk opgewonden over. Sean, die nog maar net in de stad was aangekomen, was niet uitgenodigd, maar was vast van plan met Bobby mee te gaan. De meisjes in Palm Beach waren altijd spectaculair, dus hij was niet van plan zich het feest te laten ontgaan.

'Maar natuurlijk,' zei Bobby lijzig. Hij was zo afgeleid en terneergeslagen geweest door alle problemen op Highwood sinds zijn vaders dood dat het tijd werd dat hij zichzelf een verzetje gunde. 'Als je het me heel vriendelijk vraagt,' voegde hij er grinnikend aan toe, 'laat ik misschien zelfs een paar meisjes voor je over.'

'Ha!' zei Sean. 'Alsof je ook maar een kans maakt tegen de almachtige OLM.'

'OLM?' zei Bobby.

'De O'Flannagan Love Machine,' zei Sean. Hij trok daarbij zijn wenkbrauwen op zoals James Bond dat vaak deed en Bobby schaterde van het lachen.

'Love Machine' was misschien wat veel gezegd, maar met zijn zwarte haardos, grijze ogen vol gevoel en vertederende Ierse accent had Sean altijd net zo veel succes bij de dames als Bobby. Hij was tenger gebouwd, mager zelfs, maar wat hij aan massa tekort kwam maakte hij goed met zoete woorden, en zijn reputatie als beest in bed was tot buiten Californië bekend.

'Je realiseert je toch wel dat je aan waanideeën lijdt?' zei Bobby.

Ze waren het erf overgestoken naar de plek waar Sean zijn grote trots had geparkeerd, een kobaltblauwe Porsche die hij drie jaar geleden had gekocht van zijn eerste fatsoenlijke bonus. Hij gooide zijn tas op de passagiersstoel en kroop achter het stuur.

'We zullen zien,' zei hij. 'Ik wed om honderd dollar dat ik eerder scoor dan jij.'

'O, alsjeblieft!' zei Bobby. 'Oké dan. Maar zorg dat je om zeven uur hier bent, anders vertrek ik zonder je!'

Toen ze omstreeks zeven uur onderweg waren, was Bobby's eerdere enthousiasme al flink afgenomen.

Kravitz was niet bepaald blij geweest toen hij had verkondigd dat hij zijn jonge merrie niet kon trainen en dat hij de volgende ochtend zou vertrekken. Het moeilijke gesprek had een domper op zijn goede humeur gezet, en hoewel de roep van de meisjes nog steeds sterk was, was hij na een laat middagdutje onverklaarbaar vermoeid en neerslachtig wakker geworden.

Misschien kwam het door de spanning en druk waar hij onder had gestaan sinds Hanks dood? Hoe dan ook, de gedachte dat hij tijdens een cocktailparty over koetjes en kalfjes zou moeten praten met een stel pologekken uit Florida leek plotseling net zo'n leuk vooruitzicht als oogbolacupunctuur.

'Kop op, in godsnaam,' zei Sean terwijl hij weer met hoge snelheid een bocht in de kustweg nam. 'We gaan naar een feest, niet naar een dodenwake.'

'Sorry,' zei Bobby. 'Ik ben gewoon afgeleid, denk ik.'

'Je droomt zeker over je quarterhorses op Highwood, hè? Ach, je weet maar nooit, misschien ontmoet je vanavond wel een potentiële geldschieter.'

'Dat betwijfel ik,' zei Bobby. 'De meesten van die polobazen weten het verschil niet tussen een quarterhorse en een quarterpounder.'

Sean lachte. 'Ja, dat is waar,' gaf hij toe. 'Maar de vrouwen hier zijn schatrijk. Zoek een rijke vrouw in Palm Beach, mijn vriend, en je kunt zo veel quarterhorses kopen als je wilt. En ze in een privévliegtuig naar Californië brengen!'

'Dat is een idee,' zei Bobby.

'En als het niet lukt,' zei Sean, 'dan kun je er gewoon een nacht vrolijk op los naaien, nietwaar? Dat noemen ze nou een win-winsituatie.'

'Ik weet het niet,' zei Bobby somber. 'Ik ben niet echt in de stemming.'

'Niet in de stemming!' Sean keek hem ongelovig aan. 'Jezus, wat is er met je aan de hand? O, hemel. Je bent toch geen homo, of wel?'

'Nee,' zei Bobby verontwaardigd. 'Ik ben geen homo, leuk dat je het vraagt. Mijn god! Alleen omdat ik zo nu en dan eens niet mijn pik achter-naloop.'

'Aha, maar dat is niet normaal, of wel soms?' zei Sean, kennelijk zonder enige ironie. 'Heb je eigenlijk al met een van de meisjes geslapen sinds je hier bent?'

'Sean. Ik ben hier pas vijf dagen.'

'Juist!' Hij klonk triomfantelijk, alsof Bobby net zijn gelijk bewezen had. 'Dus jammer niet als een oud wijf, wil je? We gaan lol maken. Weet je nog wat dat is?'

Vaag, dacht Bobby.

Toen ze twintig minuten later op het feest naar binnen liepen, draaiden alle vrouwen hun hoofd naar hen om. Ze droegen allebei een zwarte bla-zer en waren allebei sterk gebruind, Bobby door de twee weken in Dubai en Sean door zijn seizoen in Californië, en ze sloegen allebei minstens zo'n goed figuur als de knappe Argentijnse polospelers, die normaal hoog scoorden onder de vrouwen van Palm Beach. Ze hadden ook het voordeel dat ze nieuw bloed waren; al leek Sean door een verbazingwekkend aantal meisjes te worden herkend.

Een bijzonder brutale blondine, haar enorme borsten in een zwarte korsetjurk van Gucci geperst, klampte hem aan zodra hij binnen was.

'Klootzak.'

'Dana.' Sean reageerde zonder aarzeling. 'Ik vind het ook heerlijk om jou weer te zien. Ken je mijn vriend Bobby al?'

'Waarom heb je nooit gebeld?' vroeg ze verongelijkt. 'Ik heb twee weken gewacht, maar je gaf geen kik, O'Flannagan.'

Ze klonk boos, maar Bobby zag ook het begin van een glimlach om haar mondhoeken spelen. Een paar seconden later had ze flirterig een arm om Seans middel geslagen. Misschien was OLM toch niet overdreven?

'Maar dat heb ik gedaan, lieverd, dat heb ik gedaan,' protesteerde Sean, volstrekt niet overtuigend. 'Heb je mijn berichtjes niet ontvangen? Maar goed, niet boos zijn. Dit is Bobby. Hij is een cowboy.'

'Zo, een cowboy?' zei het meisje. Ze richtte haar aandacht op Bobby en taxeerde onbeschaamd zijn sterke armen en bovenlijf, als een koper die een nieuw paard bestudeert op de paardenveiling in Keeneland. 'Interessant,' bromde ze tevreden. 'Wat brengt je naar Palm Beach, cowboy? Ben je verdwaald?'

'Nee,' zei Bobby zonder een spoor van een glimlach. Hij vond flirten saai en zag de zin er niet van in. Hij wist toch al dat hij niet met dit meisje naar bed wilde; hij hield niet van grote borsten en de rest was niet om over naar huis te schrijven. 'Ik ben hier om te werken.'

'Hmm. Erg vriendelijk,' merkte ze sarcastisch op. 'Maar jij,' zei ze weer tegen Sean, 'komt me straks opzoeken, oké? Misschien heb je mijn nummer verkeerd genoteerd. Ik geef het je misschien nog wel een keer als je het heel lief vraagt.'

Bobby keek toe terwijl ze over de bobbel in Seans broek streek en zich vervolgens weer een weg baande naar haar vriendinnen, haar parmantige achterste heen en weer wiegend in haar strakke zwarte jurk.

'Nou,' zei Sean toen ze weg was. 'Volgens mij krijg ik honderd dollar van je. Dat is kat in 't bakkie, zeker weten.'

Bobby ging daar niet tegen in.

'Waarom was je trouwens zo onbeschoft? Er is niets aan als je niet je best doet om te winnen.'

'Niet mijn type,' zei hij simpelweg, terwijl hij een glas champagne van het dienblad van een passerende serveerster pakte. 'Bovendien zat ze achter jou aan.'

'Alleen omdat jij haar afpoeierde,' zei Sean. 'Wat had ze moeten doen, je uitkleden en op bed vastpinnen?'

Bobby zag plotseling Chantal Bremeau voor zich, wier lange haren over haar volmaakte, hoge donkere borsten vielen. Een verontrustend opwindend beeld.

'Nee.' Hij glimlachte en koesterde de herinnering. 'Ik hou toevallig niet van agressieve vrouwen. Meestal niet, tenminste.'

'Dat moet je zelf weten,' zei Sean. 'Des te meer blijven er voor mij over.' En daarmee verdween hij de menigte in, als een projectiel op zoek naar poesjes.

Bobby keek om zich heen en probeerde zich een oordeel te vormen over de andere gasten. Het was een divers gezelschap dat varieerde van slecht betaalde Spaanse stalknechten tot schatrijke playboys en polospelers. Iedereen hing rond bij het prachtige Marokkaanse zwembad en het bubbelbad en beproefde zijn geluk bij de diverse schaars geklede vrouwen. De meesten van hen waren echtgenotes of vriendinnen van de paardeneigenaren van Palm Beach, slechts een paar reden zelf paard. Carlo Walger, de held van het Argentijnse polo, met een handicap van tien, was kennelijk verdiept in zijn gesprek met de knappe tweeëntwintigjarige echtgenote van zijn baas, Brandi, maar te oordelen naar zijn oogcontact deden vooral haar borsten het woord. Elders zag Bobby een paar bekende vlakkebaanjockeys die het wilden opnemen tegen de polomenigte. De rijzende ster Connor Hargreaves hing tegen de bar en was nog bruiner dan gewoonlijk na zijn recente triomfantelijke bezoek aan Dubai, waar hij voor sjeik Mohammed had gereden.

Naast hem stond Barty Llewwellyn, een trainer van een van de grote farms in Kentucky waar Bobby de vorige zomer een maand met de paarden had gewerkt. Barty was een van de weinige trainers die zeker genoeg waren van hun eigen talent om Bobby's hulp te verwelkomen, en ze konden het goed met elkaar vinden.

'Hé, kijk eens wie daar is!' zei hij toen hij Bobby ontdekte. Hij kwam meteen door de menigte naar hem toe. 'Bobby Cameron, zo waar ik hier sta. Hoe is het met je, jongen? En wat doe jij in deze poel des verderfs?'

Barty was voor in de zestig, een lange, pezige, hoffelijke man met kortgeknipt grijs haar en een goed figuur in een prachtig linnen maatpak. Hij was nooit getrouwd en algemeen werd aangenomen dat hij homoseksueel was, al kon niemand zich herinneren dat hij ooit iets met een man of een vrouw had gehad. Zoals dat voor velen aan de top in zijn beroep gold, waren paarden Barty's lust en zijn leven. Hij zei vaak tegen Bobby dat hij ze als zijn kinderen beschouwde. Bobby had hem met de paarden bezig gezien en twijfelde daar geen moment aan.

'Het is goed met me,' zei hij. 'Ik ben gisteren hierheen gekomen voor een klus.'

'O?' zei Barty.

'Een van de jonge merries van Kravitz,' zei Bobby, en hij vervolgde op fluistertoon: 'Maar onder ons gezegd: het paard is er niet klaar voor. Ik ga morgen terug naar huis. Het heeft geen zin om hier te blijven.'

'Dus het is waar?' vroeg een vreselijk dikke man met een afschuwelijke bos rossig haar dat naar voren was gekamd zoals bij Ronald Trump, met een niet-aangestoken sigaar tussen zijn tanden geklemd zoals Al Capone dat deed. 'Ik had een gerucht opgevangen dat het paard mank was, maar het is leuk om het bevestigd te krijgen.'

'Hallo, Jimmy,' zei Barty. 'Bobby, mag ik je de heer Jimmy Price voorstellen? Jimmy, dit is Bobby Cameron, een vriend van me.'

Bobby stak met tegenzin zijn hand uit. Hij wist natuurlijk wie Price was, ook al had hij hem nooit ontmoet. Behalve de baas van Sean was hij ook een legende in Californische paardenkringen. Hij was een krantenmagnaat met een welbekend meedogenloos karakter – hij had zijn eerste vrouw na een bittere scheidingsprocedure bijna berooid achtergelaten en het arme mens uiteindelijk tot zelfmoord gedreven – en hij had gouden handen als het om paarden kopen ging. Anders dan de meeste eigenaren beperkte hij zich niet tot volbloeden, maar liefhebberde hij ook met succes met polo en quarterhorse-races. Er hingen vaak jockeys om hem heen, die hoopten te worden gesponsord door de man die zo veel racecarrières had gesteund, waaronder die van Connor Hargreaves. Met zijn gigantische rijkdom, geweldige paarden en ongekende invloed op de pers was de steun van Jimmy Price al genoeg om zijn zelfgekozen beschermelingen over de hele wereld bekend te maken.

Toch was Bobby geen fan van hem. Hij mocht dan zelf een vrouwengek zijn, maar hij zou nooit met opzet iemand pijn doen, zoals Jimmy dat bij zijn vrouw had gedaan. Die kerel geloofde kennelijk dat wie geld genoeg had zich niet aan de regels hoefde te houden die voor andere, mindere mensen golden, waaronder ook fatsoen en loyaliteit. Ergens op de weg naar succes was Price elke vorm van mededogen kwijtgeraakt. En daar had Bobby geen geduld mee.

'Luistert u altijd de gesprekken van andere mensen af, meneer Price?' vroeg hij kil.

Als Jimmy al schrok van zijn botheid, liet hij dat niet merken. Hij reageerde op dezelfde manier.

'Natuurlijk,' zei hij schokschouderend. 'Als ze interessant genoeg zijn. Als je niet wilt dat andere mensen naar je luisteren, knul, dan adviseer ik je om je mond te houden. Vooral als het om de paarden van je baas gaat. Als je voor mij werkte, had ik je ontslagen voor die loslippigheid.'

Bobby trok onwillekeurig zijn bovenlip op van walging toen hij Jimmy met zijn dikke worstvingers een pasteitje zag oppakken en het zijn ondergang tegemoet stuurde in zijn grote, donkere, natte mond. Zelfs de manier waarop hij kauwde was aanstootgevend. Hij begreep niet hoe Sean voor die man kon werken.

'Kravitz is niet mijn baas,' zei hij hooghartig. 'Ik werk voor mezelf. En geloof me, meneer Price, ik zal van mijn leven nooit voor u komen werken.'

Barty lachte nerveus. Hij mocht die knul van Cameron graag, maar soms was hij zijn eigen grootste vijand. Jimmy Price was geen man die je tegen je in het harnas moest jagen, vooral niet als je in Californië woonde en ambities had in de paardenwereld.

'Het deed me verdriet om het nieuws over je vader te horen,' veranderde hij snel van onderwerp.

'Dank je,' zei Bobby. Onder andere omstandigheden had hij Barty graag verteld over zijn kennelijke onvermogen om om Hank te rouwen en over de problemen op Highwood. Hij was in wezen een aardige, gevoelige man en Bobby voelde instinctief aan dat hij het begrepen zou hebben, maar hij mocht hangen als hij ook maar iets van kwetsbaarheid zou tonen waar Jimmy Price bij stond. Hij kende de man pas twintig seconden, maar al zijn vooroordelen en negatieve ideeën over hem waren nu al bevestigd.

Hij reikte in zijn jaszak, haalde er een van de nieuwe visitekaartjes uit die Tara had gemaakt toen hij in Frankrijk was en gaf het aan Barty. 'Ik vlieg over een paar dagen naar Engeland,' zei hij. 'Maar misschien kunnen we eens praten als ik terug ben. Dit zijn mijn nummers.'

Barty knikte en stak het kaartje in zijn zak.

'Ik zal tot Kerstmis wel ingesneeuwd zitten op de ranch, dus ik weet niet zeker wanneer ik naar Kentucky zou kunnen komen…'

'De ranch?' Jimmy had zijn oren weer gespitst. 'Ben je een fokker, jongen?'

'Bobby stamt uit een oude cowboyfamilie,' legde Barty uit. 'Zijn vader, God hebbe zijn ziel, is een paar weken geleden overleden, dus deze jongen heeft het roer op de veeranch overgenomen. Een van de mooiste gebieden aan de westkust, heb ik gehoord.'

Bobby tikte tegen zijn hoed als dank voor het compliment.

'Een cowboy?' sneerde Jimmy, en hij stak zijn sigaar op en blies opzettelijk een wolk rook in Bobby's gezicht. 'Dat is zeker een grapje? Bedoel je dat jullie daarginds nog vee in kralen bijeendrijven en al dat gedoe?'

Bobby voelde dat hij zijn vuisten balde. Wie dacht die klootzak wel dat hij was?

'Ja, meneer Price, dat bedoel ik.' Zijn toon was ijskoud. 'Hoezo? Vindt u dat grappig?'

Het maakte niet uit als Dylan en hijzelf klaagden over het ranchwerk en zeiden dat er meer in het leven moest zijn dan vee fokken, maar dat een buitenstaander als Price zich respectloos uitliet over de cowboycultuur… dat was iets heel anders.

Jimmy merkte zijn agressie op, maar liet zich niet zo gemakkelijk intimideren. Hij hield opnieuw zijn aansteker bij zijn sigaar, zoog zijn longen vol rook en blies die als een draak door zijn neus naar buiten alvorens antwoord te geven.

'Ik geloof dat ik het apart vind. Je verwacht in Palm Beach geen cowboys tegen te komen, wel dan, Bart? Tenzij je natuurlijk de projectontwikkelaars meetelt!'

Hij gooide zijn blubberhoofd in zijn nek en brulde schaamteloos van het lachen om zijn eigen briljante opmerking. Zijn vette wangen trilden.

'Ik bel je,' zei Barty. Hij was tussen de twee mannen in gaan staan om te voorkomen dat ze elkaar te lijf zouden gaan. 'Zodra je terug bent uit het goeie ouwe Engeland, oké?'

'Ja,' zei Bobby, terwijl hij achteruit stapte, maar Price nog wel een keer lelijk aankeek. 'Doe dat.'

Een paar minuten later dook Sean uit het niets naast hem op, als een dronken Ierse geest uit de fles. Hij had twee meisjes bij zich, een aan elke arm, en beiden zagen er Argentijns uit. Dat betekende bijna zeker dat ze hier waren met de polospelers; wat weer betekende dat ze strikt verboden waren voor iedereen die niet voor de volgende ochtend door een jaloers vriendje tot moes geslagen wilde worden.

'Wat was dat allemaal, met Jimmy?' vroeg hij zenuwachtig. 'Je hebt hem toch niet verteld dat ik bij Kravitz ben geweest, of wel?'

'Nee,' zei Bobby kortaf. 'Maar ik had hem bijna een knal verkocht. Wat een zak, zeg! Ik krijg de kriebels van hem. Ik snap niet dat je voor hem kunt werken.'

'Als je zijn paarden had gezien, zou je dat niet zeggen,' zei Sean, pragmatisch als altijd. 'Ik zou zelfs voor Adolf Hitler werken als die een stal had zoals die van Jimmy.'

'Dat meen je niet,' zei Bobby.

'Ik ben bang van wel,' zei Sean. 'Maar genoeg over het te grabbel gooien van mijn talenten. Ik wil je voorstellen aan mijn vriendinnen. Maria, Conchita.' Hij wendde zich tot de Argentijnse schonen naast hem. 'Dit is mijn goede vriend, Bobby Cameron.' De meisjes knikten en glimlachten. Ze spraken duidelijk geen van tweeën een woord Engels. 'Ik ben bang dat Bobby aan een zeer ernstig geval van principes lijdt. Hij werkt alleen maar voor de goeien, begrijpen jullie? De diagnose luidt terminaal moreel rechtschapen, nietwaar, Bobby?'

Voor hij de kans kreeg Sean een draai om zijn oren te geven, had Bobby een aantrekkelijke Argentijnse vrouw in zijn armen. Een van de meisjes had Seans toespraak opgevat als een oproep om zich voor te stellen en was als een naar genegenheid hunkerende labradorpup in zijn armen gesprongen.

'Aangenaam kennis te maken,' zei hij lachend. Hij zag dat haar vriendin een hand met rode klauwen onbeschaamd in Seans linnen broek had gestoken en hem vol in het zicht van de andere gasten betastte. 'Je bent niet verlegen, is het wel?'

Hij liet zich smoren onder de kussen van de Argentijnse, vergat bijna zijn ontmoeting met Jimmy Price en begon eindelijk een beetje te genieten, toen hij op zijn schouder getikt werd.

'Echtgenoten, vijfenveertig graden naar links,' waarschuwde Sean hem.

Bobby draaide zich om en kreeg twee zwaargebouwde Argentijnen in het oog, die dreigend op hen af kwamen.

'Sorry, lieverd,' zei hij, en hij bevrijdde zich uit de armen van het meisje en stoof niet bepaald waardig naar de deur. 'Ik moet ervandoor.'

Een paar minuten later zaten ze hijgend achter Seans Porsche te wachten tot de woedende polospelers de zoektocht opgaven en terug naar binnen gingen.

'Shit, dat scheelde weinig!' zei Bobby, lachend nu het gevaar geweken was. 'Hoeveel steak zouden die klootzakken eten? Die linkse leek wel een sumoworstelaar.'

'Wel zonde, hoor,' zuchtte Sean. 'Fantastische meiden, en overal voor in. We hadden ze kunnen delen.'

Bobby sperde in het donker zijn ogen open. 'Leuk bedacht,' zei hij, 'maar ik laat het gangbangen aan jou over. Eén meisje per keer is meer dan genoeg voor mij.'

Sean schudde meewarig zijn hoofd. 'Het wordt tijd om je horizon te verruimen, Dorothy,' zei hij. 'Je bent niet meer in Kansas.'

Bobby lachte en veegde het vuil van zijn mouwen. Hij probeerde zich voor te stellen wat zijn vader, Wyatt of de ranchknechten thuis ervan gedacht zouden hebben om met z'n vieren in een bed seks te hebben met andermans vrouwen... maar dat was letterlijk onvoorstelbaar. Dat soort dingen gebeurde gewoon niet in de Santa Ynez-vallei.

'Nee, ik geloof het ook niet,' zei hij. Hij hielp Sean overeind en werd overvallen door vermoeidheid. Hij had het gevoel dat hij elk moment kon instorten. 'En het spijt me je te moeten teleurstellen,' zei hij geeuwend, 'maar het enige bed waar ik nu naar verlang is het mijne.'

7

Jasper zat chagrijnig op de passagiersstoel van zijn vaders donkerblauwe Range Rover en bracht voor de achteruitkijkspiegel halfslachtig zijn haren in model. Hij droeg de laatste tijd zijn pony wat langer en zette hem met behulp van gel in stekeltjes overeind. De meeste meisjes die bij de kleedkamers voor de jockeys rondhingen, leken zijn nieuwe look wel aardig te vinden. Sinds Rachel twee nachten geleden tijdens de seks echter had gezegd dat het net was of er een dode egel op zijn hoofd zat, voelde hij zich er niet meer helemaal mee op zijn gemak.

Cecil en hij waren op weg naar Heathrow om Michael Delaneys bejubelde Californische trainer op te halen, die bij hen in huis te gast zou zijn.

'Ik snap trouwens niet wat er zo bijzonder aan die kerel is,' klaagde hij voor de derde keer in evenzovele uren. Hij was gepikeerd dat zijn vader hem helemaal meenam naar het vliegveld alleen om die man te begroeten. Die Bobby Cameron was nu al een vreselijke lastpost. Rachel verveelde hem al weken met verhalen over hoe briljant die kerel werd geacht te zijn met paarden. Alsof dat hem ook maar een moer kon schelen!

'Eerlijk gezegd, Jasper,' zei Cecil, 'ik ook niet.' Hij reed de linkerbaan op om de stinkende vrachtwagen voor hen in te halen. 'Michael heeft al een van de beste trainers van het land en al zijn hengstveulens hebben het dit seizoen uitstekend gedaan. Ik heb ook geen idee waarom hij meent John Wayne te moeten laten overkomen. Het punt is echter dat we een hoop geld verdienen aan de hengsten van Delaney. En we krijgen er niets van als we die jongen een paar weken onderdak geven.'

'Hmm. Nou, ik vind het knap onbeschoft,' mopperde Jasper. 'Ik heb verdomme geen tijd om midden in het seizoen op die zogenaamde paardenfluisteraar te passen. Hij gaat ons natuurlijk vreselijk voor de voeten lopen op de stoeterij. Met zijn lasso lopen zwieren op het galoppeerterrein, of wat hij dan ook mag gaan doen.'

Cecils haren gingen overeind staan. Hij gaat óns voor de voeten lopen? Wat een giller. De enige keren dat J zich op de stoeterij liet zien was als hij geld nodig had, of wilde dat Cecil zijn klanten probeerde over te halen hem te laten rijden. Hij had vanochtend zelfs het lef gehad om zich erover te beklagen dat hij mee moest naar Heathrow. Alsof hij iets beters te doen had!

'Laten we die kerel maar gewoon een kans geven, oké?' zei Cecil alleen maar. 'Als hij zo goed is als Michael beweert, kun je misschien wel iets van hem leren. Want laten we wel wezen, je presteert de laatste tijd niet bepaald goed.'

'Iets van hem leren? Dat betwijfel ik,' zei Jasper met adembenemende arrogantie, terwijl hij voor de vierde en laatste keer in de spiegel keek en zijn stekels modelleerde. 'Ik hoef geen eenzame tochten over de uitgestrekte vlakten te kunnen maken, wel dan? Ik wil races winnen. En ik zie niet in hoe een of andere omhooggevallen cowboy uit Nergenshuizen me daarbij kan helpen. Jij wel?'

Thuis op Newells was Linda druk bezig een welkomstmaaltijd te bereiden voor hun illustere huisgast. In Linda's ogen was Bobby Cameron namelijk illuster door zijn band met sir Michael en lady Delaney.

Milly was onder slechts gematigd protest uit de hengstenstal naar binnen gekomen; ze wilde haar moeder te vriend houden nu ze in zekere zin een wapenstilstand hadden bereikt. Ze was nu boven het bed in de logeerkamer aan het verschonen en hing de 'beste' bijpassende handdoeken in de badkamer.

Inwendig ineenkrimpend van schaamte merkte ze de strategisch geplaatste foto's op van haar ouders die de koningin ontmoetten op Ascot, en de koningin-moeder op Goodwood; de foto's stonden helemaal vooraan op de commode. Haar moeder moest ze uit de huiskamer hierheen hebben gebracht opdat deze twee bewijzen van sociaal succes zeker niet door de Amerikaanse gast over het hoofd zouden worden gezien.

En, o god, wat deed dat ding hier?'

Rillende van afgrijzen pakte ze de zwart-witfoto op van haarzelf als een van de koorleden tijdens het kerstconcert van de toneelvereniging, en stopte hem in het laatje van een van de nachtkastjes. De camera had haar vastgelegd in een buitengewoon lelijke perzikkleurige jurk, zingend met haar mond wijd open. Linda vond de foto schattig; Milly vond hem afschuwelijk. Als ze ook maar een schijn van kans wilde maken om die kei van een trainer te laten zien wat ze als jockey zou kunnen presteren, wilde ze niet dat hij haar voor het eerst zo zag.

Sinds haar vader haar had verteld dat Bobby bij hen zou logeren, had zich min of meer een plan gevormd in Milly's hoofd. Cecil had zo goed als toegegeven dat hij geen tijd had om 'oppas te spelen' voor de Amerikaan.

Het zou dus het gemakkelijkst zijn als zíj de rol van gastvrouw op zich nam, in elk geval bij de stallen. Wat betekende dat ze veel tijd met haar vader en Delaneys paarden kon doorbrengen. Ze kon Bobby voorstellen aan de jonge hengsten van sir Michael, eventuele problemen tussen hem en Victor gladstrijken en zich gewoon nuttig maken. En ze hoopte dat hij in ruil daarvoor een oogje zou dichtknijpen als ze wilde rijden en haar misschien zelfs in het geheim wat trainingssessies wilde geven. Als hij dacht dat ze goed genoeg was, natuurlijk.

En dat zou hij zeker doen. Daar zou ze wel voor zorgen.

Misschien kon een buitenstaander voor elkaar krijgen wat haar niet lukte, en haar vader ervan overtuigen dat ze veilig kon rijden.

Ze had een dag of tien geleden eindelijk het besluit genomen om het verbod van haar ouders naast zich neer te leggen. Ze was die middag uitgeput thuisgekomen van die vreselijke bloemschikcursus en toen ze de keuken binnenstapte zat Rachel Delaney op háár favoriete stoel, gezellig met mama te kletsen over de dag die ze had doorgebracht met het berijden van háár paarden. Milly zou de hatelijke en triomfantelijke blik die ze toen in Rachels ogen had gezien nooit vergeten; een blik die leek te zeggen: 'Zie het onder ogen, Milly, je hebt verloren. Ik heb alles wat jij wilt. Zelfs je eigen moeder is dol op me! En daar kun jij niets tegen doen.'

Nou, ze vertikte het om dat zomaar allemaal te pikken. Als Rachel heibel wilde, kon ze die krijgen. Ze zou weer gaan rijden, en ze zou dat kreng helemaal stuk rijden. Hoe dan ook.

Ze hoefde alleen maar de kans te krijgen. En ze had besloten dat Bobby Camerons bezoek wel eens de ideale kans zou kunnen zijn.

Toen ze klaar was met het bed, begon ze zorgvuldig de lelies en witte rozen in een vaas te schikken die Linda had meegebracht van de bloemenwinkel in Newmarket. Na twee ellendige weken van huiselijke vaardigheden bij Madeleine Howard wist ze in elk geval beter dan ze lukraak in een vaas te laten vallen.

'O, Mill, dat ziet er prachtig uit.' Linda was naar boven gekomen om haar vorderingen te controleren en straalde toen ze de bloemen zag. Gelukkig was het haar niet opgevallen dat de foto ontbrak. 'En de kamer ook. Dank je, lieverd. Ik denk dat je je nu beter kunt gaan omkleden.' Ze keek op haar horloge. 'Papa heeft me vijf minuten geleden gebeld vanaf de M11, dus ik verwacht hen vrij snel terug.'

'Omkleden?' Milly fronste haar voorhoofd. Ze had gehoopt voor de lunch nog even terug te kunnen naar de stal om bij Easy te gaan kijken. 'Kan ik dit niet aanhouden?'

'Geen sprake van,' zei Linda, huiverend toen ze haar dochters groezelige rijbroek en vormeloze grauwe T-shirt zag. 'Ga je omkleden. En probeer in elk geval iets te vinden wat enigszins vrouwelijk is.'

Jeetje zeg, dacht Milly toen ze een paar minuten later in haar rommelige laden naar iets schoons zocht om aan te trekken. Alsof het Bobby Cameron ook maar een moer kon schelen of zij er 'vrouwelijk' uitzag of niet. Onwillig waste ze haar gezicht en bracht ze een beetje van de vochtinbrengende crème aan die haar moeder de vorige dag van Boots in Newmarket had meegebracht. Make-up ging haar te ver, maar ze borstelde wel haar haren, bond ze netjes in een paardenstaart en spoot wat Penhalligon's Victorian Posey op haar polsen en hals.

Ze ging echt geen jurk aantrekken. Het was al erg genoeg dat ze dat voor feestjes moest doen, maar ze peinsde er niet over om daar thuis ook mee te beginnen. Toch wilde ze haar moeder onder de huidige, nog tamelijk kritieke omstandigheden ook weer niet te veel tegen zich in het harnas jagen.

Tandenknarsend besloot ze tot een compromis door een witte broek van Top Shop en het gebloemde blauwe bloesje van Ralph Lauren aan te trekken dat Cecil twee jaar geleden voor haar had gekocht en dat ze nog nooit had gedragen. Het prijskaartje zat er nog aan. Ze beet het plastic draadje door, haalde het eraf en trok zonder eerst de knoopjes open te maken het bloesje over haar hoofd aan.

Een paar minuten later kondigde het luide geblaf van Cain en Abel, de twee oude, reumatische jack russells, aan dat het ontvangstcomité was teruggekeerd.

Linda had de voordeur al geopend en kuste hun lange blonde gast op beide wangen toen Milly boven aan de trap verscheen.

'Bobby, dit is mijn dochter, Millicent,' zei ze, en ze deed een stap opzij zodat de twee elkaar konden zien.

Milly stond stil als een standbeeld op de bovenste trede, haar vingers strak om de leuning. Het was niets voor haar om verlegen te zijn, of om veel aandacht aan het andere geslacht te besteden. Maar deze keer wenste ze vurig dat ze iets sensuelers had aangetrokken, of dat ze toch make-up had gebruikt. Ze had op z'n minst haar haren moeten wassen! Want daar beneden stond ongetwijfeld de knapste man die ze ooit had gezien. En zij stond hier met glimmende wangen en met haar volle boezem in een truttige bloemetjesbloes gestoken. Waarom overkwam haar dat nou weer?

'Hallo, Millicent.' Bobby deed een stap naar voren en stak zijn hand naar haar uit, met een glimlach die straalde als een baken.

Ze wist van Jasper, die het van Rachel wist, dat Bobby drieëntwintig was. Dat was maar drie jaar ouder dan die arme Harry Lyon, maar de adonis voor haar leek veel en veel ouder: een echte volwassen man. Het idee om hem tot een bondgenoot tegen haar vader te maken leek plotseling vergezocht en belachelijk. Kinderachtig, zelfs. En ze realiseerde zich direct dat ze absoluut niet wilde dat deze man haar als een kind zou zien.

'Het is eigenlijk Milly,' stamelde ze met bonkend hart. Ze wilde naar beneden schrijden met de waardigheid en elegantie van een Grace Kelly; haar benen leken daar echter anders over te denken en bleven koppig staan. 'Iedereen noemt me Milly.'

'Ik ben Bobby.' O, weer die glimlach! 'Leuk om kennis met je te maken.'

'Ja. Heel goed. Hallo. Uitstekend.' Tot haar afgrijzen rolden de woorden willekeurig over haar lippen. Ze klonk als zo'n vreselijke pratende opwindpop die ze als kind had gehad. Ze voelde haar wangen branden en hoopte maar dat ze niet zo hevig bloosde als ze zelf dacht.

Bobby glimlachte in zichzelf. Dat arme kind leek doodsbang. En ze had zich kennelijk in het donker aangekleed. Cecil had hem in de auto verteld dat hij een dochter van zestien had die gek was op paarden, maar dit meisje leek veel jonger.

'Zullen we meteen doorlopen voor de lunch?' kwinkeleerde Linda opgewekt. 'Je zult wel uitgehongerd zijn, Bobby.' Ze leek zich niet bewust van de moeite die het Milly kostte om de ene voet voor de andere te zetten toen ze eindelijk de trap af kwam. 'Jasper kan je daarna je kamer wel laten zien.'

'En dan kan ik je een rondleiding geven op de stoeterij. Als je niet te moe bent, natuurlijk,' zei Cecil.

'Natuurlijk,' zei Bobby. 'Dat lijkt me geweldig. Het ruikt hier trouwens heerlijk.'

'Dank je.' Linda bloosde als een schoolmeisje bij het compliment. Milly was kennelijk niet de enige die voor Bobby's charmes was gevallen. 'Ik hoop maar dat het net zo goed smaakt als het ruikt. Dat weet je nooit zeker met lamsvlees.'

Ze bood Bobby haar arm aan en leidde hem de eetkamer in. 'Zullen we?'

De lunch was uiteraard heerlijk, hoewel Bobby merkte dat hij te moe was om veel te kunnen eten. Hij had meer belangstelling voor zijn gastgezin dan voor het voedsel.

Hij zou zes weken in Engeland blijven, langer dan hij ooit met één klus bezig was geweest. Hij lag 's nachts wakker van de gedachte dat hij zijn dierbare Highwood pas in de herfst zou weerzien, maar hij zou wel gek geweest zijn als hij het torenhoge bedrag had afgewezen dat sir Michael Delaney hem had geboden. Wyatt zou flink uit zijn slof geschoten zijn als hij deze klus had geweigerd. Bovendien had hij van een paar fokkers in Kentucky fantastische dingen gehoord over Newells. De kans om hier te logeren en de paarden van Lockwood Groves met eigen ogen te bekijken was te mooi om te laten schieten.

Cecil leek hem een geschikte kerel. Hij had iets bruusks dat Bobby aan zijn eigen vader deed denken, maar anders dan Hank temperde hij zijn duidelijke taal met voelbare warmte. Tijdens de lange rit van het vliegveld naar hier had hij zich vriendelijk, grappig en vaderlijk opgesteld, en zijn best gedaan om Bobby op zijn gemak te stellen. Hij kon urenlang over zijn paarden praten en wist veel meer over hun stambomen dan de meeste fokkers. En hij was beleefd, iets waar Bobby grote waarde aan hechtte, maar wat hij steeds minder tegenkwam naarmate hij verder van Highwood met zijn strikte cowboycode van hoffelijkheid vandaan reisde.

Zijn zoon daarentegen was een eikel. Hij was nukkig en chagrijnig als een puber met PMS en had geen enkele moeite gedaan om zijn afkeer van Bobby te verbergen. Bobby was gewend aan de vijandigheid en wrok van trainers, maar begreep niet waarom de onbelangrijke Britse jockey met het belachelijke kapsel zich door hem bedreigd zou voelen. Dat was echter duidelijk wel het geval. De enige keer dat die kerel tijdens de rit naar huis zijn gesim onderbrak, was om op te scheppen over zijn bekwaamheid in het zadel, waardoor hij tegelijkertijd een onbehouwen en een onzekere indruk wekte. Hij leek helemaal niets van zijn vaders hengsten te weten, wat vreemd was voor een enig zoon die de stoeterij zou erven. Al met al kwam hij over als een verwend, egocentrisch en onuitstaanbaar kereltje.

'Jasper, lieverd, nog aardappelen?' Linda boog over de tafel heen en hield haar zoon de dampende schaal voor als een zoenoffer, alsof het haar schuld was dat hij zo slechtgehumeurd was.

Hmm. Geen twijfel mogelijk. Jasper was duidelijk mama's oogappel.

Hij had echter meer belangstelling voor de arme verwaarloosde dochter. Hij had aanvankelijk gedacht dat ze te verlegen zou zijn om iets te zeggen. Telkens als hij in haar richting keek, bloosde het arme kind als een overrijpe tomaat. Zodra het gesprek echter op haar vaders hengsten kwam, werd ze een heel ander mens. Ze schudde haar onbeholpenheid van zich af als een feniks die uit de vlammen herrijst en gaf blijk van een werkelijk encyclopedische kennis van de stamboom, nakomelingen, prestaties op de baan, gezondheid en het trainingsschema van ieder dier. Hij was onder de indruk.

'Ik doe maar een wilde gok, Milly, maar klopt het dat je zelf ook rijdt?' merkte hij op, nadat hij had gehoord hoe ze tot in detail de loopproblemen van een van sir Michaels nieuwe hengstveulens beschreef. Haar kennis van paarden hield kennelijk niet op bij de dieren van haar vader.

'Eerlijk gezegd niet, nee,' zei Jasper sarcastisch. 'Milly's belangstelling voor paarden is tegenwoordig puur theoretisch. Toch, Mill?'

Bobby merkte de woedende blik op die ze haar broer schonk en vroeg zich af in wat voor mijnenveld hij terecht was gekomen.

'Tegenwoordig?' Hij trok vragend een wenkbrauw op naar Milly, maar deze keer antwoordde haar vader voor haar. Liet niemand dat arme kind voor zichzelf spreken?

'Milly is een fantastische ruiter,' zei Cecil, zijn woorden met zorg kiezend. 'Maar ze moest om medische redenen stoppen met paardrijden.'

'Verzonnen redenen,' mompelde Milly zacht, maar Bobby hoorde het wel en schonk haar een glimlach die haar helemaal week maakte vanbinnen en haar wangen weer vuurrood deed kleuren.

Cecil besloot haar te negeren en vervolgde: 'Dat is echter in het voordeel van Newells uitgevallen, want mijn dochter is een aanwinst van onschatbare waarde op de stoeterij.'

'Dat kan ik me voorstellen,' zei Bobby.

Milly's hart maakte een sprongetje. Hij vindt me aardig! Hij vindt me echt aardig!

'Jasper rijdt professioneel,' kwam Linda tussenbeide terwijl ze Bobby nog wat van haar heerlijke gebakken courgette aanbood. 'Hij heeft afgelopen maand de Oaks gereden op Epsom, nietwaar, lieverd?' kon ze niet nalaten eraan toe te voegen.

'Echt waar?' Bobby spitste zijn oren. 'Indrukwekkend. Hoe ging het?'

Op Jaspers voorhoofd trilde een spiertje en zijn bovenlip krulde onwillekeurig op. Hij kon zijn moeder wel schieten.

'Belabberd,' zei Milly triomfantelijk. 'Hij werd negende… van de tien.'

Aha, dacht Bobby. Dus niet verlegen. Alleen overdonderd. Broer en zus konden elkaar kennelijk niet luchten of zien, en hij wist al aan wiens kant hij stond.

'Zijn paard was vreselijk overtraind,' kwam Linda Jasper meteen te hulp. 'Hij heeft feitelijk heel goed gereden.'

Milly proestte zo hard van het lachen toen ze dat hoorde dat ze zich verslikte in haar rode wijn.

'Milly! Maak jezelf liever nuttig en ruim de borden af,' beet Linda haar toe.

Milly voelde zich zwaar vernederd omdat ze zojuist haar wijn had uitgespuugd waar die kanjer van een Bobby bij zat, en was maar al te blij dat ze een excuus had om van tafel te gaan. Ze vergaarde snel de borden en verdween in de keuken om zich op te knappen.

Ze vroeg zich af of ze tijd genoeg had om naar haar slaapkamer te gaan en wat make-up aan te brengen. Of op z'n minst het rood op haar wangen een beetje te temperen voor het dessert…

Zodra ze weg was, wendde Bobby zich weer tot Cecil. Zijn nieuwsgierigheid was gewekt.

'Die "medische redenen", was dat iets ernstigs?' vroeg hij.

Cecil fronste en Bobby had er meteen spijt van dat hij had doorgevraagd. 'Ze heeft een ongeluk gehad,' zei hij bruusk. 'Een hele tijd geleden. Maar dat is nu allemaal voorbij. Milly is volkomen gelukkig.'

Ja, hoor. Ik mag doodvallen als dat waar is, dacht Bobby.

'Je weet hoe meisjes in de tienerleeftijd zijn,' deed Linda een duit in het zakje. 'Vreselijk wispelturig. Ze kan nu elk moment genoeg krijgen van paarden en belangstelling krijgen voor jongens!'

Milly, die net op tijd binnen was gekomen om die opmerking van haar moeder te horen, liet de stapel porseleinen gebaksbordjes die ze vast had bijna uit haar handen vallen.

'Ik krijg nooit genoeg van paarden!' zei ze fel. 'Nooit! En ik geef helemaal niets om jongens, mama, dat weet je best.'

'Echt waar?' zei Jasper vals. 'Want dat lijkt me toch echt poeder op je neus. Heb je het er soms met een troffel tegenaan gesmeerd?'

'Ik weet niet waar je het over hebt,' pareerde ze, en ondanks haar blozende wangen behield ze haar waardigheid terwijl ze de bordjes naast Linda's dampende appel-bramenkruimeltaart neerzette. 'Volgens mij is je haargel door je schedel heen getrokken en heeft die je hersens beschadigd.'

Bobby grinnikte en keek heel even naar Milly.

O alstublieft, God, bad Milly in stilte, laat hem zo aardig zijn als hij lijkt. En als het te veel gevraagd is dat hij een oogje op me krijgt, kunnen we dan tenminste vrienden zijn?

Als hij haar tegenover haar vader steunde zoals hij dat tegenover Jasper al had gedaan, zou hij toch best eens haar redder kunnen zijn.

Later die middag, nadat Bobby had uitgepakt, nam Cecil hem mee voor een uitgebreide rondleiding. Het was nog augustus, maar de weergoden leken te hebben besloten dat het tijd was voor de herfst. Het regende al de hele dag, al hadden de stortbuien van die ochtend wel plaatsgemaakt voor een gestage grauwe motregen die onder het lopen als een fijne nevel in hun gezicht waaide.

'Ik ben onder de indruk,' zei Bobby toen hij van de stallen naar de hengstenschuur en de dekstal werd geleid, en vervolgens in Cecils oude Range Rover de heuvel op naar het galoppeerterrein en de reusachtige overdekte trainingsbaan. 'Ik had me niet gerealiseerd dat je op zo grote schaal werkte. Het doet me denken aan Overbrook.'

Cecil lachte. 'Zo ver zou ik niet gaan.' Overbrook was een van de grootste, meest prestigieuze stoeterijen in Kentucky. 'Maar we hebben wel meer in onze mars dan de meeste Amerikanen lijken te denken.'

'Is het nou half stoeterij, half trainingsstal?' vroeg Bobby terwijl hij vol ontzag naar de twee buitengewoon mooie bruine ruinen keek die door hun respectievelijke stalknechten over het natte gras van het galoppeerterrein werden geleid.

'Nee, nee,' zei Cecil resoluut. 'We zijn een stoeterij. Dat is de kernactiviteit, altijd al geweest. Door de jaren heen gaven veel van mijn cliënten echter aan belangstelling te hebben om alles op één plek te houden, zowel fokken als trainen. Sommigen hebben natuurlijk hun eigen bedrijf, maar anderen hadden hun renpaarden bij verschillende trainers in het hele land ondergebracht en hun fokhengsten hier. Dat brengt een hoop reizen en gedoe met zich mee, vooral als je daarnaast ook nog een belangrijke directeur of zo bent, met een bedrijf in Londen.'

'Zoals Delaney, bedoel je?' vroeg Bobby.

'Nou, Michael heeft als eigenaar de touwtjes aardig in handen,' zei Cecil, daarmee bevestigend wat Bobby thuis al had gehoord, 'maar inderdaad, hij traint hier. Daarom is het ook praktisch dat jij hier logeert. Victor Reed, zijn vaste trainer, werkt vier dagen per week op ons galoppeerterrein.'

'Wat is hij voor iemand?' Bobby deed zijn best het als een terloopse vraag te laten klinken. In feite wilde hij echter graag zo veel mogelijk te weten zien te komen over de alom als kregelig bekendstaande Victor voordat hij hem morgen voor het eerst ontmoette.

'Eerlijk gezegd,' zei Cecil, 'is hij een ontzettende lul.'

Normaal gesproken was hij veel te professioneel om zich zo openhartig uit te laten ten overstaan van een personeelslid van een van zijn cliënten. Bobby had echter iets wat uitnodigde hem in vertrouwen te nemen en Cecil merkte dat hij openlijker sprak dan hij van plan was geweest.

'O ja?' Bobby knikte peinzend. Hij was teleurgesteld, maar niet verbaasd. Net wat hij nodig had: weer zo'n arrogante, wrokkige klootzak van een trainer op zijn dak.

Hij voelde zich plotseling koud, nat en verschrikkelijk moe toen de jetlag met volle kracht toesloeg.

'Kop op,' zei Cecil. Hij hoopte dat hij de jongen niet had afgeschrikt. 'Het komt wel goed. Ik weet zeker dat je wel met lastiger klanten hebt gewerkt dan die ouwe Victor.'

'Ja,' zei Bobby en hij dacht aan de tirannieke Henri Duval. 'Dat weet ik wel zeker.'

Ze kropen dankbaar terug in Cecils warme Range Rover en reden terug naar het huis.

'Aha, daar zijn jullie,' zei Linda, die op hen toe kwam toen ze de keuken binnenliepen en hen uit hun natte jassen hielp. 'Cecil, wat heb je met die arme jongen uitgespookt? Hij ziet er doodmoe uit. Milly, breng Bobby even naar zijn kamer, wil je? En zorg ervoor dat hij alles heeft wat hij nodig heeft.'

Bobby keek op en zag Cecils dochter, die weggedoken achter het laatste nummer van de *Racing Post* haar rug zat te warmen bij het fornuis. Ze had een oude corduroy broek en een trui met V-hals aangetrokken, een hele verbetering ten opzichte van de bloemetjesbloes die ze eerder die dag had gedragen. Ze had een mooi, fijn, bijna jongensachtig figuurtje.

'Hè, wat?' Ze rukte zich onwillig los van het artikel over de Oaks waarin ze verdiept was geweest, en schrok toen ze hem naar haar zag kijken. Ze was zo in beslag genomen door het artikel dat ze hem helemaal niet binnen had horen komen. Ze wist plotseling niet wat ze met haar handen moest doen en liet de krant vallen. 'Sorry, mam. Wat zei je?'

'Onze gast, lieverd,' zuchtte Linda vermoeid. 'Wil je hem even naar boven brengen?'

'Dat hoeft niet,' zei Bobby. 'Ik weet de weg.'

'Nee!' zei Milly, harder en dringender dan ze bedoeld had. Haar ouders keken haar bevreemd aan. 'Ik bedoel, dat is prima,' legde ze blozend uit. 'Ik kan hem… wel brengen. Ik kan je wel brengen.'

Ze keek naar Bobby en waagde het hem een glimlach te schenken, die hij beantwoordde. Ze was een leuke meid.

Boven in de logeerkamer deed ze haar uiterste best kalm te blijven terwijl ze hem wegwijs maakte. 'De douche is wat onbetrouwbaar, maar als je hem vijf minuten laten lopen, wordt het water wel warm,' zei ze, resoluut naar haar schoenen kijkend. 'En de handdoeken liggen op het bed, en als je meer hangertjes nodig hebt, in Jaspers kamer hangen er genoeg; daar zijn ook zeep en dat soort dingen, dus als je wat nodig hebt, kan ik het wel voor je halen…'

'Het is prima zo,' zei Bobby en hij legde een hand op haar schouder om een eind te maken aan de nerveuze woordenstroom. 'Dank je.'

Milly verstarde, te zeer overweldigd door zijn aanraking om zich te kunnen verroeren, laat staan om nog iets te zeggen. Zelfs nadat hij zijn hand van haar schouder had genomen, kon ze haar kalmte niet hervinden.

'Misschien,' zei hij, 'kun je me morgen alles vertellen over de problemen van die hengstveulens? Je vader zegt dat jij er meer van weet dan wie ook. Als je het tenminste niet te druk hebt?'

Milly knikte zwijgend. Meer kreeg ze niet voor elkaar.

'Geweldig,' zei Bobby. 'Nou, eh… dan zie ik je nog wel, oké?' Hij trok geamuseerd een wenkbrauw op toen ze nog steeds bleef staan. 'Ik moet nu echt een poosje slapen,' legde hij uit.

'O!' zei Milly, die eindelijk weer bij zinnen kwam, als een schildpad die ontwaakt uit zijn winterslaap. 'Natuurlijk. Sorry. Dan laat ik je nu maar alleen.'

Ze stoof de kamer uit, deed de deur achter zich dicht en was al bijna halverwege de overloop voordat de schaamte plaatsmaakte voor verrukking.

Ze zou morgen samen met hem werken! Híj had háár gevraagd hem met de hengstveulens te helpen. Ze had zelf helemaal niets hoeven doen!

Ze ging haar eigen kamer binnen, klom op een stoel en trok de posters van Robbie Pemberton en Frankie Dettori van de muren. Wie had er posters nodig als er iets verderop aan de overloop een tot leven gekomen fantasie lag te slapen? Toen pakte ze haar nationale kampioensbeker voor de categorie tot twaalf jaar van de plank boven haar bed, drukte die aan haar borst en draaide rondjes tot ze duizelig werd.

Jasper en Rachel konden zo hatelijk en haar ouders zo koppig doen als ze wilden. Zij ging weer paardrijden. Dat was het enige wat telde.

En de knappe Bobby Cameron zou haar helpen.

8

'Goed zo, nu naar achteren, naar achteren, naar achteren!' riep Bobby tegen de wind in. Hij hield met de ene hand zijn hoed vast en zwaaide met
de andere naar Milly, die overduidelijk genoot en zich nergens van bewust
was toen ze langs hem heen galoppeerde. 'Leun naar achteren!'

Er waren drie weken verstreken sinds hij naar Newells was gekomen en
ze kon zich de tijd voor zijn komst nog maar nauwelijks herinneren. 'Ik
noem het v.C.,' had ze hem glunderend verteld, op de avond na hun eerste
trainingssessie samen. 'Voor Cameron.' Na al het plannen maken en hopen
was het veel gemakkelijker geweest dan ze had verwacht om hem tot haar
bondgenoot en mentor te maken. Zijn liefde winnen bleek jammer genoeg
heel wat lastiger, maar voorlopig waren zijn vriendschap en het grote genot van het paardrijden voldoende om haar in een toestand van bijna permanente extase te brengen.

'Verdorie, meisje,' zei hij hoofdschuddend, 'wat is er zo moeilijk aan
"naar achteren" dat je het niet begrijpt?' Ze denderde op hem af op Elijah,
een van Cecils waardevolste hengsten, hoog in de stijgbeugels, de knieën
opgetrokken, haar bovenlichaam zo ver naar voren dat het leek of ze elk
moment over het hoofd van het paard heen kon tuimelen.

'Wat?' zei ze, haar gezicht een toonbeeld van verongelijkte onschuld
toen ze met tegenzin afsteeg. 'Ik moedigde hem alleen maar een beetje aan.
Hoe kan ik tegen hem praten of hem vertellen dat hij een brave jongen is
als ik niet bij zijn oren in de buurt mag komen?'

Bobby deed zijn best niet te glimlachen, maar faalde. Het kind deed
hem zozeer denken aan hemzelf op die leeftijd dat het bijna eng was. Aanvankelijk had hij zich eraan geërgerd dat ze als een hondje achter hem aan
liep. Elke morgen was ze al vóór hem op het galoppeerterrein, of de paarden aan het roskammen, of harnachementen aan het poetsen; ze zette zelfs
koffie voor hem en Victor. Hij had geprobeerd haar beleefd af te poeieren,
want hij had er tijdens het trainen helemaal geen behoefte aan te worden
afgeleid door een kien en pienter kind. Hij was ten slotte teruggevallen op

zijn gebruikelijke, bottere tactiek en had haar in niet mis te verstane bewoordingen gezegd dat ze hem niet langer voor de voeten moest lopen.

Ze had hem echter halsstarrig genegeerd en was telkens weer opgedoken, als zo'n kaars die je niet kon uitblazen, altijd opgewekt, altijd aanwezig. En hij moest ook wel toegeven dat ze zichzelf bijzonder nuttig maakte. Geen klus was haar te min of te zwaar, en dankzij haar kennis van Delaneys hengstveulens en haar flair om met ze om te gaan was het handig haar in de buurt te hebben.

Hij had voor het eerst van zijn leven iemand ontmoet wier band met paarden kon wedijveren met de zijne. En ze was bovendien vastberaden – zo koppig als een ezel, zelfs –, een karaktertrek die hij altijd al bewonderd had. Hoe meer tijd ze samen doorbrachten en hoe beter hij haar leerde kennen, hoe meer hij met haar meeleefde.

Hij had zwijgend aangekeken hoe hatelijk sir Michaels dochter tegen haar deed; ook Rachel hing veel op het erf rond sinds hij was gearriveerd. Ze liep te paraderen in haar sexy rijkleding en probeerde zowel zijn aandacht te trekken als Jasper jaloers te maken. Nog erger was de manier waarop allebei haar ouders haar ambities in de kiem smoorden. Milly had hem uitgelegd hoe het zat met dat verbod om te rijden en in Bobby's ogen was de maatregel belachelijk, onnodig en wreed. En wat die afschuwelijke broer van haar betrof: er mankeerde niets aan die klootzak wat niet met een fikse afranseling met een paardenzweep op te lossen was.

Hij had aanvankelijk zijn twijfels gehad toen ze om zijn hulp had gevraagd. Haar vader was immers zijn gastheer en zou uit zijn vel springen als hij wist dat Milly weer reed en dat hij, Bobby, daar medeplichtig aan was. Toen ze hem eenmaal had overgehaald om één keer naar haar te kijken terwijl ze in het zadel zat, waren al zijn twijfels snel verdwenen.

Ze was goed. Beter dan goed. In feite was ze, als je naging dat ze al twee jaar helemaal niet had gereden, fenomenaal. Wat hem echter het meest verrast had was hoe goed ze was op korte afstanden. Net als Jasper was ze een agressieve ruiter, maar in tegenstelling tot haar broer was ze niet agressief tegen haar rijdier. In plaats daarvan wist ze met haar aanstekelijke ambitie en onbevreesdheid de paarden ertoe op te zwepen tot het uiterste van hun uithoudingsvermogen te gaan, wat haar verbazingwekkende tijden op de korte, vlakke sprint opleverde.

Het was eigenlijk ironisch voor de dochter van een Engelse fokker, maar Milly was een natuurtalent voor quarterhorse-races. Wat had Cecil bezield om een dergelijk talent weg te gooien?

Hij merkte dat hij zich voor het eerst sinds Hanks dood op iets anders concentreerde dan Highwood en zijn eigen problemen. Dat vormde op een vreemde manier een opluchting.

'Ik rijd hem wel terug naar het erf,' zei hij, en hij hing Elijahs stijgbeugels ongeveer dertig centimeter lager voordat hij in het zadel sprong. 'Loop jij maar in je eentje terug naar het galoppeerterrein. Je kunt Pablo helpen Kingdom droog te wrijven.' Keys to the Kingdom was de lastigste van de twee jonge hengsten van Delaney, en het dier waar ze de afgelopen dagen het meest mee gewerkt hadden. 'En je moet voor morgen Victors trainingsverslagen invoeren. Ik ga vanavond naar het feestje van Jonnie Davenport, dus ik heb geen tijd.'

'Ja hoor,' zei Milly met een lang gezicht. Ze probeerde het hem op alle mogelijke manieren naar de zin te maken en klaagde nooit wanneer hij werk op haar afschoof. Wat haar van streek maakte was de gedachte dat hij weer naar een feestje verdween.

Bobby had altijd gemeend dat de Engelsen afstandelijk en gereserveerd waren, en niemand was dan ook verbaasder dan hij door de warme ontvangst in Newmarket. Niemand, behalve Jasper misschien, wiens boosheid over de manier waarop de fantastische cowboy zíjn territorium was binnengedrongen geen grenzen kende.

'Die kerel denkt dat hij een godsgeschenk is,' klaagde hij eindeloos tegen Rachel en iedereen die maar wilde luisteren. 'Al dat ge-ja-mevrouw en -meneer tegen iedereen. En die belachelijke Clint Eastwood-hoed waar hij mee rondloopt! Hij is zó'n nepfiguur; ik word er niet goed van.'

Zijn irritatie was echter niets vergeleken met de smart die de arme Milly ervoer. Ze zag Bobby avond aan avond naar feestjes vertrekken, en bij het besef dat alle roofzuchtige groupies in Newmarket zich op hem zouden storten, kon ze wel janken van frustratie. Het ergst van alles waren de avonden dat hij een meisje mee naar huis bracht. Ze lag dan tandenknarsend in haar bed en probeerde zich af te sluiten voor het dronken gegiechel, gevolgd door het dichtvallen van zijn slaapkamerdeur, een geluid dat haar gekwelde hart nog meer pijn deed.

Zag hij dan niet hoeveel ze van hem hield? En hoeveel beter zij voor hem zou zijn dan de vreselijke sletten die hij meebracht?

Haar liefde voor hem groeide met de dag als een ontembaar onkruid. Maar de genegenheid die hij voor haar voelde bleef van de vaderlijke variant. Ze had alles geprobeerd om te zorgen dat hij haar zag als een seksueel wezen, ze had zelfs zes weken zakgeld uitgegeven aan een strakke rijbroek in Rachel Delaney-stijl om tijdens hun geheime trainingen te dragen. Maar hij leek het niet te zien. Soms dacht ze dat ze naakt op haar paard zou kunnen kruipen, zoals lady Godiva, en dat hij dan nóg alleen maar zou roepen dat ze achterover moest leunen in het zadel, alsof er niets veranderd was. Ze werd gek van zijn onverschilligheid.

Het enige lichtpuntje dat ze zag bij haar deprimerende onbeantwoorde obsessie was dat hij net zo ongevoelig leek te zijn voor Rachels charmes als voor de hare. Jasper was te ijdel en te zelfvoldaan om te merken hoe ostentatief zijn vriendin met Bobby flirtte, maar verder was het voor iedereen pijnlijk duidelijk.

Toen Milly hem met haar hart op de tong had gevraagd wat hij van haar dacht, had hij geantwoord met drie onsterfelijke woorden: 'Een beetje wanhopig.' Net toen ze had gedacht dat ze onmogelijk nog meer van hem kon houden dan ze al deed!

Op een zondagavond, een paar avonden na haar rit op Elijah, liep ze de woonkamer in. Bobby zat in zijn eentje in de smeulende restanten van het haardvuur te staren.

'Een stuiver voor je gedachten?'

'Hmm?'

Bobby keek verrast op, maar glimlachte toen hij zag dat het Milly was.

Hij dronk gewoonlijk niet veel, maar was gisteren naar een cocktailparty geweest ter ere van de vrijgezellenavond van een bekende jockey en had meer tequila gedronken dan hij van plan was geweest. Dat had hem behoorlijk ontspannen gemaakt en hij had zich laten overhalen het tweede deel van de avond door te brengen in een paardenbox, samen met een bijzonder vriendelijke jongedame die Deborah heette; zeer beslist een plezierige ervaring, maar wel een die hij vandaag duur betaalde.

Tot dusver was Engeland fantastisch geweest, veel leuker dan hij had verwacht – zelfs Sean O'Flannigan zou trots zijn geweest op zijn prestaties sinds hij hier was –, maar vandaag was hij in een melancholieke stemming. Hij had een gigantische kater en meer pijntjes en kwalen dan een bokser die verloren heeft en moest steeds denken aan de ranch en alle problemen die hem thuis wachtten. Milly's training, en de vorderingen die hij boekte met de hengstveulens van sir Michael, hadden hem een paar weken afgeleid. Maar hoe graag hij dat ook zou willen, hij kon de aanpak van de problemen op Highwood niet blijven uitstellen.

'Sorry,' zei hij, 'ik was heel ver weg. Helemaal thuis, eerlijk gezegd. Ik dacht na over de toekomst.'

Milly fronste. Uit Bobby's mond was het woord 'toekomst' een vies woord geworden, dat haar eraan herinnerde dat hij Newells en haar weldra voorgoed zou verlaten. Anderzijds vond ze het heerlijk als hij haar over zijn leven in Amerika vertelde. De wetenschap dat hij daar met niemand anders op Newells over sprak en alleen haar in vertrouwen nam, gaf haar het gevoel speciaal te zijn.

Ze trok haar benen onder zich op de oude leren bank en boog gewiekst iets naar voren, zodat een klein stukje van haar borsten boven de geopende bovenste knoopjes van haar nieuwe geruite bloes zichtbaar was. On- danks alles had ze nog steeds de moed niet opgegeven dat hij op een dag wakker zou worden met het besef dat zij een vrouw was.

'De toekomst? Je bedoelt je plannen voor de ranch?' vroeg ze hem aar- zelend. 'De quarterhorses?'

Bobby's ogen begonnen te stralen van opwinding, wat hem nog knap- per maakte dan hij al was. Hij droeg een gebleekte spijkerbroek en een oud grijs T-shirt dat strak om zijn bicepsen spande. Ondanks de wallen onder zijn ogen en de donkerblonde baardstoppels was hij nog steeds zo mooi als een beeld van Michelangelo, met die hypnotiserende lichtbruine ogen die Milly op twintig meter afstand nog lieten smelten.

Hij pakte een van Linda's roze kussens, sjokte de kamer door en kwam naast haar zitten. Zijn fysieke aanwezigheid deed haar smelten van verlan- gen.

'Quarterhorses zijn verdomd mooi,' zei hij enthousiast, wetend dat hij in Milly's werelds meest belangstellende toehoorder had. 'Het zou je ver- bazen. Ik zweer je dat ze de slimste, beste, meest veelzijdige paarden zijn die je ooit hebt meegemaakt.'

Hij was zo dichtbij dat de aandrang om hem aan te raken, om de ruwe stoppels op zijn wang te strelen, bijna niet te weerstaan was. Goddank leef- den ze niet in de negentiende eeuw, toen vrouwen korsetten droegen, want dan zou ze beslist zijn flauwgevallen!

'Heb ik je verteld dat het hele ras afstamt van een enkele volbloed vos?' vroeg Bobby.

'Nee,' loog Milly, die er nooit genoeg van kreeg naar hem te luisteren. Hij had haar het verhaal van Janus al minstens twee keer verteld, maar dat kon haar niet schelen.

'Een kolonist, ene Mordecai Booth, bracht zijn hengst Janus uit Enge- land mee naar Virginia,' begon hij weer, 'en begon ermee te fokken met merries die waren gefokt voor kortebaanraces. Zo is het allemaal begon- nen.'

Hij bracht zijn gezicht nog dichter bij het hare, tot ze de warmte van zijn adem op haar wangen kon voelen. O god, ze hield zo veel van hem dat het onverdraaglijk was. Hoe was het mogelijk dat hij op deze manier met haar kon praten, zijn passie, zijn hoop en zijn dromen met haar kon delen, zon- der zichzelf met haar te delen?

Ze was zich er pijnlijk van bewust dat haar borstkas onder haar geruite bloes op en neer ging en vroeg zich af of mannen iemands verlangen kon- den voelen, zoals hengsten dat bij merries konden. Ze hoopte van harte dat het niet zo was.

'Natuurlijk vinden de meeste trainers van volbloeden dat ze boven quarterhorses staan,' vervolgde hij, zich niet bewust van de beroering die hij bij haar veroorzaakte. 'Maar die zijn niet goed wijs.'

'Natuurlijk niet,' zei ze met bewonderenswaardige hartstocht voor iemand die tot een paar dagen geleden zelfs nog nooit van quarterhorses had gehoord. 'Helemaal niet goed wijs.'

'Maar wat ze zich niet realiseren,' zei Bobby, 'is dat er in feite een hoop geld mee te verdienen valt. En dan bedoel ik echt een hoop geld! De All American Futurity – dat is zoiets als de Derby voor quarterhorses – kent een geldprijs van twee miljoen dollar. Twee miljoen! Kun je het je voorstellen? Als ik niet zo veel schulden had en meteen kon gaan trainen op Highwood... dan kon ik een fortuin verdienen, dat weet ik zeker.'

In zijn opwinding pakte hij haar hand vast. Ze had kunnen zweren dat haar hart op dat moment ophield te kloppen, en ze hervond met enige moeite de kalmte om iets te kunnen zeggen.

'Je bent een geluksvogel,' verzuchtte ze uiteindelijk. 'Jij kunt paarden gaan trainen, doen wat je het liefste wilt, en niemand kan je tegenhouden.'

'Dat klopt niet helemaal,'zei hij en tot haar grote teleurstelling liet hij haar hand los. 'Ik weet dat het wel zo lijkt, maar ik heb ook een hoop verantwoordelijkheid. Ik moet Highwood uit de financiële problemen zien te krijgen voor ik zelfs maar kan beginnen.'

'Ja, dat zal wel,' zei Milly somber. 'Maar dat zal je uiteindelijk toch wel lukken, of niet?'

'Ik hoop het,' zei Bobby.

'En dan kun je gaan trainen. Maar ik wed dat ik dan nog steeds hier in Newmarket vastzit en niet mag rijden. Ik zal waarschijnlijk wel getrouwd zijn als mama haar zin krijgt.'

Ze sprak het woord met zo veel walging uit dat hij erom moest lachen. 'Zou dat dan zo erg zijn?'

'Ja!' zei ze vurig. 'Natuurlijk.' Toen ze zich wat laat de implicatie van haar woorden realiseerde, krabbelde ze terug. 'Nou ja, ik bedoel, dat hangt er natuurlijk van af, snap je? Van de jongen. Ik bedoel, de man.' Ze bloosde hevig. 'Maar niet mogen rijden is al erg genoeg. Dat weet je best.'

Bobby stond op en wendde zich van haar af, naar het vuur. Hij wist niet wat het was met Cecils dochter – hoe ze het voor elkaar kreeg dat hij tegelijk genegenheid, schuldgevoel en verantwoordelijkheidsgevoel ervoer – maar hij kon het knagende idee dat hij eigenlijk iets zou moeten doen om haar te helpen niet van zich af zetten. Zelfs terwijl de dood van zijn vader en de problemen op Highwood hem zwaar op de schouders drukten, raakte dit meisje met haar vastberadenheid en pure wilskracht hem dieper dan wie ook het recht had te doen.

Er volgde een lange minuut van stilte, waarin Milly zichzelf kwelde met de vraag of ze iets verkeerds had gezegd en hoe ze de mogelijke schade ongedaan kon maken.

'Ik zou je kunnen trainen,' zei Bobby eindelijk.

Ze keek hem even niet-begrijpend aan en wist toen een verstikt 'Wat?' uit te brengen.

'Je zou met me mee kunnen gaan naar Californië,' zei hij, alsof het de normaalste, meest voor de hand liggende suggestie van de wereld was. 'Je zou in ruil voor kost en inwoning op de ranch kunnen werken. En in de avonden en weekends, als ik niet weg ben, kan ik je trainen om met quarterhorses te rijden.'

Nu was het Milly's beurt om te lachen. 'Ja hoor,' zei ze. 'En ik kom daar zeker op een vliegend tapijt of door drie keer mijn hakken tegen elkaar te klikken en te zeggen: "Het is nergens zo goed als op Highwood", of niet?' Pas toen hij niet meelachte, realiseerde ze zich dat hij het serieus meende.

'Maar, Bobby, mijn ouders,' zei ze. 'Ze zouden het nooit goedvinden. Of wel? Ik bedoel... nee, natuurlijk zouden ze het niet goedvinden.' Ze kon zichzelf niet toestaan te hopen. 'Waarom zouden ze het goedvinden?'

Bobby haalde zijn schouders op. 'Omdat het logisch is? Omdat je vader diep vanbinnen wel weet dat hij het mis heeft met dat rijden van jou? Sodeju, weet ik veel? Maar we komen er niet achter als we het hem niet vragen, of wel dan?'

Hij voelde zich verscheurd. Misschien moest hij dit kind helemaal geen hoop geven. De kans was immers groot dat Cecil nee zou zeggen. Hij zou waarschijnlijk woest zijn als hij hoorde dat hij Milly de afgelopen weken stiekem had laten rijden, en het was zelfs best mogelijk dat hij hem weg zou sturen. Zelfs als hij dat niet deed, was het voor een man die had laten blijken vreselijk bezorgd te zijn om het welzijn van zijn al te beschermde zestienjarige dochter, nog altijd erg veel gevraagd om haar naar de andere kant van de wereld te laten vliegen.

Maar hij moest toch iets doen, al was het alleen maar om Milly duidelijk te maken dat ze een talent had dat het waard was om voor te vechten. Hij wist beter dan de meeste mensen hoe het was om een vader te hebben die je verafgoodde, maar die je talent in de weg stond. Als hij niet voor haar opkwam nu hij de kans had, wie zou het dan doen?

'Wat denk je,' zei hij, 'is het het proberen waard?'

Wat ze dacht? Jezus. Wat zou een uitgehongerde vluchteling denken als je hem een kop soep voorhield? Wat zou Michael Jackson denken als hij een baantje vond op een kleuterschool? Het was te mooi om waar te zijn, dat dacht ze. Bij Bobby wonen en met hem samenwerken, in Californië? Ontsnappen aan de claustrofobische nachtmerrie van haar leven op Newells, aan Jasper en Rachel, aan haar moeder en de amateurtoneelclub van

Newmarket? Om te worden getraind, echt professioneel te worden getraind als jockey, zelfs al was dat met paarden waar ze nooit van had gehoord?

Ze wilde het wel van de daken schreeuwen. Zou hij dat echt willen doen? Voor haar?

Al snel werd ze echter teruggeworpen in de werkelijkheid.

'Het is een fantastisch idee,' verzuchtte ze, 'maar het wordt vast niets. Zelfs als je mijn vader zou kunnen ompraten, dan nog laat mama me vast niet gaan. Nog in geen miljoen jaar.'

'Dat zou best kunnen,' zei hij, 'maar laat me toch maar met Cecil praten. Je hebt immers niets te verliezen.' Daar had hij wel gelijk in. 'En zelfs als ze nee zeggen, dan moet je me beloven dat je altijd in jezelf zult blijven geloven. Je bent een fantastische jockey, Milly. En als het erop aankomt ben jij de enige die over jouw toekomst kan beslissen. Dat weet je toch?'

Op dit moment wist ze alleen maar dat ze haar hele verdere leven in de verste verte niet meer zo veel van iemand zou kunnen houden als nu van hem. Nu hij daar lang, sterk en geruststellend voor haar stond, kon ze bijna geloven dat hij Cecil inderdaad op andere gedachten zou kunnen brengen, dat hij haar inderdaad zou kunnen redden, als een prins op het witte paard die aan de voet van haar toren opdook.

Ging het in het echte leven ook maar zo...

'Geen sprake van.'

Cecil smeet de deur van de hengstenstal achter zich dicht en beende naar zijn auto. Het was drie dagen na Bobby's gesprek met Milly en hij had eindelijk het 'juiste' moment gevonden om de mogelijkheid dat Milly met hem naar Highwood zou gaan ter sprake te brengen bij haar vader. Tot dusver liep het gesprek niet bepaald goed.

'Maar waarom niet?' Bobby liep hem achterna. 'Het heeft geen zin haar hier te houden, meneer. En ik zou goed voor haar zorgen.'

'O ja? Door haar weer op een paard te zetten, zodat ze haar nek kan breken?' Cecil haalde een half opgerookte sigaar uit zijn zak en stak die onder het lopen op. 'Vergeet het maar. Als ik wilde dat ze reed, zou ik haar dat hier wel laten doen. Maar dat wil ik niet, zoals je heel goed weet.'

De bulderende woede-uitbarsting van Cecil toen Bobby hem had verteld over zijn geheime trainingssessies met Milly was waarschijnlijk bijna tot in Cambridgeshire te horen geweest, maar Bobby had zijn leven geriskeerd door ook nog het idee te opperen dat ze mee zou gaan naar Highwood. Nu zijn gastheer toch al woedend op hem was, kon hij maar net zo goed doorzetten.

Kwaad als hij was bewonderde Cecil wel de vasthoudendheid van de jongen, en die van Milly. Hij vroeg zich af hoe lang ze al met dit plannetje bezig was.

'Hoor eens, Bobby,' bond hij in. 'Ik waardeer wat je probeert te doen. Ik weet dat jij en Mill het goed met elkaar kunnen vinden en dat zij jou adoreert.'

'Het gaat er niet om dat ik haar aardig vind, meneer,' zei Bobby naar waarheid, 'al vind ik dat natuurlijk wel. Ze is een fantastische meid.'

'Dat is ze zeker.' Cecil knikte en blies een wolk sigarenrook uit.

'Het gaat erom dat ze een ruiter van potentiële wereldklasse is. Geloof me, ik heb met diverse eersteklas jockeys gewerkt. Milly is uit het juiste hout gesneden. Daar ben ik van overtuigd. Als haar techniek een beetje wordt bijgeschaafd, zou ze geknipt zijn voor quarterhorses. Ze zou de nieuwe Joe Badilla junior kunnen worden.'

'Het spijt me, Bobby, maar daar ben ik niet zo zeker van,' zei Cecil fronsend. Hij had geen idee wie Joe Badilla was, maar hoefde dat ook niet te weten. 'Ze heeft twee jaar niet gereden; dat hoop ik tenminste. Zo goed kan ze dus niet zijn.'

'Dat is ze wel, meneer,' zei Bobby kordaat. 'U zou eens moeten kijken.'

Cecil voelde zijn woede weer opborrelen als gal in zijn keel. Hij wilde niet naar haar kijken. En hij vond het ook niet prettig om door een Amerikaanse trainer en vrouwengek die hij nog maar pas kende de les gelezen te worden over wat al dan niet het beste was voor zijn dochter. Hij mocht Bobby graag, maar dit ging te ver.

'Waarom ben je trouwens zo bezorgd om Milly?' vroeg hij, zijn ogen tot spleetjes knijpend. 'Weet je wel zeker dat je belangstelling alleen maar van professionele aard is?'

Bobby trok zijn schouders naar achteren en liet een korte, arrogante lach horen die Milly's hart gebroken zou hebben als ze hem had gehoord. 'Als u bedoelt wat ik denk dat u bedoelt,' zei hij, 'dan zit u er ver naast. U kunt veel van me zeggen, meneer Lockwood Groves, maar niet dat ik een pedofiel ben.'

'Hmm.' Cecil leek niet overtuigd. 'Hoe dan ook, ik vrees dat het niet bespreekbaar is. En aan die trainingssessies moet ook een eind komen.'

Hij stapte in zijn Range Rover en trok het portier achter zich dicht in de hoop dat het gesprek daarmee ten einde was. Bobby was echter nog niet klaar. Hij had het meisje beloofd dat hij zijn best voor haar zou doen, dus hij moest het proberen.

'Ze is hier niet gelukkig,' zei hij terwijl hij zijn hoofd door het open passagiersraam stak. 'En ik denk dat u dat wel weet. Zelfs Stevie Wonder kan zien dat ze haar broer finaal van de baan zou kunnen rijden, maar ze krijgt niet eens de kans om te laten zien wat ze in haar mars heeft. Als uw vrouw haar zin kreeg, zou ze niet eens mee mogen helpen op de stoeterij; en dat terwijl ze fantastisch is met de hengsten, veel beter dan ook maar iemand van jullie wil toegeven.'

'Oké, nu is het genoeg,' zei Cecil met een gezicht dat op onweer stond. 'Hoe haal je het in je hoofd om Linda te bekritiseren? Moet ik je eraan herinneren dat je te gast bent in dit huis?'

Bobby voelde dat hij te ver was gegaan en deed een stap bij de auto vandaan. Hij had echt zijn best gedaan, maar het was duidelijk dat hij Cecil niet zou kunnen overhalen.

'Luister eens, het spijt me,' zei hij. 'Ik wilde niet onbeschoft zijn. Maar...'

'Nou, je was wél onbeschoft,' zei een furieuze Cecil. 'Dit zijn jouw zaken niet. Je had helemaal het recht niet je ermee te bemoeien.'

Hij reed hard de oprit af en het grind onder zijn wielen spatte omhoog als mitrailleurvuur. Bobby keek hem na en voelde zich tot zijn verbazing vreemd teleurgesteld.

Hij wist echt niet waarom hij zo veel om Milly gaf. Het was gewoon niet juist dat ze haar talent zomaar lieten doodbloeden; die gedachte zat hem meer dwars dan hij had verwacht.

Zijn teleurstelling was echter nog niets vergeleken bij de hare.

'Het is oké,' zei ze dapper toen hij haar later trof en haar vertelde hoe het gesprek met Cecil was verlopen. Ze was in Easy's box – hij had eerder die dag niet willen eten en ze was even bij hem gaan kijken – en deed een dappere poging opgewekt te klinken. 'Ik wist wel dat hij het niet goed zou vinden, maar ik waardeer het echt dat je het hebt geprobeerd.'

Ze kon haar verdriet echter niet helemaal verbergen en hij zag haar schouders schokken toen ze haar gezicht tegen de hals van het paard drukte en zichzelf probeerde te troosten op dezelfde manier als hij dat altijd deed als er iets niet in orde was.

Arm kind.

Hij had haar geen hoop moeten geven.

'Misschien draait hij nog wel bij,' zei hij aarzelend. 'Misschien heeft hij gewoon tijd nodig om aan het idee te wennen.' De woorden klonken echter zelfs in zijn eigen oren hol. Ze wisten allebei dat Cecil niet van gedachten zou veranderen, hoeveel tijd ze hem ook gaven.

'Misschien,' zei Milly radeloos. 'Hij was in elk geval niet al te kwaad over het trainen.'

'Nee.' Bobby probeerde optimistisch te blijven klinken. 'Dat is toch al iets waard, niet dan?'

Haar inspanningen ten spijt rolde er toch een dikke traan over Milly's wang.

'Hè, verdorie,' zei Bobby. 'Toe nou. Niet huilen.' Hij wist niets anders te doen dan naar haar toe te lopen, haar zachtjes bij Easy vandaan te trekken en haar te omhelzen.

Milly begroef haar gezicht tegen zijn borst, ademde zijn geur en zijn warmte in en droogde haar tranen aan zijn shirt. Daarbij probeerde ze wanhopig die herinnering voor altijd in haar hoofd op te slaan. Hij hield haar vast! Hij hield haar vast! Tegelijk besefte ze echter dat het misschien wel de laatste keer was. Hij zou weldra terug naar Amerika gaan en haar hoop om ooit weer paard te rijden zou samen met hem in dat vliegtuig verdwijnen.

Voor zijn komst had ze het niet voor mogelijk gehouden dat ze zo'n verpletterende teleurstelling en tegelijkertijd zo'n intense vreugde zou kunnen voelen. Daar gingen waarschijnlijk al die liefdesliedjes over: dat liefde verwarrend en pijnlijk en tegelijk zo heerlijk kon zijn. Ze had dat nooit eerder begrepen, maar nu wel. Het was precies zoals ze zich bij Bobby voelde. Het was liefde, dat moest wel.

'Je komt vanavond toch naar mijn toneelstuk, of niet?' vroeg ze gretig.

'Je toneelstuk? Natuurlijk,' hoorde Bobby zichzelf zeggen. 'Ik zou het niet willen missen.' Eerlijk gezegd was hij helemaal vergeten dat Milly zou meespelen in het stuk van de amateurtoneelvereniging en had hij afgesproken met Deborah, het meisje dat zaterdagavond de Engelse gastvrijheid op zo'n fantastische wijze had geherdefinieerd. Maar één blik op Milly's hoopvol naar hem opgeslagen, grote, betraande reeënogen en hij zette dat plan opzij. Hij had het hart niet om haar twee keer op één dag teleur te stellen, zelfs al gaf hij daarvoor een nacht met de Pamela Anderson van Newmarket op.

'O, wat fijn,' zei ze glimlachend.

Ze had zo'n glimlach die haar gezicht in tweeën spleet, zo een die je wel moest beantwoorden met een glimlach. Heel even zag ze er zo mooi uit, bijna vrouwelijk, dat Bobby iets zich voelde roeren in zijn kruis. Vol afschuw onderdrukte hij dat gevoel.

Wat dacht hij verdorie wel niet? Ze was nog maar een kind. Misschien kende Cecil hem wel beter dan hij zichzelf kende? De gedachte deed hem huiveren.

'Ik kan maar beter weer aan het werk gaan,' zei hij, en hij maakte zich van haar los en liep in de richting van de staldeur voordat hij nog dieper in de problemen kon raken. 'Ik zie je vanavond daar wel, oké?'

'Ja,' zei Milly, en ze wendde zich weer naar Easy. Ze was nog steeds beduusd door zijn onverwachte omhelzing en de teleurstelling over haar vaders reactie en wist niet of ze moest lachen of huilen. Ze wist alleen dat hij er die avond zou zijn, voor haar.

Voorlopig volstond dat.

Zo'n dertig kilometer verderop in huize Delaney lagen Rachel en Jasper boven in Rachels slaapkamer te rollebollen.

'Vind je dat lekker?' gromde Jasper, terwijl hij vanachter diep bij haar binnendrong en daarbij zijn eigen gespierde schouders en strakke bilpartij bewonderde in de spiegel. Ze deden het de laatste tijd vaak met de deur van Rachels kleerkast open, zogenaamd opdat hij haar kon zien terwijl hij haar naaide, maar in werkelijkheid keek hij meer naar zichzelf dan naar haar.

'Mmm,' kreunde Rachel. In feite was ze verdiept in een fantasie over Bobby Cameron en een rijpaard, en daar genoot ze buitengewoon van. Tot dusver was de echte Bobby teleurstellend ongevoelig gebleken voor haar charmes; het enige waar hij belangstelling voor leek te hebben was oppas spelen voor die verrekte Milly, om redenen die zij absoluut niet begreep. Ze had echter de hoop nog niet opgegeven dat ze hem zou verleiden voor hij vertrok.

Intussen beschouwde ze Jasper als een zeer nuttige menselijke dildo.

Ze voelde dat het tempo van zijn stoten toenam en er zweetdruppeltjes op haar rug vielen terwijl zijn gekreun luider werd. Ze nam dan ook aan dat hij bijna klaarkwam, en spande haar bekkenbodemspieren strak aan.

'O, J, ja! Ga alsjeblieft door,' hijgde ze. Gelukkig stond ze zelf ook op het punt haar climax te krijgen. Hoe irritant en ijdel hij ook mocht zijn, ze moest toegeven dat Jaspers timing in bed fantastisch was. 'Ik kom bijna!'

Een paar seconden later kwam ze hevig klaar, en haar huiveringen van extase brachten hem ook zover. Slechts met grote moeite kon ze zich ervan weerhouden Bobby's naam te roepen en wist ze er een langgerekt 'O boy!' van te maken, wat Jasper natuurlijk als een compliment beschouwde.

'Niet slecht, hè?' zei hij terwijl hij zich met een tevreden grijns op zijn gezicht uit haar liet glijden. Ze verwaardigde zich niet te antwoorden, maar stond op van het bed en dook meteen de douche in. Ze was nooit iemand geweest die ging liggen kletsen na de daad, en ze was niet van plan daar voor Jasper Lockwood Groves verandering in te brengen.

Een paar minuten later kwam ze naakt en druipend weer tevoorschijn en begon haar haren te drogen.

'Hij komt dus echt, vanavond?' riep ze boven het lawaai van de föhn uit.

'Wie?' vroeg Jasper. 'Waarheen?'

Hij was het niet gewend door meisjes genegeerd te worden, en Rachels koelbloedigheid irriteerde hem. De meeste groupies waarmee hij sliep waren maar al te bereid zich na de daad lyrisch uit te laten over zijn fantastische liefdesspel – eerlijk gezegd genoot hij vaak meer van de loftuitingen naderhand dan van de wip zelf – maar Rachel kon die moeite nooit nemen. Het maakte hem onzeker, evenals het feit dat zijn neus door al die inspanning vreselijk rood was geworden. Als ze iets langer in de douche was gebleven, had hij wat van haar gezichtspoeder van haar kaptafel kunnen pakken om daar iets tegen te doen voordat ze het opmerkte. Nu was hij gedwongen met haar te praten terwijl hij eruitzag als Rudolph het rendier.

'Bobby,' zei ze, en ze trok de handdoek van haar schouders en begon zich ongegeneerd tussen haar benen af te drogen. 'Hij komt vanavond toch naar Milly's toneelstuk?'

'Dat betwijfel ik,' zei Jasper, die er nu echt genoeg van begon te krijgen. Hij werd doodziek van alle aandacht die Bobby van iedereen op Newells kreeg, om nog maar te zwijgen van de vrouwelijke bevolking. Nu leek zelfs zijn eigen vriendin iets van hem te willen. 'Hij heeft ruzie gehad met pa over Milly,' zei hij mokkend. 'Hij heeft haar kennelijk stiekem laten rijden en Cecil was woest. Wat kan het jou trouwens schelen of hij komt?'

Zijn onderlip stak zo ver naar voren dat hij wel een kind van vijf leek dat net zijn lolly in het zand had laten vallen. Inwendig zuchtend zette ze de föhn uit en ze kroop terug bij hem in bed. Ze ging op zijn schoot zitten en drukte een langgerekte kus op zijn mond.

'Niets,' zei ze zelfvoldaan tussen twee zoenen door. 'Ik ben gewoon nieuwsgierig, dat is alles.'

Zijn jaloezie was vervelend, maar ze moest voorzichtig zijn. Zelfs Jasper had zijn grenzen, en ze wilde beslist niet dat hij haar nu in een kwaaie bui dumpte. Ze was nog maar net begonnen aan de kwellingen die ze voor Milly had bedacht. Voorlopig had ze hem nog nodig.

Toch hoopte ze dat hij het mis had en dat Bobby vanavond zou komen. Dat was de enige reden dat ze erin had toegestemd mee te gaan naar de saaie opvoering van *Romeo en Julia* van de amateurtoneelvereniging vanavond in het gemeenschapshuis van Mittlingsford. Dat, en het feit dat ze wist dat Milly woest zou zijn omdat Linda haar had uitgenodigd. Jaspers moeder probeerde in verhoogd tempo de sociale ladder te beklimmen sinds ze had gehoord dat de kleine Johnny Ashton – de toekomstige lord Ashton – Tybalt zou spelen. Ondanks Milly's protesten dat zijn adem naar kattenvoer stonk en dat hij meer vlekken op zijn gezicht had dan een lieveheersbeestje, had ze de hoop niet opgegeven dat er 'vriendschap' zou kunnen ontstaan tussen haar dochter en 'de hooggeboren John', zoals ze hem noemde.

'Mooi,' zei Jasper, en hij ramde in antwoord op haar kussen zijn tong in haar mond als een wasmachine in de overdrive. Hij pakte haar hand beet, duwde die omlaag en legde hem stevig om zijn erectie. 'Want ik zweer je, als ik je met die Lone Ranger zie, dan…'

'Sst,' vleide ze hem zacht. 'Waarom zou ik hem willen als ik jou al heb?'

Gesust richtte Jasper zich weer op datgene waar hij volgens hem het beste in was: haar neuken. Bobby mocht dan alle andere meisjes in Newmarket uit hun slipje kunnen krijgen, maar Rachel, het meisje dat iedereen wilde hebben, was van hem. En dat zou ze verdomme blijven ook.

Het gemeenschapshuis van Mittlingsford was gebouwd in de typisch naoorlogse stijl. Een lelijk stenen gebouw met een groenmetalen dak, dat vanbinnen net zo somber en saai was als vanbuiten, met een klein houten podium en rijen oncomfortabele stoelen van staal en canvas, en waar een hardnekkige geur van ontsmettingsmiddel in de lucht hing.

Achter de schermen keek Milly nu en dan tussen de gordijnen door de zwak verlichte zaal in op zoek naar Bobby en verslond ze heimelijk het laatste nummer van de *Racing Post,* dat ze tussen de bladzijden van haar script had liggen.

Johnny Ashton zat een stukje verderop, zo groen van de zenuwen dat Milly niet anders kon dan medelijden met hem hebben. De rest van de cast noemde het zijn 'kotskop', en vandaag zag hij extra groen omdat zijn arrogante ouders, lord en lady Ashton, op de eerste rij zaten. Ze zouden ongetwijfeld boven op hem springen bij het minste foutje dat hij maakte. Ouders als de Ashtons maakten dat Milly blij was met haar eigen ouders, en dat wilde heel wat zeggen.

Er was in haar hoofd echter weinig ruimte voor Johnny. Ze kon alleen maar aan Bobby denken en aan hun samenzijn in Easy's stal die middag. Ze wist dat hij niet van haar hield – in elk geval niet op de krankzinnige, wanhopige, hartstochtelijk manier waarop zij hem liefhad – maar hij vond haar wel aardig. Hij vond haar beslist aardig. En dat was in elk geval een begin.

Maar waar was hij? Hij had beloofd dat hij er zou zijn, maar ze zouden zo meteen beginnen en hij was nog nergens te bekennen.

'O, nee toch!' zei ze zacht, maar kokend van woede. Want daar liep Rachel naar de lege stoel naast haar ouders; Bobby's stoel. Ze trok weer ieders aandacht in een roze babydolljurk die haar borsten zo mogelijk nog groter deed lijken dan ze al waren. Wat deed zij hier?

Tot dusver had Bobby wonderlijk genoeg nog geen enkele seksuele belangstelling voor Rachel getoond. In tegenstelling tot die sufkop van een broer van haar had Milly echter heel goed in de gaten dat zíj wel op hém viel. En zoals Milly tot haar schade had ondervonden had Rachel de vervelende gewoonte om altijd te krijgen wat ze wilde.

'Nog vijf minuten, allemaal!' William Best, de neurotische regisseur van de toneelvereniging, klapte in zijn droge, schilferige handen om de aandacht te trekken en het zachte geroezemoes van de gesprekken achter de schermen stopte meteen. Milly borg snel haar *Racing Post* op naast de achtertrap en keek nog één keer de zaal in.

Godzijdank! Hij was er.

Haar hart sloeg een slag over toen ze Bobby naar haar ouders zag lopen. Haar vader en hij hadden zich kennelijk weer met elkaar verzoend, want Cecil glimlachte naar hem en trok snel een lege stoel uit de rij achter hen om die naast de zijne te zetten. Pas toen Bobby ging zitten, realiseerde ze zich vol afgrijzen dat Rachel aan de andere kant naast hem zat.

Bobby was bijna net zo gestrest als Milly, al was dat hem niet aan te zien. Balend dat hij zijn afspraakje met Deborah was misgelopen, en van zijn stuk gebracht door de golf van lust die hij voor Milly had gevoeld, had hij zich die middag op zijn werk gestort om zijn zinnen te verzetten. Zoals altijd wanneer hij met de paarden bezig was, was hij de tijd vergeten en te laat naar Mittlingsford vertrokken. Uiteraard raakte hij prompt verdwaald in de vreselijke doolhof van plattelandsweggetjes die naar het dorp leidden, en hij begon al te vrezen dat hij het toneelstuk helemaal zou mislopen toen hij eindelijk het gemeenschapshuis vond.

'Sorry. Neem me niet kwalijk,' zei hij tegen de mensen die opstonden om hem langs te laten.

'Je bent wel aan de late kant, hè?' zei Jasper op valse toon toen hij hem passeerde. Hij was al geïrriteerd omdat zijn moeder hem had gedwongen aanwezig te zijn, en nog meer omdat Bobby en zijn vader de strijdbijl kennelijk begraven hadden, en was dus niet al te vriendelijk gestemd.

Bobby negeerde hem en wendde zich tot Cecil.

'Die weggetjes zijn een nachtmerrie in het donker,' fluisterde hij. 'Sorry.'

'Geen probleem,' zei Cecil toen het licht werd gedimd, 'je bent er nu.'

'Hallo. Ken je me nog?'

Geweldig. Daar zat hij nou net op te wachten: sir Michaels sletterige dochter die zich naar hem toe boog in wat eruitzag als de nachtjapon van een hoer, en haar grand canyon van een decolleté onder zijn neus duwde. Waarom kleedden veel mooie meiden zich toch zo dat er niets te raden overbleef? Dat was helemaal niet sexy.

'Natuurlijk,' zei hij kil. Hij had gezien hoe krengerig Rachel zich tegen Milly gedroeg en was niet van plan aardig tegen haar te doen. Ze leek zijn onvriendelijke toon echter niet op te merken. Ze gaf een flirterig, meisjesachtig gegiechel ten beste en zodra het licht gedimd was, pakte ze schaamteloos zijn hand vast.

Beeldde hij het zich in of streelde ze nou echt met haar duim over de binnenkant van zijn pols?

Voor hij de kans kreeg te reageren, ging het gordijn open en klaterde er applaus door de zaal toen de cast het podium op kwam. Milly keek Bobby stralend aan, vergat zichzelf even in haar opwinding en zwaaide naar hem als een vierjarige die zijn moeder ziet zitten.

'Ach, kijk toch, ze zwaait,' fluisterde Rachel minzaam in zijn oor, zo dicht naar hem toe gebogen dat hij bijna achteroversloeg door een wolk van haar Chanel 19. 'Volgens mij is er iemand verliefd op je.'

Hij rukte zijn hand los en beet haar toe: 'Milly en ik zijn vrienden. Ze is nog maar een kind.'

'Inderdaad.' Opnieuw pikte Rachel zijn vijandigheid niet op, evenmin als het feit dat ze ongewild een gevoelige snaar had geraakt. 'Ik neem aan dat je de voorkeur geeft aan echte vrouwen? Vrouwen met wat ervaring?'

Het gebaar verbergend achter haar tasje, stak ze haar arm uit en streek ze uitnodigend over zijn dijbeen. Onder andere omstandigheden zou hij er best van genoten hebben om Jasper een hak te zetten terwijl die vlak bij hem zat. Maar van Rachel Delaney gingen al zijn stekels overeind staan. Hij voelde een golf van afkeer als ijskoud water over zich heen spoelen en duwde resoluut haar hand weg.

'Ik geef de voorkeur aan vrouwen die ik kan vertrouwen,' zei hij bot. 'Ik zou nooit respect kunnen opbrengen voor een meisje dat met iedereen het bed in duikt. Nooit.'

Rachel kneep haar ogen tot spleetjes en trok haar volle lippen woedend samen, waarna ze zich als door een slang gebeten terugtrok op haar eigen stoel.

'Valt hij je lastig?' vroeg Jasper, die wel had gezien dát ze met elkaar spraken, maar niet had kunnen verstaan wat er gezegd was.

'Nee,' zei ze, terwijl ze zichzelf weer onder controle probeerde te krijgen en blij was dat hij haar vuurrode blos niet kon zien in het donker. 'Je hebt trouwens gelijk wat hem betreft. Hij is inderdaad arrogant. En hij ziet er maar heel gewoontjes uit. Ik begrijp niet wat sommige mensen in hem zien.'

Jasper stak zijn hand onder haar rok en begon haar bezitterig te strelen. 'Natuurlijk heb ik gelijk,' zei hij, met zijn lippen tegen haar hals. 'Hij zou je nooit kunnen bevredigen zoals ik dat kan, Rach. Dat kan niemand.'

De eerste akte was vreselijk, een aaneenschakeling van gemiste signalen en haperende dialogen, waardoor een deel van het publiek, ook Bobby, moeite had om wakker te blijven. En hij had last van zijn benen, waarvoor hij nog minder ruimte had dan in de toeristenklasse van American Airlines. Zodra de pauze werd aangekondigd, kwam hij opgelucht uit zijn stoel overeind.

Cecil verontschuldigde zich en verdween naar het toilet. Rachel en Jasper waren ook al snel verdwenen om een sigaret te gaan roken, dus kon Bobby alleen een praatje maken met Linda aan de geïmproviseerde bar in wat zo optimistisch 'de foyer' werd genoemd. Het hele gebouw – inclusief

de stoelen, de ramen uit de jaren zestig, de afschuwelijke strontbruine li-
noleumvloer – herinnerde hem aan zijn oude school in Solvang: een plek
waar hij weinig goede herinneringen aan had. Hij rilde onwillekeurig bij
de gedachte daaraan.

'Wat vond je ervan?' vroeg Linda en ze gaf hem ongevraagd een plastic
bekertje met warm bier. Ze was, conservatief voor haar doen, gekleed in
een staalblauwe overhemdjurk en had een veel te dikke laag blauwe oogschaduw op, die tot in haar kraaienpootjes zat. 'Was Milly niet fantastisch?'

'Ze, eh, was een van de beste acteurs van allemaal,' zei hij naar waarheid,
zijn woorden met zorg kiezend. 'U bent vast erg trots op haar.'

'Ja, dat ben ik zeker.' Linda glimlachte veelzeggend. 'En heb je gezien hoe
de hooggeboren John naar haar staarde telkens als hij niets hoefde te zeggen?'

'Sorry, wie?' vroeg Bobby.

'Johnny! De toekomstige lord Ashton,' zei Linda. 'Hij is helemaal weg
van onze kleine Milly, volgens mij. Helemaal weg van haar!'

Bobby merkte dat die informatie hem van zijn stuk bracht. Haar moeder zou toch zeker wel bezwaar hebben als er een of ander vies kereltje achter Milly aan zat? Misschien moest hij het er met Cecil over hebben. Hoewel… misschien had hij wat hem betrof zijn kruit al verschoten…

'Wat sta je hem nu weer op de mouw te spelden, mama?' Milly, nog
steeds in het kostuum van de dienstmaagd, een lange zwarte rok en bordeauxrode bloes met ruches, stond plotseling bij hen.

'Wat doe jij hier?' Linda klonk ontzet. 'Je hoort achter de schermen met
de anderen. Vooruit, wegwezen.' Ze maakte afwerende gebaren met haar
handen. 'Ga met Johnny praten, lieverd. Ik weet zeker dat hij wel wat gezelschap kan gebruiken.'

'Dat betwijfel ik,' zei Milly prozaïsch. 'Hij staat op de plee zijn longen uit
zijn lijf te kotsen sinds het doek is neergelaten. Zijn ouders zijn zulke vreselijke tirannen dat die arme jongen een zenuwinzinking nabij is. Ik kwam
trouwens alleen Bobby even gedag zeggen.'

Ze keek hem stralend aan, een toonbeeld van onschuld, blozende wangen en stralende ogen, en hij voelde zich opnieuw schuldig, omdat hij haar
had teleurgesteld en omdat hij naar haar had verlangd, hoe kort ook. Ze
mochten dan maar zeven jaar schelen, maar op deze leeftijd leken dat wel
zeven lichtjaren. Gisteren nog had hij tegen haar vader gezegd dat hij geen
pedofiel was, maar na vandaag wist hij dat niet meer zo zeker.

Hij besloot om de volgende ochtend vrij te nemen, naar Deborah te
gaan en met haar te vrijen tot hij scheel keek. Een marathonsessie met een
echte, volwassen vrouw zou zijn gedachten wel weer op orde brengen, en
Debbie was daar precies de juiste vrouw voor.

'Je hebt het geweldig gedaan,' zei hij zonder Milly iets van zijn innerlijke onrust te laten merken. 'Ik verheug me op de tweede akte.'

'Huh,' zei ze. 'Stel je er maar niet te veel van voor. Dat wordt ook weer supersaai. Ik zag je daarstraks met Rachel kletsen,' vervolgde ze, zo terloops als ze kon.

'Niet uit vrije wil,' verzekerde hij haar, waarop hij werd beloond met haar prachtige glimlach.

'Milly,' zei Linda dringend, omdat ze de kans om haar dochter aan Johnny Ashton te koppelen steeds kleiner zag worden. 'Heus, lieverd, je gedraagt je vreselijk ongemanierd. Je moet nu echt terug.'

'Zo meteen,' zei Milly, haar wegwuivend. 'Ooo, is dat voor mij?'

Cecil kwam terug van het toilet en was erin geslaagd op de terugweg twee ijsjes te bemachtigen. Hij gaf zijn vrouw en dochter er ieder een en stak zijn hand in zijn binnenzak om zijn trillende mobieltje eruit te halen.

'Lockwood Groves,' zei hij, de ijzige blik van Linda negerend. Haar uitdrukking veranderde toen een paar seconden later alle kleur uit zijn gezicht wegtrok en er diepe zorgrimpels in zijn voorhoofd verschenen. 'Jezus christus,' fluisterde hij. 'Weet je het zeker?'

Jasper en Rachel waren weer binnengekomen en staarden ook naar hem.

'Wanneer is dat gebeurd? Heb je hulp gevraagd?'

Milly voelde haar eigen hartslag versnellen tot galop. Ze kon zich niet herinneren dat ze haar kalme, beheerste vader ooit zo paniekerig had zien kijken. Er moest iets heel erg mis zijn.

'Ja. Oké, oké.' Hij knikte. 'Ik kom eraan.'

'Wat is er, lieverd?' vroeg Linda terwijl hij de verbinding verbrak. 'Is alles in orde?'

'Nee,' zei Cecil, 'dat is het niet. Dat was Nancy.' Hij zag asgrauw. 'Radar is twintig minuten geleden in elkaar gezakt. Ze zegt dat het er niet naar uitziet dat hij het zal redden.'

Milly sperde haar ogen open en sloeg geschrokken haar hand voor haar mond. Bobby sloeg in een opwelling een arm om haar heen, maar ze was te zeer van streek om het zelfs maar te merken en begon heen en weer te lopen.

'Wat is er met hem aan de hand?' Haar stem beefde.

'Paardeninfluenza,' zei Cecil somber. 'Een buitengewoon agressieve stam, kennelijk. En ik vrees dat het nog erger wordt. Er zijn mogelijk nog een paar hengsten besmet.'

Milly hield op te ijsberen. 'Welke hengsten?'

'Easy heeft al veertig graden koorts,' zei Cecil, haar grootste vrees bevestigend. 'Hij is er slecht aan toe. Het spijt me,' zei hij tegen Linda, 'maar ik moet meteen naar huis.'

Zonder nadenken stak Milly haar hand naar Bobby uit. Hij pakte die vast en gaf er een kneepje in om haar te steunen. Hij wist hoeveel ze van dat paard hield.

'Ik ga mee,' zei ze tegen haar vader.

'Ik ook,' zei Bobby.

'Doe niet zo belachelijk, Milly,' zei Linda. 'Je moet verder met het toneelstuk. Je gaat niet naar huis. Jasper kan wel meegaan om je vader te helpen als dat nodig mocht zijn.'

Milly liet Bobby's hand los en draaide zich om naar haar moeder, haar gezicht zo'n masker van pure vastberadenheid dat zelfs Linda erdoor verrast werd.

'Dat stomme toneelstuk kan me wat,' zei ze. 'Ik ga terug naar de stallen, en wel nu meteen. Easy heeft me nodig.'

9

Op het erf van Newells heerste chaos.

Onder het licht van de schijnwerpers rende een hele zwerm dierenartsen, stalknechten en verzorgers tussen het huis en de stallen heen en weer met injectiespuiten, volle emmers water en dekens, handdoeken en bandages. Toen ze Cecils auto het grind van de oprijlaan op zag komen rijden, haastte Nancy zich naar hem toe, haar elfachtige, blonde gestalte gevolgd door een afgemat ogende man die kennelijk net uit zijn bed was gehaald. Hij liep rond in een pyjamabroek en op rijlaarzen, met een dikke gebreide trui aan, die hij binnenstebuiten had aangetrokken.

'Ik heb als een dolleman gereden, maar het schiet niet op over die verdomde plattelandsweggetjes,' zei Cecil met een verontschuldigende blik van zijn horloge naar de dierenarts. 'Hoe staan we ervoor?'

'Ze leven allebei nog,' zei Nancy met een knikje naar Bobby en Milly. Ze was blij dat Cecil haar had meegebracht. Als iemand de twee hengsten kon kalmeren en troosten was zij het wel. 'Maar het ziet er niet goed uit. Radar heeft al eenenveertig graden koorts en Easy niet veel minder. Zijn neus lijkt de Niagara wel.'

'Mag ik naar hem toe?' Milly verbeet een snik.

'Natuurlijk,' zei Nancy zachtaardig. 'Kom maar mee. Dit is Drew, trouwens, van het EDRI,' stelde ze de man in pyjama aan de vijf anderen voor terwijl ze naar de stal liepen waar Radar en Easy apart waren gezet. Het EDRI, het onderzoeksinstituut voor paardenziekten, was welbekend in Newmarket; hun dierenartsen en wetenschappers behoorden tot de meest gerespecteerde van Europa. 'Ik heb hem erbij gehaald, voor het geval we iets over het hoofd hadden gezien.'

'En?' vroeg Cecil. 'Was dat zo?'

'Ik ben bang van niet,' zei Drew met een zacht Schots stemgeluid dat bijna elke crisis kon bezweren. 'Het is een overduidelijk geval van paardeninfluenza, zij het een van de agressiefste stammen die ik in lange tijd heb gezien. Jammer genoeg is het, zoals gewoonlijk, buitengewoon besmettelijk.

We weten pas over een dag of wat hoeveel dieren er besmet zijn, hoewel ik te oordelen naar de ernst van de twee gevallen die we al hebben, verwacht dat we binnen enkele uren symptomen zullen zien als het zich inderdaad al heeft verspreid.'

'Maar we hebben ze verdorie allemaal ingeënt,' zei Milly. 'Ik heb zelf gezien dat Easy zijn griepspuit kreeg.'

'Er duiken voortdurend nieuwe virusstammen op,' zei Bobby. 'Dat is het probleem.'

'Inderdaad,' stemde de dierenarts met hem in. 'Er hoeft bijvoorbeeld maar even contact te zijn met een onbekend paard dat in het buitenland is geweest of is blootgesteld aan een nieuwe, gemuteerde stam, en het verspreidt zich als een lopend vuurtje.'

'Maar het is toch niet dodelijk, of wel?' vroeg Milly terwijl ze de grendel opzijschoof van de deur van de tijdelijke 'quarantaineruimte'.

'Meestal niet, nee,' zei Drew, en hij volgde haar naar binnen. 'Maar zoals ik al zei, is dit een bijzonder ernstig geval. En net als bij mensen lopen vooral de ouderen en de jongsten het meeste risico. Radar maakt een betere kans dan deze ouwe jongen hier.' Hij wees naar Easy, die bevend en bezweet in de hoek van de stal lag. Hij was te moe om zijn hoofd op te tillen, maar zijn ogen rolden naar boven toen hij Milly's stem hoorde en hij schonk haar een hopeloze, uitgeputte blik van herkenning. Hij leek nu al kleiner, gereduceerd door het vreselijke virus dat hem zo plotseling had getroffen.

'Arme schat.' Milly knielde bij hem neer en sloeg haar armen om zijn nek. Het was alsof ze zichzelf tegen een natte radiator aan drukte, zo vreselijk heet had hij het. 'Kunnen we dan helemaal niets doen? Ik bedoel, we kunnen hem hier zo toch niet laten liggen?'

'Kan ik helpen?' vroeg Bobby. Hij voelde zich vreselijk nutteloos. Het was al een moeilijke week geweest voor Milly, maar hij wist dat haar andere teleurstellingen in het niet vielen bij het vooruitzicht Easy kwijt te raken. Hij wou maar dat hij iets kon doen.

'Dank je, maar niet echt,' zei Nancy. 'Hij heeft een pijnstiller gehad, maar als ik hem te veel geef verzwakt dat zijn vermogen om de ziekte te bestrijden. We proberen hem af te koelen met natte handdoeken, maar verder kunnen we niet veel anders doen dan de ziekte op haar beloop laten en afwachten.'

Cecil streek wanhopig door zijn haren. Net als Milly hield hij van zijn paarden, en vooral van Easy, het ouwetje van het erf. Maar anders dan zijn dochter kon hij ook vanuit zakelijk oogpunt naar de verwoestende ziekte kijken. Easy Victory was verreweg de meest rendabele hengst van de stoeterij. Het zou een zware klap zijn als ze hem verloren. Maar als ook de rest van zijn hengsten besmet bleek te zijn, zou de zaak die hij de afgelopen twintig jaar vanaf de grond had opgebouwd gedecimeerd worden en misschien zelfs over de kop gaan. Hij was verzekerd tegen het verlies van zijn eigen dieren, maar als een stoeterij eenmaal de reputatie had onveilig of vatbaar voor ziekte te zijn, dan was het gedaan. Zelfs oude klanten en vrienden als Michael Delaney konden het zich niet veroorloven risico's te lopen met hun renpaarden.

'Ik weet dat het niet is wat je zou willen horen, maar het beste wat we nu voor deze twee kunnen doen is ze koel houden, zorgen dat het hier stil is, zodat ze kunnen rusten, en ze ver weg houden bij de andere paarden.'

Milly keek Bobby vol wanhoop aan.

'Wat zijn hun kansen?' vroeg Cecil. Hij had niet verwacht dat de twee paarden er zo ziek uit zouden zien. 'De waarheid.'

'De waarheid?' zei Drew met een zijdelings blik naar Nancy. 'Op z'n best fifty-fifty, vrees ik.'

Die nacht was een van de langste van Cecils leven. Gevolg gevend aan het advies van de dierenartsen om de zieke dieren rust te gunnen, bracht hij het merendeel van zijn tijd door in de andere stallen, waar hij de toestand en temperatuur van de andere paarden in de gaten hield. Tot de vroege tekenen van paardeninfluenza behoorden een snotneus, neerslachtigheid of lusteloosheid en verlies van eetlust, maar met een agressief virus als dit verwachtte hij dat de symptomen al snel acuut zouden worden, en vooral dat de lichaamstemperatuur plotseling omhoog zou schieten, zoals dat bij Radar en Easy het geval was geweest. Tegen het ochtendgloren groeide de hoop dat de rest van de stoeterij op de een of andere manier aan het virus ontsnapt was. Een paar van de hengsten waren weliswaar prikkelbaar, in de war en geïrriteerd door de ongebruikelijk nachtelijke activiteiten, maar geen van de dieren had verhoging.

Nadat hij de hele nacht heen en weer had gelopen met natte handdoeken en eindeloos koffie had gezet, besloot Bobby rond vijf uur in de ochtend toch maar een uurtje te gaan slapen. Geeuwend en zich uitrekkend liep hij naar het huis terug, ging nog even bij de stal waar de twee zieke dieren in quarantaine lagen langs om bij Milly te kijken. Hij stak zijn hoofd om de deur en vond haar in foetushouding in het stro tussen Easy's voorbenen, een hand naar achteren uitgestrekt, op de bezwete flank van het paard. Radar leek in de andere hoek diep in slaap. Ze droeg nog steeds de zwarte rok en bordeauxrode blouse van het toneelstuk, maar die waren nu smerig en bedekt met paardenhaar en stro. Ze had de zwarte schoenen uitgeschopt en haar blote voeten opgetrokken.

Voor de tweede keer in een dag tijd voelde hij een golf van tederheid voor haar. Hij wist hoe het voelde om een dier te verliezen waarvan je zo veel hield als Milly van Easy. Het zou heel gemakkelijk zijn om naast haar te gaan liggen, haar tegen zich aan te trekken en haar te troosten.

En hij wilde dat doen. Verdomme, hij wilde het zo graag dat het pijn deed. Maar met gigantische inspanning hield hij zich in. God wist dat hij weinig scrupules had als het om seks ging, maar misbruik maken van de kinderlijke verliefdheid van een jong meisje wanneer ze op haar zwakst en kwetsbaarst was, daar zou zelfs hij niet mee kunnen leven.

Hij knielde naast haar neer en streek zacht over haar wang, tot haar ogen slaperig opengingen.

'Hé,' zei hij zacht. 'Sorry, ik wilde je niet wakker maken. Ik kwam alleen even kijken hoe het met je gaat.'

'Goed,' fluisterde ze zonder veel overtuiging. Haar ogen waren rood en gezwollen van het huilen en ze snotterde bijna net zo hard als Easy. 'Ik slaap niet. Ga je naar bed?'

'Dat was ik van plan, ja,' zei hij en hij wreef met een vermoeide hand over zijn nek. Ondanks haar ellende wou Milly dat het haar nek was die hij aanraakte. 'Nancy en je vader zeggen dat we op het moment niet veel kunnen doen.'

Ze keek naar hem op. Hij stond weer rechtop en zijn silhouet werd slechts vaag verlicht door het witte maanlicht, maar in haar ogen was hij even knap en mooi als altijd.

Schuldbewust richtte ze haar aandacht weer op Easy. Hoe kon ze zelfs maar aan iets anders denken terwijl hij zo ziek was?

'Hoe is het vannacht gegaan?' vroeg Bobby, haar gedachten lezend.

'Zoals nu,' zei ze, liefdevol de romp van het dier aaiend. 'Zijn ademhaling is heel oppervlakkig en hij ligt voortdurend te rillen.'

'Wil je dat ik bij je blijf?' vroeg hij, hopend en tegelijk vrezend dat ze ja zou zeggen. 'Ik doe het met plezier, als je behoefte hebt aan gezelschap.'

Milly bedacht dat ze nog nooit in haar leven iets zo graag had gewild, maar ze wist dat dit heel goed haar laatste uren met Easy konden zijn. Hij had haar harder nodig dan zij Bobby nodig had.

'Nee,' zei ze, weer tegen Easy's flank aan kruipend. 'Ga jij maar wat slapen. Ik red me hier wel.'

'Oké.' Hij trok zijn leren jack uit en legde het teder over haar heen. Ze had zich zo klein opgekruld dat het bijna haar hele lichaam bedekte, en alleen haar prachtige, bleke, sproetige gezichtje erboven uitstak.

Hij voelde een golf van seksuele frustratie.

'Je weet me te vinden als je me nodig hebt,' zei hij. Hij vertrok en deed de staldeur achter zich dicht.

Cecil kwam ongeveer een uur later binnen, iets over zessen. Milly lag nog steeds opgekruld onder Bobby's jack, diep in slaap. Radar stond tot zijn verbazing en blijdschap weer overeind. Hij spitste zijn oren toen hij voetstappen hoorde, schudde zijn hoofd heen en weer, als een vliegtuigpassagier die zijn nek probeert los te maken na een lange vlucht en keek Cecil aan alsof hij wilde vragen waar al die drukte voor nodig was geweest.

'Nee maar, hallo, ouwe onruststoker.' Cecil krabde het paard glimlachend tussen de oren en streelde het zacht over de smalle witte ster op zijn voorhoofd. 'Welkom terug.'

Radar duwde daarop vol genegenheid zijn neus tegen hem aan, zich kennelijk niet bewust van Milly's aanwezigheid, en die van de uitgestrekte, levenloze gestalte van zijn stalmaat op het stro achter hen.

Cecil draaide zich met een diepe zucht om. Hij had van het team van dierenartsen net een voorzichtig 'alles veilig' te horen gekregen wat de andere paarden betrof, en had zich bijna opgelucht durven voelen. Hij werd echter weer diepbedroefd nu hij voor zichzelf het nieuws bevestigde dat hij gevreesd en verwacht had: Easy Victory was dood.

Hij hurkte naast zijn dochter neer en schudde haar zachtjes wakker.

'Mill,' fluisterde hij. Ze verroerde zich nauwelijks. 'Milly,' probeerde hij nog eens, iets luider deze keer.

'Het is al goed, pap,' zei ze vermoeid, haar ogen nog steeds stijf dichtgeknepen. 'Je hoeft het me niet te vertellen. Ik weet het al. Hij is dood, hè?'

Nu hij haar zo haar best hoorde doen om dapper te zijn, terwijl de vermoeidheid in haar stem wedijverde met het verdriet, kreeg hij zelf ook tranen in zijn ogen. Easy was een hengst geweest zoals je die maar eens in je leven meemaakt. Ze zouden hem allemaal missen. Maar Milly had een speciale band met hem gehad, hechter dan wie ook.

Ze was sinds Bobby's komst erg veranderd. Het was bijna of de oude Milly van voor het ongeluk weer tot leven was gekomen. Hoe kwaad hij ook was geweest toen Bobby had opgebiecht dat ze al weken samen reden, nu hij naar haar keek realiseerde Cecil zich hoezeer hij zijn gelukkige, zorgeloze dochter had gemist; de dochter wier ogen begonnen te stralen zodra ze in het zadel kroop. Hij had ook gemerkt dat haar ogen de laatste dagen oplichtten als Bobby Cameron de kamer binnenkwam.

Zijn kleine meisje werd groot. Of dat zou ze worden… als hij haar de kans gaf.

De gedachte dat ze weer zou gaan rijden, dat ze dat risico zou nemen, vervulde hem nog steeds met een afgrijzen dat zijn adem in zijn keel deed stokken. Maar diep vanbinnen besefte hij sinds zijn ruzie met Bobby dat de jongen misschien toch gelijk had: misschien moest hij Milly toch met hem naar Californië laten gaan.

Bobby's woorden kwamen steeds weer bij hem naar boven, als een bandje dat steeds opnieuw begon: 'Ze is hier niet gelukkig, meneer.' Wanneer Bobby wegging en nu Easy dood was, zou ze nog minder gelukkig zijn.

Hij vroeg zich af of ze het hem ooit zou vergeven als hij haar niet liet gaan.

Hoorde ze hem wel te vergeven, als hij haar leven liet vergallen door zijn eigen angsten en hij haar talent voor altijd bleef onderdrukken?

Hij pakte onder Bobby's jack haar hand vast en kneep erin. Voor nu zette hij zijn twijfels en angsten over haar toekomst opzij. Welke fouten hij als vader ook had gemaakt, hij hield ontzettend veel van haar. En nu wilde hij gewoon dat ze dat wist.

'Ja, lieverd,' was het enige wat hij zei. 'Het spijt me. Hij is dood. Easy is dood.'

Ver daarvandaan in Solvang haastte Wyatt McDonald zich door Main Street en probeerde hij tevergeefs de somberheid van zich af te schudden die hem sinds de vroege ochtend in zijn greep had.

De herfstlucht was blauw en wolkeloos, als op een ansichtkaart, en zelfs op dit vroege uur was de zon al krachtig genoeg om zijn rug flink te verwarmen nu hij zich een weg baande door het dorp. Hij was op weg naar de bank voor een afspraak met de vestigingsmanager, zijn oude vriend Gene Drummond. Ondanks hun vriendschap zou het waarschijnlijk geen prettige bespreking worden en dat vooruitzicht veroorzaakte diepe rimpels in zijn voorhoofd.

'Morgen, Wyatt,' zei Mary Lonsdale, de goedaardige, veel te zware baliemedewerkster van het postkantoor, die uit de apotheek naar buiten kwam en naar hem zwaaide.

'Mary.' Hij tikte tegen zijn hoed en glimlachte naar haar, ondanks zijn eigen somberheid. Wyatt kende Mary al zo'n veertig jaar en ze was nog steeds een van de zachtaardigste mensen die hij ooit had ontmoet.

Een van de leuke dingen aan Solvang, zoals aan veel kleine plaatsjes, was dat de mensen elkaar echt kenden en om elkaar gaven. Een populair persoon als Wyatt kon nauwelijks twintig meter lopen zonder dat iemand naar buiten kwam om hem te begroeten, te zwaaien of te vragen hoe de kinderen het maakten en hoe het met hen allemaal op de ranch ging sinds die arme Hank was overleden. Nu, in september, was het merendeel van de toeristen weg, maar hij kwam er op weg naar de Wells Fargo aan de andere kant van het dorp toch nog wel enkele tegen. Hun touringcar uit LA sprong erg in het oog op de centrale parkeerplaats van het dorp.

Solvang was gesticht door Deense kolonisten, onderwijzers uit het midwesten die begin twintigste eeuw naar Californië waren gekomen om een nieuwe kolonie te stichten, en was altijd al een grote toeristische trekpleister geweest. De naam betekende 'zonnige vallei' en dat klopte zeer beslist. Het was echter de unieke Deense architectuur, een aandenken aan de oude Europese manier van leven, bevroren in de tijd als een fossiel in amber, waarvoor de toeristen zomer na zomer, jaar na jaar terugkwamen. Met de met kinderkopjes geplaveide straten, gaslampen, met pannen gedekte zadeldaken en maar liefst vier windmolens leek het plaatsje een Disney-variant van Denemarken. Maar achter de toeristische façade van het Happy Windmill Hotel, waar Bobby's moeder Diana ooit had gewerkt, en de vele cadeauwinkels waar ze Deense vlaggen en klederdrachtpoppen verkochten, was sprake van een hechte, levende en werkende gemeenschap. Sommige van de families – met namen als Sorensen, Rasmussen, Skraedder en Olsen – woonden al vier generaties hier en namen hun Deense afkomst en erfgoed nog steeds zeer serieus. Het was natuurlijk onvermijdelijk dat ze zich vermengden met nog oudere lokale families, waarvan sommige, zoals de Camerons en de McDonalds, voorouders hadden die al bijna twee eeuwen in deze vallei hadden geleefd en gewerkt.

Wyatt stapte nu het oude bankgebouw binnen, nam zijn hoed af en veegde het stof van zijn voeten voordat hij naar de balie liep.

'Morgen Phyllis,' zei hij glimlachend.

'Wyatt.' De oudere vrouw schonk hem een bijna tandeloze grijns. 'Gene verwacht je al. Wil je meteen doorlopen?'

Zijn oude vriend kwam achter zijn bureau vandaan om hem te begroeten.

'Wyatt. Fijn om je te zien, maat. Hoe is het met je?'

Het was een vreemde vraag, gezien het feit dat ze het afgelopen donderdag tijdens de vergadering van de ouderraad van de middelbare school een halfuur over Highwood en het leven in het algemeen hadden gehad. Summer zat in het laatste jaar, en Maggie en hij waren twee jaar geleden lid geworden van de ouderraad, zodat ze Gene daar vrij geregeld zagen, en daarnaast ook in het dorp. Maar misschien zocht hij gewoon naar woorden omdat hij nerveus was.

'Goed,' zei Wyatt en hij ging op de stoel zitten waar Gene naar wees. 'Maar ik heb het idee dat ik me na deze bespreking niet meer zo goed zal voelen. Dus kom maar op. Houd me niet in spanning, Gene. Wat heb je op je lever?'

'Ten eerste wil ik dat je weet, Wyatt, dat ik hier niets mee te maken heb.' Hij schoof opgelaten op zijn stoel heen en weer en sloeg zijn ogen ten hemel. 'Dit komt van de gevestigde macht. Ik ben niet meer dan de boodschapper.'

'Dat weet ik,' zei Wyatt vriendelijk. 'Ga door.'

'Nou, ten tweede zou ik dit gesprek eigenlijk met Bobby moeten voeren. Highwood is nu zijn eigendom en…'

Wyatt stak zijn hand op om hem te onderbreken.

'Gene, dat heb ik je al verteld. Bobby zit in Engeland, maar hij heeft mij als bedrijfsleider volledige bevoegdheid gegeven. Ik heb zijn toestemming om alle relevante financiële informatie in te zien. Ik kan de getekende documenten meebrengen als je wilt.'

De andere man schudde zijn hoofd, zijn voorhoofd gefronst als een stuk golfplaat.

'Jezus, Wyatt, nee. Dat is niet nodig. Ik hoop dat ik je op je woord kan geloven.'

'Nou, dat hoop ik ook, Gene,' zei Wyatt enigszins geïrriteerd door de wending die het gesprek had genomen. Het had echter geen zin om over zoiets ruzie te maken met een oude vriend. Hij probeerde immers ook alleen maar zijn werk te doen.

'Dan zal ik maar ter zake komen,' zei Gene, die er zo ellendig uitzag als maar mogelijk was voor een van nature zo joviale man. 'Je bent achter met de rentebetalingen, bijna zes maanden inmiddels.'

Wyatt kromp ineen. 'Ik weet het. Maar we zijn de afgelopen drie maanden aan het inlopen. Bobby's verdiensten…'

'Zijn niet genoeg,' zei Gene. 'Hank wist dat hij vorig jaar een reëel risico liep dat de bank de hypotheek zou executeren. Het klopt dat het extra geld van Bobby de bank destijds overhaalde de executie op te schorten. Het punt is echter, Wyatt, dat het gewoonlijk in hun – in ons – belang is om een regeling te treffen, vooral wanneer we zien dat de lener probeert te betalen en zijn best doet de schuld te verkleinen.'

'Dat hebben we gedaan, en dat doen we ook,' zei Wyatt, die gefrustreerd zijn stem verhief.

'Misschien. Maar je weet net zo goed als ik dat, met al die olie die daar in de grond zit…' Gene maakte de zin niet af. Dat was ook niet nodig. Wyatt wist precies wat hij bedoelde: het was in het belang van de bank als Bobby niet aan zijn betalingsverplichtingen kon voldoen. Dan konden ze namelijk Highwood op een legale manier in handen krijgen, en daarmee ook de olierechten.

'Wat probeer je me precies te vertellen, Gene?' vroeg hij zakelijk. 'Waar komt het op neer? Hoeveel tijd hebben we nog?'

'Dat probeer ik je nou juist duidelijk te maken, Wyatt. Je hébt geen tijd meer. In elk geval niet meer dan een paar weken. Het komt erop neer dat je de achterstallige aflossingen moet voldoen, volledig, en dat de rente binnen moet blijven komen. Eén misstap – een te late betaling – en die kerels van het hoofdkantoor vallen als een sprinkhanenplaag over je heen. En dan brengen ze de olieboren meteen mee.'

Wyatt streek langzaam door zijn haren en masseerde zijn slapen alsof hij er inspiratie uit probeerde te persen.

'En als we er een partner bij haalden?' vroeg hij. 'Een investeerder? Iemand met voldoende contanten?'

Gene knikte goedkeurend. 'Dat zou geweldig zijn. Maar Wyatt, ik kan jou en Bobby niet voldoende op het hart drukken dat de tijd van wezenlijk belang is. Als je iemand in gedachten hebt, dan stel ik voor dat je hem vandaag nog belt. Want als je niet heel snel met iets op de proppen komt, mijn vriend...'

'Ik weet het, ik weet het. Je hoeft het niet te zeggen.'

'Het is mijn werk om het te zeggen,' zei Gene. 'Als je bankdirecteur en als je vriend. Vind dat geld, Wyatt. Vind het, anders raakt Bobby zijn ranch kwijt.'

Een paar dagen na Wyatts gespannen bespreking bij de bank, stapte Todd Cranborn de veranda van zijn grote huis in Bel Air op en keek tevreden naar het uitzicht beneden hem.

Weer een volmaakte, wolkeloze zonnige dag in LA. De ochtendnevel die vanuit zee het land binnen was gerold, was al weggebrand door de zon en het was zelfs op dit vroege tijdstip al warm genoeg om in korte broek en T-shirt buiten te lopen. Pal beneden het huis lagen de strak verzorgde velden van de Bel Air Golfclub, waar kleine figuurtjes in geruite broeken heen en weer reden op hun golfkarretjes, te lui om de honderd en nog wat meters naar de zandbunkers te lopen om hun verdwaalde golfballen te halen.

Todd had een hekel aan golfen. Voor hem was dat spel een levende dood. Hij kreeg de rillingen van de rijke oude mannen die elke middag over de greens strompelden. Ze verspilden de jaren na hun pensionering door balletjes in kuiltjes te slaan en bourbon te drinken in het clubhuis, alles om maar het gezelschap te mijden van hun spijkerharde Beverly Hills-echtgenotes met strakgetrokken gezichten die thuis zaten te wachten. Afschuwelijk. Hij woonde echter wel graag boven de golfbaan. Huizen in dit deel van Bel Air behoorden tot de meest prestigieuze en gewilde woningen van heel LA, vanwege de nabijheid van de countryclub en het panoramische uitzicht over de stad heen naar de oceaan en bij mooi weer tot Catalina toe. Dit waren de beste huizen. En Todd Cranborn hield ervan om de beste te zijn.

Todd was zevenendertig jaar geleden in Boston geboren, als jongste van drie zoons in een arbeidersgezin (zijn vader, Bob, had vijftig jaar aan de lopende band gestaan van een plasticfabriek buiten de stad, en zijn moeder

Siobhan was huisvrouw, wat destijds neerkwam op zwoegen zonder salaris). Hij had voor zijn vijfentwintigste verjaardag zijn eerste miljoen verdiend, in onroerend goed. Hij was de eerste van de familie die naar de universiteit ging, maar stopte met studeren toen hij negentien was, zeer tot ongenoegen van zijn ouders. Hij ging in zaken met een plaatselijke projectontwikkelaar, kocht kleine units in kleine winkelcentra in New Jersey en verhuurde die met een gigantische winst. Algauw stapte hij over op kleine time-share appartementen aan de onderkant van de markt.

Na een paar jaar had hij genoeg verdiend om zijn partner opzij te kunnen schuiven en zijn eigen weg te gaan. Met opmerkelijk zakelijk instinct en meedogenloze zelfdiscipline – hij ging financieel nooit te ver om een 'droomhuis' te kunnen bemachtigen, maar hield stug vast aan wat hij kende: binnen zijn budget blijven, bescheiden bedragen lenen, een zinkend schip verlaten als dat nodig was – had hij weldra een fortuin van tientallen miljoenen vergaard.

Het sierde hem dat hij toen hij rijk was meteen de hand uitstak naar zijn familie. Hij bood aan een nieuw huis voor zijn ouders te kopen en hield zijn oudere broers nieuwe auto's en vakanties voor. Hoe trots ze echter ook op hem waren, hun diepgewortelde arbeiderstrots maakte het hun onmogelijk die gulle gaven aan te nemen.

Todd begreep dat niet. Was zijn geld soms niet goed genoeg voor hen? Haatten ze hem omdat hij goed opgeleid was? Hij zag hun trots aan voor jaloezie en stijfkoppigheid en kroop gekwetst terug in zijn schulp. Binnen een paar jaar bestond het contact met zijn broers alleen nog uit kaartjes met kerst en verjaardagen, en niet lang daarna stopte het helemaal.

De vervreemding van zijn familie had behoorlijk effect op Todd. Hij was daardoor niet meer in staat degenen te vertrouwen die het dichtst bij hem stonden, en ontwikkelde een hartstochtelijke afkeer van alles wat met klassenvooroordelen te maken had.

In plaats van zijn carrière te schaden, leek die nieuwe bitterheid hem alleen maar tot nog grotere successen aan te sporen. Hij breidde zijn zaak uit tot in Florida en later ook Californië, waar hij zijn rijkdom verviervoudigde dankzij sluwe co-investeringen met indianen, waardoor hij Ruimtelijke Ordening, de bouwvoorschriften en ook de belastingen kon omzeilen.

'Schat? Ben je buiten? Waar ben je?'

Catherine, de sletterig uitziende brunette die hij de vorige avond had opgepikt op het feestje van Louis Frampton, was naar buiten gekomen. Ze droeg een van zijn favoriete donkerblauwe shirts van Interno Otto, dat gevaarlijk strak om haar reusachtige siliconenborsten spande.

Todds goede humeur verdween. Waarom hadden die meiden nou niet het fatsoen om 's ochtends gewoon weg te gaan? Er klonk een bestudeerde geilheid door in haar schorre rokersstem, die hem de vorige avond, na vijf glazen martini en een lijntje uitmuntende coke, mateloos had opgewonden. Nu klonk die in zijn oren echter als nagels op een schoolbord.

'Hoi,' zei hij koeltjes. 'Ik heb het vanochtend erg druk, lieverd, dus ik wil vroeg beginnen.' Hij keek op zijn horloge en fronste. Shit. Het was al negen uur geweest. 'Kan ik nog iets voor je doen?'

Dat laatste aanbod was met zo veel merkbaar ongeduld en tegenzin gedaan dat het een wonder was dat het meisje dat niet merkte. Ze was echter niet een van de slimsten en pakte het verkeerd op. Ze kwam naar hem toe, wikkelde zich als klimop om hem heen, stak haar hand met de lange, roodgelakte nagels in zijn short en pakte zijn pik beet.

'Natuurlijk kun je wat voor me doen,' fluisterde ze ademloos en terwijl ze in zijn kruis graaide keek ze met een naar haar idee zwoele, uitnodigende blik naar hem op. Gisteravond was hij bij haar aanraking meteen keihard geworden. Nu verveelde ze hem en kwam er geen reactie. Hij trok vol walging zijn neus op – ze rook nog steeds naar seks en zweet en hij vond haar warme, visachtige geur onaangenaam overheersend – duwde haar hand weg en schonk haar een korte, zakelijke glimlach.

'Ik dacht meer aan een taxi of zo,' zei hij.

Todd hield van seks, maar hij hield niet van vrouwen. Als rijke vrijgezel in LA kon hij kiezen uit de mooiste meisjes van Amerika – dat was een van de hoofdredenen dat hij in deze prachtige, maar oppervlakkige stad was gaan wonen – maar hij sliep zelden vaker dan één keer met hen.

Het was niet alleen zijn geld waardoor de vrouwen om hem heen zwermden als vliegen om een pot stroop. Hij zag er ook goed uit met zijn forse postuur als van een bokser en dikke, golvende kastanjebruine haar. Hij had krachtige gelaatstrekken: een vierkante kaak, een grote gebroken neus (die op de een of andere manier bij hem paste) en een brede mond met smalle, licht krullende lippen, die hem een permanente halve grijns bezorgden. Sommige meisjes zeiden dat hij hen aan Jack Nicholson deed denken, een gelijkenis waar Todd heimelijk trots op was.

Net als Nicholson was hij een vrouwenverslinder, maar anders dan Jack behoorde hij niet tot het soort dat zo dol was op vrouwen dat ze zich niet konden beheersen. Zijn indrukwekkende libido werd gevoed door iets anders – woede, verbittering zelfs – waardoor zelfs het plezierigste erotische samenzijn hem altijd een vieze nasmaak gaf. Dat had hij nu ook, met dit meisje. Hij wou dat ze verdween en hem met rust liet.

In plaats daarvan begon ze, gekwetst door zijn afwijzing, te pruilen en te jammeren als een verwend kind. Hij moest zich vreselijk inspannen om haar niet te slaan. Uiteindelijk stemde ze ermee in dat hij een taxi voor haar belde, zij het pas na diverse beloftes van zijn kant dat hij haar zou bellen als hij klaar was met zijn werk en dat ze elkaar beslist gauw weer zouden zien. Hij vroeg zich af of die meiden die onzin nou echt geloofden. Pas toen ze weg was en hij achter zijn computer zat om zijn e-mail te lezen, realiseerde hij zich dat ze was vertrokken met zijn dure Italiaanse shirt aan.

Godverdomme. Waarom pakten die stomme sletten altijd de beste spullen? Hij moest Luigi toch eens een slot op zijn kleerkast laten zetten voor hij weer zo'n meid mee naar huis bracht.

Hij bekeek de nieuwe berichten – zijn inbox zat zoals gewoonlijk barstensvol – en dubbelklikte op een mailtje van zijn advocaat in Santa Barbara om het te openen.

'Barst,' zei hij in zichzelf toen hij begon te lezen. Een paar plaatselijke bewoners hadden een petitie ingediend; ze protesteerden tegen het feit dat hij samen met een klein syndicaat van plaatselijke indianen grond had aangekocht in de buurt van Buellton. Door de indianen daarin een belang van eenenvijftig procent te geven, zou hij de grote aantallen goedkope huizen kunnen bouwen die hij wilde zonder tussenkomst van de regering, en de plaatselijke bevolking vermoedde terecht dat hij daarmee hun prachtige vallei zou aantasten.

Burgerlijke, deugdzame trutten. Todd had geen geduld met dat soort mensen, met hun comités, hun afgunst en hun dorpse mentaliteit. Als ze het landschap zo graag wilden beschermen, hadden ze het zelf maar moeten kopen. Hij deed niets illegaals, dus die petitie konden ze wat hem betrof in hun intolerante reet steken.

Hij las verder. Bij de laatste alinea van het mailtje vergat hij voor even het land bij Buellton.

'Misschien heb je het gehoord, misschien ook niet,' stond er te lezen, 'maar Hank Cameron is een paar maanden geleden gestorven. De Highwood-ranch is nu eigendom van zijn zoon Bobby.'

Interessant. Todd had een jaar of zes, zeven geleden vruchteloos geprobeerd met Hank te onderhandelen over een belang in de ranch. Geen sprake van. Jaren later had hij de zoon ontmoet in Californië. De jongen was kennelijk briljant met paarden, hoewel Todd zich hem herinnerde als een arrogant stuk vreten. Hij had bij hun ontmoeting op een feestje dwars door hem heen gekeken en was later vertrokken met een fantastische roodharige vrouw op wie Todd zelf een oogje had gehad. Het behoefde dan ook geen betoog dat hij niet dol was op Bobby Cameron.

De Cameron-ranch, die barstte van de olie... dat was een ander verhaal. Hij zou er heel wat voor overhebben om zelfs maar een klein stukje van de ranch en de olie eronder in handen te krijgen.

'Voor je het vraagt, de jongen wil niet verkopen,' vervolgde het bericht. 'Maar ik weet uit diverse bronnen dat ze er financieel heel slecht voor staan. Het schijnt dat Bobby quarterhorses wil gaan trainen, maar het startkapitaal niet bij elkaar kan krijgen. Hoe dan ook, je had me gevraagd op te letten, dus ik dacht dat je dit wel zou willen weten.'

Die nieuwe advocaat was goed. Scherp. Todd leunde achterover in zijn stoel, sloot zijn ogen en probeerde zich de Cameron-ranch voor de geest te halen. Hij was geen natuurmens, maar Highwood was zo mooi dat zelfs hij het zich herinnerde. Jammer genoeg werd de idylle voor hem verstoord door de wetenschap dat er zo veel ongebruikte olie onder zat. Hoe stom waren die achterlijke cowboys? Hij kon het geld bijna ruiken als hij zijn ogen dichtdeed en werd misselijk van zo veel verspilling.

Hij pakte een zompig paars stressballetje – hij had dat heel lang geleden van zijn moeder gekregen – van zijn bureau en begon er gefrustreerd in te knijpen. Hij moest een manier vinden om daar weer contact te leggen...

Gezien de arrogantie waarmee Bobby hem in Florida had genegeerd, was hij er vrij zeker van dat Bobby zich hem niet zou herinneren. Daarmee was hij in het voordeel. Net als met het feit dat de jongen geld nodig had voor zijn quarterhorse-onderneming, iets wat Todd meer dan genoeg had. Het was de truc om hem voorzichtig te benaderen, zodat hij hem niet zou afschrikken. Want zodra hij ook maar het idee kreeg dat Todd achter zijn olie aan zat, zou hij er net zo snel vandoor gaan als zijn vader had gedaan, daar was Todd van overtuigd.

Hij pijnigde zijn hersens in een poging zich de naam van Hanks oude bedrijfsleider te herinneren. Was het nou Willie? Of Wes? Zoiets. Een echte ouderwetse cowboy, net als zijn baas; allebei blijven hangen in het verleden. Ze hadden absoluut geen zakeninstinct, maar ze kenden ook geen hebzucht. Dat maakte ze op twee punten lastige klanten.

Hmm. Hij moest er een poosje over nadenken.

Ondertussen pakte hij de telefoon en begon aan een lange dag vol zakelijke telefoongesprekken naar de oostkust. Het feit dat het zondag was, of dat zich om hem heen een prachtige dag ontvouwde, en dat het zonlicht als gesmolten goud door het raam zijn werkkamer binnen scheen, deed Todd helemaal niets.

Zijn werk was zijn leven.

En dat was precies zoals hij het wilde.

10

De sfeer op Newells was in de weken na de influenza-uitbraak bijzonder gespannen.

De dood van een geweldige hengst als Easy Victory was altijd groot nieuws in Newmarket en de griezelverhalen over een dodelijke superstam van paardeninfluenza verspreidden zich weldra sneller dan de ziekte zelf, waardoor voor Cecil onmiddellijk alarmfase rood inging en hij alles op alles moest zetten om de schade te beperken. Hij reed dagenlang het land door met zijn team van veeartsen, in een poging diverse cliënten er persoonlijk van te overtuigen dat zijn stallen veilig waren. De lange dagen en de hevige stress van een dergelijke grootschalige pr-campagne waren slopend, en de zeldzame momenten dat hij thuis was, was hij ongewoon kortaf en prikkelbaar tegen iedereen, van Linda tot de stalknechten.

Een paar weken na de dood van Easy liep hij nog gespannener dan anders de keuken binnen.

'Heb jij Jasper gezien?' vroeg hij aan Linda. Hij vloekte zacht toen hij zag dat de suikerpot leeg was en begon kastdeurtjes open te trekken op zoek naar een nieuw pak. 'Hij zou vanochtend met Danny en Caligula gaan rijden, maar die luie donder is er weer eens vandoor.'

'Hij is naar Mittlingsford,' zei Linda rustig. Ze haalde de suiker uit de voorraadkast en vulde de suikerpot voor hem terwijl hij knorrig aan tafel ging zitten. 'Julia Delaney had hulp nodig bij de voorbereidingen voor het feest en hij heeft aangeboden haar te helpen. Je bent veel te hard voor hem, weet je dat wel?'

'Te hard voor hem?' gromde Cecil, en prompt brandde hij zijn gehemelte aan een slok te hete koffie. 'Ik werk me kapot om het hoofd boven water te houden, Linda,' zei hij, 'maar onze zoon gaat liever servetjes vouwen voor zijn verrekte vriendin dan hier mee te helpen.'

Die avond zou het jaarlijkse einde-zomerfeest van de Delaneys worden gehouden, waar in Newmarket altijd erg naar werd uitgekeken. Linda was door het dolle heen omdat ze, nu Jasper en Rachel met elkaar gingen, tot het kleine kringetje van bevoorrechte gasten hoorde die de meeste tijd mochten doorbrengen met sir Michael en lady D, of 'Julia', zoals ze haar nu kende.

'Ik kan wel met Caligula gaan rijden, als u wilt,' zei Bobby. Hij was net binnengekomen in een vuile spijkerbroek en een oud grijs T-shirt dat doorweekt was met zweet na een vroege trainingssessie op het galoppeerterrein. 'Ik ben vanmiddag vrij.'

'Echt waar?' zei Cecil, iets opgewekter. Bobby was fantastisch geweest sinds de griep. Hij had veel meer gedaan dan hij had gehoeven en hun ruzie over zijn stiekeme trainingen met Milly was allang vergeten en vergeven. Wat maar goed was ook, aangezien Bobby de enige leek te zijn die sinds Easy's dood tot Milly wist door te dringen. Tegenover de rest was ze helemaal in haar schulp gekropen en ze zat vaak uren alleen in haar kamer voor zich uit te staren, gevangen in haar eigen verdriet. Ze beklaagde zich er niet eens meer over dat ze niet mocht paardrijden, en dat was zo volstrekt niets voor haar dat Cecil zich vreselijk zorgen maakte.

De gedachte dat Bobby over nog geen week weer in een vliegtuig naar Californië zou zitten, beangstigde hem. Hij had geen idee hoe hij Mill moest helpen als ze voor die tijd niet uit haar depressie kwam.

Op dat moment kwam Milly somber binnenschuifelen. Ze had wel iets van een menselijke Iejoor in een gekrompen gestreepte pyjama van Cecil. Met slechts een heel vaag knikje naar Bobby en geen woord tegen haar ouders begon ze een sneetje toast voor zichzelf klaar te maken.

'Aha, daar ben je,' zei Linda monter. Ze begreep niet dat Cecil zo veel geduld had met Milly's gepruil en vond al dat gedoe om een dood paard volkomen belachelijk. 'Ik hoop dat je het feest van de Delaneys niet vergeten bent? Dat is vanavond.'

Milly kreunde en draaide met haar ogen.

'Eet dat snel op,' zei Linda zonder daar acht op te slaan, 'dan neem ik je daarna mee het dorp in. Je haar moet geknipt worden en… mijn hemel, lieverd, je voeten! Je lijkt wel een hobbit! Ik kan ook maar beter een afspraak proberen te maken met de pedicure.'

'Bespaar je de moeite. Ik ga niet mee,' zei Milly terwijl ze een bord uit de kast pakte.

'Natuurlijk ga je mee,' zei Linda bruusk. 'Ik heb de uitnodiging al aangenomen voor ons allemaal. Het zou verschrikkelijk onbeschoft zijn om nu nog terug te krabbelen.'

'Nou en, dan bén ik toch gewoon verschrikkelijk onbeschoft?' Ze pakte de warme toast en ging naast Cecil zitten. 'Bovendien heb ik helemaal geen uitnodiging aanvaard. Dat heb jij voor mij gedaan omdat je me nog steeds als een verdomde geisha aan John Ashton probeert te verkopen.'

'Niet zo'n grote mond tegen je moeder,' zei Cecil werktuiglijk.

'Er wordt niet over gediscussieerd,' zei Linda. 'Je gaat mee, al moet ik je dragen. En je laat ook je haar doen.'

'Ik haat je!' snikte Milly. Ze duwde haar stoel naar achteren, sprong overeind en keek haar moeder aan met een blik die een gletsjer had kunnen doen smelten. 'Ik wíl niet naar dat stomme feest. Easy is dood! Snap je dat nou nog niet? Hij is dood! Ik hield van hem. Betekent dat dan helemaal niets voor je?'

'We hielden allemaal van hem,' zei Linda ijzig.

'Jij?' Milly schudde vol ongeloof haar hoofd. 'Je hebt nooit van hem gehouden. Je zou hem nog niet kunnen aanwijzen in een wei met maar één ander paard, en dat weet je heel goed!'

'Milly, zo is het genoeg,' zei Cecil, maar ze was al de keuken uit gerend en smeet de deur met een oorverdovende knal achter zich dicht.

'Misschien moet ik even met haar gaan praten,' zei hij en hij schoof met een bezorgde frons zijn kop koffie weg.

'Waag het niet,' zei Linda resoluut. Ze had er schoon genoeg van dat iedereen Milly in alles haar zin gaf en met bezorgdheid reageerde op haar uitbarstingen. 'Ze gedraagt zich gewoonweg belachelijk. Ik snap niet dat je die arme Jasper zo hard aanpakt terwijl Milly degene is die zich als een verwend kind gedraagt. Als er iemand zijn steentje niet bijdraagt, dan is zij dat.'

Bobby voelde dat er een echtelijke ruzie op komst was, sloop de keuken uit en liep stilletjes naar boven.

'Klop, klop,' zei hij zacht terwijl hij Milly's slaapkamerdeur een stukje opendeed. Ze lag met haar gezicht naar beneden op het dekbed en haar hele lichaam schokte door haar snikken van ellende en boosheid.

'Ga weg!' Haar woorden werden gedempt door het kussen.

Ze was blij dat hij achter haar aan was gekomen, maar hoe graag ze zich ook in zijn armen wilde werpen, ze wilde niet dat hij haar zag met rode ogen en een snotneus van het huilen. Ze had vanochtend niet eens tijd gehad om haar tanden te poetsen, dus waarschijnlijk stonk ze nog vreselijk ook.

'Kom op,' zei hij, en hij negeerde haar en ging op de rand van haar bed zitten. Hij rook naar zweet en paardenhaar, een combinatie die Milly deed duizelen. 'Praat tegen me. Je weet dat ik eerder niet wegga.'

Onwillig draaide ze zich om. Haar ogen waren roodomrand en nog vochtig, en haar prachtige haar zat vreselijk in de war en stak alle kanten op, alsof iemand er met een ballon over had gewreven. Haar brede, bleke lippen trilden, maar hij kon niet zeggen of dat van boosheid of van verdriet was. Bobby wist alleen dat ze er in zijn ogen nog nooit zo schattig had uitgezien.

Ze is nog een kind, hield hij zichzelf voor. Hoe eerder hij terugging naar Highwood en over die bevlieging heen raakte, hoe beter.

'Het kan me niet schelen wat mama zegt,' snufte Milly opstandig. 'Ik ga niet. Ik eet nog liever slangen.'

'Aha,' zei hij glimlachend. 'Dat is nou jammer. Ik rekende er eigenlijk op dat je mij door de avond heen zou helpen. En ik moet er wel heen. Rachels vader betaalt me.'

Milly ging op het bed zitten en veegde haar neus af aan haar pyjama-mouw.

'Je hebt mij niet nodig,' zei ze, niet in staat de bitterheid helemaal uit haar stem te weren. 'Er zijn vast meisjes zat die maar al te graag voor je zor-gen, dat weet ik zeker. Deborah is er ook,' voegde ze er pinnig aan toe.

'Misschien wel,' zei hij. 'Maar met haar kan ik niet praten zoals met jou.'

Milly bloosde van blijdschap. Hij had nog nooit iets gezegd waaruit zo veel directe genegenheid sprak. Sinds hun omhelzing op die vreselijke avond in Easy's stal had hij zich op een ondefinieerbare maar onweerleg-bare manier van haar afgewend. De vlotte vriendschap en kameraadschap die er eerder waren geweest, leken te zijn verdwenen, vervangen door een onbeholpenheid die ze niet wisten te overbruggen.

Er waren momenten, zoals toen in de stal, dat ze bijna kon geloven dat hij iets voor haar voelde. Maar daarna gedroeg hij zich weer volwassen en afstandelijk en keerde hij terug naar Deborah en al die andere wereldwijze sexy meisjes die hem kennelijk iets konden geven wat zij hem niet kon ge-ven. Ze haatte hen allemaal.

Het was fijn om degene te zijn met wie hij kon praten, maar ze zou nog veel liever degene zijn geweest van wie hij niet met zijn handen af kon blij-ven.

Bobby stond op, en keek door het raam naar buiten. Het was een be-wolkte ochtend en de wind blies bruine bladeren over het erf heen, die als herfstgeesten over het beton dansten.

'Ik ga donderdag weg, weet je,' zei hij. 'Terug naar de States.'

'Aanstaande donderdag?' vroeg ze geschrokken. 'Maar dat is al over zes dagen! Ik dacht dat je zes weken zou blijven?'

'Ik ben al meer dan zes weken hier,' zei hij met een schouderophalen, waarmee hij een nonchalance probeerde te veinzen die hij niet voelde. 'Ze-ven zelfs al. En ik moet een ranch leiden. De mensen thuis zullen niet meer weten hoe ik eruitzie.'

'Dat is niet waar,' zei Milly. Ze beet op haar onderlip om de tranen tegen te houden, maar hij zag wel hoezeer ze van streek was door zijn aanstaan-de vertrek. Misschien voelde hij zich mede daardoor zo sterk tot haar aan-getrokken? Andere meisjes verlangden naar hem, maar ze gaven geen van allen zo veel om hem als zij.

'Je kunt me komen opzoeken,' zei hij. Hij deed zijn uiterste best zich vaderlijk te voelen toen hij haar hand vastpakte en die streelde, 'zodra ik mijn quarterhorses heb.'

'Ja hoor,' zei Milly, en ze verstrengelde haar vingers met de zijne en wenste meer dan ooit dat ze nooit meer los zou hoeven te laten. 'Ik zie mijn ouders daar nog niet zo snel mee instemmen, jij wel?'

'Je weet maar nooit,' zei Bobby, hoewel hij het heimelijk met haar eens was. Cecil en Linda zouden willen dat ze hem vergat, maar misschien was dat ook nog niet zo slecht. Misschien moest ze inderdaad een leuke Engelse jongen zoeken van haar eigen leeftijd en haar moeders droom waarmaken.

'Als je echt wilt dat ik vanavond meega, dan doe ik dat,' zei Milly, 'maar ik doe het alleen voor jou, niet voor die rotmoeder van me.'

'Afgesproken,' zei hij. 'En wie weet? Misschien vermaken we ons zelfs wel.'

Het was kwart over zeven voordat ze eindelijk allemaal in de auto zaten.

Gewoonlijk was Jasper de prima donna van de familie, maar vanavond was hij al met Rachel in haar auto vooruitgegaan en was Milly degene die iedereen ophield door zich op het laatste moment nog een keer te verkleden.

Ze was van plan geweest een strakke rode kokerjurk te dragen die mooi bij haar opgestoken haar paste, maar was toen bang geworden dat die toch te opvallend zou zijn en had een iets ingetogener, olijfgroene wikkeljurk van Von Furstenberg aangetrokken.

Ze was tevreden met het eindresultaat. Bobby zou nu eens een keer een sexy Milly te zien krijgen. Het maakte haar bijna blij dat ze toch had besloten mee te gaan naar dat stomme feest van Rachel.

Vol hoop en verwachting liep ze naar de auto en ze draaide als een ballerina voor Bobby rond. 'Tada!' zei ze giechelend. 'Wat vind je ervan?'

Hij fronste. 'Je ziet er anders uit.'

Milly's gezicht betrok. Het was bepaald niet de hartstochtelijke reactie waarop ze had gehoopt.

'Vind je het niet mooi?'

'Kom, vooruit,' zei Cecil ongeduldig, voor Bobby de kans kreeg te antwoorden. 'Instappen, jullie. We zijn toch al laat.'

Milly voelde zich vreselijk ellendig toen ze naast Bobby op de achterbank kroop. Ze was er niet in geslaagd indruk op hem te maken en voelde zich ongeveer even aantrekkelijk als voetschimmel.

Bobby zelf schoof ongemakkelijk heen en weer en weigerde in haar richting te kijken. Die groene jurk spande zo sexy om haar rondingen dat het hem van zijn stuk bracht. Nee, het was veel meer dan dat. Hij vond het vreselijk. Ze zag er helemaal niet uit als Milly, niet als zíjn Milly in elk geval. Hoe kon hij haar nou zien als een niet-erotisch wezen, als ze zich verdomme optutte als Audrey Hepburn? En waarom had ze al die make-up gebruikt om haar sproeten te verdoezelen? Hij zou die er het liefste afvegen, maar hield zich in en bleef in plaats daarvan nors naar buiten kijken tot ze bij de Delaneys waren.

'Wauw,' zei hij en hij floot zacht toen Cecil de Range Rover tussen de met korstmos begroeide stenen muren door naar Mittlingsford Manor reed. Heel even vergat hij Milly volkomen toen ze over het hobbelige pad reden dat naar het prachtige roodstenen, met klimop begroeide huis van de Delaneys voerde.

'Schitterend, vind je niet?' vroeg Cecil.

'Nou en of.'

De Manor was inderdaad een verbluffend mooi huis. Met zijn verbleekte Queen Anne-grandeur, zijn symmetrische voorgevel van grote schuiframen en netjes gesnoeide donkere taxushagen die de strakke gazons omzoomden als de fluwelen garnering van een smokingjasje steeg het hoog uit boven de rest van de schilderachtige huizen in Mittlingsford. Vanavond zag het er, aan de voorzijde verlicht door honderden flakkerende kaarsen langs de oprijlaan en aan de onderste takken van de bomen – Julia Delaney had dit jaar echt niet op een paar centen gekeken – spectaculairder uit dan ooit tevoren.

'Laten we de bar opzoeken, oké?' zei Cecil. Hij had net als zijn dochter erg tegen het feest opgezien – met de crisis op de stoeterij had hij helemaal geen zin in gezellige praatjes – maar nu ze hier waren, werd zijn humeur bij het vooruitzicht van een borrel snel beter.

Milly voelde zich echter neerslachtiger dan ooit toen ze uit de volle auto stapte. Bobby negeerde haar nog steeds; het was bijna alsof ze hem op de een of andere manier beledigd had, al had ze absoluut geen idee hoe. Waarom had hij haar gevraagd vanavond mee te gaan als hij toch alleen maar ging lopen mokken?

Ze maakte zich op voor een ellendige avond toen ze hem zonder dat hij ook maar één keer achterom keek naar het huis zag lopen. Een paar uur geleden had ze geblaakt van zelfvertrouwen. Nu voelde ze zich als Assepoester net na middernacht: kleurloos, saai en niet op haar plaats.

'Milly. Hoe maak je het?' Rachel kwam, overlopend van pseudowarmte, op haar af zodra ze het huis binnenstapte, ongetwijfeld omdat Linda bij haar was. Zelfs Milly moest toegeven dat ze er betoverend uitzag in een strakke zwarte jurk met open rug en een korte, sexy sleep, haar blonde haren in zware golven uitwaaierend over haar schouders, als dikke room die langzaam uit een kan klokt. Vergeleken met haar voelde ze zich onwille-keurig een beetje slonzig. De laatste restjes van haar goede humeur spoel-den weg als vuil badwater.

'Prima, dank je,' antwoordde ze ijzig.

'Er staat voor de jongere gasten frisdrank in de bibliotheek,' zei Rachel duidelijk hoorbaar tegen Linda, 'als je liever niet hebt dat Milly drinkt. En er zijn video's en spelletjes voor als ze zich verveelt.'

'Ik ben verdomme geen klein kind,' beet Milly haar toe, zich te laat rea-liserend dat ze door haar kregelige toon juist wel zo klonk. Bobby draaide zich naar haar om, voor het eerst sinds ze in de auto waren gestapt, maar er lag zo'n gekwelde uitdrukking op zijn gezicht dat ze wou dat hij het niet had gedaan. Wat mankeerde hem in godsnaam?

'Rachel probeerde alleen maar behulpzaam te zijn, schatje,' zei Linda. 'Lieverd!' Haar gezicht klaarde op toen ze Jasper naar hen toe zag komen. 'Wat zie jij er knap uit!'

'Hallo, ma,' zei hij, en hij kuste Linda op beide wangen. 'Pa.' Met een dreigende blik naar Bobby sloeg hij bezitterig zijn arm om Rachels in zwarte lovertjes gevatte taille. Hoewel ze aangaf geen belangstelling voor hem te hebben, had Jasper lang geleden al geleerd dat het met mogelijke ri-valen op het gebied van seks verstandig was om dicht bij je vrienden te blij-ven, en nog dichter bij je vijanden.

'Waar zat jij verdomme, vanmiddag?' Cecils slechte humeur kwam te-rug zodra hij zijn zoon zag. 'We hadden je op Newells nodig. Uiteindelijk is Bobby met de paarden weggegaan, maar daarmee deed hij jouw werk. Alweer!'

'Ik had het druk,' zei Jasper en hij keek met een vervelende blik die Cecil woest maakte naar zijn volmaakt verzorgde nagels. 'Maar bedankt, Bobby. De redder in nood, zoals gewoonlijk. Een echte held, nietwaar?'

Bobby voelde zijn handen jeuken. Milly's outfit had zijn stemming al geen goed gedaan en Jaspers sarcasme maakte het alleen maar erger. Hij zou er heel wat voor overhebben om die arrogante klootzak een klap op zijn gezicht te geven.

'Ik doe wat ik kan,' zei hij met opeengeklemde kaken

'Had je vanmiddag niet met mijn paarden moeten werken?' vroeg Ra-chel uit de hoogte. Ze was niet vergeten hoe Bobby haar tijdens Milly's to-neelopvoering had beledigd, en zocht nog steeds naar een gelegenheid om haar gram te halen. 'Daar betaalt papa je immers voor.'

'Het zijn je vaders paarden, Rachel, niet de jouwe,' zei Bobby botweg. 'En ik heb ze alles geleerd wat ze kunnen leren. Maar het is fijn dat je zo be-zorgd bent.'

Milly grinnikte. Hij mocht zich tegen haar dan als een zak gedragen,

Bobby was nog steeds meesterlijk als het erom ging Rachel in te maken. Net goed voor dat verwaande nest.

'Wat een belachelijke opmerking!' snauwde Rachel, die eindelijk haar kalmte verloor. Haar gezicht was vertrokken van boosheid, alsof iemand een citroen had uitgeperst in haar ogen. 'Paarden kunnen altijd verbeteren. Victor werkt al jaren met die hengstveulens en híj is nog steeds met ze bezig.'

Bobby haalde zijn schouders op. 'Ik ben beter dan Victor,' zei hij, alvorens haar opzij te duwen en in de richting van de bar te lopen.

'Arrogante klootzak!' sputterde Jasper.

'Hij mag dan arrogant zijn,' zei Cecil, 'maar hij is er tenminste altijd als je hem nodig hebt.'

Niet als ik hem nodig heb, dacht Milly toen ze Bobby in de menigte zag verdwijnen.

Over een paar dagen zou hij voorgoed weg zijn. Vanavond had hun bijzondere avond samen moeten worden. Hoe kon dat al zo snel zijn misgegaan?

Bobby liep de salon binnen en werd meteen overweldigd door de drukte en de zware geur van sigarenrook. De kamer zelf deed hem denken aan iets uit een roman van Jane Austen, of een film van Merchant en Ivory: grote schuiframen, parketvloer en een hoog plafond en aan de andere kant van de kamer een dubbele deur die uitkwam op de veranda. Hij pakte snel een glas Pimm's van de bar en liep naar buiten. Hij ademde de warme avondlucht in, die zwaar was van de geur van kamperfoelie, en probeerde zich te ontspannen.

Rachel Delaney was een secreet. Valser dan een ratelslang en bovendien tot op het bot verwend. Jasper en zij verdienden elkaar.

Hij liep over het glooiende gazon naar de stroom die onder langs de tuin liep en deed zijn best om niet aan hen te denken, of aan Milly. Hij kwam twee giechelende blondines tegen die hem waarderend bekeken. Hij glimlachte terug, maar was niet in de stemming. Heel even vroeg hij zich af of hij een paar weken geleden met de kleinste van de twee naar bed was geweest, maar toen hij dichterbij kwam zag hij dat het iemand anders was. Maar goed ook. Hij kon zich de naam al niet meer herinneren van het meisje met wie hij had geslapen.

Hij overdacht terneergeslagen hoe leuk zijn eerste weken in Engeland waren geweest, toen hij druk bezig was met de jonge hengsten en met Jan en alleman het bed in dook met de zorgeloze uitbundigheid van een tweedejaars in de voorjaarsvakantie. Maar dat was voordat hij voor Milly was gevallen. Voordat alles zo gecompliceerd was geworden.

Hij keek om zich heen en herkende enkele knappe gezichten van die eerste weken, en ook een aantal jockeys en trainers die hij via Cecil had ontmoet. Het feest van de Delaneys was een vaste jaarlijkse gebeurtenis in het Britse wedstrijdcircuit, en iedereen die ook maar iets voorstelde in de paardenwereld was gekomen om van sir Michaels legendarische gastvrijheid te genieten.

Milly's oude idolen Frankie Dettori en Robbie Pemberton waren er allebei. De laatste had een bloedmooie, lange roodharige bij zich die boven hem uittorende als Helena van Troje op stelten. Bobby herkende de Amerikaanse ruiter Jackey Forster, een stel Britse vlakkebaanracers en een paar springruiters die pas de selectie hadden gehaald. Zoals gewoonlijk waren zij het luidruchtigst van allemaal; ze vierden uitbundig feest aan de bar met hun hippe vriendinnetjes van de ponyclub, of liepen oneerbiedig de hoge heren van het hoofdkantoor van de Jockey Club in Portman Square nat te spuiten met gigantische waterpistolen die ze aan de bar hadden gevuld met Pimm's.

Na zeven weken in Engeland begon Bobby nog maar net de beginselen van de complexe sociale verschillen binnen het Britse racen te doorgronden. Voor zover hij wist beschouwden de vlakkebaanracers uit Newmarket de springruiters over het algemeen veeleer als amateurs, een zootje rijkeluiszoontjes met paarden uit Gloucestershire, dan als serieuze professionele sporters. De springruiters op hun beurt keken op hun rivalen van de vlakke baan neer als 'nieuwe rijken' en bemoeiden zich zelden met hen op het sociale vlak. Het was net zoiets als dat de eigenaren en fokkers in Kentucky neerkeken op degenen met quarterhorses. Vanavond leken beide partijen echter een tijdelijke wapenstilstand te hebben gesloten.

'Meneer Cameron!' Michael Delaney kwam glimlachend en met gespreide armen naar hem toe. 'Ik ben blij dat u gekomen bent.' Hij had een groot glas punch in zijn hand, en te oordelen naar zijn verhitte gezicht vermoedde Bobby dat het zijn vierde of vijfde glas moest zijn. Zijn rode zijden sjerp spande nu al gevaarlijk strak om zijn dikke buik.

'Ik had het niet willen missen,' zei Bobby. 'Uw tuin is trouwens prachtig.'

'Dank u.' Sir Michael leek oprecht blij met het compliment. 'We genieten er zelf ook erg van. Hoewel ik heb begrepen dat er in Californië op u ook een heel mooi stuk grond wacht.'

'Ja,' zei Bobby, en hij glimlachte voor het eerst echt die avond. 'Ja, dat is zo.'

Hij schaamde zich te moeten toegeven dat Milly Highwood de afgelopen weken bijna helemaal uit zijn gedachten had verdrongen. Maar nu hij binnenkort naar huis ging, drong de harde werkelijkheid zich weer aan hem op. Wyatts meest recente telefoontjes waren steeds dringender geworden. Als hij nog steeds quarterhorses wilde gaan trainen – en dat wilde hij, meer dan ooit – dan zou hij heel snel een regeling moeten treffen met de bank.

'U zult het wel missen.'

'Ja, inderdaad,' zei Bobby naar waarheid. 'Maar er zijn hier ook dingen die ik zal missen.' Hij keek de tuin rond op zoek naar Milly, maar zag haar nergens.

'Nou, ik vind het in elk geval jammer dat u vertrekt,' zei sir Michael. 'U hebt ongelooflijk werk geleverd met mijn paarden. Werkelijk ongelooflijk. Andy!' Hij zwaaide naar een oudere man die een paar meter verderop in gesprek was met twee al even oude vrouwen. 'Kom eens kennismaken met mijn vriend Bobby Cameron. Hij is de Amerikaanse trainer over wie ik je heb verteld…'

Terwijl Bobby zich aan de ene kant van de tuin koesterde in loftuitingen zat Milly zich aan de andere kant in haar eentje onder een wilg gestaag te bedrinken.

'Hé. Hé!' riep ze tegen een passerende kelner. 'Geef mij daar 'ns wat van, als 't je blieft.'

Hij liep naar haar toe met een zilveren dienblad met in bacon gerolde miniworstjes en keek afkeurend op Milly neer toen ze die allemaal op haar lege bord schoof. Toen hij weg was, nam ze nog een slok uit de champagnefles die ze eerder achterover had gedrukt en stopte een handvol van de warme, vette worstjes in haar mond. Van depressiviteit kreeg je honger. Of zou het door de alcohol komen?

Ze schopte haar hoge schoenen uit – ze kreeg blaren van die stomme dingen, en Bobby vond ze kennelijk toch niet sexy – en haalde de spelden uit haar haar. De kapster had het zo strak opgestoken dat haar gezicht er pijn van deed. Na haar zevende worstje begon ze een beetje misselijk te worden, en ze dacht dat ze misschien zou opknappen van een wandelingetje. Ze zag dat Bobby nog steeds hof hield bij de stroom, dus liep zij de andere kant op, en strompelde doelloos naar de rododendronstruiken.

Zo ver van het huis was er weinig licht en ze moest haar blote voeten voorzichtig neerzetten op de ongelijke grond. Opeens hoorde ze een geluid tussen de struiken dat het midden hield tussen een kreun en gehijg. Het klonk alsof er iemand in moeilijkheden zat.

'Hallo?' riep ze aarzelend het duister in. 'Is daar iemand?'

Geen antwoord.

'Voelt u zich wel goed?'

Stilte. Nee, daar was het geluid weer. Met een moed die ze vooral dankte aan alle champagne die ze had gedronken baande ze zich een weg door de struiken naar het geluid. Haar jurk bleef steeds achter de takken haken en zou waarschijnlijk geruïneerd zijn, maar ze zou het zichzelf nooit vergeven als daarginds iemand gewond lag en ze niet had geprobeerd te helpen.

'Hallooo?'

'Jezus christus! Milly!'

Het was Jasper. Hij was niet gewond, maar stond met licht gebogen knieën en zijn broek op zijn enkels en werd kennelijk met buitengewoon enthousiasme gepijpt door Lucy McCallum, een van Rachels zogenaamde 'beste vriendinnen'. Ze was zelfs zo geconcentreerd op de klus die ze onder handen (of liever gezegd: in haar mond) had dat ze Milly niet had horen aankomen; haar hoofd met het sluike bruine haar bleef als een koekoek uit een klok heen en weer gaan.

Milly gilde, draaide zich om en rende weg, en viel in haar haast om weg te komen meerdere malen op handen en knieën. Ze geloofde niet dat ze ooit zoiets walgelijks had gezien. De wetenschap dat J Rachel nu al bedroog had haar misschien kunnen opvrolijken, maar dat ze hem dat moest zien doen, naakt... Haar maag kwam vreselijk in opstand bij de gedachte alleen al. Ze kreeg nog meer spijt van de worstjes die ze had gegeten.

Ze rende zonder nadenken en zonder in te houden het gazon over, de veranda op en door de openslaande deuren de salon binnen. Beneveld als ze was door de schok en de drank duurde het even voor ze besefte dat alle aanwezigen naar haar staarden.

Rachel was gek genoeg een van de laatsten die Milly's plotselinge, verwarde aanwezigheid opmerkten. Sinds Jasper even was weggegaan vermaakte ze zich uitstekend met Desmond Leach, een permanent gebruinde Londense sportagent met spierwitte tanden.

'Geen twijfel mogelijk,' had Des haar met zijn vlotte babbel in plat Cockney verzekerd, 'je zou heel wat meer kunnen verdienen dan je nu doet. Het gaat erom dat je het groots aanpakt, nietwaar?'

Hij was niet de eerste die tegen haar zei dat ze meer zou moeten doen met het beetje belangstelling dat ze als sexy vrouwelijke jockey van de pers kreeg. Hoewel ze deed alsof ze publiciteit verafschuwde, genoot Rachel heimelijk van de aandacht en had ze er al vaak over gefantaseerd om 'It Girl' van de paardenrennen te worden, een soort tweede Victoria Hervey, met dat verschil dat zij op een paard zou rijden in plaats van er als een paard uit zou zien.

'Je zou het fantastisch doen in de *GQ*,' vervolgde Des, dichter naar haar toe schuivend op de bank. 'Ik denk aan mooie, sexy opnamen, jij in je lingerie in de stallen. Natuurlijk allemaal heel smaakvol.'

Ze begon zich net aan dat idee over te geven toen die stomme Milly binnen kwam strompelen. Ze zag eruit alsof ze was gemolesteerd. Haar haar stak alle kanten op, haar handen, knieën, voeten en gezicht zaten onder het zand en haar jurk hing aan flarden.

'Wat is er in godsnaam met jou gebeurd?' Rachel onttrok zich aan de avances van Des en bekeek Milly vol weerzin.

'Hè?' zei Milly verward. Ze had zo'n haast gehad om bij Jasper uit de buurt te komen dat ze er niet bij stil had gestaan hoe ze eruitzag, maar nu ze naar haar gescheurde jurk keek, begreep ze plotseling waarom iedereen haar aanstaarde.

'O, dat. Sorry. Niets. Ik... ben... gevallen. Ik ben gevallen.' God, het was moeilijk om een hele zin te vormen na een fles Dom Perignon.

'Jezus. Is alles goed met je?' Plotseling stond Bobby naast haar en sloeg zijn sterke arm om haar schouders. Zijn bezorgdheid vormde een schril contrast met Rachels vijandigheid. Ze voelde zich weer even gelukkig, maar dat gevoel werd al snel vervangen door afgrijzen toen ze zich realiseerde hoe ze eruit moest zien, vooral naast de goddelijke Rachel.

'Wat is er gebeurd, Mill?' vroeg hij dringend, met een stem vol tederheid, waardoor Milly bijna begon te huilen. 'Heeft iemand je pijn gedaan?'

'Nee.' Ze schudde haar hoofd. 'Dat is het niet. Ik vertel het je straks wel.'

'O nee, geen sprake van,' zei hij, en hij nam haar mee terug naar buiten, terwijl de mensen in de kamer geleidelijk hun gesprekken hervatten. Als iemand haar had aangeraakt... als iemand haar zelfs maar een haar... 'Vertel het me nu.'

'Luister eens, het was niets, oké?' snauwde ze. Misschien was het jenevermoed, maar ze werd er doodziek van dat hij nu eens warm en dan weer koud tegen haar deed: vanochtend liefdevol en aardig en vanavond nors en teruggetrokken, en nu was hij kennelijk weer terug als ridder op het witte paard. 'Ik was in de struiken...'

'Wat?' Bobby's gezicht betrok. 'Waarom? Met wie?'

'Met niemand!' zei Milly geïrriteerd. 'Alleen. Ik dacht tenminste dat ik alleen was.'

Voor ze verder kon gaan, kwam Jasper naar hen toe lopen, zijn gezicht rood van wat Bobby voor inspanning aanzag, maar wat Milly herkende als paniek. Hij negeerde Bobby en stevende recht op zijn zusje af.

'Heb je iets gezegd?' vroeg hij ademloos, en toen ze niet meteen antwoordde, voegde hij eraan toe: 'Het is je geraden van niet, want anders maak ik je leven tot een hel, dat beloof ik je.'

'Ach, val dood,' zei Milly. De champagne begon nu echt zijn werk te doen. 'Wat denk je dat ik zal doen? Naar binnen lopen en iedereen vertellen dat jij worstje-verstoppen aan het spelen was met een van Rachels beste vriendinnen? Alsof mij dat wat kan schelen!'

'Het spijt me,' zei Bobby grinnikend toen hij begon te begrijpen wat er gebeurd moest zijn. 'Worstje-verstoppen? Ik geloof niet dat ik dat spelletje ken.'

'Onzin,' zei Jasper venijnig. 'Je bent daar verdomme zelf olympisch kampioen in, dus je hoeft niet zo hoog van de toren te blazen. En jij houdt ook je kop als je weet wat goed voor je is.'

'O, ja?' zei Bobby, briesend om het dreigement dat uit zijn woorden sprak. 'En als ik dat niet doe, wat dan?'

'Dan... dan... dat zul je wel zien,' riep Jasper zwakjes. 'Ik zal ervoor zorgen dat je er spijt van krijgt, dat is alles.'

'Eerlijk gezegd betwijfel ik of Rachel er ook maar iets om zou geven,' zei Milly, die ervan genoot te zien dat haar broer zich in het nauw gedreven voelde. 'Ze had het een paar minuten geleden nog erg goed naar haar zin met die knappe sportagent op de bank. Volgens mij is ze je helemaal vergeten.'

'Onzin,' zei hij, maar hij zag er vreselijk bezorgd uit en versnelde zijn pas toen hij naar het huis liep.

'Heb je hem echt betrapt?' vroeg Bobby lachend toen hij weg was.

Milly knikte. 'Losbandige Lucy McCallum was hem aan het afzuigen tussen de rododendrons. Ik heb nog nooit van mijn leven zoiets walgelijks gezien.'

Het was fijn om weer zo ontspannen met hem te kunnen praten, zoals het was geweest voor de nacht dat Easy was gestorven.

'Geen wonder dat je eruitziet alsof je van het front komt,' zei hij.

'O, god.' Ze was opeens weer verlegen; haar handen vlogen naar haar verwarde haren en ze probeerde gejaagd met de rug van haar hand het zand van haar gezicht te vegen. 'Ik zie er vast afschuwelijk uit.'

'Nee,' zei Bobby en hij pakte haar hand beet en trok die omlaag van haar gezicht. 'Niet doen. Je ziet er zo veel beter uit. Natuurlijker. Ik vond het niet leuk zoals je er daarstraks uitzag. Dat was jíj niet.'

Milly stond even als aan de grond genageld – het leken wel jaren, maar waarschijnlijk waren het maar een paar seconden geweest – en was zich pijnlijk bewust van de warmte van zijn hand die de hare omvatte. Toen werd haar mijmering echter ruw verstoord door een doordringende kreet vanaf het terras achter haar.

'Help!' Het was onmiskenbaar haar moeders stem, maar de paniek erin was ongekend en angstaanjagend. 'Laat alsjeblieft iemand helpen. Snel!'

Ze trok zich los uit Bobby's greep en rende de stenen traptreden op naar haar moeder, die op haar knieën naast een lichaam zat.

'Julia, bel een ambulance.' Sir Michaels gebiedende stem sneed als een misthoorn door de avondlucht.

'Mama?' Met angst en beven baande Milly zich een weg door de mensen die om Linda heen dromden. Pas toen ze naast haar stond herkende ze degene die languit op de stenen lag, het hoofd zacht heen en weer wiegend in semibewusteloosheid. Het was Cecil.

De rit naar het ziekenhuis ging grotendeels aan haar voorbij. Linda reed mee in de ambulance met Cecil, die nu zwaar verdoofd was, en Jasper, die lijkbleek zag van schrik.

Rachel wilde niets missen en had erop gestaan met hem mee te gaan 'om hem te steunen', dus tegen de tijd dat Milly de ambulance bereikte was er geen plaats meer voor haar en moest ze er wel mee instemmen er met Bobby in de auto van haar ouders achteraan te rijden.

'De ambulancebroeders zeiden tegen mama dat het een lichte beroerte was,' zei ze. Ze zat handenwringend naast Bobby en werd snel nuchter terwijl ze zich naar het Addenbrokes-ziekenhuis in Cambridge haastten. 'Maar bestaat dat eigenlijk wel, een lichte beroerte?'

'Natuurlijk wel,' zei Bobby, die zijn best deed geruststellend te klinken, maar eigenlijk geen idee had waar hij over praatte. 'Zijn verwarring en het onduidelijk praten zijn waarschijnlijk voor de helft te wijten aan de drank. Wacht maar af. Ze doen straks een CT-scan en zeggen dan dat hij zo gezond is als een vis.'

Tegen de tijd dat ze het ziekenhuis bereikten, zaten Linda en Jasper al asgrauw in de wachtkamer. Rachel zat tussen hen in, haar make-up nog perfect in orde, ondanks de bestudeerde blik van bezorgdheid op haar gezicht terwijl ze Linda's hand vasthield. Normaal zou Milly haar met alle plezier hebben gewurgd, maar nu kon ze alleen maar aan haar vader denken.

'Hoe is het met hem?' vroeg ze aan Jasper.

'Dat weten we nog niet,' zei hij, voor één keer niet grof tegen haar. 'Ze zijn nog met onderzoeken bezig. De zuster heeft gezegd dat het wel een poosje kan duren voor we naar hem toe mogen.'

'Dan ga ik koffie halen, voor wie dat wil,' zei Bobby. 'Ik neem aan dat jullie nu even als gezin bij elkaar willen zijn. Rachel, ga je mee? Dan geven we deze mensen even de ruimte.'

Een moment gleed het masker van de engel van genade van Rachels gezicht toen ze hem vals als een kat, met opgetrokken bovenlip, aankeek.

'Nee, dank je,' zei ze bondig. 'Volgens mij ben ik hier van meer nut. Maar ik wil wel koffie als je toch gaat. Melk en twee klontjes suiker. En voor mevrouw L.G. hetzelfde.'

Linda schonk haar een dankbare glimlach. 'Wat lief dat je dat hebt onthouden, Rachel.'

'Ga niet.' Bobby voelde Milly's hand op zijn arm. 'Ik wil dat je hier blijft. Alsjeblieft.'

Het merendeel van het zand was van haar gezicht geveegd, maar haar mascara was uitgelopen onder haar ogen, waardoor ze eruitzag als een verzopen kat, en ze rilde in de dunne restanten van haar wikkeljurk. Het was zo koud in de tochtige ziekenhuisgang dat de blonde donshaartjes op haar onderarm overeind gingen staan.

Bobby had haar niet meer zo kwetsbaar gezien sinds de nacht dat Easy was gestorven. En hij had sindsdien ook niet meer zo naar haar verlangd als nu.

'Natuurlijk blijf ik,' zei hij, en hij weerstond opnieuw de aandrang haar tegen zich aan te trekken. 'Als je dat zo graag wilt. Ik wilde me alleen niet opdringen, dat is alles.' Hij keek venijnig naar Rachel, die zijn blik even venijnig beantwoordde.

Het duurde bijna twee uur voor een glimlachende Welshe verpleegster tevoorschijn kwam uit de klapdeuren achter de receptie en verkondigde dat 'de patiënt' zich goed genoeg voelde om bezoek te ontvangen. Op Milly's aandringen volgde Bobby – Rachel wachtte niet tot ze werd gevraagd – hen door de fel verlichte, naar desinfecterende middelen ruikende gang Cecils kamer binnen, een kaal, vensterloos vertrek met een ijzeren bed waarop hij zat met vier grote kussens in zijn rug. Hij glimlachte schaapachtig toen ze allemaal binnenkwamen.

'Lieverd,' snikte Linda terwijl ze naar hem toe liep en haar armen om hem heen sloeg. 'We waren zo bezorgd. Hoe is het met je?'

'Hij maakt het goed,' zei een stem vanachter de deur. Geen van hen had de arts opgemerkt die daar stond en ze draaiden zich nu allemaal naar hem om. 'Ik ben dokter Triggs,' stelde hij zichzelf aan Linda voor, met een knikje naar de andere aanwezigen. 'Uw man heeft een beroerte gehad, mevrouw Lockwood Groves, en dat is niet niks, maar gelukkig wijzen de CT-scan en de andere onderzoeken die we hebben gedaan uit dat er geen blijvende schade aan zijn hersenen en zenuwstelsel is.'

'Zie je wel?' fluisterde Bobby met een knipoog naar Milly.

'Weet u waardoor het veroorzaakt is, dokter?' vroeg Rachel. Nu het ergste voorbij was, stond Milly zichzelf weer toe zich te ergeren aan de manier waarop Rachel zich had opgedrongen. Ze hoorde hier niet eens te zijn, laat staan vragen te stellen. Het was niet háár vader die in elkaar was gezakt.

'Tja, dat kunnen we niet met zekerheid zeggen,' zei de dokter, die Rachel ongetwijfeld voor een dochter aanzag. Hij keek streng naar Cecil. 'Maar hij had erg veel alcohol in zijn bloed en zijn slagaderen lijken op de M25 tijdens het spitsuur, dus kunnen we veilig aannemen dat ongezonde voeding en een ernstig tekort aan lichaamsbeweging er iets mee te maken hadden.'

'Ik wist het wel!' zei Linda. 'Hoe vaak heb ik je niet gewaarschuwd voor je eetgewoonten, Cecil? Hoe vaak?'

'Voor je je te veel laat meeslepen,' zei Cecil zwakjes, 'dokter Triggs heeft gezegd dat stress ook een rol gespeeld kan hebben. Dus niemand mag tegen me schreeuwen of me dwingen sla te eten, want daar raak ik erg gestrest van. Klopt dat, dokter?'

De arts keek naar hem als een strenge schooldirecteur naar een lastig kind uit de vierde klas.

'Schreeuwen kan waarschijnlijk beter vermeden worden,' zei hij. 'Maar sla lijkt me een uitstekend idee.'

Linda keek Cecil triomfantelijk aan.

'Maar op dit moment hebt u vooral rust nodig. Dus niet meer dan tien minuten bezoek, alstublieft, en daarna stel ik voor dat u allemaal een uiltje gaat knappen en morgen terugkomt.'

'Je ziet er inderdaad moe uit, pap,' zei Milly en ze pakte een plastic stoel uit een hoek van de kamer, duwde Rachel opzij en ging pal naast zijn bed zitten. 'Wil je dat we weggaan?'

'Nee,' zei Cecil. 'Nee. Ik wil eigenlijk dat jullie allemaal blijven. Ik heb de afgelopen uren veel nagedacht. Ik wist niet wat er met me aan de hand was en ik wist niet of ik het wel zou halen.'

'O, lieverd, zeg dat niet,' zei Linda huiverend. Rachel sloeg een arm om haar heen en Milly zag dat haar moeder, als een ziek vogeltje, tegen haar aan leunde. Sinds wanneer waren die twee zo dik met elkaar? Het moest ergens na Easy's dood zijn gebeurd, vermoedde ze, toen zij te depressief was om het in de gaten te hebben. Liet die meid dan geen tragedie onbenut om in Milly's familie binnen te dringen?

'Of ik het nou wel of niet zeg, het is waar,' zei Cecil, die een comfortabeler houding probeerde te vinden in de kussens. 'Zoiets als dit plaatst een hoop dingen in een ander perspectief. Milly.' Hij glimlachte zwakjes. 'Ik moet je mijn excuses aanbieden, lieverd.'

'Waarvoor?' vroeg ze verbaasd.

'Voor een hele hoop dingen,' zei Cecil, en er welden tranen op in zijn ogen. De kalmeringsmiddelen die ze hem hadden gegeven, maakten hem waarschijnlijk overemotioneel. 'Maar het meest recent omdat ik je niet naar Amerika wilde laten gaan. Het wordt tijd dat je je eigen leven gaat leiden en als dat betekent dat je weer gaat paardrijden... het zij zo. Bobby heeft je een geweldige kans geboden. Die moet je aannemen.'

Milly keek hem niet-begrijpend aan. Het was te veel om te kunnen bevatten, vooral na de achtbaan van emoties waar ze die avond doorheen was gegaan. Het was alsof je gevangenbewaarder zich plotseling naar je omdraaide en je niet alleen de sleutels van je cel, maar ook een paspoort en een blanco cheque overhandigde om een nieuw leven te beginnen. 'Dank je wel,' was gewoon niet toereikend.

'Lieverd,' zei Linda met een nerveus lachje, 'dit lijkt me niet het moment om zulke belangrijke beslissingen te nemen. We kunnen er beter morgen over praten, als je weer wat meer jezelf bent.'

'Ze heeft gelijk, weet je,' zei Jasper, gesteund door een enthousiast knikkende Rachel. Het idee dat Milly weer wedstrijden zou gaan rijden, ook al was dat in Amerika en zou ze op een of ander soort cowboypaarden gaan rijden waar nog nooit iemand van had gehoord, vervulde hen allebei met afgrijzen. 'Je hebt hier niet goed over nagedacht, pa.'

'Hou je mond, J,' zei Cecil resoluut. 'Ik heb het niet tegen jou. Milly?'

'Ik weet niet wat ik moet zeggen,' zei ze zacht, maar ze bad dat dit echt was, dat het niet alleen door de medicijnen kwam dat hij zo praatte.

'Wil je het nog steeds?' vroeg Cecil.

'Natuurlijk, natuurlijk wil ik het!' zei ze. 'Als jij het echt meent. En als Bobby's aanbod nog geldt?'

Bobby, die zich op de achtergrond had gehouden, was zich er pijnlijk van bewust dat er plotseling tien ogen op hem gericht waren: die van Linda, Jasper en Rachel argwanend samengeknepen, die van Cecil wijd open, vragend en afwachtend, en die van Milly omfloerst door tranen en hoop.

Zelfs als hij van gedachten had willen veranderen, dan had hij dat onmogelijk nu kunnen doen.

'Zeker,' zei hij glimlachend. 'Natuurlijk.'

'Het enige wat ik vraag,' zei Cecil ernstig, 'is dat je goed voor haar zorgt.'

'Zo goed als ik kan, meneer,' zei Bobby. 'Dat beloof ik u.'

Dat was het dan. Milly zou naar Highwood komen, in zijn leven, zijn wereld, of hij het nou leuk vond of niet. Enerzijds was hij dolblij dat hij haar niet hoefde te verlaten, maar anderzijds wist hij dat haar aanwezigheid een grote kwelling voor hem zou zijn.

Van romantiek kon geen sprake zijn. Afgezien van het feit dat ze veel te jong was en hij een ranch moest zien te redden, had hij zojuist haar zieke vader beloofd als plaatsvervangende ouder op te treden. En al mocht Bobby Cameron zich dan aan veel dingen schuldig maken, hij was geen man die zijn beloften brak.

Als ze eenmaal in Californië waren, moest hij een vader zijn voor Milly. En dat was precies wat hij van plan was te doen.

11

Dylan McDonald zat in zijn kamer op Highwood te schilderen. Sinds Hanks overlijden was het leven op de ranch zo hectisch dat hij nog minder tijd had om iets aan zijn hobby te doen dan anders. Vandaag was het echter zondag en het licht dat door de dakkapel naar binnen scheen toen hij wakker was geworden, was zo goed dat hij had besloten het ontbijt over te slaan en meteen te beginnen.

Hij zat in een oude grijze joggingbroek en een T-shirt voor zijn ezel en legde de laatste hand aan een portret van zijn vader waaraan hij drie maanden geleden heimelijk was begonnen. Hij werkte naar een oude foto.

Hij werd gestoord door een klop op de deur. Haastig graaide hij naar een oude handdoek om over het schilderij heen te gooien. Hij probeerde de irritatie niet in zijn stem te laten doorklinken. 'Wie is daar?'

'Ik ben het, Summer. Ik heb een kop suiker voor je met een beetje koffie erin. Kan ik binnenkomen?'

Hij opende grinnikend de deur, trok haar naar binnen en nam dankbaar de dampende kop mierzoete koffie van haar over. Dylan hield van iedereen in het gezin, maar had de hechtste band met Summer. Ze was minder volwassen en serieus dan Tara en was degene met wie hij het meest gemeen had. Hoewel... als je naar zijn ravenzwarte krullen en olijfkleurige huid en naar haar Zweeds blonde verschijning keek, zou niemand zelfs vermoeden dat ze familie van elkaar waren.

'Mag ik het zien?' vroeg ze, naar de haastig bedekte ezel wijzend.

Hij fronste zijn voorhoofd. 'Vooruit dan maar,' zei hij. Hij vond het vreselijk om zijn werk aan anderen te laten zien. Zoals veel getalenteerde kunstenaars werd hij gekweld door twijfels aan zichzelf, maar in zijn geval werden die nog verergerd doordat zijn vader, om nog maar te zwijgen van alle knechten op Highwood, vond dat schilderen iets was voor mietjes: het Santa Ynez-equivalent van aankondigen dat je naar San Francisco ging verhuizen, je naam zou veranderen in Peaches en van plan was de rest van je leven als travestiet nummers van Barbra Streisand te zingen.

Summer was anders. Zij had het altijd al begrepen.

'Shit, Dyl,' zei ze en ze floot bewonderend toen hij aarzelend de handdoek wegnam. 'Het is prachtig. Dat is hem helemaal. Hoe oud was hij toen?'

Hij gaf haar de foto van Wyatt waarnaar hij had gewerkt, een oud zwartwitkiekje dat hij had 'geleend' uit zijn moeders album. 'Het is niet gedateerd, maar ik schat een jaar of twee-, drieëntwintig.'

Summer schudde haar hoofd en lachte. 'Hij was een knappe kerel, vind je niet? Wat zou er gebeurd zijn? Hij lijkt nu wel een uitgedroogde pruim.'

'Ach, hou op,' zei Dylan. 'Wacht maar eens af hoe jij eruitziet als je achter in de vijftig bent en veertig jaar in weer en wind op het land hebt gewerkt.'

'Ik?' Ze liet zich achterover op zijn bed vallen. Haar lange, gebruinde benen bungelden over de rand. 'Ik ga nog geen veertig minuten op het land werken, laat staan veertig jaar! Ik ga naar Berkeley, en dan rechten studeren in Harvard.' Ze telde haar toekomstige successen nonchalant op haar vingers af. 'Dan ga ik miljoenen verdienen en in LA wonen. En dan ben ik zo rijk dat ik bij het allereerste rimpeltje een facelift kan laten doen. Voor mij geen pruimengezicht, als je dat maar weet.'

Ze zal het nog doen ook, dacht Dylan met een blik op het smetteloze gezicht van zijn zus, vol van de belofte en het vertrouwen van haar jeugd, en even pienter als ze mooi was. Ze zal dat allemaal doen, en nog meer. En ik blijf hier om vee te drijven en paarden in te rijden voor Bobby tot ze me in een kist wegdragen.

'Wat voor iemand denk je dat ze is?' stapte Summer plotseling over op een ander onderwerp. Milly's komst was hét onderwerp van gesprek op de ranch sinds Bobby had gebeld om te zeggen dat hij de dochter van de Engelse fokker mee zou brengen. Het plan was kennelijk dat Bobby haar zou trainen in het racen met quarterhorses, en dat zij in ruil daarvoor zou helpen op de ranch.

Dylan haalde zijn schouders op. 'Ik weet het niet. Bobby zegt dat ze een uitstekende ruiter is.'

'Hmm.' Summer fronste sceptisch haar voorhoofd. 'Ik moet het eerst nog zien.'

Iedereen verheugde zich erop Milly te ontmoeten, alleen Summer was van streek door haar komst. De waarheid was, hoewel ze dat nooit aan een levende ziel zou bekennen, dat ze al van Bobby hield zo lang ze zich kon herinneren. Het laatste wat ze wilde was een Engelse kakmadam die al zijn aandacht zou opeisen.

Niet dat hij op het romantische vlak ook maar ooit enige belangstelling voor haar had getoond; wat hem en iedereen op Highwood betrof, was

Bobby in alles haar grote broer, alleen niet genetisch. Maar op een dag zou ze daar verandering in brengen. En in de tussentijd putte ze troost uit de wetenschap dat hij nooit serieuze bedoelingen had met de meisjes waarmee hij uitging. Hoe onbevredigend ook, de zusterlijke band die ze met hem deelde bleef zijn meest hechte relatie met een vrouw.

Die Milly was het eerste meisje dat in die zin een bedreiging vormde. En hoewel ze elkaar nog niet hadden ontmoet, haatte Summer haar nu al met een felheid die ze steeds moeilijker wist te verbergen.

Ze ging zitten en richtte haar aandacht weer op het portret dat haar broer had geschilderd. 'Je zou het kunnen verkopen, dat weet je,' zei ze. 'Het is echt goed. Waarom laat je het niet aan de moeder van Martha Bentley zien? Je weet dat ze pas een galerie heeft geopend in Santa Barbara, en ze had er al een in Los Olivos.'

Nog geen tien kilometer van Solvang vandaan lag het mooie wijnbouwdorpje Los Olivos, dat een toevluchtsoord was geworden voor schilders, schrijvers en wat Wyatt meestal 'hippietypes' noemde uit heel Californië. Er waren daar een paar galerieën, waaronder die van Bentley.

'Toch maar niet,' zei Dylan, en hij bedekte het schilderij weer met de handdoek. 'Niemand in Santa Barbara zal een portret van pa willen kopen. Bovendien ben ik er nog niet tevreden over. Er moet nog veel aan gebeuren.'

Summer sloeg haar armen om zijn middel en gaf hem een zusterlijke kus. 'Onzin. Het is prachtig,' zei ze. Dylan was altijd veel te bescheiden en vond het prima in de schaduw te blijven en anderen te laten stralen. Ze wou maar dat hij zichzelf niet altijd zo neerhaalde.

Zijzelf had geen gebrek aan zelfvertrouwen. En ze was ook niet bang om de strijd aan te gaan. Als die Milly Hoe-haar-stomme-achternaam-ook-was dacht dat ze hier binnen kon komen walsen en Bobby's genegenheid kon winnen, dan zou ze eerst met haar te maken krijgen. Summer had haar mooie kanten – ze was een liefdevolle zus en een trouwe vriendin – maar als ze zich iets in haar hoofd had gehaald, kon ze ook een geduchte tegenstandster zijn.

Zo'n tachtig kilometer daarvandaan was Bobby zo uitgeput dat hij zijn ogen bijna niet meer op de weg kon houden. Ondanks zijn vermoeidheid genoot hij echter van de rit naar huis, samen met Milly. Ze had het merendeel van de reis met haar hoofd uit het raampje gehangen en verrukt het landschap van Californië in zich opgenomen, gretig en alert als een opgewonden pup.

Ze kon nauwelijks geloven dat het feest van de Delaneys, en de ziekenhuisopname van haar vader, pas een paar weken geleden waren. De intense vreugde die ze had gevoeld over Cecils spectaculaire verandering van mening was gevolgd door een korte, scherpe steek van verdriet toen echt tot haar doordrong dat ze Newells ging verlaten. Ze vond het nog steeds geweldig om met Bobby naar Amerika te gaan en vooral om weer wedstrijden te gaan rijden, maar Nancy en Pablo en de anderen waren door de jaren heen praktisch familie voor haar geworden. Ze zou hen en de paarden vreselijk missen. In zekere zin had de dood van Easy het gemakkelijker voor haar gemaakt, evenals het feit dat ze zich door Rachels constante aanwezigheid thuis nauwelijks meer kon ontspannen. Maar het bleef toch moeilijk.

Haar moeder had het er ook niet gemakkelijker op gemaakt, doordat ze in de aanloop naar hun vertrek voortdurend boosheid en tranen had afgewisseld.

'Wat moet ik zonder jou?' kreunde ze de ochtend waarop ze eindelijk naar het vliegveld vertrokken. 'Papa werkt straks weer hele dagen en Jasper gaat in het hele land rijden… en dan ben ik helemaal alleen.'

Ze leek voor het gemak te zijn vergeten dat ze de afgelopen zes weken meer tijd met Rachel had doorgebracht dan met haar en dat ze, de zeldzame keren dat Milly en zij met hun tweetjes thuis waren, hadden gevochten als kat en hond.

'Ik ga naar Californië, mam, niet naar Mars,' probeerde Milly haar gerust te stellen terwijl ze de laatste zware koffer in de achterbak van de Range Rover tilde. 'Voor je er erg in hebt, ben ik terug.'

Maar was dat wel waar? De uitnodiging op Highwood gold voor onbepaalde duur, maar ondanks Bobby's gloedvolle beschrijvingen had ze nog steeds geen idee wat ze kon verwachten. Ze wist alleen dat haar dromen en haar bestemming aan de andere kant van de Atlantische Oceaan lagen, en er zou heel wat meer voor nodig zijn om haar tegen te houden dan een beroep van Linda op haar schuldgevoel.

'Het is gewoon prachtig,' zei ze, vol ontzag en verwondering om zich heen kijkend toen ze uit een bocht kwamen en zich weer een weelderig groen dal als de Hof van Eden voor hen uitspreidde. 'Geen wonder dat je hier zo van houdt.'

'Wacht maar tot je Highwood ziet,' zei Bobby trots. 'Je bent er vast helemaal weg van, dat beloof ik je.'

Daar twijfelde Milly niet aan. Ze was hier al weg van. Ze had nog nooit zo'n mooi landschap gezien. Het leek wel een versmelting van de mooiste plekken waar ze ooit was geweest: de weelderige, glooiende heuvels van het Lake District en de ontzagwekkende schoonheid van de Zwitserse Alpen, de Normandische papavervelden en daar nog de hemel van de Côte d'Azur bij. Het heldere, golvende groen was zo zuiver dat het bijna nep leek, alsof God een enorme, vlakke, strak gemaaide fairway had opgepakt en die eigenhandig tot steile heuvels en diepe dalen had gevouwen en gefrommeld

'In feite is het zo ongeveer wel gegaan,' zei Bobby lachend toen ze hem vertelde wat ze dacht. 'Het land is zo verkreukeld door prehistorische aardbevingen. Het moet ooit vlak zijn geweest.'

Na nog eens twintig minuten reden ze eindelijk een ander dal in en maakte het ruige landschap plaats voor uitgestrekte stukken vlakker, ontgonnen land. Toen ze de snelweg verlieten en richting Buellton reden, bleek de lange rechte weg aan weerszijden omzoomd door hoge platanen, waardoor die iets kreeg van een Parijse avenue, en door witte hekken die de entree markeerden van liefdevol onderhouden paddocks en stallenblokken; paardenfokkerijen zo ver het oog reikte.

'Ik dacht dat je zei dat dit rundveegebied was?' zei Milly verbaasd.

'Dat is het ook,' zei Bobby. 'Maar cowboys hebben paarden nodig. Dit zijn allemaal quarterhorse-fokkerijen.'

'Ik vraag me af waarom je vader er dan zo op tegen was om hier een trainingsstal op te zetten. Als iedereen het doet, bedoel ik.'

Bobby's gezicht betrok toen hij Hanks naam hoorde. In Engeland had hij het schrikbeeld van zijn vaders dood naar de achtergrond weten te drukken. Het was bijna een opluchting geweest om te worden opgeslokt door andermans wereld en andermans problemen, en de zijne te vergeten. Zodra ze echter op LAX landden, voelde hij weer een donkere wolk boven zijn hoofd hangen: een nevel van vaderlijke afkeuring vanuit het graf.

'Er waren veel dingen waar mijn pa op tegen was, zonder duidelijke reden,' zei hij somber.

Milly wilde giechelen en zeggen: 'De mijne ook', maar bedacht zich toen ze Bobby's gezicht zag. Zijn problemen met Hank waren kennelijk veel verdergegaan dan een verbod om paard te rijden, en hij zou de vergelijking wellicht niet waarderen.

Pas toen ze eindelijk de lange oprit naar de ranch in draaiden keerde er een glimlach terug op Bobby's gezicht.

'Hé, baas! Fijn je weer te zien. Welkom thuis,' zei Wyatt, die het stoffige erf over rende met de energie van een man die half zo oud was als hij en Bobby vol warmte bij de schouders pakte toen hij uit de auto stapte. 'En u bent zeker juffrouw Lockwood Groves?'

'Milly, alstublieft,' zei ze glimlachend. Ze strekte opgelucht haar lange benen na de krappe beenruimte van de passagiersstoel en trok haar bezwete spijkerbroek los van de achterkant van haar bovenbenen voordat ze hem een hand gaf. 'Hoe maakt u het, meneer McDonald?'

Hoewel hij ouder leek dan ze uit Bobby's beschrijving had opgemaakt – hij zag er erg verweerd uit, zoiets als Yoda uit *Star Wars* – wist ze meteen dat dit Wyatt moest zijn. Bobby had haar gezegd dat ze naar de open, eerlijke glimlach en verbazingwekkend blauwe ogen moest kijken. Zelfs met al die rimpels was hij nog steeds een knappe man, dacht ze.

'Zeg maar Wyatt,' zei hij, grinnikend om haar formaliteit. 'En ik maak het goed, dank je, Milly. Welkom op Highwood.'

Voor ze nog iets anders kon zeggen, werd Milly omringd door de McDonald-vrouwen. Maggie kwam als eerste het huis uit rennen, met een blos op haar vriendelijke gezicht en haar vuile schort nog aan. Lange slierten grijzend blond waren uit haar knotje ontsnapt.

'Bobby Cameron, zet me onmiddellijk neer!' lachte ze verrukt toen Bobby haar in zijn armen nam en met haar rond begon te draaien. 'Je gaat over de knie, hoor je me?'

Bobby had gezegd dat Maggie bijna een moeder voor hem was en Milly zag meteen dat de twee een heel hechte band met elkaar hadden. Ze probeerde zich voor te stellen dat Linda haar met zo veel warmte en enthousiasme begroette, maar dat lukte niet.

'Sorry, lieverd,' zei Maggie toen Bobby haar eindelijk had laten gaan en ze Milly een met meel bestoven hand toestak. 'Ik ben Maggie. Ik ben heel blij kennis met je te maken.'

'Insgelijks,' zei Milly stralend. Deze mensen waren allemaal vreselijk aardig. Het leek wel of je de set van *The Waltons* binnenstapte. Ze wendde zich tot het mooie meisje dat achter haar stond te wachten. 'En jij bent zeker Summer?'

'Tara,' zei het meisje, en ze nam de jas en tas van haar over die ze nog steeds vasthield. 'Welkom in de States.'

Was dat Tara? Volgens Bobby was zij de minder aantrekkelijke zus. Hoe zag Summer er dan in hemelsnaam uit? Als Claudia Schiffer?

Een paar seconden later werd haar vraag beantwoord toen een blondine met belachelijk lange benen in een superkort broekje zich op Bobby stortte als een groupie op een popster.

'Je bent terug!' riep ze. 'Je bent terug, je bent terug!'

Terwijl Bobby haar kuste en omhelsde, keek Milly nog eens goed naar de beroemde Summer. Ze was veel mooier dan Bobby haar had beschreven. Een volkomen gave huid, idioot hoge jukbeenderen en volmaakte, lichtroze, fraai gewelfde lippen werden omgeven door een waterval van goudkleurig haar die zelfs Repelsteeltje jaloers zou hebben gemaakt. En dat figuurtje… Voor zover Milly het kon zien bestond haar lichaam voor tachtig procent uit dijbeen en voor twintig uit borsten. Als Rachel Delaney langer, slanker en eleganter – en duizendmaal mooier – was geweest, zou ze nog maar een slap aftreksel van Summer McDonald zijn.

Ze voelde een korte, maar hevige steek van vijandigheid jegens de godin die Bobby tussen de eindeloze reeks vragen over zijn reis door nog steeds overlaadde met kussen. Ze had de ervaring dat zulke mooie meisjes meestal vreselijke krengen waren.

Maar misschien oordeelde ze te voorbarig. Bobby had Summer beschreven als een 'lieve meid', dus misschien was ze dat wel. Ze kon er immers niets aan doen dat ze zo knap was.

Milly liep om de auto heen, wachtte op een pauze in de conversatie en stelde zich toen glimlachend voor. 'Ik ben Milly,' zei ze, 'Ik ga trainen met B…'

'Ja, ik weet wie je bent,' zei Summer koeltjes. Ze glimlachte niet. 'De toekomstige quarterhorse-legende, heeft Bobby me verteld.'

'O,' zei Milly blozend. Alle anderen waren zo beleefd en gastvrij dat Summers plotselinge onbeschoftheid haar verraste. 'Eh… nou, dat zou ik niet willen zeggen. Ik wil gewoon de kans krijgen het te leren,' stamelde ze.

'Ze gaat het fantastisch doen,' zei Bobby, zich er kennelijk niet van bewust dat Summer een waarschuwingsschot in Milly's richting had afgevuurd. 'Natuurlijk moeten we eerst nog de trainingsfaciliteiten bouwen,' voegde hij er weemoedig aan toe.

'Ja. Daar moeten we het nog over hebben,' zei Wyatt. 'Ik heb vanmorgen weer met de bank gepraat…'

'In hemelsnaam, Wyatt, laat die jongen eerst binnenkomen voor je over zaken begint te praten,' zei Maggie. Toen wendde ze zich tot Milly en zei: 'En jij zult wel uitgeput zijn, arm kind. Tara,' vervolgde ze tegen haar oudste dochter, 'waarom help jij Milly niet even naar binnen met haar spullen. Je logeert bij Bobby in het grote huis,' legde ze Milly uit, 'maar je zult meestal bij ons eten. En natuurlijk staat de deur altijd voor je open als je behoefte hebt aan gezelschap.'

'Bedankt,' zei Milly.

Summer kreunde hoorbaar.

Ja, val jij ook maar dood, kreng. Wat kan het mij schelen wat jij denkt? Ze zou een huis delen met Bobby. Alleen zij tweeën. Er was meer voor nodig dan een jaloerse blonde wandelende tak om daar de glans aan te ontnemen.

Tara droeg haar zwaarste koffer – ze tilde hem op alsof hij leeg was – en Milly liep achter haar aan het grote huis binnen en sjorde daarna met beschamend veel moeite de kleinere koffer de brede houten trap op naar haar kamer.

'Zo. Dit is de gastensuite.' Tara zwierde de koffer op het bed en opende toen de deur naar de prachtige victoriaanse badkamer met een vrijstaand koperen bad en een reusachtige witte kruik naast de wasbak. 'Je handdoeken liggen hier in de kast en zeep en toiletartikelen liggen in het mandje, maar laat het ons maar gewoon weten als je iets anders nodig hebt.'

Milly ging op het bed zitten en probeerde het allemaal te bevatten. De kamer was prachtig; het hele huis was trouwens net een museumstuk, een krakend houten relikwie van het victoriaanse wilde Westen, met in alle grote kamers nog de oorspronkelijke vloerplanken, kroonlijsten en zware eiken deuren. Ondanks zijn grandeur had het echter iets triests; het voelde nog steeds aan als het huis van een oude man. Misschien had Hanks geest nog niet echt rust gevonden? Waar het griezelige gevoel ook vandaan kwam, ze kon zich voorstellen dat Bobby zich vreselijk eenzaam gevoeld moest hebben toen hij hier na zijn vaders dood terugkwam.

Hij zou nu echter niet meer eenzaam zijn, niet nu zij hier was.

Hij had sinds de nacht van de paardeninfluenza nog steeds niets onder-nomen. Als er al iets was veranderd sinds Cecil erin had toegestemd dat ze mee naar Highwood zou gaan, dan was het dat hij zich meer als een grote broer was gaan gedragen. Ze maakte zich echter niet al te veel zorgen. Op Newells had ze voortdurend de klok horen tikken, maar nu had ze maan-den, jaren zelfs, de tijd om hem voor zich te winnen. Hier, in dit prachtige oude huis, was het vast alleen maar een kwestie van tijd voor hij zich zou realiseren dat ze voor elkaar bestemd waren.

'We eten om zeven uur, bij ons,' zei Tara, wier stem een zachtere, vrou-welijker versie was van die van Bobby. 'Mama heeft appel-walnotentaart gebakken om je komst te vieren, dus ik hoop dat je honger hebt.'

Taart klonk goed, maar wat ze nu echt nodig had was een bad, bedacht Milly toen ze zich in de zachte kussens liet vallen en Tara de deur achter zich dichttrok. Summer mocht dan een niet erg toeschietelijk loeder zijn, maar haar frisse, knappe uiterlijk had Milly ervan bewust gemaakt hoe moe, bezweet en verreisd zijzelf eruit moest zien. Als Bobby verliefd op haar moest worden – en dat was toch echt de bedoeling – dan kon ze het zich niet veroorloven om naar vuile sokken te stinken terwijl Summer naast haar stond te stralen als een hemelse, naar rozen geurende Venus.

Ze hees zichzelf moeizaam overeind en liep de badkamer binnen. Waar had ze, verdorie, haar ladyshave ook weer gelaten?

Intussen zat Bobby in het huis van de McDonalds aan de keukentafel met Wyatt en Dylan, die net terug was van wat boodschappen in Los Olivos. Hij keek de post van twee maanden door, luisterde tegelijk naar een sa-menvatting over de ranchzaken en at een plak van Maggies verrukkelijke koffiecake.

'Ik heb ook nog wel goed nieuws,' zei Wyatt terwijl Bobby weer een te-lefoonrekening bekeek en weglegde. 'Er komt morgenochtend een kerel hierheen die met je over quarterhorses wil praten.'

Bobby spitste zijn oren. 'Echt waar? Een investeerder?'

'Zou kunnen,' zei Wyatt. 'Hij heet Todd Cranborn, zegt dat hij je kent, of dat hij Hank heeft gekend of zoiets. Hij beweert zelfs dat hij mij al eens ontmoet heeft, maar ik mag hangen als ik me daar iets van kan herinneren. Hoe dan ook, hij is een makelaar uit de stad. Hij heeft kennelijk gehoord dat je van plan was hier een soort trainingsschool te openen en dat je fondsen zocht.'

'Interessant.' Hij wreef peinzend met de rug van zijn hand over zijn kin met blonde stoppels. 'Maar waarom heeft een makelaar belangstelling voor een quarterhorse-farm?'

Wyatt haalde zijn schouders op. 'Geen idee. Het leek me dat je dat zelf wel kon uitzoeken. Het enige wat ík weet is dat hij tot dusver de enige is geweest die niet over olie is begonnen. Voor zover ik het kan beoordelen wil hij serieus investeren, en hij is in elk geval rijk genoeg om ons te helpen.'

'Cranborn,' mompelde Bobby voor zich heen. 'De naam komt me vaag bekend voor. Dyl?'

'Nooit van gehoord,' zei Dylan en hij stak het laatste stuk van Bobby's koffiecake in zijn mond. 'Maar een bedelaar kan niet te kieskeurig zijn, wel dan? Als hij het geld ervoor heeft...'

'We zijn geen bedelaars, Dylan,' berispte zijn vader hem.

'Nog niet,' zei Bobby. 'Maar laten we wel wezen; het scheelt inmiddels verdomd weinig. Als we moeten kiezen tussen onze vriend Cranborn en executie door de Wells Fargo, dan weet ik wel op welk paard ik ga wedden. En je zegt dat hij belangstelling heeft voor quarterhorses...'

Hij begon meteen te fantaseren en zag al hypermoderne stallen met airconditioning, een binnenbaan en langgerekte, zanderige galoppeerterreinen op de heuvel voor zich.

'Laten we eerst maar eens zien wat hij te zeggen heeft, oké?' zei Wyatt, voorzichtig als altijd. Hij was altijd al pragmatischer geweest dan Hank en had niets tegen Bobby's plan om paarden te trainen. Net als ieder ander bedrijf moest een ranch zich ontwikkelen. Dat wist hij. En zolang het land daarbij niet werd geschonden door oliebronnen en delvers en er vee op de heuvels bleef grazen, was hij tevreden.

Hij maakte zich er echter zorgen over dat Bobby misschien blindelings ergens in zou stappen. Of erger nog, dat hij een nieuwe zaak zou proberen op te bouwen voordat hij had afgerekend met de schulden waar de oude onder gebukt ging. Hij was altijd al wat onbezonnen geweest, en hij dacht altijd, maar dan ook altijd, dat hij gelijk had.

'Genoeg over zaken,' zei Dylan, die zijn buik vol had van het gepraat over investeerders en faillissement. 'Hoe was het in Engeland? En wat is die juffrouw Milly voor iemand?'

'Ze is knap,' zei Tara, die net weer binnenkwam nadat ze Milly naar het grote huis had gebracht. 'Klein, maar met een fantastisch figuurtje.'

'Alsjeblieft, zeg,' zei Summer, die even opkeek van de roman van Steinbeck waar ze al drie dagen in verdiept was. 'Dat is helemaal niet waar. Ik vind haar er nogal mannelijk uitzien.'

'O, nee, dat zou ik niet willen zeggen, jij wel, Bobby?' vroeg Maggie, die zich vanaf de andere kant van de keuken in de discussie mengde, waar ze de laatste hand legde aan de taart.

'Ik weet het niet,' zei hij nors. 'Daar heb ik nooit zo over nagedacht.'

Summer glom van tevredenheid bij zijn antwoord. Ze had gezien hoe Milly naar Bobby keek – als een jonge Priscilla Beaulieu die dweepte met Elvis – maar haar gevoelens voor hem werden kennelijk niet beantwoord.

'Je hebt daar nooit over nágedacht?' zei Dylan. 'Jíj hebt daar nooit over nagedacht? Bobby – de grote versierder – Cameron, heeft er nooit over nagedacht of ze leuk is?'

'Ze is zestien, Dyl,' snauwde Bobby. 'Oké? Ze is hier om te rijden en te werken. Het is een aardige meid, maar dat is alles.'

'Oké, goed hoor,' zei Dylan, en hij trok een wenkbrauw op naar Tara. Bobby stond bekend om zijn korte lontje, maar werd niet gauw boos op Dylan, en zeker niet om een onschuldig plagerijtje over een meisje. 'Ik was alleen maar nieuwsgierig.'

Zijn nieuwsgierigheid werd pas een paar uur later bevredigd. Hij had het merendeel van de middag samen met Wyatt afrasteringen gerepareerd. Ze kwamen te laat thuis voor het eten en zijn moeder stond zich aan het fornuis de haren uit het hoofd te trekken en haar uiterste best te doen om te voorkomen dat de courgettes uiteenvielen in een overgare massa groen slijm.

'Daar zijn jullie eindelijk!' zei ze fronsend. 'Dat werd tijd.' Te laat komen voor het eten was een doodzonde in huize McDonald.

Ze haalde een grote pan aardappelen van het vuur en goot ze boven het aanrecht af. Haar toch al rode gezicht kreeg de volle laag van de hete damp. 'Die aardappelen waren twintig minuten geleden al klaar, hoor,' zei ze. 'Tara, zet jij de boter even op tafel, lieverd? En waar blijft Milly?'

Het was niets voor Maggie om geïrriteerd te raken, maar een verpieterde maaltijd was een van de ergste dingen die ze kon bedenken.

'Hier ben ik.' Milly verscheen, slaperig in haar ogen wrijvend, in de deuropening. 'Het spijt me dat ik te laat ben. Ik had een warm bad genomen en wilde vijf minuutjes gaan liggen, maar ik ben bang dat ik uitgeteld was. Je had me wakker moeten maken.' Dat laatste was tegen Bobby, die meteen zijn uiterste best moest doen om het beeld van een Milly die naakt op haar bedsprei lag, uit zijn hoofd te zetten. Die inspanning bedierf zijn humeur.

'Sorry,' zei hij korzelig. 'Ik was druk bezig.'

'Nou, laat maar,' zei Maggie gemoedelijk. Ze wilde dat het meisje zich hier welkom voelde en had al spijt van haar bruuske toon. 'Ga jij daar maar naast Dylan zitten, dan kunnen we beginnen.'

Milly glimlachte nerveus. Ze was gewoonlijk niet verlegen, maar de McDonalds zagen er allemaal zo bruin, knap en gezond uit, en zo volstrekt op hun gemak in elkaars gezelschap. Naast hen voelde ze zich bleek, onhandig en hopeloos misplaatst.

Doordat ze zo laat wakker was geworden, had ze niet zo veel tijd aan haar uiterlijk kunnen besteden als ze had gewild voor haar eerste avond op Highwood. Ze had gekozen voor de eerste half acceptabele kledingstukken die ze uit haar koffer had gehaald: een schone witte spijkerbroek en een lichtgrijze kasjmiertrui, waarin ze nu al zat te zweten in Maggies warme keuken. Ze had gelukkig wel nog haar haren kunnen wassen en hoewel die nog enigszins vochtig waren, hingen ze prachtig te glanzen op haar rug. Ze had alleen wat mascara en lipgloss aangebracht en had op weg van het grote huis naar hier in haar wangen geknepen ter vervanging van de rouge die in haar koffer kapot was gegaan en minstens drie T-shirts had verpest.

'Hoi. Ik ben Dylan.' Een grinnikende jongen met zwart haar schoof op om plaats voor haar te maken. Hij zag eruit als een bokser met zijn gebroken neus en vreemd scheve mond en leek net zo weinig op zijn zussen als zij op elkaar. Hij had echter wel Wyatts gelaatskleur, en de prachtige glimlach die het handelsmerk van de McDonalds was. Net als zijn vader zou hij technisch gesproken niet aantrekkelijk moeten zijn, en toch was hij dat. Als ze niet waanzinnig verliefd was geweest op Bobby, zou ze best voor hem hebben kunnen vallen.

'Bobby zegt dat je de nieuwe Joe Badilla bent.'

'Wie?' zei Milly, maar toen herinnerde ze zich dat Bobby die naam had genoemd op Newells. 'O, de quarterhorse-jockey? Ja… Ik bedoel,' zei ze, plotseling blozend, 'Ik bedoel niet dat ik hem ga worden, maar dat ik weet wie hij is. Bobby heeft me dat verteld.' Ze keek over de tafel heen naar Bobby en vroeg zich af of hij het zich herinnerde, maar hij was met Wyatt in gesprek en keek niet op.

Na een korte stilte waarin Maggie iedereen voorzag van kippenpastei, prei en aardappelen, werd Milly uitgebreid ondervraagd.

'En,' vroeg Maggie toen Milly de vragen van Dylan en Tara over de Engelse mode, de koninklijke familie, en de vraag of ze David Beckham ooit in levenden lijve had gezien (wat niet het geval was) afdoende had beantwoord, 'ben je al een beetje op orde in het grote huis. Wat vind je van je kamer?'

'O, die is prachtig,' antwoordde Milly enthousiast. 'Ik vind die victoriaanse meubels, het bad en het ijzeren bed geweldig. Ik heb het gevoel dat ik een hoepelrok zou moeten dragen of zoiets.'

Summer, die tot dusver had gezwegen, schonk haar een vernietigende blik. 'Geloof mij maar,' snauwde ze, 'Highwood is helemaal niet zoals in Clint Eastwood-films. Je kunt al je romantische ideeën over cowboys en indianen gerust vergeten. Als je dat had verwacht, krijg je nog een paar zware maanden.'

'Dat bedoelde ik niet,' zei Milly. Ze vroeg zich opnieuw af wat dat meisje toch tegen haar had. 'Het was niet neerbuigend bedoeld of zo.' Ze wou dat Bobby voor haar opkwam, of in elk geval in haar richting keek, maar hij leek vanavond vastbesloten haar te negeren. Ze deed haar best het zich niet aan te trekken. Hij was immers maanden niet thuis geweest en had waarschijnlijk gigantisch veel werk in te halen, om nog maar te zwijgen van alle oude vrienden die hij moest spreken. Toch zou ze willen dat ze weer met hem alleen was, zoals tijdens de lange reis van Engeland hierheen. Toen had hij haar ook grotendeels genegeerd, maar ze had toch liever dat hij dat deed zonder publiek erbij.

'Ach, trek je van haar maar niets aan,' zei Dylan met een verwijtende blik naar Summer, die deed alsof ze hem niet begreep. 'Ze is vanochtend met het verkeerde been uit bed gestapt, dat is alles.'

Ziedend kroop Summer weer in haar schulp. Eerst had die kleine heks Bobby betoverd, en nu nam Dylan het ook nog voor haar op! En hij kende haar pas een paar minuten! Ze keek naar Milly, die zich haar moeders aardappelen goed liet smaken, en bad in stilte dat ze erin zou stikken.

Dylan was intussen hevig van haar gecharmeerd. Hoe was het mogelijk dat Bobby niet had verteld wat een stuk Milly was? Oké, ze was dus pas zestien, maar kom op, zeg, ze was geen zes! Dat ongelooflijke haar, die schattige sproetjes, de grijze trui die strak om haar hoge, ronde borsten spande; hij vond het er allemaal prima uitzien. Hij zou haar dolgraag schilderen.

Na het hoofdgerecht ruimden hij en Summer de lege borden af en kwamen terug met bordjes vol appel-walnotentaart met flink wat verse room eroverheen. Milly had het te druk gehad met haar pogingen Bobby's aandacht te trekken om echt van de kippenpastei te genieten, maar realiseerde zich nu plotseling hoe uitgehongerd ze was geweest. Ze geloofde niet dat ze ooit zo'n dikmaker had gezien, en toch zagen de McDonalds er allemaal uit als wandelende fitnessreclames. Ze sportten vast heel veel.

'Mijn god, dat kan ik niet allemaal op!' zei ze ontsteld toen ze zag hoe groot haar portie was. 'Mijn moeder zou een hartverzakking krijgen als ze het zag. Ik word zo vet als een varken.'

'Ik zou het eerst even proeven als ik jou was,' zei Wyatt. 'Eén hap van Maggies taart en je kunt er niet meer van afblijven. Ze is in dit dal een legende vanwege haar kookkunst.'

Milly nam een hap en kneep haar ogen dicht. Het was geen flauwekul; de taart was echt goddelijk.

'En je hoeft ook niet bang te zijn dat je een vet varken zult worden,' zei Bobby.

Dat was de eerste ongevraagde opmerking die hij de hele avond tegen haar maakte en even lichtten haar ogen op. Zou hij haar werkelijk een compliment maken?

'Vanaf morgen ga je zo hard werken dat je het er allemaal zó weer af krijgt.' Hij knipte met zijn vingers om zijn woorden extra nadruk te geven. 'Je zult alle energie nodig hebben die je krijgen kunt.'

Milly nam nog een hap en probeerde haar teleurstelling te verbergen. Was dat het enige waar hij om gaf: of ze wel voldoende energie had?

'Ze hoeft zich trouwens toch al geen zorgen te maken over haar gewicht,' viel Dylan hem bij. 'Ze heeft zo al een prachtig figuur, maar een paar pond extra zou geen kwaad kunnen. Ik hou wel van een vrouw met wat rondingen.'

Milly schonk hem een dankbare glimlach. Waarom kon Bobby niet zulke dingen zeggen?

'Nou,' zei ze, 'het mag dan mooi zijn vanuit een man gezien, maar voor een jockey is het niet geweldig. Ik zit met mijn gewicht al op het randje om wedstrijden te rijden.'

'In dat geval,' zei Summer, die een lange, slanke arm uitstak en Milly's bordje weggraaide, 'neem ik de jouwe wel. Ik kan alles eten zonder aan te komen.'

'Summer!' beet Maggie haar geschokt toe. Haar jongste dochter gedroeg zich vanavond buitengewoon vreemd. 'Blijf van andermans eten af!'

'Waarom?' Ze stak verongelijkt haar handen omhoog. 'Ze zegt toch net dat ze met haar gewicht op het randje zit? Ik probeer alleen maar te helpen, hoor.'

Ammehoela, dacht Milly. Juffertje Jukbeen begon haar echt de keel uit te hangen.

Dat moest dan het lieve jongere zusje zijn waar Bobby haar over had verteld. Summer was zo lief als een pitbull.

Later die avond, toen iedereen naar bed was, klampte Dylan Summer aan toen ze uit de badkamer kwam.

'Wat was dat allemaal tijdens het eten tegen Milly?' vroeg hij haar.

'Hoezo?' zei ze onschuldig. Ze droeg een oud, wijd, wit T-shirt van hem als nachthemd, haar voeten staken in een paar belachelijke donzige berensloffen en ze had haar haren vastgezet in een knotje. Ze zag eruit als de onschuld zelve, maar Dylan wist wel beter.

'Je weet heel goed wat ik bedoel,' zei hij. 'Ik heb je nog nooit zo vijandig meegemaakt. Wat heb je tegen haar?'

Summer haalde haar schouders op. Hoe hecht haar band met Dylan ook was, ze was niet van plan hem of wie dan ook iets over haar gevoelens voor Bobby te vertellen.

'Ik weet het niet,' zei ze. 'Ik kan er niet de vinger op leggen. Ze heeft gewoon iets wat me niet aanstaat. Bijvoorbeeld zoals ze maar bleef doorgaan over hoe fantastisch Engeland is.'

'Ze bleef daar niet over doorgaan,' zei Dylan op redelijke toon. 'Wij stelden haar vragen en zij beantwoordde die.'

'Ze is een halfjaar jonger dan ik,' ging Summer door. 'Maar ze denkt nu al dat ze het gaat maken met quarterhorse-races. Ik bedoel maar, hoe komt ze daarbij?' Ze raakte nu goed op dreef. 'Het duurt nog maanden voordat Bobby zijn trainingsideeën van de grond krijgt. En ondertussen zitten wij met haar opgescheept en gaat zij hier niets lopen doen. Je weet dat ze waardeloos zal zijn op de ranch.'

'Het enige wat ik weet,' zei Dylan terwijl hij een arm om haar heen sloeg, 'is dat jij klinkt alsof je verschrikkelijk jaloers bent.'

'Jaloers?' Summer probeerde ontzet te kijken. 'Op haar? Alsjeblieft, zeg! Laat me niet lachen. Ze praat als een achterlijke pad, en ze is ontzettend lelijk.'

Daar moest Dylan wel om lachen. 'Dat is helemaal niet waar!'

'Nou, ík vind van wel,' zei Summer pruilend. 'Ik wed trouwens dat ik haar er compleet uit rijd.'

'Je hebt niet eens belangstelling om te rijden,' zei Dylan. 'Je gaat naar LA om advocaat en miljardair te worden, weet je nog?'

'Ik zei ook niet dat ik er belangstelling voor had. Ik zei alleen dat ik Milly kan verslaan, meer niet. Volgens Bobby heeft ze al twee jaar amper een paard gezien. En daarvoor reed ze alleen wedstrijden met volbloeden. Hoe moeilijk kan dat nou zijn?'

'Ik vind toch dat je haar een kans moet geven,' zei Dylan. 'Ze is kilometers ver van huis en alles hier is vreemd voor haar. Ze zal hier toch een poosje blijven, of je dat nou leuk vindt of niet, dus je kunt maar beter je best doen om met haar overweg te kunnen, oké?'

'Hmm,' gromde Summer weerbarstig. 'Zolang zij maar moeite doet om met mij overweg te kunnen. Want tot dusver begrijp ik niet wat Bobby en jullie allemaal in haar zien.'

En daarmee verdween ze naar haar bed en liet ze Dylan alleen met zijn eigen, heel anders gestemde gedachten over Milly en wat haar toekomst op Highwood hun allemaal brengen zou.

12

Todd Cranborn drukte een knop bij het stuur in en glimlachte toen het dak van zijn vierhonderdduizend dollar kostende Mercedes openschoof en het heldere zonlicht van de Santa Ynez-vallei in de auto kon schijnen.

Het was een prachtige dag. De zon leek zowel letterlijk als figuurlijk voor hem te schijnen: zijn advocaat had hem gisteravond gebeld om te zeggen dat het beroep dat de plaatselijke bewoners hadden aangespannen tegen zijn acquisitie van het land in Buellton eindelijk was gesneuveld. Godzijdank. Met zijn indiaanse partners zou hij nu de goedkope woningen kunnen gaan bouwen die hem zo rijk hadden gemaakt, misschien volgende maand al. God zegene de inheemse Amerikanen!

Hij vroeg zich doelloos af hoeveel geld de eisers tot dusver aan de zaak tegen hem hadden verspild; driehonderd-, misschien vierhonderdduizend dollar? Hij hoopte dat ze erin zouden stikken, al die kleingeestige, protestantse, burgerlijke lui.

Het was echter niet die deal die hem in zo'n goed humeur had gebracht. Hij had ook goede hoop voor de bespreking vandaag op Highwood.

Zijn interesse gold natuurlijk net als bij iedereen voornamelijk de olie. Maar hij verheugde zich ook op de uitdaging om die blaaskaak van een Bobby Cameron te slim af te zijn. Door zijn transacties op het platteland van Californië wist hij al het een en ander van de cowboymentaliteit: hun belachelijke trots op hun archaïsche cultuur, hun romantische obsessie voor het ranchwerk en 'het land'. Hij besefte dat het een vergissing zou zijn om met een blanco cheque en veel poeha naar binnen te stappen, en een nog grotere vergissing om ook maar iets te laten merken van zijn belangstelling voor de olie onder Highwood.

Hank Cameron was zo koppig en stom geweest als een ezel. Aan de hand van het beetje dat hij van Bobby wist, ging Todd ervan uit dat hij net zo erg, zo niet erger zou zijn als het op zakelijke onderhandelingen aankwam. De kunst zou zijn om die arrogantie en koppige trots in zijn eigen voordeel te gebruiken: net als een judomeester moest hij de kracht van zijn tegenstander tegen hem gebruiken.

Quarterhorses. Dat zou de worst zijn die hij hem voorhield. Wat die knul natuurlijk móest doen, was zijn schulden saneren en de ranch uit zijn huidige financiële moeras trekken. Wat hij echter wílde was een trainingsfaciliteit voor quarterhorses opzetten. De Bobby die Todd zich herinnerde was het type van de verwende, arrogante rebel, die zijn eigen wensen boven alles stelde.

Dit wetende, had hij zich de afgelopen twee dagen in het ras verdiept en nu voelde hij zich met voldoende kennis gewapend om mee te praten over hun sterke spieren, sprintsnelheid en ontzagwekkende wendbaarheid die ze hielp uitblinken in alles van vlakkebaanracen tot dressuur tot rodeo, alsof het hem echt iets kon schelen.

Gek genoeg was zelfs dit beetje informatie genoeg geweest om hem ervan te overtuigen dat er inderdaad flink geld te verdienen was in de onbekende westernsport van het quarterhorse-racen. Als hij zijn kaarten goed speelde, zou hij er zelfs wat winst uit kunnen halen terwijl hij wachtte op een kans om zich op de oliereserves te storten. Maar dat was bijzaak. Wat hij wilde – wat hij zich vast voorgenomen had te krijgen – was een soort eigendomsrecht over het perceel. En vandaag zou hij dat voor elkaar krijgen.

Hij besloot de ranch te naderen via Los Olivos en Solvang, en de weg via Buellton te mijden. Dat bood hem het genoegen zijn nieuwste aanwinst van tevoren te inspecteren. Net buiten de omheining van Highwood zette hij zijn auto stil en bekeek hij zijn aantekeningen over de familiegeschiedenis van de Camerons en de namen van de belangrijkste personen nog een keer.

'Wyatt McDonald,' mompelde hij, terwijl hij de auto in de eerste versnelling zette en verder reed over het anderhalve kilometer lange pad naar het groepje adobehuizen en oude bijgebouwen die samen met het grote huis de Cameron-ranch vormden. 'Niet Willy. Wyatt. Zoals Wyatt Earp.'

Hij parkeerde zijn smetteloze convertible pal voor het grote huis, zo ver mogelijk bij de smerige tractors en trucks op het erf vandaan, en klopte het stof van zijn broek terwijl hij naar de voordeur liep. Er was geen bel, alleen een zware oude koperen klopper, die hij drie keer hard liet neerkomen.

'Er is daar niemand,' zei een stem achter hem.

Hij draaide zich om naar een glimlachend meisje van een jaar of twintig met vaal haar. Ze droeg een overall en haar handen en gezicht waren besmeurd met iets wat eruitzag als teer. Kennelijk de dochter van een arbeider.

'Zoekt u Bobby, of Wyatt?'

'Een van de twee. Of eigenlijk allebei,' zei hij kortaf. 'Ik ben Todd Cranborn. Ik heb om twaalf uur een afspraak met Bobby.'

'Tara McDonald,' zei ze, en ze veegde haar hand af aan haar overall en stak hem die toe.

Verdomme, een van de McDonald-dochters. Hij vloekte inwendig omdat hij zo snel conclusies had getrokken, toverde meteen zijn charme tevoorschijn en schudde haar glimlachend de hand. Haar vuile nagels probeerde hij te negeren.

'Mijn vader is in het kantoor, daarginds.' Ze wees naar een roodgedekt adobehuis. Todd vroeg zich af of het origineel was en vermoedde van wel. Die oude huizen waren tegenwoordig een fortuin waard. 'En Bobby is nog aan het drijven, denk ik.'

'Drijven?'

'Ja, u weet wel,' zei het meisje. 'Ze drijven het afgedwaalde vee terug uit die heuvels daarginder.'

Vee drijven? En zei ze nou echt ginder? Jezus, die mensen waren echt blijven steken in het verleden. Hij verwachtte bijna dat hij zo dadelijk de herkenningsmelodie van *Rawhide* zou horen.

'Nou dan,' zei hij. 'Dan zal ik maar met je vader gaan praten. Wil je hem zeggen dat ik er ben?'

'Natuurlijk,' zei het meisje, al onderweg naar het kantoor. 'Komt u maar.'

Intussen klemde Milly zich in de heuvels uit alle macht vast aan haar zadelknop en hield ze haar adem in toen haar paard uitgleed op losse stenen en tussen doornstruiken en wanhopig probeerde de top van een dodelijk steile helling te bereiken. Ze had zichzelf altijd gezien als een onbevreesde ruiter vol zelfvertrouwen, maar zoiets als dit had ze nog nooit gedaan en ze moest toegeven dat ze doodsbang was.

Ze waren in de overwoekerde wildernis die aan de noordkant van de ranch grensde; Milly, Bobby en zes knechten, onder wie Dylan, die aan de andere kant van de richel bezig was. Een paar verdwaalde runderen hadden aan de grote drijfjachten van de afgelopen weken weten te ontkomen, en het leek Bobby een goede kennismaking met het ranchleven als Milly ging helpen ze bijeen te drijven.

Ze zou het er misschien iets beter af hebben gebracht als ze de afgelopen nacht ook maar even had kunnen slapen. Ze had na het avondeten echter uren wakker gelegen door een combinatie van jetlag en ergernis over alle gevatte opmerkingen die ze tegen Summer had kunnen gebruiken als ze ze eerder bedacht had. Dat had haar van de rust beroofd die ze zo hard nodig had.

Rond twee uur was ze wanhopig de gang op gelopen om wat slaaptabletten uit haar handtas te halen, en was ze in het donker tegen Bobby aan gebotst.

'Jezus!' zei ze hevig geschrokken. 'Je jaagt me de stuipen op het lijf. Wat doe jij hier?'

'Sorry,' zei hij. Hij zag dat ze op blote voeten liep en een oud Snoopy-nachthemd droeg. En alsof dat haar kinderlijkheid nog niet voldoende accentueerde, bleek ze ook nog eens een versleten oude teddybeer in haar linkerhand te hebben.

Ze bloosde toen ze hem ernaar zag kijken.

'Meneer Ted,' zei ze schaapachtig. 'Ik weet dat het stom staat, maar hij slaapt al bij me sinds ik klein was.'

Geluksvogel, dacht Bobby en hij slikte moeizaam. God, wat zag ze er lekker uit. En evenmin klaar voor een volwassen seksuele relatie als een vijfdeklasser.

'Wat schattig,' zei hij.

Milly versomberde. Waarom had ze die stomme beer ook meegebracht? Ze wilde niet 'schattig' zijn. Ze wilde sexy, geraffineerd en onweerstaanbaar zijn. Het was geen wonder dat hij haar als een kind behandelde als zij zich zo bleef gedragen.

'Kon je ook niet slapen?' Ze hield de beer achter haar rug en deed een poging wellustig te kijken.

'Nee.' Zijn stem klonk hees van verlangen, maar zij zag dat gelukkig aan voor een zere keel. 'Jetlag, denk ik.'

'Ik ook,' zuchtte ze. 'Ik was opgestaan om deze te pakken.' Ze liet hem haar flesje pillen zien en hoopte dat ze niet al te opvallend naar zijn blote borst staarde; al had ze het akelige gevoel dat dat wel zo was. Zijn 'pyjama' bestond uit niet meer dan een witte boxershort en toen hij achteroverleunde tegen de muur, was het of ze naar een levende Calvin Klein-advertentie keek.

In feite was het niet de jetlag die hem wakker had gehouden, maar de verleiding en frustratie van de wetenschap dat Milly iets verderop alleen lag te slapen. Gekweld door zijn fantasieën was hij opgestaan om wat rond te lopen in de hoop ze kwijt te raken, maar in plaats daarvan stond hij nu in het echt naar haar warme, slaperige, halfgeklede lichaam vlak voor hem te kijken. Verdomme, hij verlangde zo naar haar dat hij het wel kon uitschreeuwen.

En het zou zo gemakkelijk zijn om iets in die richting te ondernemen. Veel te gemakkelijk. Ze mocht dan te onervaren zijn om zijn verlangen te herkennen, maar dat van haar was niet mis te verstaan. Soms, zoals vannacht, was haar verlangen naar hem zo sterk dat hij het bijna kon ruiken. Hij wist dat ze zou reageren zodra hij haar in zijn armen nam.

Maar het was niet juist. Niet met Milly.

Er waren meisjes genoeg bij wie hij kon scoren, maar bij haar zou het zijn alsof hij een peuter zijn lolly afpakte. Dat kon hij niet doen.

'Oké, nou,' zei hij, en hij schraapte nerveus zijn keel. 'Ik, eh… ga jij maar lekker terug naar bed. Welterusten.'

'Welterusten.'

Vreselijk teleurgesteld glipte Milly weer haar kamer binnen en kroop ze onder de dekens. Hij had haar niet eens een nachtzoen op haar wang gegeven. Dat zou toch normaal geweest zijn, of niet? Hij was gevlucht als een bange spin, alsof hij niet snel genoeg van haar weg kon gaan.

Wat was er mis met haar? Wat?

Oké, ze was geen Heidi Klum, maar was ze dan echt zo onzichtbaar, zo seksloos dat ze werd genegeerd door de man die, naar zijn eigen zeggen, in één zomer in Newmarket met meer meisjes had geslapen dan Puff Daddy in een jaar?

Te moe om te huilen had ze zich overgegeven aan de slaappillen en was ze eindelijk rond een uur of drie in slaap gevallen. Om zes uur werd ze echter ruw gewekt doordat Bobby als een sergeant-majoor op haar deur stond te bonken, en een halfuur later zat ze op een paard op weg naar de heuvels. Nog steeds uitgeput en wazig van de medicijnen was ze nauwelijks in staat om te praten, laat staan te rijden.

'Het is vrij eenvoudig,' legde Dylan haar uit toen ze op weg gingen. 'We rijden de heuvels in, maken een grote cirkel en omsingelen het vee. En als we ze allemaal dicht bij elkaar hebben, sluiten we ze op.'

Hij had er echter niet bij verteld dat die zogenaamde 'heuvels' steile klippen waren, vol met losse stenen waarop zelfs het meest ervaren paard maar met moeite grip kon krijgen. Ze waren bovendien begroeid met doornstruiken en bramen, die op sommige plaatsen manshoog en ondoordringbaar waren en die al talloze krassen op haar armen en gezicht hadden veroorzaakt. En wat dat 'omsingelen' van het vee betrof, dat was ongeveer even gemakkelijk als een glibberig stuk zeep vasthouden in hoge golven. Zodra ze op maar honderd meter afstand van een koe was, draaide die om, keerde op haar schreden terug en ging er net zo vlot vandoor over het verraderlijke terrein alsof ze over de renbaan in Newmarket kuierde.

Na vier uur had het kleine team van cowboys nog niet eens de helft van de vermiste dieren gevonden, laat staan opgesloten. Milly dacht dat ze door een combinatie van uitputting en pure doodsangst de helft van haar lichaamsgewicht moest zijn kwijtgeraakt in zweet.

'Kom naar boven!' riep Bobby naar haar vanaf de top van de richel, zo'n twintig meter boven haar. Hoewel ze in hetzelfde team zaten en maar enkele meters van elkaar vandaan reden, had hij de hele ochtend nauwelijks twee woorden tegen haar gezegd. En als hij dat al deed, waren het voornamelijk geblafte bevelen. Ze werd er moedeloos van. 'Probeer wat meer naar links te komen. Daar is de bodem steviger.'

Ja hoor, dacht Milly verbitterd. Alsof ik ook maar een kant op kan! Ze hoopte alleen maar dat haar pony, zoals Bobby het gigantische quarterhorse bleef noemen dat hij haar had gegeven, beter wist wat hij deed dan zij, en dat zijn instinct voor zelfbehoud hen naar de top van de heuvel zou brengen zonder dat ze achterovervielen en meer dan honderd meter omlaagtuimelden, waar hun ongetwijfeld een wisse dood wachtte.

Eindelijk bereikte ze de top en reed ze uitgeput naar hem toe.

'Oké?' vroeg hij bruusk.

Oké? Ze kon wel janken. Nee, het is verdomme níét oké! Kijk dan naar me, in godsnaam! Ik voel me alsof ik verdomme twee keer de Somme overgestoken ben.

Ze zei echter: 'Prima, dank je. Maar je had me wel even mogen waarschuwen. Die helling is levensgevaarlijk. Je kunt daar wel doodvallen.'

'Dat is wel eens voorgekomen,' zei hij nonchalant.

'Wat, dat mensen doodvielen?' vroeg Milly vol afgrijzen.

'Ja hoor,' zei hij luchthartig. 'Maar geen ervaren ruiters als jij. Ik zou je hier niet mee naar boven hebben genomen als ik niet had gedacht dat je het aankon.'

Ze nam aan dat het een compliment was, maar het was niet erg bemoedigend, vooral niet omdat ze die ochtend al diverse keren bijna was weggegleden.

'Hoe meer je met je paard kunt werken, het kunt ervaren en sturen op dit soort terrein,' zei Bobby, 'hoe beter je op de baan zult zijn, geloof me. Het hoort allemaal bij het leerproces.'

Milly kreunde. Ze wist al dat hij een 'holistische trainingsmethode' voorstond. De eerste keer dat hij haar op Newells had zien rijden, had hij haar al verteld hoe belangrijk allround bekwaamheid en volmaakt inzicht in de dynamiek van elk paard waren. Altijd bereid om hem een plezier te doen had ze lippendienst bewezen aan dat idee. In feite begreep ze echter niet dat de bergen in gaan met een werkpaard, of een stomme, eigenwijze koe achternazitten, haar zou helpen een betere jockey te worden, op wat voor paard dan ook.

Hopelijk zou ze snel meer kunnen gaan trainen en minder vee hoeven drijven. Dat hele cowgirlgedoe zag er bij *Bonanza* heel wat simpeler uit.

Bobby keek op zijn horloge. 'Ik moet zo terug naar de ranch,' zei hij. 'Ik heb een afspraak. Maar ik wil dat jij hier boven blijft en naar die kleine kraal gaat. Zie je hem, daar boven die ceders?'

Ze knikte zwakjes.

'Dylan zou over twintig minuten hier moeten zijn, als hij die twee vaarzen aan de andere kant te pakken heeft. Hij kan je laten zien waar je daarvandaan heen moet. En als je intussen nog meer runderen tegenkomt, blijf dan ten noorden van ze, oké? Zorg dat ze niet langs je heen komen.'

En hoe stel je voor dat ik ze tegenhou, dacht Milly, terwijl hij hard de heuvel af reed. Alle koeien die ze tot dusver had gezien, hadden ongeveer evenveel aandacht aan haar besteed als aan een afgevallen blad dat voor hen langs waaide.

Gelukkig kwam Dylan een paar minuten later over de richel naar haar toe rijden. 'Waar is Bobby?' vroeg hij. Door zijn onbedwingbare vrolijkheid voelde Milly zich weer iets beter. 'Hij heeft je toch zeker niet nu al in de steek gelaten?'

'Ik ben bang van wel,' bracht ze hijgend uit terwijl ze haar pony naast de zijne bracht. 'Hij had kennelijk een afspraak.'

Dylan keek haar grinnikend aan. Haar haren zaten in de war en ontsnapten naar alle kanten aan haar roze elastiekje. Ze had schrammen in haar gezicht en op haar armen en gigantische zweetplekken onder haar oksels. Bovendien waren haar neus en voorhoofd verbrand en zagen ook haar oorschelpen vuurrood.

'Ik had toch gezegd dat je een hoed op moest zetten?' plaagde hij haar. 'Je beseft hoop ik wel dat je neus net een stoplicht is.'

'Lazer op!' zei ze, maar ze giechelde erbij en sloeg snel haar hand voor haar neus. Bobby had haar die ochtend een cowboyhoed aangeboden, maar ze had die geweigerd omdat ze het er stom vond uitzien en zo sexy mogelijk wilde zijn als ze bij hem in de buurt was. Heel slim.

'Wat is er gebeurd?' vroeg Dylan. 'Heb je ruzie gehad met een doornstruik?'

'Zoiets,' zei ze met een quasizielige glimlach, en toen liet ze met tegenzin haar hand zakken. 'Ik had geen idee dat het zo moeilijk zou zijn. Ik kon amper in het zadel blijven! Bobby zei steeds dat ik geen koeien door moest laten, maar het is hopeloos. Ik klauter de hele ochtend al heuvels op en af. Ik had net zo goed in bed kunnen blijven.'

'Ik weet hoe je je voelt,' zei Dylan, in stilte genietend van de manier waarop haar borsten onder haar T-shirt op en neer gingen als ze geïrriteerd was. 'Misschien voel je je beter als je weet dat wij aan de andere kant van de heuvel ook niet opschieten, en ik doe dit al heel wat langer dan jij. Op sommige dagen gaat het gemakkelijk, op andere dagen is het heel zwaar. Zo is het ranchleven.'

Milly zuchtte. 'Bobby zegt dat dit alles me zal helpen als ik eenmaal wedstrijden ga rijden, dat het een nuttige ervaring is, maar dat zie ik niet zitten.'

'Tja,' zei hij glimlachend. 'Dat zou ik niet weten, maar Bobby weet vast wel waar hij over praat als het om paarden gaat.'

'Dat weet ik,' zei Milly. 'Daarom ben ik hier. Hij is fantastisch.'

Het ontzag en de bewondering in haar stem waren onmiskenbaar; Dylan had dezelfde reactie bij talloze andere meisjes waargenomen. Bobby mocht dan niet gemerkt hebben hoe knap zijn protegee was, het kind was duidelijk helemaal weg van hem.

'Ik zou me niet te druk maken als ik jou was,' zei hij vriendelijk. 'Die afspraak van Bobby is een bespreking met een geldschieter uit LA. Met een beetje mazzel train jij over een paar weken met quarterhorses en is je carrière als cowgirl afgelopen. Ik wou dat ik hetzelfde kon zeggen.'

Milly trok een wenkbrauw op. 'Ik dacht dat je dol was op het ranchwerk? Bobby vertelde me steeds dat je er fantastisch in bent, dat het je leven is.'

'Het is ook mijn leven,' zei Dylan met een schouderophalen, 'maar dat wil nog niet zeggen dat ik er dol op ben.'

'Wat zou je graag willen doen?' vroeg Milly.

'Ik zou wel willen schilderen,' zei hij melancholiek en hij tuurde langs haar heen als naar een wazige, onmogelijke toekomst. 'Maar dat gaat niet gebeuren.'

'Dat weet je nooit,' zei ze. 'Nog maar een paar weken geleden dacht ik dat ik nooit meer wedstrijden zou rijden of zelfs maar zou paardrijden, maar nu ben ik hier!'

'Ja, nu ben je hier!' beaamde hij glimlachend.

Ze was een schat. Zelfs nu ze onder de builen en schrammen zat na een vreselijke ochtend bezat ze een soort gehavende charme waar hij gemakkelijk zelf voor had kunnen vallen. Dat had echter geen zin; ze wilde Bobby, niet hem.

Het was altijd hetzelfde met meisjes. Naast Bobby zagen ze hem niet staan.

Wyatt onderschepte Bobby zodra hij het erf op reed.

'Waar is die kerel?' vroeg hij, terwijl hij afstapte en zijn leren beenkappen af deed.

'Hij zit in het kantoor,' zei Wyatt, en hij legde een hand op Bobby's arm om hem tegen te houden. 'Maar luister eens, Bobby. Kijk goed uit. Die kerel heeft iets waardoor ik hem niet vertrouw.'

'Wat dan?' Bobby zette zijn hoed af en haalde snel een hand door zijn bezwete haren.

'Ik weet het niet,' zei Wyatt fronsend. 'Het is moeilijk te beschrijven. Hij is gewoon... te glad.'

'Dat kan ik wel aan,' zei Bobby laatdunkend.

'Misschien wel,' zei Wyatt geduldig. 'Maar neem rustig de tijd, oké? Leer die kerel een beetje kennen voordat je je vastlegt. Je hebt soms nogal de neiging om je te laten meeslepen...'

'Wie zegt dat?' reageerde Bobby nijdig. 'Mijn vader? Luister eens.' Hij

deed zijn best de irritatie uit zijn stem te weren. 'Ik waardeer je bezorgdheid, maar ik ben geen kind meer, Wyatt. Ik kan die man wel aan. Ik weet
wat ik wil.'

Wyatt knikte respectvol, stapte opzij en liet Bobby passeren. Het had
geen zin erop door te gaan. Bobby leek veel meer op Hank dan hij zelf besefte: vastberaden, arrogant en koppig als de neten. Hank had ook nooit
advies willen aannemen en dat was Highwood niet ten goede gekomen.
Bobby was hetzelfde, maar had daarbij ook nog zijn jeugdige overmoed
die hem soms nog onhandelbaarder maakte.

Hij bad dat zijn zesde zintuig het mis had wat Todd Cranborn betrof,
maar toen hij Bobby vol zelfvertrouwen het kantoor binnen zag stappen,
ervoer hij hetzelfde weeë gevoel als wanneer je een lam naar de slachtbank
leidt.

'Bobby?' Todd stond glimlachend op en stak Bobby zijn hand toe toen die
binnenkwam. Hij was vergeten hoe knap de jongen was, en hoe lang. Een
mindere man zou zich wellicht geïntimideerd hebben gevoeld door het
grote verschil in lengte, maar Todd had daar geen last van. 'Hoe maak je
het?' zei hij innemend. 'We hebben elkaar een paar jaar geleden in Florida
al eens ontmoet. Misschien herinner je je dat nog.'

Bobby schudde hem plichtmatig de hand en ging achter het bureau zitten zonder zijn gast uit te nodigen om plaats te nemen.

'Ik ben bang van niet,' zei hij tactloos. 'Maar ik heb van mijn bedrijfsleider begrepen dat u ooit in onderhandeling bent geweest met mijn vader?'

Verwaande klootzak, dacht Todd, maar zijn glimlach week niet. 'Dat
klopt. Nou ja, "in onderhandeling" is misschien wat veel gezegd. Zoals je
weet doe ik aan projectontwikkeling. Ik heb altijd al belangstelling gehad
voor het land van je vader, maar het was al snel duidelijk dat hij nooit aan
mij, of wie dan ook, zou verkopen.'

Hij stak zijn hand in zijn jaszak, pakte zijn inhalator en inhaleerde een
keer heel diep. Er dwarrelden huidschilfers van paarden, honden en koei-
en door het kleine kantoor sinds Bobby binnen was gekomen, en hij voelde zijn luchtwegen verkrampen en zijn ogen rood worden, hoewel hij al
flink wat antihistamine had gebruikt. Hij begreep niet dat mensen ervoor
kozen om in de rimboe te gaan wonen.

'Neem me niet kwalijk,' legde hij niezend uit. 'Allergieën.'

'Waarom had u belangstelling voor Highwood?' vroeg Bobby voortva-
rend, zonder aandacht te besteden aan het ongemak van zijn bezoeker. Hij
had een zware ochtend gehad, na een heel korte nacht, en Wyatts peptalk
van daarnet had zijn humeur ook geen goed gedaan. Hij was vastbesloten
om zijn bedrijfsleider, Todd en iedereen te laten zien dat hij uitstekend in

staat was hard te onderhandelen. 'De olie, neem ik aan?'

'Helemaal niet,' loog Todd zonder een moment te aarzelen. 'Ten eerste is daar nooit goed onderzoek naar gedaan. Ik weet dat er volop over gekletst wordt dat je grootvader hier olie heeft gevonden, maar niemand weet met zekerheid hoeveel olie er eigenlijk zit, en of dat wel een uitgebreide boorprocedure rechtvaardigt.'

Bobby luisterde en deed zijn best zichzelf niet te verraden door zijn verrassing te laten blijken. Hij had deze theorie nooit eerder gehoord. Hij was grootgebracht met het idee dat de olie onder Highwood een vaststaand feit was: deels een zegen, deels een vloek, maar beslist aanwezig. Hij pijnigde zijn hersens en meende zich vaag te herinneren dat zijn vader hem had verteld dat het wel degelijk onderzocht was, tientallen jaren geleden. Maar misschien was dat een valse herinnering. Misschien had Todd gelijk.

'Bovendien,' vervolgde Todd, weer niezend, 'is olie niet mijn handel. Ik ben rijk geworden door me bij één ding te houden en dat goed te doen. Net als je ouweheer.'

Bobby knikte. 'Ik begrijp het. Daar zit wat in.'

Wyatt kon soms een ontzettend oud wijf zijn. Cranborn leek hem volkomen eerlijk en rechtdoorzee.

'En waar ligt uw belangstelling nu?' vroeg hij.

'Quarterhorses,' zei Todd met een uitgestreken gezicht.

'Echt waar?' Bobby keek sceptisch naar het perfect passende pak en de gemanicuurde handen die nog steeds de inhalator vasthielden. Het was nog zacht uitgedrukt om te zeggen dat hij er niet uitzag als de typische quarterhorse-liefhebber.

'Begrijp me niet verkeerd,' zei Todd, die gladjes de knoop van zijn dure zijden stropdas rechttrok. 'Ik hoef niet zo nodig betrokken te zijn bij het trainen zelf. Absoluut niet. Dat is jouw pakkie-an. Ik zie het puur als een investering.'

De daaropvolgende tien minuten spuide hij gladjes zijn nieuwverworven kennis over quarterhorses. En zoals hij had verwacht trapte Bobby erin.

De eerste marketingregel: vertel de mensen wat ze willen horen.

'Ik beweer echt niet dat ik een expert ben,' sloot hij zijn relaas af, 'maar ik heb de cijfers bekeken, en jouw prestaties als trainer van volbloeden, en ik moet zeggen dat ik enthousiast ben over de mogelijkheden die hier liggen. Er is geen sprake van een verborgen agenda: jij hebt een geldschieter nodig; ik zoek een partner die verstand heeft van quarterhorses en trainen. Zo simpel is het.'

'Laten we een stukje gaan lopen,' zei Bobby. Hij deed de deur naar het erf open en liet een stroom warme lucht binnen in het met airconditioning uitgeruste kantoor. Todd volgde hem naar buiten.

'U bent eerlijk tegen me geweest, meneer Cranborn,' zei hij, 'dus ik zal eerlijk tegen u zijn. Ik heb belangstelling.'

'Mooi.' Todd knikte. 'Daar hoopte ik op.'

'Maar er is één ding waar ik vanaf het begin heel duidelijk over wil zijn,' zei Bobby. 'Highwood is me door mijn vader nagelaten als een traditionele ranch, met traditionele cowboys die vee drijven.'

Aha, daar gaan we, dacht Todd. Precies volgens verwachting. Tijd voor de nostalgische cowboy-onzin.

'Een aantal mannen en hun gezinnen zijn ervan afhankelijk dat ik deze zaak als ranch draaiende houd en weer rendabel maak. Paarden zijn mijn passie, en ik ben ervan overtuigd dat daar de toekomst van Highwood ligt, maar ik kan niet met een toverstokje zwaaien en hier binnen enkele dagen een quarterhorse-versie van Eight Oaks van maken.'

'Geloof me, dat weet ik,' zei Todd. 'Je moet eerst de troep opruimen voordat je aan de slag kunt, nietwaar?'

'Juist,' zei Bobby. 'Precies.'

'Nou, wat zeg je hiervan?' zei Todd, zo nonchalant alsof hij het net pas had bedacht. 'Ik stel me garant voor al je schulden – de hele mikmak – in ruil voor een aandeel in de ranch.'

'Tja, ik weet niet hoor…' zei Bobby weifelend. Hij hoorde Wyatts woorden van gisteren nog in zijn oren: 'Als hij over aandelen begint, maak dan dat je wegkomt.'

'Ik ben nog niet uitgepraat,' zei Todd. 'Ik zorg ook voor honderd procent van het kapitaal dat je nodig hebt om je trainingsfaciliteiten op te zetten.'

'Honderd procent?'

Todd knikte. 'Inderdaad, alles.'

Bobby kreeg visioenen van de prachtige stallen die hij met onbeperkte fondsen kon bouwen. Stel je voor! Hij zou over een paar weken al zijn droom kunnen waarmaken, en nog van de problemen met de bank af zijn ook.

Hij werd plotseling overspoeld door zelfvertrouwen. Wyatt was een geweldige bedrijfsleider, maar hij had geen verstand van zaken en nog minder van paarden trainen en de gigantische bedragen die ermee te verdienen waren.

'Het veebedrijf blijft helemaal van jou,' zei Todd. 'De winst uit de paarden delen we tachtig-twintig in mijn voordeel.'

'Zestig-veertig,' zei Bobby.

'Vijfenzeventig-vijfentwintig,' pareerde Todd grinnikend. 'Jij brengt geen cent in, weet je nog?'

'Ik breng mijn expertise in,' zei Bobby. 'En steek mijn tijd erin. Ik ben degene die de handel binnenhaalt en die de zaak runt.'

'Zeventig-dertig,' zei Todd en hij stak zijn hand uit zodat Bobby die kon schudden.

'Afgesproken.'

Arme jongen. Hij stond daar te grijnzen alsof hij een werelddeal had gesloten! Terwijl Todd in feite voor een miezerige paar honderdduizend een aandeel had gekocht in een miljoenenbedrijf, én een stap dichter bij het beheer over de Cameron-olie was gekomen.

Die knul was zo naïef en zo verdomd vol van zichzelf dat hij niet eens in de gaten had wat er gebeurd was. En hoewel er nog niets op papier stond, wist Todd dat een cowboy van de oude school en man van zijn woord zoals Bobby nog liever dood zou gaan dan terugkomen op een deal waarover hij al de hand had geschud.

Het was voor elkaar. Missie volbracht.

Nog heimelijk glunderend van triomf toen Bobby hem naar zijn auto begeleidde, zag hij iemand over het erf naar hen toe komen, zich moeizaam voortslepend alsof zelfs lopen te veel voor hem was. Toen het arme wezen echter vlak bij hen was, realiseerde hij zich dat het geen man was, maar een meisje. Een heel jong meisje.

Haar haren plakten aan elkaar van het zweet, ze had een glimmend rood gezicht en haar kleren waren zo vies en gescheurd dat het leek of ze die al een week aanhad. Niettemin was ze op een elfachtige manier uitermate knap, en haar groene ogen en brede lichtroze lippen gaven haar een bedwelmende kindvrouw-uitstraling die zelfs haar verfomfaaide toestand niet geheel kon verbergen. Todd had haast gehad om weg te komen, maar wilde nu met plezier nog even blijven hangen. Voor uitzonderlijk knappe meisjes maakte hij altijd tijd.

'Hallo,' zei hij glimlachend tegen haar. 'Ik geloof niet dat we elkaar al hebben ontmoet. Ik ben Todd.'

'O, hallo,' zei ze afwezig. 'Ik ben Milly.' Het eerste wat hem opviel was haar Engelse accent. Het tweede was dat ze dwars door hem heen keek en al haar aandacht richtte op Bobby, wiens plotseling gespannen lichaamstaal leek aan te geven dat de aandacht van het meisje hem dwarszat.

Todd was in alles buitengewoon prestatiegericht, maar vooral als het om vrouwen ging. En hij had er een hekel aan te worden genegeerd. Dit was de tweede keer dat een meisje tot wie hij zich aangetrokken voelde duidelijk de voorkeur gaf aan die Cameron-knul. Dat maakte hem woest.

'We zijn klaar,' zei Milly, naar Bobby opkijkend als een Romeinse slavin naar de keizer. 'Is het goed als ik nu naar binnen ga om een bad te nemen?'

'Vast wel,' mompelde hij lomp. 'Maar blijf niet te lang weg. We hebben nog meer werk te doen.'

Hij zei het zo kortaf dat Todd zich afvroeg of de twee ruzie hadden gehad. Of – wat meer voor de hand lag – dat de agressie van de jongen een symptoom was van diepere gevoelens die hij niet kon of wilde uiten. Er hingen in elk geval onmiskenbaar seksuele spanning en onrust in de lucht.

'Bobby en ik worden partners. We beginnen hier op Highwood een trainingsstal voor quarterhorses,' zei hij in een tweede poging om Milly's aandacht te trekken. Ditmaal slaagde hij daar wel in.

'Echt waar?' Haar ogen lichtten op. 'Dat is fantastisch! Wanneer beginnen jullie? Bobby heeft me mee hierheen genomen om te trainen, weet u. Ik ben jockey. Nou ja,' corrigeerde ze zichzelf, 'ik ben nog in opleiding. Maar ik ben beter op korte afstanden, dus Bobby dacht dat quarterhorses geknipt voor me zouden zijn, omdat…'

'Milly, meneer Cranborn heeft het druk,' onderbrak Bobby haar kortaf. Hij had gezien hoe Todd naar haar keek en dat stond hem niet aan. Hij wilde haar weg hebben. 'Hij heeft geen tijd om alles over jouw carrièreplannen aan te horen.'

'O, dat is wel goed,' zei Todd, die de glimlach van het meisje als een kartenhuis had zien inzakken bij Bobby's vermaning. 'Ik vind het helemaal niet erg. Een Engelse vrouw die quarterhorses-races rijdt, hè? Dat is interessant.'

Milly schonk hem een dankbare glimlach en merkte voor het eerst op dat hij best knap was; voor een oude man, althans. Ze begreep niet waarom Bobby zo gemeen deed.

'Ik hoop dat we nog eens kunnen praten, als ik weer hier ben,' zei hij, Bobby's afkeurende frons negerend. 'Maar nu moet ik inderdaad weg.' Hij kneep in zijn autosleutel om het portier te openen en stapte in. 'Ik wil nog even naar Buellton,' zei hij tegen Bobby. 'En als het kan vanavond met mijn advocaat over onze onderneming praten en hem een concept laten opstellen.'

'Klinkt goed,' zei Bobby en ze schudden elkaar nog eens de hand.

Met een gebrul als van een raketwerper kwam de motor van de Mercedes tot leven en Todd maakte een korte, snelle bocht, die grote stofwolken veroorzaakte. 'Ik bel je,' riep hij naar Bobby terwijl hij een telefoongebaar maakte, en vervolgens blies hij Milly tot haar grote verlegenheid een kushandje toe voordat hij over de oprijlaan wegraasde.

'Waarom deed je dat?' viel Bobby tegen haar uit zodra de auto uit het zicht was. Hij wist dat hij zich als een jaloerse schoft gedroeg, maar hij kon het niet helpen.

'Wat?' vroeg Milly, vechtend tegen haar tranen.

'Met hem flirten,' zei Bobby.

'Wát?' Ze sperde haar ogen open. Als hij niet zo gemeen was, zou het grappig zijn, maar nu werd ze er niet goed van. 'Ik flirtte helemaal niet met hem!' zei ze verhit. 'Doe niet zo belachelijk. Hij is oud! Ik zou nooit... nooit kunnen...' Haar ingewanden raakten zo verkrampt door angst en stress dat ze nauwelijks fatsoenlijk uit haar woorden kon komen.

'Hmm,' mompelde Bobby. 'Oké, goed dan. Maar denk erom, hij is een zakenpartner, geen vriend. Ik doe hier al het werk aan de trainingsstal, dus er is geen reden waarom jouw pad het zijne nog eens zou moeten kruisen. Geen enkele.'

'Prima!' zei Milly uitdagend, en ze rende snel naar het huis zodat hij de hete tranen van schaamte en woede niet over haar wangen zou zien rollen.

Hoe kon hij haar zo beschuldigen en vernederen waar een vreemde bij was? Waar had ze dat aan verdiend?

Ze wist dat het fout was om te verwachten dat het leven op Highwood volmaakt zou zijn, vooral op de eerste dag. En ze wist dat hij onder grote druk stond. Maar zelfs Rachels hatelijkheden, Jaspers wreedheden of haar moeders constante gezeur waren niet zo erg als de manier waarop Bobby zich vandaag tegenover haar had gedragen.

Het was bijna genoeg om haar te doen wensen dat ze in Newmarket was gebleven.

En dat wilde heel wat zeggen.

13

Milly zat op de versleten leren bank in de huiskamer van de McDonalds, met een paardendeken over haar knieën getrokken en de plaatselijke krant opengeslagen voor haar, tevreden met haar tenen te wiebelen. Het was een zondag in november en de eerste middag in twee maanden dat ze helemaal 'vrij' was, en ze was van plan ervan te genieten.

Vanaf het moment dat Bobby en Todd het contract hadden getekend, was de quarterhorse-onderneming met sneltreinvaart van start gegaan en algauw trainde ze bijna fulltime. Het was een genot om weer te rijden, maar ze moest ook nog steeds helpen met het ranchwerk, en die combinatie was vreselijk vermoeiend.

En dan was er ook nog de emotionele stress. Tussen haar en Bobby ging het nog steeds niet geweldig. Ze moest toegeven dat er geen uitbarstingen meer waren geweest zoals over Todd Cranborn op haar eerste dag, maar de hechte band die ze in Engeland hadden gehad, leek voorgoed te zijn verdwenen. Daarvoor in de plaats was een werkrelatie gekomen waarin hij weliswaar vriendelijk, maar hartverscheurend afstandelijk was.

Er waren momenten dat hij het masker liet zakken. Toen ze haar eerste race, een bescheiden wedstrijd, gesponsord door de landbouwhogeschool in Santa Ynez, won was Bobby naar haar toe gerend om haar te omhelzen en ze kon aan zijn blik zien dat hij oprecht trots op haar was. Het was echter maar een fractie van de warmte waarmee hij haar voorheen had overladen. Nu hij haar trainde leek hij wel haar baas. En hoewel ze nog steeds voortdurend over hem fantaseerde, had ze geleidelijk de hoop opgegeven dat er ooit iets romantisch tussen hen zou groeien.

In feite waren ze allebei zo moe en zo op hun eigen toekomst gericht dat ze, zelfs als de band tussen hen hechter was geweest, toch weinig tijd en energie gehad zouden hebben voor een relatie. Elke seconde van Milly's dagen was volgepland en Bobby had het zo mogelijk nog drukker met het runnen van de ranch en het opbouwen van de quarterhorse-onderneming.

Hij had echter opmerkelijke vooruitgang geboekt. Zelfs Wyatt moest dat toegeven. In enkele weken tijd waren er stallenblokken en een nagelnieuwe binnenbaan neergezet. Tara had opdracht gekregen om glossy brochures te laten drukken, bedoeld om eigenaren en ondernemingen weg te lokken bij gevestigde trainingsscholen in Bonsall en Romoland, en ze hun paarden op Highwood te laten onderbrengen. En Todd Cranborn had, al vertrouwde Wyatt hem nog steeds niet, een schijnbaar eindeloze stroom geld in de kas van de ranch gestort en een schuldsaneringsplan opgesteld waar de bank eindelijk tevreden mee was.

Het zag er allemaal beslist beter uit.

'Zit je dat nou nog steeds te lezen?'

Summer was net terug van haar ijshockeywedstrijd en plofte in een stoel aan de andere kant van de kamer neer. Het was natuurlijk niet genoeg dat ze vreselijk knap en superintelligent was; ze moest ook nog eens een fantastische sportvrouw zijn.

'Je hebt alle loftuitingen inmiddels toch wel in je opgenomen? Het was maar een kleine race voor de plaatselijke jeugd, hoor, niet Los Alamitos.'

Milly bleef voor één keer kalm en liet de krant zakken. Er stond een artikeltje op de sportpagina over haar prestatie in Santa Ynez. De krant had haar beschreven als een 'Engelse cowgirl', en dat vond ze heimelijk ontzettend cool. Dylan, aardig als altijd, had haar er die ochtend op gewezen. Summer kon echter niet nalaten zich er sarcastisch over uit te laten, en dat was al even typerend.

'Niet dat het je iets aangaat,' zei Milly. Ze had elke poging om aardig tegen Summer te doen allang opgegeven. 'Maar ik zat het artikel over de Ballard Rodeo te lezen. Bobby heeft me daar voor volgend weekend ingeschreven voor twee races.'

Summer geeuwde nadrukkelijk. 'Joepie. De Ballard Rodeo. Geweldig, hoor.'

'Nou, in feite is het heel wat,' pareerde Milly. 'Er doen dit jaar een paar toppers aan mee.'

'O, vast wel,' zei Summer met een stem die droop van het sarcasme. 'Dit is je grote kans. Hierna Ruidoso Downs. Hollywood! De wereld!'

'Ach, barst.' Milly pakte de krant weer op om hare koninklijke boosaardigheid buiten te sluiten. Ze vond Summers vijandigheid nog net zo onbegrijpelijk als de eerste dag, maar had elke poging om haar te begrijpen opgegeven. Als die meid stennis wilde, kon ze die krijgen. Na een leven met Rachel Delaney was Summer McDonald een makkie.

'Hé, jullie.' Tara kwam bruisend als altijd de kamer binnen met een pakje voor Milly. Ze had vanaf het begin geweigerd zich met de strijd tussen Milly en Summer te bemoeien en deed nu alsof ze de spanning die in de lucht hing niet voelde. 'Dit is in het kantoor afgegeven,' zei ze terwijl ze Milly het pakje gaf. 'Het ziet ernaar uit dat het van thuis komt.'

Opgemonterd begon Milly het open te maken. Ze voelde zich een beetje schuldig omdat ze niet veel naar huis had gebeld, vooral omdat haar vader nog steeds herstellende en kennelijk vrij zwak was. Maar ze genoot zo van de wedstrijden en het trainen dat ze nog helemaal geen heimwee had gehad. Bovendien was het tegen de tijd dat zij klaar was met werken in Engeland al midden in de nacht en te laat om nog te bellen.

Wat het ook was, het zat stevig ingepakt. Ze trok met haar tanden aan het plakband, besloot dat het aanvoelde als tijdschriften en hoopte dat het de nummers van de *Racing Post* en *Horse and Hound* waren waar ze Cecil twee weken geleden om had gevraagd. Dat was echter niet zo. Toen het bruine papier er eindelijk af was, zag ze tot haar teleurstelling dat het de *Tatler* van deze maand was, met een kort briefje van haar moeder eraan.

'Mills. Dacht dat je dit wel zou willen zien,' stond erin. 'Bladzijde 34. Mis je, maar moet zeggen dat Rachel fantastisch voor me zorgt; voel me behoorlijk verwend! Bel gauw. Kusjes. Mama.'

Milly voelde meteen haar bloeddruk stijgen. Ten eerste: waarom moest er voor haar moeder gezorgd worden? Dat was bij andere moeders toch ook niet het geval? Ze kon zich wel voorstellen hoe geweldig Rachel het had gedaan tijdens haar afwezigheid, hoe die valse slang Linda's genegenheid had gewonnen. Ze zou nooit haar gespeelde bezorgdheid en opdringerigheid vergeten op de avond dat Cecil een beroerte had gehad.

Die avond was kennelijk nog maar het topje van de ijsberg geweest.

'Knappe kerel,' zei Summer, die naar bank was komen lopen en over Milly's schouder keek toen die somber had doorgebladerd naar bladzijde vierendertig. 'Een bekende van je? Een oud vriendje, misschien?'

Wat Summer betrof was elke vlam die niet Bobby was een goede vlam.

'Nee, dank je,' zei Milly ijzig. 'Dat is mijn broer. En die slet achter hem' – ze zette haar wijsvinger op Rachel, alsof ze haar daardoor pijn kon doen – 'is zijn vriendin. Nog erger.'

Het was een foto van Jasper en Rachel op een jachtbal van de hogere kringen. Ze zagen er allebei burgerlijk-aantrekkelijk uit als een stel kinder-tv-presentatoren met hun rechte, glimmende tanden en afschuwelijk regelmatige gelaatstrekken. Het onderschrift van de foto luidde: 'Het sterrenkoppel van de Britse paardenwereld: Rachel Delaney en Jasper Lockwood Groves schitteren op de dansvloer.'

'Ik vind haar betoverend,' zei Summer naar waarheid.

'Ja, jij wel, natuurlijk,' zei Milly. Ongewild dwaalden haar ogen naar het artikel onder de foto. Het verhaalde in de typische vleierige Tatler-stijl over Rachels recente successen op de renbaan. Zelfs als je de onzin oversloeg, was echter duidelijk dat ze het goed deed. Sinds Milly was vertrokken was ze eerste geworden in Wincanton en was ze in York twee keer bij de beste drie geëindigd. En het leek erop dat haar fotogenieke relatie met man-van-de-wereld Jasper haar nog meer goed had gedaan bij de Britse media. Volgens het artikel stonden er twee sponsordeals op stapel, een voor Hackett's en een voor een nieuw lingeriemerk. Wat kwam daarna? Sportvrouw van het jaar, verdomme?

Milly's eigen overwinning in Santa Ynez leek plotseling inderdaad maar onbelangrijk.

Net toen ze de laatste restjes van haar goede humeur voelde verdwijnen, stak Bobby zijn hoofd om de deur. Hij zag er gestrest en afwezig uit.

'Heeft iemand mijn koffer gezien?' vroeg hij. 'Die groene met de leren band eromheen?'

De drie meisjes keken op van het blad.

'Die staat op zolder in het grote huis,' zei Tara.

'Weet je het zeker?' Hij haalde zijn hand door zijn haren. 'Ik heb al gekeken, maar ik zag hem niet.'

'Ik weet zeker dat hij daar staat,' zei ze rustig. 'Ik wil wel even gaan kijken als je wilt.'

'Waar heb je die voor nodig?' vroeg Milly. Ze wou maar dat zijn plannen haar niets konden schelen, maar ze kon het niet helpen. 'Ga je weg?'

'LA,' zei hij, 'voor tien dagen. Ik heb samen met Todd een paar besprekingen met potentiële cliënten.'

'Tien dagen?' zei Milly, en ze gooide het blad van haar moeder op de grond. 'Maar dan ben je er volgend weekend niet. Hoe moet het dan met de Ballard-race? Je had gezegd dat je erbij zou zijn.'

Bobby zuchtte. Hij vond het vervelend dat hij haar teleur moest stellen, maar er was niets aan te doen. De cliënten kwamen niet zomaar uit de lucht vallen en Cranborn had een hoop afspraken voor hem gemaakt.

De afgelopen maand was voor hem ook zwaar geweest. Hij wist dat het Milly pijn deed als hij zo afstandelijk was, maar hij wist niet wat hij anders moest doen. Elke dag met haar samenwerken en 's nachts een huis met haar delen was een ware kwelling. Hij voelde zich als een alcoholist die gedwongen werd in een slijterij te werken. Zijn enige hoop om het vol te houden was dat hij zich mentaal van haar losmaakte.

Jammer genoeg was het veel gemakkelijker onverschilligheid te veinzen dan die echt te voelen. Hij was buitengewoon trots op hoe Milly het als jockey deed; ze was volkomen in haar element met de korte quarterhorse-sprints, precies zoals hij geweten had. Hij had er echter niet op gerekend dat het zo stressvol zou zijn om haar te beschermen tegen de andere kant van de quarterhorse-racewereld: haar medejockeys waren bijna allemaal mannen en minstens vijf jaar ouder dan zij. De meesten waren overdag cowboys en arbeiders; ruige, hardwerkende kerels die wel van een pleziertje hielden.

Te zeggen dat Milly een interessant nieuwtje voor hen was, was veel te zacht uitgedrukt. Na elke race zouden er hordes mannen op haar af komen om haar uit te nodigen voor afterparty's waarvan Bobby uit eigen ervaring wist dat het wel orgieën leken. De meeste racedagen voelde hij zich net haar oppas, die bewonderaars van haar af moest slaan en haar mee naar huis moest nemen voor de zaak uit de hand liep.

En hoe meer hij de ouder speelde, hoe meer zij de tegendraadse tiener uithing. Een paar weken geleden had hij, wanhopig verlangend een paar uur van Highwood weg te gaan, een uitnodiging aangenomen voor een verjaardagsfeestje van een andere plaatselijke jockey, Danny Maron, in een naburige quarterhorse-stal.

'Waarom mag ik niet mee?' had Milly telkens weer gezeurd terwijl hij zich klaarmaakte om te gaan. 'Ik ken Danny ook.'

'Je hebt hem één keer ontmoet,' zei Bobby. 'Je kent hem niet. Bovendien ben je niet uitgenodigd.'

Dat was niet waar, maar Danny was een berucht feestnummer en hij was echt niet van plan Milly op een van zijn feestjes los te laten. Het zou zijn alsof je een jong konijntje in een kamer vol slangen gooide.

'Ik ben geen kind, hoor,' riep ze hem kwaad toe. 'Je hebt het recht niet om me ervan te weerhouden plezier te maken.'

'Zolang jij bij mij woont,' zei Bobby kordaat terwijl hij zijn laarzen aantrok, 'heb ik dat recht wel degelijk. Je gaat niet mee, en daarmee basta.'

Hij leek in korte tijd te zijn veranderd van vriend in vader en van mentor in cipier. Het was een rolwisseling waar Bobby net zo veel moeite mee had als Milly.

'Dylan gaat wel met je naar Ballard,' zei hij nu hij de teleurstelling op haar gezicht zag verschijnen. 'Je kunt gewoon gaan racen, maar ik moet gaan, lieverd. Het is voor zaken.'

Heimelijk hoopte hij dat er ook wat plezier bij zou komen kijken. Sean O'Flannigan was nog steeds in de stad, aan het werk voor die engerd van een Jimmy Price, en had beloofd hem mee te nemen naar West Hollywood voor wat 'actie'.

'Seksuele onthouding vormt een ernstig gevaar voor de gezondheid, weet je,' zei Sean toen Bobby hem vertelde over zijn zelfbeheersing met betrekking tot Milly. 'Ik heb in Ierland ooit een kerel gekend, die had het zo lang niet gedaan dat hij dood neerviel. Testosteronvergiftiging.'

Bobby lachte, maar zijn gesprek met Sean had hem doen inzien hoe vreselijk gespannen hij was. Een lichte vrouwelijke versnapering was misschien heel goed voor hem.

'Vertel me nog eens,' zei Bobby terwijl Sean weer met hoge snelheid een bocht nam, 'hoe ik me hier in godsnaam ook weer toe heb laten overhalen.'

Het was donderdagavond en ze waren op weg om het weekend door te brengen op het landgoed van Jimmy Price in Palos Verdes.

'Nou,' zei Sean, met zijn handen stevig om het stuur van zijn geliefde blauwe Porsche. 'Jíj zei dat je moest netwerken met quarterhorse-mensen. Dus zei ík dat je dan eens met Jimmy moest praten. En toen zei jíj...'

'Dat ik nog liever mijn eigen ballen eraf zou snijden met een verroest zakmes.'

'Iets in die geest, ja,' gaf Sean toe. 'Maar ík, als de grote vriend die ik ben, zei dat je niet zo moest zeiken en moest ophouden om je als een stomme eigenwijze klootzak te gedragen.'

'En ik was zo bezopen dat ik naar je luisterde,' zei Bobby meesmuilend.

De afgelopen drie dagen in LA waren geweldig geweest. Stappen met Sean was wild en krankzinnig als altijd. En ook de zaken gingen uitstekend. Voor een zogenaamde nieuweling in de quarterhorse-wereld had Todd Cranborn uitzonderlijk veel connecties. Hij had Bobby al aan een hoop eigenaren voorgesteld, van wie velen open leken te staan voor het idee om hun paarden naar Highwood te verplaatsen, voor de juiste prijs. En hoewel Todd geen man was met wie Bobby vrienden zou kunnen worden – hij was te glad, te stads en, al zou hij dat tegenover Wyatt nooit toegeven, hij had inderdaad iets onoprechts – was hij als partner alles wat Bobby zich had kunnen wensen, en zelfs meer.

Het enige wat hem nog steeds dwarszat, was hoezeer Todd bij de zaak betrokken leek te willen worden. Toen ze hun overeenkomst hadden ondertekend, had Bobby aangenomen dat hij een stille vennoot zou zijn, van het type 'hier is je cheque, bel me maar zodra we winst maken'. Hij was echter het tegenovergestelde gebleken en toonde niet alleen interesse voor de nieuwe stallen, maar ook voor de praktische en financiële kant van de ranch.

Toen Bobby de mogelijkheid had genoemd om Jimmy Price te ontmoeten, had Todd verbazingwekkend enthousiast gereageerd.

'Niet te geloven dat je daar zelfs maar aan denkt,' zei hij. 'Natuurlijk moeten we dat doen. Jimmy is voor quarterhorses wat de sultan van Brunei voor volbloeden is, dat weet je.'

Bobby's protesten dat hij ook een gemene klootzak was die zijn vrouw in de steek had gelaten en dat de hele wereld om hem draaide, vonden geen gehoor.

Als Sean een uitnodiging kon regelen, gingen ze erheen. Punt uit.

En zo kwam het dat ze na anderhalf uur waarin zijn maag zich vele malen had omgedraaid omdat Sean het snelheidsrecord over land probeerde te breken, door de elektrisch bediende poort van Price' landgoed reden.

Die poort was van massief metaal, en bijna even dik als hij hoog was. Bobby had bijna het gevoel dat hij een kluis binnenreed.

'Is dit Fort Knox of zo?' vroeg Bobby.

Sean keek hem veelbetekenend aan. 'Minstens. Ik werk hier al bijna twee jaar en ik weet nog steeds de beveiligingscode voor het stallenblok niet. Jimmy gaat heel ver als het om privacy en beveiliging gaat.'

Toen ze voor het huis tot stilstand kwamen, begreep Bobby wel waarom. Hij had tijdens zijn reizen voor diverse trainingsklussen een hoop mooie huizen gezien, maar het landgoed van Price viel in een heel eigen categorie.

Het eerste wat hem opviel was een tien meter hoge fontein die als een koele zilveren Vesuvius midden op het grote Toscaanse voorplein stond. Aan weerskanten ervan strekten zich zo ver het oog reikte geometrisch aangelegde tuinen uit. Het huis zelf was deels ín de heuvel gebouwd en hing deels boven hen, boven aan een lange, stenen wenteltrap. Het was gebouwd van een vaalgele steensoort die Bobby niet herkende en die het iets van een oud Europees kasteel gaf. Die oude sfeer werd nog versterkt door de klimop en blauweregen die tussen de drie meter hoge ramen naar boven klommen en hun groene ranken langs de gevel lieten hangen.

Het leek in niets op de alledaagse herenhuizen die hij in LA had bezocht met Todd. Jimmy Price mocht dan een klootzak zijn, hij had ofwel smaak, ofwel het verstand om een architect met smaak in te huren.

'Wat denk je?' vroeg Sean terwijl hij Bobby's koffer van de achterbank pakte. 'Denk je dat je geldschieter onder de indruk zal zijn?'

'Dat kun je hem zo vragen,' zei Bobby. Voor hen stond een donkerblauwe Ferrari 456 geparkeerd met het kentekennummer TC1. 'Het ziet ernaar uit dat hij er al is.'

Bobby volgde Sean, die met twee treden tegelijk de stenen trap op liep en gaf zijn hoed aan het meisje in livrei dat hen binnenliet. Hij had nauwelijks de kans gehad de arabeske weelderigheid van het diepblauwe gewelfde plafond in zich op te nemen, toen twee krijsende tweejarigen op hun driewielertjes de gang binnen kwamen rijden.

'Kut!' riep Sean toen een van de twee over zijn voet reed. Het kind leek zich echter volstrekt niet bewust van de pijn die het had veroorzaakt en keek slechts even achterom voordat het krijsend in de richting van de woonkamer verdween.

'Chase! Chance!' Een afgemat ogend, veel te zwaar meisje kwam ademloos en met een rood gezicht achter hen aan. 'Heb je de kinderen gezien?'

'Ja,' zei Sean, en hij wees naar de deuropening waardoor de twee Schumachers in de dop waren verdwenen. 'Een van de twee heeft me net voor het leven verminkt.' Hij hield zijn voet omhoog. 'Dat kleine secreet reed gewoon over me heen.'

'Nou, gelukkig was jij het maar,' zei het meisje, en haar gezicht klaarde op toen ze hem een kus op zijn wang gaf. 'Normaal rijdt hij echte gasten omver.'

'O, je wordt bedankt!' zei Sean. 'Dit is trouwens mijn vriend Bobby. Hij is een echte gast. Bobby, mag ik je voorstellen aan Amy, het leukste aan dit hele huis?'

Het meisje wierp één blik op Bobby en begon meteen te blozen, als een glas dat gevuld werd met tomatensap. Hij probeerde zich de laatste keer te herinneren dat hij iemand had gezien die zo onbeholpen was, maar besloot dat het lang geleden moest zijn.

'Ben je hun kindermeisje?' vroeg hij, haar verlegen glimlach beantwoordend. 'Het ziet ernaar uit dat je je handen vol aan hen hebt.'

'Eerlijk gezegd niet,' hijgde ze. Ze was nog steeds niet op adem gekomen. 'Ik ben hun zus. De straf voor mijn zonden.'

Voor ze verder nog iets kon uitleggen, kwam er een verbluffend mooie blondine de woonkamer uit. Ze droeg een lange vleeskleurige, strakke lovertjesjurk met een split tot in het kruis, veel te diep om nog sexy te zijn. Ze schonk Amy een dreigende blik die het bloed in je aderen kon doen stollen.

'De kinderen hangen daarbinnen de beest uit!' krijste ze. 'Ga ze halen voor je vader een hartinfarct krijgt.'

'Ze luisteren niet naar me,' zei Amy geïrriteerd. 'Ik probeer al een uur ze in bed te krijgen.'

'Doe dan maar wat harder je best,' snauwde de godin. 'Als je niet zo godvergeten vet was, zouden ze je niet steeds te snel af zijn. O!' Ze registreerde nu pas de aanwezigheid van Sean en Bobby, en meteen verzachtten haar trekken en werd de chagrijnige blik vervangen door een brede, zij het gemaakte glimlach. 'Ik had jullie niet gezien, jongens. Hallo.'

Ze had een sterk zuidelijk accent, waardoor het korte woord er zeker drie of vier klinkers bij kreeg: hallooooo.

'Ik ben Candy Price,' zei ze lijzig en met een wulpse blik op Bobby. 'Jimmy's vrouw.'

Ze deed hem denken aan een kat, met smalle, schuin staande groene ogen en zulke geprononceerde jukbeenderen dat je er bijna iets op zou kunnen zetten. Een langere, jongere, hoeriger Michelle Pfeiffer.

'En u bent?'

'Handen thuis, Candy, in godsnaam,' zei Sean, waarna hij haar op beide wangen kuste. Hij had kennelijk een zeer ontspannen relatie met het gezin van zijn werkgever. 'Dit is Bobby Cameron, een vriend van me.'

'Ah!' Ze giechelde koket. 'De cowboy. Ik heb net alles over je gehoord.'
'O, ja?' zei Bobby.
'Aha. Van je partner. Aangenaam kennis met je te maken, Bobby.'
'Insgelijks,' zei hij, niet geheel overtuigend. Hij had maar vijf seconden contact gehad met Amy, maar dat was voor hem voldoende geweest om zeker te weten aan wiens kant hij stond. De tweede mevrouw Price was duidelijk een secreet van de bovenste plank.

'Ik wist niet dat hij hertrouwd was,' fluisterde Bobby in Seans oor toen ze even later achter de wiegende billen van Candy aan de woonkamer binnenliepen.

'Vijf jaar geleden,' fluisterde Sean terug. 'Maar hij is zo op zichzelf dat bijna niemand dat weet. Zelfs nu ze kinderen hebben.'

'Dat vind ik ook een beetje vreemd,' zei Bobby. 'Ze lijkt me niet bepaald een moederlijk type.'

Sean rolde met zijn ogen. 'Ze is verschrikkelijk,' zei hij. 'Adembenemend, maar een echte feeks. En ze maakt het leven van die arme Amy tot een hel.'

De ontvangstkamer van de familie Price was zo groot als de grote schuur op Highwood. Of een kathedraal. Of een andere belachelijk grote ruimte. Bobby was er vrij zeker van dat je zonder al het kostbare antiek en de Ralph Lauren-banken en -stoelen een echo zou horen.

De eerste die hij zag was Jimmy. Hij leunde tegen een grote piano in de achterste hoek, pafte aan zijn sigaar en kletste met Todd alsof ze oude vrienden waren.

'Daar ben je!' Hij kwam met een joviale grijns in hun richting, zijn eeuwige sigaar tussen zijn tanden geklemd, precies zoals die keer dat Bobby hem in Florida had ontmoet. 'Mijn verloren gewaande veearts. En je hebt de Lone Ranger meegebracht.' Brullend van het lachen sloeg hij Bobby op zijn rug. 'Hoe maak je het, knul? Ik zat met je partner over jullie zaak te praten. Of moet ik "pardner" zeggen? Hé, pardner!'

Hij lachte zo hard om zijn eigen grap dat de tranen over zijn wangen rolden. Kennelijk vond Jimmy cowboys buitengewoon lachwekkend.

Bobby glimlachte tussen opeengeklemde kaken door en drukte zijn nagels zo hard in zijn handpalmen dat die bijna gingen bloeden. Hij slikte in wat hij eigenlijk zou willen zeggen tegen de gedrongen ellendeling met zijn rijkdom, zijn macht en zijn smerige dikke sigaar, en koos voor: 'Hallo, meneer Price.'

'Ik dacht dat je zei dat je nog werk te doen had in LA,' fluisterde hij tegen Todd zodra hun gastheer zijn aandacht even op zijn mooie vrouw richtte. 'Ik verwachtte je pas morgen.'

'Er kwam een plekje vrij in mijn agenda,' zei Todd met een onverschillig schouderophalen. 'Ik dacht dat ik maar net zo goed alvast kon komen.'

Uiteraard had hij echter zijn eigen redenen om in het gevlij te komen bij Jimmy Price, en die hadden niets met quarterhorses te maken. Hij zocht nog investeerders om vier nieuwe appartementengebouwen in LA te bouwen. Het was bekend dat Jimmy in onroerend goed liefhebberde als de deal hem aanstond, en hij had een gigantisch banksaldo. Uitnodigingen voor een weekendje in Palos Verdes waren zeldzamer dan goudstof, en mogelijk heel wat waardevoller als je ze goed wist te benutten, en Todd wist dat zeer zeker.

'Ken je mijn zoontjes al?' Jimmy had onder iedere arm een peuter en liet ze aan Bobby en Todd zien met de trotse grijns van een visser die zijn vangst showt. Bij nadere beschouwing zag Bobby dat de jongetjes ongelooflijk veel op hem leken met hun mollige armpjes en rossig blonde haren; alleen nog een sigaar en ze waren net miniatuur-Jimmy's.

'Dit is Chase.' Jimmy wees naar het brullende kind links, alleen van zijn broer te onderscheiden door een dunne sliert snot onder zijn neus. 'En dit is Chancelor.' Hij wees naar de snotloze peuter. 'We noemen hem Chance, nietwaar, kereltje?'

Hij kneep zijn zoontje met vaderlijke genegenheid in de wang en werd beloond met een vernietigende blik van de jongen.

Bobby begon Chance aardig te vinden.

'Ze hebben een hoop energie,' zei Jimmy met een gigantisch understatement. Hij zette de jongens neer en die renden onmiddellijk weer krijsend door de kamer. Jimmy leek wel een echte vaderfiguur en ging glimlachend achter hen aan.

'Hé.' Zodra hij buiten gehoorsafstand was gaf Todd Bobby een por in zijn ribben en knikte in Candy's richting. 'Heb je zijn vrouw al gezien? Wat een lijf!'

Candy sprak opnieuw op scherpe toon, dit keer tegen het ongelukkige dienstmeisje, dat als een bange muis de kamer uit rende.

'Niet mijn type,' zei Bobby kil.

Todd voelde dat zijn nekharen overeind gingen staan. Wie dacht die knul eigenlijk dat hij was, Brad Pitt of zo? Candy was ieders type.

'O, echt?' zei hij. 'Niks zeggen. Je geeft zeker de voorkeur aan Twiedeldita daar.'

Hij wees naar Amy, die er eindelijk in was geslaagd haar broertjes te pakken te krijgen en een verloren strijd streed om ze mee te krijgen voor hun badje.

'Ach,' zei Bobby. 'Ze lijkt me een heel aardige meid.'

'Jezus christus, je neemt me zeker in de maling?' Todd lachte vals. 'Moet je dat nou zien, ze lijkt verdomme wel een kamerolifant.'

Bobby kromp ineen. Hij was zelf geen heilige, zeker niet als het om vrouwen ging, maar hij was niet wreed. En dit was niet de eerste keer dat hij Todd zoiets vals had horen zeggen. Hij had de afgelopen week blijk gegeven van een nonchalante meedogenloosheid waar Bobby zich heel onprettig bij voelde. Er had zich niets dramatisch voorgedaan en ze hadden geen ruzie gehad, maar Wyatts waarschuwing dat hij niet zomaar een partnerschap moest aangaan met iemand die hij nauwelijks kende, speelde steeds vaker door zijn hoofd, als een plaat waar een kras op zat. Vanavond had hij grote moeite die te negeren.

Eindelijk verscheen er een kindermeisje om de arme Amy van haar tegenstribbelende last te bevrijden. Sean gaf haar meteen een stevige borrel en trok haar mee naar de bank om even met haar te praten. Ze zouden over een paar minuten gaan eten en hij wilde haar de kans geven even stoom af te blazen voor ze allemaal aan tafel gingen.

Jimmy had het ondertussen met Todd over onroerende zaken. Hij had een dikke arm bezitterig om het middel van zijn vrouw geslagen. Bobby keek van een afstandje toe en probeerde de onderlinge dynamiek in te schatten.

Candy was met haar goudkleurige stilettohakken bijna een hoofd groter dan haar man. Ze deed hem een beetje denken aan een hoerige versie van Sneeuwwitje die de dikste en rossigste van de zeven dwergen vertroetelde: hoewel ze tientallen jaren jonger was dan hij, had de manier waarop ze met haar vingers door Jimmy's dunner wordende haren streek duidelijk iets moederlijks. Het was gewoon eng om te zien. Tegelijk flirtte ze nu net zo vrolijk met Todd als een paar minuten geleden in de gang met hem. Jimmy leek niet te merken dat ze hem met haar meisjesachtig gegiechel om zijn grappen en complimentjes brutaalweg zat te verleiden. Hij voelde zich kennelijk zeker van de genegenheid van zijn vrouw; veel zekerder dan gerechtvaardigd was, vermoedde Bobby.

'Neem me niet kwalijk, mevrouw.' Het dienstmeisje was terug en benaderde haar bazin met begrijpelijke schroom. 'Ik wil u niet onderbreken, maar het eten is opgediend.'

Tijdens het eten werd er volop over paarden gepraat, en over de exorbitante prijzen die tijdens de recente veilingen voor sommige volbloeden waren betaald.

'Ik had zes topklasse quarterhorses kunnen kopen voor het bedrag dat Magnier vorige maand voor dat merrieveulen heeft betaald,' zei Jimmy, die de gasten uitzicht bood op een mond vol halfgekauwd voedsel. 'Het dier heette Tuberose, of zoiets. Klinkt als zo'n verrekte geurkaars. Natuurlijk,' zei hij, en hij slikte en spoelde het voedsel weg met een slok wijn, 'geef ik zelf ook aardig wat uit aan volbloeden.'

'Nou en of,' zei Sean zacht.

'Maar ik verdien meer aan mijn quarterhorses,' zei Jimmy. 'Dat kunnen een hoop mensen maar moeilijk geloven.'

Bobby, die links van Amy zat, betrapte haar erop dat ze stiekem geeuwde, en grinnikte.

'Heb je geen belangstelling voor paarden?'

'O! Ja, natuurlijk wel,' mompelde ze automatisch en blozend, met haar mond vol aardappelpuree, maar toen besloot ze dat haar vader toch niet luisterde en bekende ze: 'Nou, eerlijk gezegd, niet nee. Volbloeden, quarterhorses... Het zegt mij allemaal niets, vrees ik. Als je de hele dag niets anders hoort, sluit je je ervoor af. Maar papa is er echt door geobsedeerd.'

'Er zijn mensen die over mij hetzelfde zeggen,' zei Bobby. 'Dat ik geobsedeerd ben, bedoel ik. Paarden zijn mijn grote passie.'

Amy lachte bitter. 'Ik waag te betwijfelen of jij met mijn vader te vergelijken bent.'

Het was voor het eerst dat hij de kans kreeg haar eens goed te bekijken. Ze was vast maar een jaar of zo jonger dan haar stiefmoeder, maar de verschillen tussen de beide vrouwen hadden niet treffender kunnen zijn. Ze droeg een eenvoudige zwarte linnen hemdjurk die eruitzag als een zak, en daarbij een paar schoenen met te zware hakken, die haar benen alleen maar nog dikker maakten. Haar haren waren dun en heel blond – bijna als van een albino – en ze leek haar vaders rode wimpers en gewichtsprobleem te hebben geërfd. Haar gelaatstrekken daarentegen – de korte, rechte neus, de diepliggende, gevoelvolle ogen en volmaakt gevormde lippen – moest ze van haar moeder hebben. En hoewel haar schoonheid bijna verloren ging in het bolle, bleke gezicht, kon je zien dat ze best knap kon zijn als ze enkele tientallen kilo's afviel.

'Het zijn namelijk niet alleen de dieren waar papa dol op is, of de kick van het winnen,' zei ze zachtjes zodat Jimmy het niet zou horen, 'maar ook de hele entourage die daarbij hoort. Daar is hij volgens mij aan verslaafd. Candy is net zo. En mijn moeder vroeger ook.'

Bobby schoof wat ongemakkelijk op zijn stoel heen en weer toen de eerste mevrouw Price ter sprake werd gebracht.

'O, maak je alsjeblieft geen zorgen,' zei Amy toen ze het merkte. 'Het gaat best. Ik kan inmiddels wel over haar praten. Het is al lang geleden.'

'Mijn moeder was ook nogal een feestbeest,' zei hij. 'Eigenlijk is ze dat nog steeds.'

'Amy.' Jimmy's stem schalde over de tafel heen. 'Laat hem alsjeblieft met rust, wil je?'

Amy verzonk weer in stilzwijgen en Bobby's hart ging naar haar uit. Het was alsof je naar een mier keek die met verdelgingsmiddel werd bespoten; het ene moment was ze levendig en gezellig, het volgende verschrompelde ze helemaal.

Het was niet moeilijk te raden van welke van zijn kinderen pappie het meeste hield. En het was geen wonder dat Candy zo neerbuigend tegen haar stiefdochter deed: ze volgde gewoon Jimmy's voorbeeld.

'Hij wil het over paarden hebben, nietwaar, knul?' Voor hij de kans kreeg te antwoorden kwam Todd tussenbeide.

'We beginnen klein op Highwood, maar Bobby doet met zijn reputatie als trainer voor niemand onder en we hebben er hoge verwachtingen van. Wat faciliteiten betreft kan niemand in Californië aan ons tippen.'

'O nee?' zei Jimmy. 'En je zegt dat je al met trainen begonnen bent?'

'Alleen mijn eigen paarden,' antwoordde Bobby. 'Ik werk momenteel met een jong meisje uit Engeland, een zeer veelbelovende jockey.'

Jimmy keek Todd aan.

'Milly, nietwaar? Dat sexy meisje.'

Bobby voelde een brok in zijn keel en keek Todd vernietigend aan. Sexy meisje? Dacht hij zo over haar?

'Ze is pas zestien,' zei hij ijzig. 'Ze is nog een kind.'

'Ik zou haar graag ontmoeten,' zei Jimmy, die ofwel zijn vijandigheid negeerde, ofwel die niet eens registreerde. 'Ik zeg al jaren dat ik graag een echt goede vrouwelijke jockey zou promoten. Als ze goed genoeg is, en zo knap als Todd beweert, zou ze een klein fortuin kunnen verdienen door sponsoring. Met de juiste ruggensteun, natuurlijk…'

Bobby klemde zijn kiezen zo hard op elkaar dat het pijn deed. Hij werd al beroerd bij het idee dat Milly 'ruggensteun' zou krijgen van Jimmy, of hem zelfs maar zou ontmoeten. En wat Todds 'belangstelling' betrof… daar zouden ze het straks nog eens over hebben.

Hij hield zichzelf voor dat zijn gevoelens voortkwamen uit beschermingsdrang, maar diep in zijn hart wist hij dat het meer was dan dat. Hij was bang haar kwijt te raken. Met elke dag die verstreek, werd haar ongelooflijke talent als jockey duidelijker. Hoe lang kon het nog duren voor ze de kleine plaatselijke races ontgroeid was en haar vleugels wilde uitslaan? Niet lang genoeg, dat was duidelijk. Ze zou binnen de kortste keren langs de circuits reizen en omringd worden door haaien als Jimmy Price of nog erger, en dan zou hij haar niet meer kunnen beschermen.

Wat bezielde Todd dat hij zo wellustig naar haar keek en met Price over haar carrière praatte?

'Milly is nog lang niet klaar voor een nationale carrière,' flapte hij eruit, norser dan de bedoeling was geweest. 'En als ze wel zover is, zal ik haar zelf begeleiden. Ze is geïnteresseerd in wedstrijden rijden, niet in sponsoring.'

Jimmy lachte.

'Hou jezelf niet voor de gek, Cameron,' zei hij, en hij stak het stompje van de sigaar weer aan, die nooit lang uit leek te zijn, zelfs niet tijdens het eten. 'Iedereen wil roem, vooral vrouwen.'

'Milly niet,' gromde Bobby. 'En ze is geen vrouw. Ze is een meisje.'

Todd zei niets en liet het gesprek terugkeren naar veiliger onderwerpen, maar hij dacht koortsachtig na.

Bobby was duidelijk verkikkerd op Milly, en hij had het zwaar te pakken.

Interessant.

Hij was er nog niet precies uit hoe hij die situatie zou kunnen uitbuiten, maar als hij ooit die olie in handen wilde krijgen, moest hij nu al gaan uitkijken naar zwakke plekken bij Bobby Cameron.

Was het mogelijk dat hij die zojuist had gevonden, in de persoon van Milly Lockwood Groves?

14

November was tot dusver grauw en saai geweest als altijd in Cambridge-shire. De dikke lagen wolken waren er niet in geslaagd de ijzige Siberische wind te doen afnemen die over de Fens raasde, de laatste bladeren van de bomen rukte en de regen veranderde in scherpe naalden. De mensen liepen in dikke jassen en dassen te rillen en te mopperen.

Rachel was het gewend – ze was altijd onder alle weersomstandigheden gaan rijden –, maar werd er niettemin neerslachtig van. Dus nu er vandaag eindelijk een stralend winterzonnetje aan de hemel stond en de wolken plaats hadden gemaakt voor een bijna doorschijnend blauwe lucht, was ze ongewoon goedgehumeurd wakker geworden.

Ze zette de radio in de nieuwe Mercedes convertible die haar ouders vorige maand voor haar achttiende verjaardag hadden gekocht harder en begon aan de vijfentwintig kilometer naar Newells. Daar was ze tegenwoordig vaker wel dan niet. Gisteravond had ze er echter besloten dat ze even weg wilde van Jasper en zijn constante gezeur. Sinds zijn beroerde prestatie in Sandown ging zijn carrière gestaag bergafwaarts, terwijl het met de hare juist fantastisch ging. Als gevolg daarvan moest zijn ego, dat toch al kwetsbaar was, voortdurend worden gestreeld. Daar was ze gewoonlijk erg goed in; ze luisterde altijd geduldig en zonder te lachen naar zijn idiote complottheorieën over de vraag waarom hij niet voor meer races gevraagd werd, prees hem plichtsgetrouw als ze de liefde hadden bedreven en hing in het openbaar altijd aan zijn arm. Maar soms had zelfs zij behoefte aan een rustig plekje om haar frustratie uit te schreeuwen.

En toch was het het allemaal waard, besloot ze, terwijl ze haar ogen tot spleetjes kneep tegen de zon die fel door de voorruit scheen. Toen Cecil had besloten Milly naar Amerika te laten vertrekken, was ze aanvankelijk zo woedend geweest dat ze Jasper bijna aan de dijk had gezet. Die hele relatie was immers alleen maar bedoeld om Milly te irriteren, dus wat had die nog voor zin als zij in het buitenland zat?

Binnen een dag of twee was ze echter van gedachten veranderd. Milly's afwezigheid was geen tegenslag, maar een kans. De kans om de vreselijk onnozele Linda voor zich te winnen, die ongetwijfeld een schouder nodig zou hebben om op uit te huilen, aangezien Cecil nog zo zwak was. En al ergerde het haar dat het kleine kreng weer mocht racen, het feit dat Milly verbannen was naar een nauwelijks bekende cowboysport aan de andere kant van de Atlantische Oceaan betekende dat ze niet langer een bedreiging kon vormen voor Rachels ambitie om de meest succesvolle vrouwelijke jockey van Engeland te worden. Een ambitie waarvan de realisatie met de dag dichterbij kwam.

Tegen de tijd dat Milly terugkwam – als dat ooit al gebeurde – zou ze merken dat ze hier volstrekt niet meer meetelde.

En het had zijn voordelen om Jaspers vriendin te zijn, hoe vervelend hij ook kon zijn. Haar mediawaarde bleek te zijn verdubbeld sinds ze een stel waren. Ondanks de stagnatie van zijn carrière was Jasper in het partycircuit nog steeds een gewilde gast. En natuurlijk was er de seks. Hij mocht dan het grootste deel van de tijd een zielige, ijdele hansworst zijn, zelfs Rachel moest hem de eer geven die hem toekwam: hij was veel beter in bed dan op de racebaan. En hij had geleerd wat ze lekker vond en wat niet, zo goed zelfs dat ze tegenwoordig bijna altijd twee of drie keer klaarkwam als ze met elkaar sliepen, wat zelfs na drie maanden nog elke dag was.

'Rachel, lieverd, daar ben je!'

Linda kwam naar buiten zodra zij het erf op reed. Ze was gekleed in haar 'tuinierkloffie', een groene corduroy broek met bijpassende rubberlaarzen en pullover, beide versierd met afbeeldingen van plantschopjes en harkjes; elke outfit moest kennelijk een thema hebben.

'Houd me nou niet langer in spanning. Wat heb je voor geweldig nieuws?'

Verdomme, mam! Ze had natuurlijk opgebeld zodra zij thuis was weggegaan. Een van de grote nadelen van moeten doen alsof ze Milly's familie aardig vond, was dat haar ouders meenden dat ze Cecil en Linda moesten adopteren als hun nieuwe beste vrienden.

'Hallo, mevrouw L.G.' Ze schonk haar een glimlach vol valse warmte, die Linda beantwoordde met een oprechte glimlach, waarna ze haar op beide wangen kuste. 'Het stelt helemaal niet zo veel voor, hoor.'

'Wat niet?' vroeg Jasper. Hij stond in de keukendeur, nog steeds in zijn pyjamabroek en met een strakke sweater van kasjmier en zijde om zijn bovenlijf. Hij liep het liefst met ontbloot bovenlijf, zodat hij zijn goed ontwikkelde tricepsen en brede, haarloze borst kon showen, maar zelfs hij had daar geen zin in als het vroor. Deze sweater was de op een na beste keus.

'Julia belde een paar minuten geleden,' zei Linda ademloos. 'Rachel heeft kennelijk heel spannend nieuws, maar ze doet erg bescheiden.'

Rachel keek haar met stille verachting aan. Ze leek wel een kind, of een pup, zo enthousiast als ze was. Geen wonder dat J zich voor haar schaamde.

In feite had ze wel degelijk nieuws waar ze zelf beslist opgewonden over was, maar ze had het idee dat Jasper er niet zo blij mee zou zijn. Ze had tijd gewild om te bedenken hoe ze het hem het beste kon vertellen. Maar haar moeder had verdorie roet in het eten gegooid.

'Ik doe niet bescheiden,' zei ze, en ze sloeg haar arm om Jaspers middel toen ze allemaal naar binnen gingen. 'Het stelt echt niet zo veel voor. Heb je... heb je wel eens van het tijdschrift *Loaded* gehoord?'

Linda keek haar wezenloos aan, maar Jasper liet haar los alsof hij gestoken was.

'Is dat een jachtblad?' vroeg Linda aarzelend. Ze probeerde Cecil al jaren zover te krijgen dat hij ging jagen, omdat dat haar een prima kans leek om zich onder de plaatselijke aristocratie te mengen, maar hij had nooit enige belangstelling getoond. Daardoor was ze niet precies op de hoogte van wat er aan jacht- en vistijdschriften op de markt was. Ze hoopte maar dat ze haar onwetendheid niet aan Rachel had verraden.

'Nee,' zei Rachel en ze probeerde luchthartig te klinken bij Jaspers woedende blik. 'Het is een lifestyleblad. Voor mannen.'

'O,' zei Linda, nog niets wijzer. 'Ik begrijp het.'

'Het is softporno, dat is het!' ontplofte Jasper. 'Je doet het niet. Ik wil het niet hebben!'

'Doe niet zo raar, lieverd,' zei Rachel en ze stak een sigaret op om zich te ontspannen. 'Des denkt dat het geweldig is voor mijn imago. Je weet wel: een vrouwelijke jockey die het maakt in een mannenwereld, dat soort dingen?'

'Wie is Des?' Linda begreep er helemaal niets meer van.

'Mijn agent,' zei Rachel trots. Ze vond het heerlijk om dat woord te gebruiken. Het gaf haar het gevoel dat ze een filmster was.

'Des is niet goed wijs,' blafte Jasper. 'Het is al erg genoeg dat je in ondergoed van Heaven Sent loopt te paraderen.' Heaven Sent was de lingeriefirma die Rachel onlangs had gecontracteerd als model. 'Maar mijn vriendin gaat niet voor een of ander goedkoop jongensblad uit de kleren en in het schuim liggen rollen, of wat ze je dan ook willen laten doen.'

Rachel trok een pruillip en perste een paar tranen uit haar ogen. Ze ging die drie bladzijden in *Loaded* echt niet laten schieten omdat dit onzekere mannetje jaloers was. Tegelijkertijd kon ze het zich echter niet veroorloven hem kwijt te raken... nog niet.

'Ach, kom nou. Niet huilen,' zei Linda, en ze sloeg haar arm om Rachel heen en keek Jasper boos aan. Ze vond het vreselijk als ze ruziemaakten. Al sinds ze samen waren, dagdroomde zij regelmatig over een grote societybruiloft, met misschien foto's in *Hello!*, Jasper zo knap als het maar kon voor het altaar, en zijzelf als moeder van de bruidegom in… misschien een pakje van John Galliano? Of iets conservatievers, misschien een Stella McCartney?

Dat zou niet doorgaan als J op zijn strepen bleef staan en het meisje van streek maakte.

'Jasper, lieverd, ik vind dat je je excuses moet aanbieden,' zei ze streng. 'Kijk nou hoe verdrietig ze is.'

'Maar, moeder,' riep hij geïrriteerd uit. 'Het is porno!'

'Wat is porno? O, hallo, Rachel.' Cecil was net klaar met de eerste dekking van die ochtend en kwam een kop thee halen. Hij was nog steeds vreselijk mager, dacht Rachel. En Linda had haar toevertrouwd dat hij sinds de beroerte erg weinig energie had. Afgezien van een paar zenuwachtige klanten die nu elders zakendeden, was de stoeterij weer aardig opgekrabbeld na het debacle van de paardeninfluenza. Niettemin miste Cecil Milly's waardevolle hulp heel erg, en het was duidelijk dat de dagelijkse leiding van Newells hem veel meer vermoeide dan vroeger het geval was geweest.

'*Loaded*,' zei Jasper op bittere toon. 'Rachel lijkt te denken dat het goed is voor haar carrière als haar tieten in iedere tijdschriftenhandel in het rek liggen.'

Linda hapte naar adem en fluisterde geschrokken: 'Je zou toch niet… Ik bedoel, het is toch niet echt' – ze kreeg het woord nauwelijks over haar lippen – 'pornografie? Of wel, Rachel?'

'Nee, nee, nee,' zei Cecil afwijzend. 'Natuurlijk niet. Stel je niet aan, J. Je leest dat blad zelf. Het is niet bepaald de *Penthouse*, laten we wel wezen.'

'Misschien,' zei Rachel zacht, nog steeds op de gekwetste, ingetogen toer, 'misschien kunnen we het samen doen? Dan maken we er een dubbel-hot item van.'

'Nou,' mompelde Jasper schoorvoetend. 'Dat zou het wel iets minder erg maken, denk ik.'

Hebbes, dacht Rachel. Echt waar, hij was zo zielig dat het bijna grappig was. Hij kon het niet verdragen dat zij in de schijnwerpers zou staan, maar zodra er een kans was dat hij erbij zou kunnen zijn, krabbelde hij sneller terug dan een Italiaanse tank onder vijandelijk vuur.

'Hoe dan ook,' snufte ze, 'we hoeven niet meteen te beslissen.'

Jasper trok haar op zijn schoot en Linda slaakte een zucht van verlichting. Milly's vertrek naar Amerika had haar sociale aspiraties een klap toegebracht. Die klap werd echter flink verzacht door de jonge liefde die tussen deze twee fantastische mensen opbloeide.

'Nou,' zei ze opgewekt. 'Ik ga maar verder met tuinieren. Dan kunnen jullie tweeën, eh… praten. Kom, Cecil.'

'Maar ik heb nog geen thee gehad,' protesteerde Cecil zwakjes.

'Wat maakt dat nou uit?' zei zijn vrouw vastberaden. Ze pakte hem bij de arm en trok hem mee naar buiten, de zonnige kou in.

In Californië was het een paar dagen al net zo helder en zonnig voor de opening van het Ballard Rodeo-weekend.

Hoewel Summer anders beweerde was Ballard een belangrijk evenement op de plaatselijke kalender, waar reikhalzend naar werd uitgekeken: een soort kruising tussen een plattelandskermis en serieuze paardenraces. Drie dagen lang aan het eind van november veranderde het kleine 'dorp', dat bestond uit een paar victoriaanse huisjes langs een zandweg, een oud roodstenen schoolgebouw en twee bouwvallige, maar goed bezochte kerken, in een bruisend middelpunt van handel, gokken en ruig vermaak.

Om negen uur in de ochtend stonden de wegbermen en de drie grote velden die elk jaar voor de gelegenheid werden geleend van plaatselijke boeren al vol met paardentrailers en vrachtwagens. Kooplui uit de naburige plaatsen Los Olivos en Santa Ynez, en sommige helemaal uit Santa Barbara of zelfs Oxnard, waren al uren eerder aangekomen om in hun kraampjes vers fruit en groenten, kaarsen, zeep, meubels, kleren en zelfs ranchwerktuigen te verkopen aan de families die met honderden tegelijk naar het evenement waren gekomen. Sommigen waren echte racefans. Anderen waren meer geïnteresseerd in de traditionele evenementen als kalveren vangen, barrel-racen of luchthartiger zaken als wedstrijden taart bakken of groenten kweken. Bierkraampjes voor de ouders, talloze spelletjes en attracties voor de kinderen en natuurlijk de alomtegenwoordige wedhokjes zorgden ervoor dat iedereen tevreden was, bezig bleef en vooral geld uitgaf.

Milly arriveerde samen met Sylan om kwart over negen, anderhalf uur voor ze zou moeten rijden, en was onder de indruk van de omvang van het hele gebeuren.

'Sodeju,' zei ze, en ze floot een beetje nerveus toen Dylan de trailer op de voor hen gereserveerde plaats dicht bij de baan parkeerde. 'Ik heb nog nooit zo veel mensen bij elkaar gezien. Ik dacht dat dit iets lokaals was.'

'Dat is het ook,' zei hij terwijl hij de motor uitzette en zijn gordel losmaakte. 'Maar "lokaal" beslaat in cowboytermen aardig wat terrein. Vorig jaar kwamen er op zaterdag twaalfduizend mensen. Volgens mij zijn er vandaag meer.'

'Denk je dat ze voor Ben Devino zijn gekomen?' vroeg Milly.

Devino had eerder dat seizoen gewonnen in Los Alamitos en was een jongen uit de buurt die het gemaakt had, een rijzende ster in de wereld van het quarterhorse-racen; ondermeer omdat hij niet alleen een fantastische jockey was, maar er ook nog eens uitzag als een jonge James Dean.

'Sommigen waarschijnlijk wel,' zei Dylan glimlachend. 'Maar misschien zijn er ook wel een paar gekomen om jou te zien: Milly Lockwood Groves, de enige echte Engelse cowgirl!'

'Ja hoor.' Milly giechelde. 'Om de een of andere reden geloof ik dat niet.' Ze was echter blij met zijn steun. Nu Summer zich zo krengerig gedroeg en Bobby nog steeds in LA zat, was het fijn om althans één vriendelijk gezicht te zien.

Ze wist dat het stom en bekrompen was, maar sinds ze die foto van Jasper en Rachel in de *Tatler* had gezien had ze het gevoel dat ze niet goed genoeg was. Van de ene op de andere dag was ze, in plaats ervan te genieten dat ze weer reed en heimelijk trots te zijn op de vooruitgang die ze boekte in een voor haar volkomen nieuwe sport, zichzelf als een grote mislukkeling gaan zien. Rachel had sponsors en reed met toppaarden op banen waar iedereen van had gehoord. Santa Ynez had voor de mensen thuis net zo goed op Mars kunnen liggen. Ze werd er depri van.

Als Bobby over quarterhorses praatte, klonk het allemaal even opwindend: tv-opnames, miljoenen dollars winst, snelheden die nergens anders in de racewereld werden geëvenaard. Daar had ze echter nog niet veel van gezien. Zelfs de wedstrijd van vandaag, waarin ze zou uitkomen tegen twee landelijk bekende ruiters, had een prijzengeld van maar tienduizend dollar. En ze had alleen nog maar een ploeg van de lokale televisie gezien.

'Laten we maar eens kijken hoe Hare Majesteit het maakt, oké?' zei Dylan en hij liet de achterklep van de nieuwe aluminium trailer zakken. Het was een mooi, modern ding, gekocht met het geld van Todd en met een reusachtige zwarte 'H' aan de zijkant erop. Ze maakten er grapjes over dat de paarden nu met zo veel meer comfort en stijl reisden dan de mensen dat ze werden behandeld alsof ze van koninklijken bloede waren.

'Hallo lieverd,' zei Milly met een stralende glimlach terwijl ze de laadklep op liep om Martha te vertroetelen. Een van de nieuwste merrieveulens op Highwood, maar nu al een van haar lievelingen. Ze stak haar hand in haar zak, hield een Polo-zuurtje uit haar snel slinkende voorraad – ze waren in Amerika jammer genoeg niet te krijgen – onder de droge lippen van het paard en grinnikte toen Martha het opat. 'Dat is voor de energie,' zei ze ernstig, als een coach die zijn sterspeler toespreekt. 'Ik wil vandaag honderdtien procent inzet van je, jongedame. We zullen Bobby eens laten zien wat hij misloopt.'

Net als bij de andere races die ze had bijgewoond, was de sfeer in Ballard veel informeler dan ze in Engeland ooit had meegemaakt, en deelnemers en toeschouwers reden gewoon door elkaar. Met zo veel mensen te paard was het moeilijk te zien wie wel en wie niet meedeed, maar gelukkig was Dylan bij haar om haar en Martha door de menigte te leiden.

Hij bracht hen naar een lange rij schraagtafels waar mannen met klemborden namen afvinkten en papieren rugnummers aan de diverse ruiters uitdeelden.

'Ik voel me weer net als tijdens een sportdag van school,' zei Milly toen een groen vel met het nummer 4 zonder enig ceremonieel op haar T-shirt werd gespeld. Alle jockeys droegen T-shirts en spijkerbroeken en slechts een paar, onder wie Milly, hadden het raadzaam gevonden een cap op te zetten. 'Het is geen erg professionele aangelegenheid, wel?'

'Natuurlijk wel,' zei Dylan. 'Professioneel betekent immers dat je betaald wordt. Als je wint, ontvang je tienduizend dollar, en krijg ik er vijfhonderd.'

'Echt waar?' Ze keek hem perplex aan.

'Natuurlijk, ik heb op je gewed,' zei hij trots. 'Tien dollar, bij vijftig tegen een.'

'Vijftig tegen een?' sputterde Milly. 'Vijftig tegen een, verdomme? Hoe slecht denken ze eigenlijk dat ik ben? Er zijn maar twaalf deelnemers in mijn koers. Hoe kan het nou vijftig tegen een staan?'

Dylan negeerde haar en nam nog eens de belangrijkste informatie met haar door.

'Het groene rugnummer betekent dat je in de derde race rijdt,' legde hij uit. 'Dat is over' – hij keek op zijn horloge – 'een kwartier.'

'Shit,' zei Milly, die haar verontwaardiging vergat en plotseling weer met beide benen op de grond stond. 'Een kwartier? Dan kunnen we maar beter naar het inloopterrein gaan, niet?'

Er was in feite geen inloopterrein, alleen een ruige lap gras naast de korte rechte baan, waar de jockeys met elkaar stonden te kletsen alsof ze zich nergens zorgen over maakten; sommigen dronken zelfs een biertje. Het was heel wat anders dan de sfeer voor een race in Newmarket, dat stond vast. De kou van de vroege ochtend was verdwenen en had plaatsgemaakt voor een ochtendzonnetje dat genoeg kracht had om de mensen naar koude drankjes te doen grijpen. De paarden waren al bedekt met schuimig zweet door de spanning voor de race.

Milly wenste vluchtig dat Bobby er was om haar een paar laatste woorden van advies te geven of haar aan te moedigen, maar toen vermande ze zich. Ze was geen kind meer en Bobby hoefde haar hand niet vast te houden.

Ze kon dit best. Ze kon het alleen.

'Hoe laat zei je dat ze moest rijden?' vroeg Bobby aan Summer, wanhopig de keukentafel afzoekend naar zijn autosleutels. Hij had ze daar net neergelegd, maar ze leken er nu al vandoor te zijn gegaan.

'Jezus, Bobby. Ik weet het niet, oké?' antwoordde ze, en ze probeerde de irritatie uit haar stem te weren. Haar verbazing en vreugde toen hij zojuist een dag eerder dan verwacht binnen was gekomen, waren snel omgeslagen in rancune toen ze zich realiseerde dat hij zich voor Milly naar huis had gehaast. 'Volgens mij zei Dylan elf uur, maar ik weet het niet zeker. Ik weet alleen dat ze een uur geleden vertrokken zijn en dat het verkeer naar Ballard altijd verschrikkelijk is, dus vergeet het nou maar en laat me iets te eten voor je klaarmaken. Je haalt het toch niet meer.'

'Ik heb geen honger,' beet hij haar toe terwijl hij papieren op de grond gooide op zoek naar zijn sleutels. 'Verdomme! Waar zijn ze?'

Het bezoek aan Jimmy Price was rampzalig verlopen. Na het eten die donderdagavond had hij Todd aangesproken over Milly, in de verwachting dat die wel zou inbinden. In plaats daarvan was hij er echter verder op doorgegaan.

'Het heeft geen zin dat je haar probeert tegen te houden,' zei hij nonchalant. 'Uiteindelijk zal ze Highwood ontgroeien en dan heeft ze iemand nodig die haar steunt.'

'Dat doe ik zelf wel,' zei Bobby woedend. 'Jij hebt hier niets mee te maken.'

'Natuurlijk wel. 'Je hebt een contract met me getekend om een trainingsstal te runnen, weet je nog? Ik wil niet dat je het hele land door vliegt om haar carrière te sturen, alleen maar omdat je op haar valt.'

'Ik val niet op haar!'

'Bovendien,' vervolgde Todd. 'Denk je nou echt dat jij haar de steun kunt geven die iemand als Jimmy kan bieden? Die man maakt en breekt carrières. Hij creëert mensen uit het niets. Hij gooit honderdduizenden dollars, en soms zelfs meer, tegen zijn jockeys aan. Dat kun jij voor Milly nooit doen.'

Het gesprek had hem zo dwarsgezeten dat hij die nacht nauwelijks een oog had dichtgedaan. Hield hij Milly inderdaad tegen? Was het onvermijdelijk dat ze weg zou gaan, zich zou opwerken naar grotere successen, zoals iedereen leek te denken?

Daardoor was hij bijna de hele vrijdag vreselijk chagrijnig. Hij had er nu helemaal geen trek meer in om Jimmy uit te melken als contact, en het vooruitzicht van nog eens achtenveertig uur zinloos gepraat leek hem ondraaglijk.

Bij het avondeten kondigde hij aan dat hij vanwege een familieaangelegenheid terug moest naar Highwood. Het was duidelijk een leugen, maar niemand stelde hem vragen. Voor zonsopgang die ochtend had hij een taxi terug naar LA genomen, waar zijn auto stond, en om halfacht was hij over een nog tamelijk lege 101 op weg naar het noorden.

Terwijl de kilometers onder hem weggleden, werd hij geplaagd door vreselijke, zorgwekkende gedachten. Toen Todd al die dingen had gezegd over

Milly, had hij hem willen zeggen dat hij zijn mond moest houden, dat hij wel degelijk haar carrière zou begeleiden als hij dat wilde, dat het Todds zaken niet waren wat hij met zijn leven deed, of het hare. Nu begon hij echter te beseffen dat het wel degelijk Todds zaken waren. Dat een partnerschap meer betekende dan dat de bank je met rust liet en dat je quarterhorses kon trainen. Het betekende ook verlies van vrijheid, verlies van controle.

Hij had zo'n haast gehad om te beginnen, om iedereen te bewijzen dat hij Highwood beter kon runnen dan Hank had gekund, dat hij een aandeel in zijn leven en in het land waar hij van hield had verkocht aan een man die hij nauwelijks kende en die hij steeds minder mocht.

Hij was veel te trots om het toe te geven, maar Wyatt had al die tijd gelijk gehad.

Hij zou op de een of andere manier onder de samenwerking net Todd uit moeten zien te komen. Intussen hadden de afgelopen twee dagen hem wakker geschud wat Milly betrof. De gieren cirkelden al boven haar. Hij zou haar vanaf nu nog veel scherper in het oog moeten houden.

'Aha!' zei hij toen hij onder een stapeltje enveloppen iets zag glimmen. 'Daar zijn jullie.'

Hij graaide zijn sleutels van de tafel en was al halverwege de deur toen de telefoon in de keuken ging.

'Moet je niet opnemen?' zei Summer nukkig.

Bobby haalde zijn schouders op. 'Het is niet mijn huis.' Maar toen hij zag dat zij geen aanstalten maakte kwam hij geïrriteerd terug en nam de hoorn op.

'Highwood.'

Summer keek zwijgend toe terwijl zijn geërgerde blik veranderde in een geschokte en ze daarna iets in zijn ogen zag wat dicht bij paniek zat. Na een paar keer 'Ik begrijp het', 'Zeker' en 'Natuurlijk' te hebben gezegd legde hij de hoorn neer en stond hij even te wankelen terwijl al het bloed uit zijn gezicht wegtrok.

'Bobby?' Ze liep naar hem toe. 'Wat is er? Wat is er aan de hand?'

Hij keek naar haar zonder haar te zien. 'Ik moet naar Ballard,' fluisterde hij. 'Nu meteen.'

Het kwartier dat ze doorbracht met wachten tot haar race zou worden omgeroepen was het langste dat Milly zich kon herinneren. Ze liep langzaam rondjes met Martha en probeerde haar energie naar binnen te richten, zoals Bobby had gezegd, en niet te letten op het geklets van de cowboys die naar haar keken alsof ze net uit een ufo was gestapt. Maar het was moeilijk.

Quarterhorse-races waren korte sprints over kaarsrechte banen en waren al bijna voorbij voor ze begonnen waren. Toch leken de twee 'opwarmraces' voordat het echte werk begon een eeuwigheid te duren en met elke minuut die verstreek werd ze zenuwachtiger, tot ze alleen nog maar de teugels vast kon houden en in en uit kon ademen.

Maar eindelijk vroeg een laconiek klinkende stem via het antieke luidsprekersysteem alle deelnemers aan de derde en laatste race van de ochtend naar de startlijn te komen.

'Succes,' zei Dylan glimlachend. 'En ontspan je alsjeblieft een beetje, oké? Het is maar een paardenrace, geen executie.'

Alle anderen leken in elk geval vrij ontspannen, dacht Milly. De cowboys, die op hun gemak de baan opzochten en hun stetsons, bierflesjes en andere spullen aan hun familie en vrienden gaven, zagen er zo onbezorgd uit alsof ze op weg waren naar een familiepicknick.

Milly boog voorover in het zadel, klopte Martha liefdevol op haar hals en glimlachte toen die zacht hinnikte. De liefde tussen hen was volkomen wederzijds.

'Je moet me helpen, lieverd,' mompelde Milly in het zachte oor van het paard. 'Oké? Laten we ervoor zorgen dat er nooit meer met vijftig tegen een op ons gewed wordt.'

De startlijn waar ze heen waren geroepen bleek niet veel meer te zijn dan een witte kalkstreep die met de hand over het gras was getrokken (het ging echt met de minuut meer op een schoolsportdag lijken). Milly keek naar links en zag de goddelijke gestalte van Ben Devino op zijn prachtige bruingele jonge hengst Domino. Het was grappig te bedenken dat ze vorig jaar rond deze tijd gek was geweest op Robbie Pemberton. Die leek nu onbetekenend in vergelijking met de prachtig gespierde Ben. Zoals de meeste quarterhorse-jockeys zou hij Robbie Pemberton als lunch kunnen nemen en nog ruimte overhouden voor een toetje.

'Hoi.' Hij tikte tegen zijn cap en glimlachte, waardoor haar toch al onrustige maag nog meer van streek raakte.

'Hoi.' Ze glimlachte nerveus terug. Jezus, wat was hij fit! Hij leek bijna gebeeldhouwd en knap genoeg om het tegen Bobby op te nemen... Bijna.

Verrekte Bobby. Ze wist dat het kinderachtig was – natuurlijk kwam het werk op de eerste plaats – maar ze wilde toch dat hij genoeg om haar had gegeven om wat dingen anders te regelen, zodat hij vandaag hier had kunnen zijn.

'Op jullie plaatsen, jongens.' De starter hief zijn pistool en Milly boog instinctief voorover om Martha gerust te stellen. Devino, Bobby en alle andere mannen op aarde verdwenen onmiddellijk uit haar gedachten. Het enige wat nog telde was de vierhonderd meter kaarsrechte baan die zich voor haar uitstrekte.

De toeschouwers die op ruwhouten bankjes langs de baan zaten, zwegen. Het scheen Milly toe dat ze collectief een keer diep inademden voordat het startschot de stilte doorbrak en ze wegreden.

Bobby had de afgelopen maanden twee heel belangrijke regels in haar hoofd gestampt: dat ze iets naar achteren moest blijven in het zadel, voor het evenwicht, en niet te hard aan de teugels moest trekken. Toen het schot klonk, vergat ze beide, gooide ze haar lichaam zo ver naar voren dat ze de punten van Martha's oren bijna tegen haar maag kon voelen en duwde ze uit alle macht allebei haar hielen in de flanken van het paard. Het gevolg was dat de verraste pony ervandoor ging als een hittezoekend projectiel. Ze vertrok als een speer in baan 4 en startte met een halve lengte voorsprong op Devino en Domino, de favoriet. De enige vraag was nu of ze die positie zou kunnen houden.

Op zo'n korte rechte baan, waar de paarden snelheden bereikten van vijfenzestig kilometer per uur, was er geen tijd voor tactische planning van de race zoals ze dat in Engeland had geleerd. Het ging puur om instinct. Ze had geen idee waar ze mee bezig was, maar het leek in elk geval te werken.

Dylan zat vanaf de eerste rij, vlak bij de finish, naar haar te kijken en schudde vol verwondering zijn hoofd. Hij had haar zien trainen en had haar de race in Santa Ynez zien winnen, dus hij wist al dat ze goed was. Maar zoals vandaag had hij haar nog nooit gezien. Ze reed als een bezetene.

Terwijl hij juichte voor het groepje leiders die dichterbij kwamen – er hing zo veel stof dat je nauwelijks kon zien wie wie was, maar de voorste vier lagen hele lengtes voor op de anderen – zag hij tot zijn verbazing Bobby, fronsend en met gebogen hoofd tussen de mopperende medetoeschouwers door naar hem toe komen.

'Heb je dat gezien?' riep hij boven het lawaai uit zodra Bobby binnen gehoorsafstand was. 'Ze rijdt fenomenaal. Moest jij trouwens niet in LA zijn?'

'Dat doet er niet toe. Ik moet je spreken,' riep Bobby terug, maar zijn woorden gingen verloren in het gebrul van de menigte toen zestien hoeven voorbij denderden en met razende snelheid en kracht naar de finish stoven.

Bobby zag dat ze tweede lag, achter Devino, maar het scheelde amper een neuslengte. Haar houding was afschuwelijk – ze hing veel te ver naar voren en had nauwelijks controle over het paard – maar ze slaagde er op de een of andere manier in elke gram kracht uit Martha naar boven te halen, die er geweldig uitzag met haar golvende, forse achterhand en lange, slanke hals en naar voren sprong als een reuzenhaas of een kangoeroe.

Een paar seconden later was het voorbij. Milly raasde over de finish, haar lange haren in een staart achter haar aan wapperend, nek aan nek met Ben Devino.

'Geweldig!' Dylan stak zijn vuist in de lucht en draaide zich toen opgewonden om naar Bobby. 'Heeft ze gewonnen? Als ze gewonnen heeft, heb ik net een smak geld verdiend.'

'Ze heeft niet gewonnen,' zei Bobby met een uitgestreken gezicht.

Hij was al op weg naar het open grasveld waar de jockeys zich verzamelden om de gelukwensen of het medeleven van familie en vrienden in ontvangst te nemen. Dylan holde om hem bij te houden en het drong pas nu tot hem door dat er iets goed fout zat.

'Hé, man,' zei hij, en hij legde bezorgd een hand op de schouder van zijn vriend toen hij hem eindelijk had ingehaald. 'Wat is er?'

'Bobby!' Milly's kreet van verrukking was over het hele veld te horen. Ze sprong van haar paard, gooide in haar blijdschap alle voorzichtigheid overboord, rende naar Bobby en Dylan en stortte zich in zijn armen.

'Je bent gekomen! Ik kan niet geloven dat je toch bent gekomen!'

'Milly…' begon hij, maar haar opwinding was overweldigend.

'Hoeveel heb je gezien? Heb je de hele race gezien?' kwetterde ze. 'Mijn god, Martha was fantastisch. Echt fantastisch! Ben Devino heeft ons met maar een paar decimeter verslagen. Ben Devino! En we stonden vijftig tegen een, heeft Dyl je dat verteld? Wat een brutaliteit, hè, vijftig tegen een, verdomme? Sorry,' zei ze toen ze zijn ijzige gezicht zag, 'excuseer me voor mijn taalgebruik. Maar echt, vind je het niet belachelijk?'

'Milly,' zei hij weer, en deze keer drong hij tot haar door.

'Ja?' zei ze giechelend. 'Wat is er? Je kijkt verschrikkelijk ernstig, weet je dat?'

'Ik heb slecht nieuws. Ik denk dat je beter even kunt gaan zitten.'

Hij pakte haar handen vast en trok haar omlaag op de nu lege bank. Milly kreeg een akelig voorgevoel en merkte dat ze zijn warme vingers stevig beetpakte, als een kind. Het was raar om zo plotseling van pure vreugde over te stappen op vrees; het emotionele equivalent van het breken van je liftkabel. Ze keek op naar Dylan, maar die was net zo verbaasd als zij.

'Wat is er?' zei ze.

'Het gaat om je vader,' zei Bobby. 'Je moeder heeft een uur geleden gebeld. Hij heeft vannacht weer een beroerte gehad, een heel zware.'

Milly sloeg haar hand voor haar mond toen ze haar maaginhoud naar boven voelde komen.

'Ze hebben hem met spoed naar het ziekenhuis gebracht.' Bobby pakte haar hand nog steviger vast. 'Maar zijn hersenen waren zo ernstig beschadigd dat ze niets meer konden doen. Ik vind het heel erg voor je, Milly. Hij is om halfacht vanmorgen overleden.'

15

Het was de ergste kerst van Milly's leven.

In onvoorstelbaar diepe rouw gedompeld probeerde ze in het reine te komen met het verlies van de vader die ze had vereerd, en ze verlangde er hevig naar zich tot iemand te kunnen wenden voor steun, wie dan ook. Cecil was echter de lijm geweest die het gezin bij elkaar had gehouden en zonder hem liepen Linda, Jasper en zij rond als losse onderdelen van een kapotte machine. Ze hadden elkaar niets te vertellen.

Vreemd genoeg was de begrafenis nog het gemakkelijkst van alles. Bobby was overgekomen opdat Milly zich niet zo alleen zou voelen, en Linda was in staat geweest haar eigen vloedgolf van verdriet tijdelijk op te schorten door zich op de zware taak te storten om alles te organiseren. Zodra het echter voorbij was en de laatste gasten verdwenen waren, was de afschuwelijke stilte in het eens bruisende huis nog oorverdovender dan daarvoor.

'Ik moet hier blijven, in elk geval tot na Nieuwjaar,' zei Milly twee dagen na de begrafenis tegen Bobby tijdens de uitermate deprimerende rit naar het vliegveld. Ze zat te bibberen in een flesgroene sweater en corduroy broek die twee maten te groot voor haar leken en zag er uitgemergeld, uitgeput en gestrest uit. Tussen het verzorgen van de paarden, het afhandelen van de stroom van condoleancebrieven waar Linda niet aan toekwam en het verwerken van haar eigen verdriet door was ze de afgelopen drie dagen nauwelijks aan eten toegekomen en dat begon je te zien.

'Neem zo veel tijd als je nodig hebt,' zei hij vriendelijk. 'Het echte seizoen gaat toch pas in het voorjaar van start, dan heb je nog niet veel gemist.'

Ze wilde zo veel tegen hem zeggen, hem zo veel vragen. Het was immers pas een halfjaar geleden dat hij zelf zijn vader had verloren. Hij zou de maalstroom van emoties die door haar heen ging waarschijnlijk beter begrijpen dan wie ook.

En toch leken de woorden op de een of andere manier telkens op haar lippen te sterven. Diep in haar hart voelde ze nog steeds een hechte band met hem, hechter dan ooit nu haar vader er niet meer was. Maar de afschuwelijke formaliteit die tussen hen was gegroeid, wilde niet wijken. Alles wat ze zei of probeerde te zeggen, klonk onjuist. Geforceerd. Verkeerd.

Ze wou dat hij niet wegging.

'Bel me,' zei ze mat toen hij zijn koffer uit de kofferbak hees en zijn hoofd door het raampje stak om haar gedag te zeggen. 'En wens iedereen thuis gelukkig kerstfeest. Vooral Dylan.'

'Dat zal ik doen,' zei hij, en hij drukte een kus op haar voorhoofd. Ze rook naar shampoo en paardenhaar. 'Trek je niets van Rachel aan, oké? Dit draait om jou en je familie. Niet om haar.'

'Ja, ik weet het,' zei ze zuchtend. 'Ik zal het proberen.'

Maar tjonge, dat was veel gemakkelijker gezegd dan gedaan.

Zodra ze terug was uit Californië, zag Milly meteen hoe succesvol Rachel haar had vervangen op Newells. Haar vader was de enige geweest die niet voor haar kletspraatjes gevallen was. Maar hij was er nu niet meer en Linda was daardoor kwetsbaarder dan ooit. Rachel had geen tijd verspild om daarvan te profiteren en met de geniepigheid en de meedogenloosheid van een zwarte weduwe de genadeslag toe te dienen.

Onder het voorwendsel van behulpzaamheid – 'Dat hoeft u niet te doen, mevrouw L.G. Laat mij maar met de curator praten; Jasper en ik kunnen de bankzaken voor u regelen. Nee, echt, het is helemaal niet lastig.' – had ze binnen enkele dagen niet alleen grip gekregen op haar moeders kwetsbare hart, maar ook op haar financiële zaken.

Het baarde Milly grote zorgen, maar hoe meer ze Linda probeerde te waarschuwen, hoe meer ze van haar moeder leek te vervreemden.

'Milly, ik weet dat je altijd al wat jaloers bent geweest op Rachel,' zei Linda de laatste keer dat ze het onderwerp had aangesneden tot Milly's grote verbazing. 'Maar zelfs jij kunt nu toch wel proberen je daaroverheen te zetten? Voor mij? Als Rachel me de afgelopen dagen niet zo goed had geholpen…' Ze haalde een zakdoek uit de zak van haar vest, bette haar ogen en snoot toen luidruchtig haar neus. 'Ik geloof niet dat ik het zonder haar gered zou hebben. Echt niet. En ze is een rots in de branding voor die arme Jasper.'

Uiteindelijk restte haar niets anders dan maar gewoon zwijgend toe te kijken terwijl Rachel zich het kerstfeest toe-eigende dat een ingetogen, besloten familieaangelegenheid had moeten zijn. En het ergste was nog dat ze het zo goed deed, dat ze al haar sporen uitwiste en alleen maar lief en luchtig tegen Milly deed. Het was om woest van te worden.

Op de tweede avond na de kerst zat Milly boven in haar kamer een wanhopige poging te doen de administratie van de stoeterij van de afgelopen maand te ordenen. Rekenen was nooit haar sterkste punt geweest en de verbijsterende reeks papieren, contracten, cheques, kwitanties en facturen die nu over haar bed verspreid lagen, hadden net zo goed achterstevoren in het Hongaars geschreven kunnen zijn, zo weinig begreep ze ervan.

'Mag ik binnenkomen?' Linda klopte een paar keer aarzelend aan voor ze haar hoofd om de deur stak.

'Natuurlijk.' Milly dwong zichzelf te glimlachen en maakte een plekje vrij in de zee van papieren, zodat haar moeder kon gaan zitten. 'Ik schiet hier toch niet echt mee op. Joost mag weten hoe pap het deed zonder accountant.'

Linda streek haar tweed rok glad – sinds ze wist dat Julia Delaney dol was op tweed, had ze geprobeerd daar iets van in haar eigen garderobe op te nemen –, ging op het vrijgemaakte hoekje van het bed zitten en begon tot Milly's afgrijzen te huilen.

'O, mama.' Milly schoof de rest van de papieren op de grond, kroop over het bed heen en sloeg haar armen om de snikkende Linda heen. 'Kom, niet huilen. Je weet hoe vreselijk papa het vond als je van streek was.'

'Ik weet het,' snufte Linda. 'Je hebt gelijk, maar het is zo moeilijk. Alles herinnert me aan hem. Alles.' Ze boog voorover en pakte een foto op van haarzelf, Cecil en Milly tijdens de laatste behendigheidswedstrijd waar Milly voor het ongeluk aan had deelgenomen. Zoals gewoonlijk hield Milly de rozet voor de eerste prijs vast en grijnsde ze van oor tot oor, net als Cecil; terwijl Linda er wat onbehaaglijk bij stond in een blauw-met-groene overhemdjurk en hoed, allebei veel te deftig voor de gelegenheid.

'Ik moet hier weg,' zei ze, haar ogen weer vol tranen.

Milly nam rustig de foto uit haar handen en zette hem terug op het dressoir. Het was de eerste keer sinds haar vaders dood dat haar moeder echt met haar praatte. En hoewel ze zichzelf erom haatte, was ze toch opgelucht dat Linda nu eens naar háár toe was gekomen en niet naar rots-in-de-branding-Rachel.

'Dat lijkt me een fantastisch idee, mama,' zei ze glimlachend. 'Verandering van omgeving zal je goeddoen.'

'Denk je echt, lieverd?' vroeg Linda, die zichtbaar opkikkerde. 'Nou, ik moet zeggen dat dat me vreselijk oplucht. Ik dacht dat juist jij het niet zou begrijpen. Ik bedoel, ik weet dat het altijd je thuis is geweest, dus het is volkomen begrijpelijk dat je er gek op bent...'

Ze was nog zo versuft door de boekhouding dat het even duurde voor het goed tot haar doordrong wat haar moeder zei. En toen dat gebeurde, begon ze te beven. Met grote inspanning hield ze haar stem vlak en kalm.

'Waar heb je het over?'

'Newells,' zei Linda perplex. 'Waar dacht je dan dat ik het over had? Er kleven veel te veel herinneringen aan, lieverd,' zuchtte ze. 'Ik moet verder.'

'Je wilt toch niet…' Milly was zo ontzet dat ze de woorden nauwelijks over haar lippen kon krijgen. 'Je overweegt toch niet serieus om te verkopen?'

'Ik zie echt geen andere optie, Milly,' mompelde Linda. Ze had tenminste het fatsoen om er beschaamd bij te kijken.

'Waarom niet?' De argwaan in Milly's stem groeide al snel aan tot openlijke woede. Daar ging hun moeder-dochtermoment. 'Met het geld van paps levensverzekering kun je het je gemakkelijk veroorloven te blijven. Newells is al generaties lang in de familie.'

'Pas drie generaties,' zei Linda op verdedigende toon. Waarom moest Milly toch altijd zo moeilijk doen? 'Het is niet bepaald een landhuis. Bovendien weet je dat ik absoluut geen verstand heb van de stoeterij. Ik zou die nooit draaiende kunnen houden.'

'Maar, mama, dat is onzin!' riep Milly en ze sprong overeind. 'Ik heb verstand van de stoeterij. Ik kan hier blijven om hem te runnen.'

Linda lachte even spottend. 'Doe niet zo dwaas, lieverd. Je moet nog zeventien worden, volgende maand.' Ze keek veelbetekenend naar de administratie, die nu over de vloer verspreid lag. 'Ik weet dat je van je vaders paarden houdt, maar je hebt er geen flauw benul van hoe je een bedrijf moet runnen.'

Omdat dat waar was, ging Milly er niet op in. 'Neem dan een bedrijfsleider aan,' zei ze, meteen in de aanval gaand. 'Daar hoef je geen raketgeleerde voor te zijn.'

'Lieverd, ik wou echt dat je nou eens naar me luisterde,' viel Linda uit. Ze had er gewoon niet de energie voor om nog langer met Milly over haar beslissing te ruziën. 'Ik wíl geen bedrijfsleider, ik wil een nieuwe start. Een kans om weg te…' Ze slikte moeizaam in een poging het overweldigende verdriet te onderdrukken dat haar dreigde te overspoelen. 'Een kans om alles los te laten. Ik heb nooit iets om de stoeterij gegeven. In alle eerlijkheid ben ik zelfs helemaal geen paardenmens.'

Ze geeft het eindelijk toe, dacht Milly bitter. Beter laat dan nooit.

'Ik ben veel beter af in een leuk huisje in de stad. Newells moet aan iemand toebehoren die net zo veel van paarden houdt als je vader deed. Iemand die zijn werk zal voortzetten.'

Voor de tweede keer in een paar minuten tijd kreeg Milly een angstig voorgevoel.

'Probeer je me te vertellen dat je het huis al verkocht hebt?' vroeg ze nauwelijks hoorbaar.

'Lieverd, hoe sneller die dingen geregeld zijn, hoe gemakkelijker het voor iedereen is. Je vader zou het zo gewild hebben.'

'Aan wie?'

Linda leek plotseling zeer gefascineerd door haar trouwring. Ze tuurde naar haar handen en draaide de ring om haar vinger alsof ze de ontvangst van de tv probeerde bij te stellen, of satellietberichten uit de ruimte probeerde op te vangen.

'Aan wie?' vroeg Milly, luider deze keer. 'Aan wie heb je het verkocht, mama?'

'Aan mij.'

Rachel verscheen tevreden glimlachend in de deuropening, met Jasper beschermend achter haar. Ze had nauwelijks minder welkom kunnen zijn als ze een zwarte mantel had gedragen en een zeis in haar handen had gehad.

'Je ma heeft besloten het huis en de stoeterij aan mij te verkopen,' kwinkeleerde ze. 'Dat is voor iedereen het beste.'

'En sinds wanneer heb jij daar het geld voor?' vroeg Milly, die zich wanhopig vastklampte aan de hoop dat ze haar voor de gek hielden.

'Nou,' zei Rachel, en ze gooide hooghartig haar blonde manen over haar schouder. 'Het zijn eigenlijk helemaal jouw zaken niet, Milly. Maar nu je het toch vraagt: ik kan sinds ik achttien geworden ben over mijn trustfonds beschikken. Ik moet over belangrijke aankopen natuurlijk nog wel overleggen met mijn beheerders.' Ze bestudeerde haar nagels alsof de hele zaak haar verveelde en voegde er toen vals aan toe: 'Je arme vader heeft de zaak dit jaar natuurlijk wel wat laten versloffen…'

En dat was voor Milly de laatste druppel. Op dat moment kwamen de jaren van vijandigheid en frustratie in haar tot uitbarsting, en stroomden ze naar buiten als water door een doorgebroken dam. Ze stortte zich met luid gekrijs op Rachel, die daardoor volkomen verrast werd, en gooide haar tegen de vloer. Ze ging boven op haar zitten, pinde met haar knieën Rachels armen op de vloer vast en trok haar hoofd aan haar haren omhoog.

'Vuil kreng!' gooide ze eruit, elk woord benadrukkend met een klap tegen Rachels hoofd. 'Smerig, manipulerend kreng!'

'Hou op!' Linda jammerde hysterisch en zwaaide nutteloos met haar armen als een kapotte windmolen. 'Milly, in godsnaam!'

Milly was echter duidelijk niet van plan om op te houden en er zat niets anders op dan dat Jasper haar van Rachel af probeerde te trekken. Tegen de tijd dat hij daarin slaagde, was Rachels gezicht al lelijk blauw en bloederig. Milly kronkelde en worstelde nog steeds in zijn armen als een krankzinnig dier dat weigert te kalmeren.

'Ik zweer bij God,' riep ze, 'dat dit níét het einde is, hoor je me? Ik zal Newells terugkrijgen en jou laten boeten voor wat je mijn familie hebt aangedaan, al is het het laatste wat ik doe.'

'Hou op, Mill,' zei Jasper zwakjes. 'Dit is belachelijk. Rachel heeft alleen maar het huis gekocht. Ze heeft niemand vergiftigd of zo.'

'Dat heeft ze wel!' krijste Milly. Ze wist dat ze hysterisch klonk, maar leek niet te kunnen stoppen. 'Ze heeft jullie allebei vergiftigd, maar jullie zijn te ijdel en te stom om dat in te zien.'

'Milly!' zei Linda geschokt. 'Neem dat terug.'

'Het is al goed, mevrouw L.G.,' zei Rachel met haar mond vol bloed. Nu Milly's armen achter haar rug vastgehouden werden, durfde ze wel wat te zeggen. 'Ik neem het haar niet kwalijk, en dat moeten jullie ook niet doen. We moeten begrip voor haar hebben. Het arme kind is in de rouw.'

Linda keek haar met tranen van dankbaarheid aan, alsof ze haar wilde bedanken voor haar vergevensgezindheid. Milly, daarentegen, stond met wijd open ogen van woede en haat praktisch te schuimbekken bij dit doorzichtige vertoon van sympathie.

Rachel had deze scène in gedachten al duizend keer gespeeld, maar de werkelijkheid was veel bevredigender dan ze zich ooit had kunnen voorstellen.

Hoe zeer het nu ook deed, haar gezicht zou genezen. Maar wat zij Milly had afgenomen – de klap die ze haar had toegediend – kon nooit meer worden hersteld, dat wisten ze allebei.

Ze had haar carrière. Ze had Jasper. Ze had Linda. En nu had ze ook Newells.

En Milly? Die had een retourticket naar Californië.

En hoe eerder ze dat gebruikte, hoe beter.

Summers kerst was, hoewel niet zo ellendig als die van Milly, ook niet bepaald gelukkig.

Ze wist dat het verkeerd was om blij te zijn met iemands dood, en ze deed erg haar best niet op die manier over Milly's vader te denken, maar ze kon het niet helpen dat ze een tikkeltje opgelucht was dat Milly de kerstdagen toch niet op Highwood zou doorbrengen, waar ze alle aandacht van Bobby en Dylan zou krijgen.

Haar opluchting vervloog echter al snel, omdat Bobby tijdens de feestdagen als een beer met koppijn over de ranch rondliep, afwisselend stil en teruggetrokken of veeleisend en grauwend, naargelang zijn stemming veranderde van slecht tot erger en weer terug.

'Vat het niet persoonlijk op, liefje,' had haar vader de avond voor kerst tegen haar gezegd toen hij haar even apart had genomen nadat Bobby tegen haar was uitgevallen om een volstrekt onschuldig grapje. 'Hij heeft een hoop aan zijn hoofd en niets daarvan heeft met jou te maken. Dit is de eerste kerst sinds de oude baas is overleden, weet je nog?'

In feite had Hank niets met Bobby's slechte humeur te maken, of althans hoogstens zijdelings. Als hij al aan zijn vader dacht, dan was dat als een constante afkeurende aanwezigheid, een dagelijkse herinnering aan de fouten die hij nu al had gemaakt met Highwood en aan het feit dat hij de naam Cameron niet waardig was gebleken.

Hij besefte nu dat het een vergissing was geweest om Todd erbij te halen als partner. Zelfs de prachtige nieuwe stallen konden het feit dat hij iemand anders om toestemming moest vragen als hij iets op zijn eigen ranch wilde doen niet compenseren. Aanvankelijk had Todd zich redelijk afzijdig gehouden, maar hij was zich steeds meer overal mee gaan bemoeien en was steeds veeleisender geworden. Hij kwam geregeld langs en liep dan de knechten te commanderen op een manier die iedereen tegen de borst stuitte. Hij was mede-eigenaar van Highwood, en hij zorgde er wel voor dat niemand de kans kreeg dat te vergeten.

Wat Bobby zou moeten doen was zich tot Wyatt wenden, natuurlijk. Toegeven dat hij een fout had gemaakt en een manier proberen te vinden om die ongedaan te maken, samen. Daar was hij echter veel te trots en te koppig voor. Hank zou nooit blijk hebben gegeven van een dergelijke zwakte – van zijn levensdagen niet – en dat zou hij ook niet doen. Hij had deze ellende veroorzaakt en hij zou er een eind aan maken… alleen.

Zijn weg was echter eenzaam en vaak deprimerend. Zonder iemand om zijn zorgen mee te delen – hij kon niet met Dylan praten, voor het geval die het zou doorbrieven aan Wyatt, en Milly had zelf genoeg aan haar hoofd, zelfs als ze niet in Engeland zou zitten – begon hij zich steeds eenzamer te voelen. Jarenlang, zijn hele leven eigenlijk, had hij gedroomd van de dag dat hij Highwood zou erven. Nu die droom eindelijk werkelijkheid was geworden, bleek hij zich echter ellendiger en gestreser te voelen dan ooit tevoren.

En onder dat alles bleef de doffe pijn van zijn verlangen naar Milly bestaan. Ze werd volgende maand zeventien, dat was in elk geval iets, maar ze was nog steeds vreselijk jong. En nu Cecil dood was leek de plechtige belofte die hij de man had gedaan, om goed voor zijn dochter te zorgen, nog plechtiger te zijn geworden. Zoiets als de laatste wens van een stervende. Dat maakte dat Milly nog meer verboden terrein voor hem was dan voorheen, een gedachte die zijn humeur er bepaald niet beter op maakte.

Met oudjaar stemde hij er, in een wanhopig verlangen de neerslachtigheid kwijt te raken, mee in om met Dylan en de meisjes naar een feest op een naburige ranch te gaan.

Hij had verwacht dat hij het vreselijk zou vinden, maar na een paar biertjes merkte hij tot zijn verbazing dat hij toch wat losser werd en algauw had hij het echt naar zijn zin.

'Zullen we dansen?' Een weelderige roodharige in de kleinste hotpants die Bobby ooit had gezien – en hij had er heel wat gezien – kwam naar de bar, waar Dylan en hij stonden, en pakte vrijpostig zijn hand vast.

'Tuurlijk,' zei hij grinnikend. 'Waarom niet?'

Het feest werd gehouden in een grote schuur, waarvan ongeveer de helft werd gebruikt als dansvloer, compleet met een reusachtige, kitscherige jaren-zestig-discobal, met dank aan de enige reizende deejay van Santa Ynez. De dansvloer was bomvol mensen die tegen elkaar aan stootten en schuurden op de klanken van Prince' 'Purple Rain'. De vrijgezellen hingen aan de bar (geïmproviseerd van hooibalen met een haastig eroverheen gegooid stuk oliedoek, waarnaast vele kratten Budweiser stonden opgestapeld) in de hoop onder de dronken, blije menigte iemand te vinden om mee naar huis te gaan, of althans mee samen te zijn voor de o zo belangrijke zoen om middernacht.

'Je weet niet meer wie ik ben, hè?' vroeg het meisje, terwijl ze op de eerste klanken van 'Get Off' haar dijbeen tussen Bobby's benen duwde en hem nog dichter tegen zich aan trok.

'Nee,' zei hij. Hij legde een hand om haar taille en liet hem toen afzakken naar haar stevige, gespierde billen. 'Moet dat dan?'

'Ja,' zei ze lachend en ze kromde haar onderrug in reactie op zijn aanraking. 'Dat zou wel moeten! Maar je was altijd al een arrogante klootzak. Ik zat een jaar boven je op Solvang High. Samantha Baker.'

'Sammy.' Hij glimlachte toen hij zich iets begon te herinneren. 'De zus van Anthony, is het niet?'

'Dat klopt,' zei ze. 'Je herinnert je dus wel mijn broer, maar mij niet?'

Ze keek hem aan met haar hoofd een beetje schuin, haalde haar hand naar voren, schoof hem tussen hun dicht tegen elkaar gedrukte lichamen en streelde zijn pik door zijn spijkerbroek heen.

Bobby schraapte zijn keel.

'Je broer en zijn vrienden vonden het leuk om me verrot te schoppen,' zei hij, en hij pakte haar billen nog steviger vast toen hij zijn pik hard voelde worden. 'Dat was gemakkelijk te onthouden, maar ik zal je nu niet zo snel meer vergeten, Sammy.'

'Ik weet zeker van niet,' zei ze grinnikend, en ze maakte vakkundig met een hand zijn knoopgulp open en stak haar vingers erin. 'Bobby.'

Van de andere kant van de schuur zag Summer hen aan elkaar vastgeplakt staan en ze beet zo hard op haar lip dat die begon te bloeden.

'Au. Shit,' zei ze, en ze pakte een zakdoekje uit haar tas en drukte dat tegen haar lip.

'Alles goed?' vroeg Tara, die naast haar een biertje stond te drinken, waarvan ze haar zus af en toe ook een clandestien slokje liet nemen.

'Ja,' zei Summer met weinig overtuigingskracht. 'Prima.'

'Laat je humeur niet door hem verpesten,' zei Tara, die haar blik volgde naar Bobby, maar haar frons aanzag voor zusterlijke afkeuring. 'Ik weet dat hij erg moeilijk doet de afgelopen weken, maar pap heeft gelijk: jij bent niet degene op wie hij kwaad is. Hij trekt wel weer bij.'

'Moet je die slet van een Sammy Baker zien.' Summer kon haar walging niet verbergen. 'Ze kan niet van hem afblijven.'

Tara haalde haar schouders op en nam nog een slok Budweiser. 'Wie weet is dat wel precies wat hij nodig heeft? Hij glimlacht in elk geval weer.'

'Het is níét wat hij nodig heeft!' snauwde Summer. Ze draaide zich om en liep weg, en haar verbijsterde zus vroeg zich af wat ze in hemelsnaam verkeerd had gezegd.

Drie uur later zat Bobby rechtop in bed te kreunen. Een naakte Sammy, haar benen om zijn middel geslagen, boog haar rug zo ver achterover dat haar hoofd bijna de lakens raakte en klemde haar spieren nog strakker om zijn pik heen.

'Kom op, neuktijger,' hijgde ze. 'Ga door. Doe het!'

Met beide handen op haar heupen trok hij haar nog verder over zich heen, zo ver dat hij half verwachtte dat zijn lul als een pneumatische boor door haar rug naar buiten zou komen. Hij kwam voor de tweede keer die avond klaar, nog langer en heviger dan de eerste keer.

'Jezus!' lachte ze, terwijl ze zich bevredigd en uitgeput van hem af op het bed liet glijden. 'Ben je net vrij uit de gevangenis of zo? Je neukt alsof je jaren geen vrouw hebt gehad.'

Hij liet zich naast haar op het kussen vallen, staarde naar het plafond en vroeg zich af of hij ooit nog vrij zou komen uit de gevangenis van zijn liefde voor Milly. Maar toen keek hij naar Sammy en hield zichzelf vastberaden voor dat hij moest ophouden te simmen. Ze had hem zojuist de beste beurt van zijn leven gegeven. Dit was niet het moment voor zelfmedelijden.

'Je bent ongelooflijk,' zei hij, terwijl hij over haar heen boog en loom zijn vinger over haar platte buik liet gaan, die nog glom van het zweet. 'Dat was…. echt goed.'

'Grapjas,' zei ze, en ze zocht in haar tas naar een sigaret nu ze weer op adem gekomen was. 'Echt goed? Kun je niets beters bedenken?' Hij keek zo beteuterd dat ze weer moest lachen. 'Maak je geen zorgen. Het was maar een grapje. Ik ben niet gevallen voor je uitgebreide woordenschat. Laten we gewoon maar zeggen dat we allebei een buitengewoon gelukkig Nieuwjaar hebben gehad en het daarbij laten, vind je niet?'

Plotseling hoorde hij beneden iets, alsof er iemand aan de deur rommelde.

'Wat was dat?'

'Wat?' Sammy inhaleerde diep en blies de rook door haar lange adelaarsneus uit. 'Ik heb niets gehoord.'

'Dat,' zei Bobby, en hij sprong uit bed en pakte een zware lamp van de commode toen hij het weer hoorde, luider en langduriger dan de eerste keer.

'Shit,' zei Sammy bezorgd. Ze drukte haar sigaret uit en trok het laken tot haar kin op. 'Denk je dat er iemand probeert in te breken? Dit huis is verdomd eng.' Ze huiverde.

'Als dat zo is,' zei Bobby, terwijl hij het snoer van de lamp om zijn hand wikkelde en de slaapkamerdeur opendeed, 'dan zullen ze daar gruwelijk spijt van krijgen.'

Hij hief de lamp boven zijn hoofd en rende luid brullend de trap af, naakt en angstaanjagend als een Zoeloekrijger.

Een kleine gestalte stond in het duister van de gang over een tas gebogen of zoiets, zag hem en gilde, en reikte tegelijk naar het lichtknopje bij de voordeur en deed de lamp aan.

'Milly!'

'Bobby!'

Ze sloeg haar handen voor haar ogen. Hij realiseerde zich nu pas dat hij spiernaakt was en sloeg zíjn handen voor zijn kruis.

'Wat… wat doe jij hier?' stamelde hij. 'Ik dacht dat je een inbreker was. Je was toch nog thuis?' Hij trok het linnen kleedje van de gangtafel en sloeg dat als een sarong om zijn heupen. 'Het is al goed,' zei hij. 'Je kunt weer kijken.'

Aarzelend liet ze haar handen zakken. Hij zag meteen dat ze gehuild had.

'Ik heb geen thuis meer,' zei ze met haperende stem. 'Mama heeft de stoeterij verkocht.'

'O, schatje…' zei hij, naar haar toe lopend om haar te troosten. Maar ze was nog niet klaar.

'Aan Rachel,' zei ze, niet langer in staat de tranen tegen te houden. 'Ze heeft Newells verkocht aan dat secreet, en ik kon…' Ze snikte, schudde vol afgrijzen haar hoofd en zwaaide met haar handen terwijl ze weer lucht probeerde te krijgen. 'Ik kon daar niet meer blijven. Ik had iemand nodig om mee te praten.' Ze keek hem zo wanhopig aan, hopend dat hij het zou begrijpen, dat hij de vreselijke afstand tussen hen zou overbruggen, dat hij haar in zijn armen zou nemen en zou troosten en zou zeggen dat alles in orde zou komen. 'Ik had jou nodig.'

Hij kon het niet langer verdragen. Het kon hem niet meer schelen dat ze te jong was, dat hij een belofte had gedaan… Niets kon hem nog schelen.

Hij moest haar hebben, haar vasthouden. Hij stapte naar voren met gespreide armen en zijn gezicht vol van de liefde die hij zo lang had proberen te verbergen, maar verstarde plotseling toen er boven aan de trap een slaperige vrouwenstem weerklonk.

'Bobby? Is alles in orde? Kom je terug naar bed?'

Milly keek naar boven en zag zich geconfronteerd met de tweede naakte persoon in evenzoveel minuten, een adembenemende vrouw met een Victoria's Secret-figuurtje dat ze zonder enige verlegenheid toonde. Ze stond zeker vijftien meter bij haar vandaan, maar de onmiskenbare geur van seks sloeg Milly vol in het gezicht. Heel even dacht ze dat ze zou moeten overgeven.

'O!' zei de vrouw. Ze klonk veeleer geamuseerd dan verrast. 'Hallo. En wie mag jij wel zijn?'

'Dit is Milly,' zei Bobby, en zijn kille stem maskeerde zijn innerlijke wanhoop. 'Ze woont hier.'

'O ja?' zei de vrouw. Ze leek de situatie steeds grappiger te vinden. 'Dus u bent ondeugend geweest, meneer Cameron.'

'We zijn geen stel…' stamelde Milly.

'Zo zit het helemaal niet,' snauwde Bobby. Hij haatte Sammy opeens hartstochtelijk. 'Milly traint hier. Haar vader is… was… een vriend van me.'

'Hé.' Sammy stak onschuldig haar handen omhoog. 'Het zijn mijn zaken niet. Ik probeer alleen wat te slapen.' Ze gaf Bobby een wulpse knipoog. 'Het is een lange nacht geweest.'

'Ja. Ik kan ook maar beter naar bed gaan,' zei Milly, zich met grote inspanning goed houdend. 'Ik heb een lange reis achter de rug.'

Bobby legde een hand op haar schouder, maar ze sprong achteruit alsof ze een elektrische schok had gekregen. 'Het spijt me,' zei hij met een beweging van zijn hoofd naar de trap, vanwaar Sammy zich inmiddels had teruggetrokken in de slaapkamer. 'Oudjaar, weet je. We praten morgenochtend wel. Over Rachel en alles.'

'Natuurlijk,' zei Milly. Ze glimlachte, maar hij wist dat hij haar kwijt was. 'Ga maar terug naar bed.'

Even later kroop ze onder haar eigen dekbed, wachtte tot ze zijn slaapkamerdeur hoorde dichtvallen en het huis weer helemaal stil was, en huilde toen tranen met tuiten in het kussen.

16

De eerste drie maanden van het jaar werkte Milly harder dan ooit tevoren.

Vastbesloten haar verdriet achter zich te laten en verder te gaan met haar leven had ze zichzelf in de oudejaarsnacht iets beloofd: ze zou niet terugkeren naar Engeland voordat ze genoeg geld had om Newells terug te kopen, én een waterdicht plan om Rachel te dwingen het van de hand te doen. Het was altijd haar droom en haar ambitie geweest om als jockey de top te bereiken. Nu was het echter meer dan dat; nu was het bittere noodzaak. Vanaf nu zou ze, tot ze de sleutels van haar ouderlijk huis weer in handen had, zich alleen nog bezighouden met quarterhorses. De rest deed er niet meer toe.

'De rest' betekende met name Bobby en haar familie. Linda was persona non grata bij Milly sinds ze zich aan Rachels zijde had geschaard. Ze weigerde steevast haar telefoontjes naar Highwood aan te nemen en uiteindelijk gaf Linda het op.

'Je begaat een vergissing, weet je dat?' zei Bobby nadat ze hem weer had gedwongen haar moeder af te wimpelen. 'Wat gebeurd is, is gebeurd, maar ze blijft je moeder. Ze houdt van je.'

'Dat toont ze dan op een vreemde manier,' zei Milly. Ze zat in de woonkamer van de McDonalds, zoals gewoonlijk in een rijbroek en een oud T-shirt van Cecil, verstopt achter een Engelse krant. Ze draaide die nu echter om en toonde Bobby een foto die de halve pagina bestreek, van Linda, ge-armd met Rachel en Jasper tijdens een of ander chic feest. Hij moest toegeven dat ze het erg gezellig leken te hebben. Dat had haar vast pijn gedaan.

'En trouwens,' zei Milly vinnig, 'je hangt zelf ook niet bepaald vaak met je moeder aan de telefoon.'

'Ik weiger niet haar telefoontjes aan te nemen,' zei Bobby op redelijke toon.

'Dat zou je wel doen als ze Highwood aan je grootste vijand verkocht,' pareerde Milly.

Hij zweeg. Daar kon hij niets tegen inbrengen.

Sinds oudjaar was alles anders tussen hen, maar dit keer was Milly degene die veranderd was. Hij zag dat ze gepikeerd raakte door zijn goedbedoelde pogingen een brug te slaan tussen haar en Linda, dat ze de verzachtende omstandigheden die hij aanvoerde voor haar moeder beschouwde als een gebrek aan steun voor haar.

'Snap je het nou nog niet?' vroeg ze hem nijdig, de laatste keer dat hij Linda's gedrag probeerde te verklaren. 'Ze heeft iedereen verraden. Niet alleen mij, maar ook de herinnering aan papa, én de paarden. Hoe kon ze alles aan haar verkopen? Hoe kon ze het überhaupt verkopen?'

Milly had het mis. Bobby snapte het wel degelijk. Hij had geprobeerd haar zo goed mogelijk af te schermen van de vreselijke verhalen die hij van vrienden en contacten uit Engeland hoorde: Rachel had kennelijk het merendeel van Cecils hengsten, inclusief Radar en een paar andere die Milly erg dierbaar waren, verkocht aan een sjeik in het Midden-Oosten die bekendstond om zijn wreedheid jegens fokdieren die hun beste tijd hadden gehad. Met de rechtvaardiging dat ze alle dieren weg wilde doen die mogelijk de vorige zomer in aanraking waren geweest met het paardeninfluenzavirus, had ze Linda gemakkelijk zand in de ogen weten te strooien. Maar iedereen met maar een beetje inzicht begreep dat ze het in werkelijkheid had gedaan om nog meer zout in Milly's wonden te wrijven.

Hoezeer hij echter ook met haar meevoelde, de enige vorm van troost die ze wilde kon hij haar niet geven. En terwijl weken maanden werden, verhardden haar verdriet en haar verlangen zich tot een beschermende muur van wrok, die het hem algauw onmogelijk maakte haar hoe dan ook nog te troosten. Alle mentale en emotionele energie die ze de afgelopen maanden zo vruchteloos aan hem had gespendeerd, stak ze nu onverdeeld in het racen. En hoewel haar carrière gestaag vorderde – tussen januari en april had hij haar voor zeven races in Californië ingeschreven, waarvan ze er drie had gewonnen – begon ze luidkeels te klagen dat hij haar training verwaarloosde en te vaak op reis was en met juristen vergaderde.

Ze wist niet dat hij talloze uren én al het geld dat hij met zijn trainingsklussen verdiende, besteedde aan het zoeken naar een legale manier om onder de overeenkomst met Todd uit te komen. Jammer genoeg waren al zijn inspanningen tot dusver vergeefs geweest.

Het was de tweede vrijdag in april en de Santa Ynez-vallei verkeerde al een week in de greep van de kou. Bij het ochtendgloren was het gras op Highwood nog bedekt met rijp en waren alle grassprietjes veranderd in piepkleine groen-witte dolken. Later, als het begon te dooien, steeg een dichte, koude nevel op van de weidevelden, die aanvoelde als een vochtig kompres op de gewrichten van zowel mensen als paarden, die toch al pijnlijk waren door de ongebruikelijke kou.

Milly was net terug van een vroege rit met Charlie Brown, de nieuwste bewoner van Highwood, en liep de keuken van de McDonalds in voor een warme kop koffie. Ondanks de kou was het een stimulerende rit geweest en ze voelde zich opgewekter dan in dagen het geval was geweest. Het prachtige rood-witte hengstveulen had zo'n krachtige tred dat zelfs zij moeite had hem te bedwingen als ze over de velden galoppeerden. Ze vroeg zich af hoe moeilijk het zou zijn om Bobby over te halen hem over te kopen van het syndicaat in Santa Barbara waar hij nu aan toebehoorde en nam zich voor het hem vanavond te vragen wanneer hij terugkwam van een trainingsklus van een week in Montana.

'Wauw,' zei ze, zich over de grote bos rozen en fresia's buigend die nog ingepakt op de keukentafel lag. 'Ze zijn prachtig. En wat een heerlijke geur!'

'Mooi, hè?' zei Maggie, die dichterbij kwam met een vaas vol water en een scherp mes. 'Bobby heeft ze gestuurd, voor Summer.'

Milly voelde haar goede humeur meteen als pus uit een abces wegstromen. Summer had gisteren gehoord dat ze was aangenomen op Berkeley. Natuurlijk was de hele McDonald-clan waanzinnig blij; net als Bobby, die had gebeld op de dag dat de uitslag binnenkwam, zodat hij het nieuws kort na de anderen had gehoord.

Milly had Summer van het telefoontje weg zien lopen met een brede grijns op haar gezicht, alsof ze de loterij had gewonnen. Ze zou helemaal uit haar dak gaan als ze de bloemen zag.

Ze probeerde niet jaloers te zijn, maar dat was moeilijk. Oké, eerste worden in een race in Santa Ana was natuurlijk niet hetzelfde als worden aangenomen op Berkeley, maar het zou toch leuk zijn geweest als Bobby in elk geval de moeite had genomen om te bellen en te vragen hoe ze het gedaan had.

Dylan, die lieverd, had er wel enige drukte om gemaakt. Maar omdat Summers grote nieuws de dag erna was gekomen, had haar moment van glorie akelig kort geduurd.

Zelfs als ze geen bloedhekel aan het meisje had gehad, zou het nog pijn gedaan hebben om te zien hoe Summers familie, en vooral Wyatt, om haar heen draaide en haar overspoelde met liefde en lof. Daardoor miste Milly haar vader des te erger. Nu ze naar de bloemen keek voelde ze een hevige aanval van heimwee, verbittering en verdriet die haar tot op het bot verkilde. De bloemen roken plotseling niet eens meer lekker.

'Gaat het, liefje?' vroeg Maggie, die de verandering in haar gezichtsuitdrukking met enige bezorgdheid gadesloeg. 'Wil je gaan zitten?'

'Nee,' zei Milly. 'Ik bedoel, nee bedankt. Het gaat wel. Ik heb alleen wat frisse lucht nodig.'

Weer buiten blies een aangenaam koele bries de losse haarslierten uit haar ogen en voelde ze haar hoofd weer helderder worden.

Zoals altijd wanneer ze neerslachtig was, voelde ze een overweldigende aandrang om naar de paarden te gaan. Vandaag had ze met name Martha nodig. Ze stak het erf over en liep rechtstreeks naar haar box.

'Hallo,' zei ze grinnikend toen ze, zodra ze de deur had geopend, uitgebreid werd besnuffeld door haar altijd toegenegen favoriet. 'Wat ben je toch een lieverd.'

'Dank je,' zei een laconieke, lijzige stem achter haar. 'Dat zeggen ze wel vaker, maar het is altijd fijn het weer eens te horen.'

'Jezus.' Ze draaide zich om, deed het licht aan en schrok zich een ongeluk toen ze Todd Cranborn in de hoek van de stal zag staan. Hij droeg een donkergrijs wollen pak met een blauw overhemd, een donkerpaarse zijden stropdas en glimmende zwarte schoenen en leek in het stro van de paardenstal net zo misplaatst als een republikein bij een vreedzame demonstratie tegen de bom. 'Ik schrik me wezenloos. Wat doet u hier?'

'Nou, nou, dat is ook geen gastvrij onthaal,' zei hij glimlachend. 'Niet wat je zou verwachten van…' hij haalde een stuk krant uit zijn zak, vouwde het zorgvuldig open en las toen hardop '… wat staat er ook weer? "Solvangs meest sexy nieuwe vrouwelijke jockey".'

Milly bloosde. 'Ja, nou, dat is het plaatselijke sufferdje, nietwaar?' mompelde ze. 'Wat hebben die ook anders om over te schrijven?'

'"Een recordmenigte bij de quarterhorse-races op de Alameda Country Fair juichte afgelopen vrijdag de Engelse Roos toe",' vervolgde Todd. 'Ze zijn hier dol op je, nietwaar?'

Milly kleurde van rood naar paars. Ze zag er vreselijk kwajongensachtig uit in haar vuile rijbroek en oude wijde T-shirt en met haar haren in een paardenstaart. Maar zelfs die vogelverschrikkercouture kon haar fantastische figuurtje niet verhullen. En haar verlegenheid, gemompel en rode blos hadden iets heel vertederends wat hij vreemd sexy vond.

'Rustig maar,' zei hij gladjes. 'Ik bijt niet. Ik was toevallig in de buurt om bij mijn huizenproject te kijken en dacht, laat ik maar meteen even langsgaan om te zien hoe het er met mijn investering hier voor staat.'

Hij legde nerveus een hand op Martha's rug en haar oren draaiden meteen naar achteren. 'Ik ben bang dat ik niet zo goed met paarden overweg kan als jij,' zei hij, en vervolgens pakte hij zijn puffer en inhaleerde de antihistamine die erin zat. 'Vind je het erg om buiten verder te praten?'

'O, nee,' zei Milly, zich herstellend. 'Natuurlijk niet. Als u wilt kunnen we ook naar het grote huis gaan, dan zet ik een kopje thee voor u. Het is een beetje fris om buiten te blijven staan, vindt u niet?'

'Ja,' zei hij, en hij trok het jasje van zijn pak uit en hing het ondanks haar protesten om haar schouders. 'Inderdaad. En thee klinkt heerlijk, dank je.'

Tien minuten later zaten ze behaaglijk in de keuken naast de houtkachel van de laatste PG Tips te genieten die Milly uit Engeland had meegebracht.

'Maar serieus, ik volg je prestaties al een tijdje, hoor,' zei Todd. 'Die over- winning in Santa Ana was echt een mijlpaal. Heel indrukwekkend.'

'Dank u,' zei Milly stralend. Dankzij de warme thee en het onverwachte compliment begon ze zich een stuk beter te voelen. 'Ik hoop dat Bobby er ook zo over zal denken.'

'Waarom niet?' vroeg Todd als terloops. Hij maakte zijn stropdas wat losser. Zijn ogen en huid begonnen al te branden. Zelfs binnenshuis was Highwood, met op elke stoel en bank haren van een of andere diersoort, een nachtmerrie voor allergielijders.

'Ik weet het niet,' zuchtte Milly. 'Het lijkt hem soms gewoon niet meer te interesseren, weet u. Als het niet over Summer gaat, of over de ranch, dan wil hij er niets van weten.' De bittere klank in haar stem was onmiskenbaar. 'Maar het kan me eigenlijk ook niets schelen. Ik krijg tien procent van het prijzengeld voor die race.' Ze stak trots haar kin naar voren. 'Ik weet dat het niet veel is, maar het is een begin.'

Het was grappig. Ze kende hem eigenlijk helemaal niet goed – ze had hem zelfs maar twee keer gezien sinds Bobby en hij partners waren gewor- den – maar vandaag had hij iets, misschien de manier waarop hij luisterde en oprecht geïnteresseerd leek in haar leven en carrière, waardoor ze tegen hem wilde praten. Het was zoiets als wat ze had gevoeld toen Bobby naar Newells kwam: alsof je een gelijkgestemde geest had gevonden. Algauw stortte ze haar hart bij hem uit over Cecils dood, haar vete met Rachel en haar wanhopige verlangen om op de een of andere manier haar thuis terug te krijgen voor Rachel het helemaal vernielde.

'Dat is afschuwelijk,' zei hij toen ze was uitgesproken, en hij fronste zijn voorhoofd in een prima imitatie van oprechte bezorgdheid. 'En dat meis- je, die Rachel... die is bekend in Engeland, zeg je?'

Milly stond op, liep de kamer uit en kwam terug met het februarinum- mer van *Loaded*.

'Dat is ze,' zei ze, minachtend naar de voorpagina wijzend. Onder de ti- tel 'Wat een rit!' zat een smerig uitziende blondine op handen en knieën. Afgezien van een minuscuul stukje metaal voor haar kruis, een rijcap en een paar strakke lakleren rijlaarzen was ze naakt. Ze was te zwaar opge- maakt, en te oordelen naar de bijna plasticachtig aandoende gladheid van haar dijen, was de foto flink bewerkt, maar het viel niet te ontkennen dat ze vreselijk sexy was.

Beseffend dat een positieve reactie van zijn kant weinig bijval zou vinden, trok hij vol walging zijn neus op. 'Ze ziet eruit als een hoer,' zei hij. 'Ik vind het moeilijk te geloven dat ze met dergelijke poses als sportvrouw nog serieus wordt genomen.'

'Dat zou je wel denken, hè?' zei Milly, en ze schoof het blad onder een kussen en ging erop zitten. 'Maar op de een of andere manier wordt ze dat wel. "De meest begaafde amazone die Engeland heeft gekend sinds Lucinda Green", schrijven ze in dat verrekte seksblaadje. Sorry,' zei ze, blozend om haar eigen taalgebruik.

'O, alsjeblieft, zeg,' zei Todd, 'trek je van mij niets aan.'

'En nu denkt ze verdomme ook nog dat ze een zakenvrouw is,' raasde Milly door. 'Ik bedoel, wat weet zíj nou in godsnaam van het runnen van een stoeterij? Ik zal het u zeggen. Geen zak weet ze ervan.'

Zo, dacht Todd, de situatie beoordelend. Ze voelde zich moe, kwetsbaar, overwerkt en genegeerd. Ze liep over van wrok en haat jegens dat Engelse meisje dat haar had belazerd en dat thuis een succes leek te zijn, terwijl zij hier in Nergenshuizen, Californië, voor een paar stuivers reed. En het mooiste was nog dat Bobby weer zijn op zijn best was: arrogant, egocentrisch, en het toonbeeld van een man die geen moer om haar problemen gaf.

Als de situatie nu niet rijp was om uit te buiten, dan heette hij geen Todd Cranborn meer.

Het zou duidelijk geen probleem zijn haar vertrouwen te winnen... Ze wilde alleen maar praten en hij was maar al te bereid om te luisteren. Vroeg of laat zou ze beslist iets vertellen wat hij tegen Bobby kon gebruiken om eindelijk die olie in handen te krijgen. En in de tussentijd zou hij genieten van de uitdaging om haar te verleiden. Niet alleen vond hij de combinatie van haar aantrekkingskracht, ambitie en onschuld mateloos bedwelmend, hij wist bovendien dat Bobby dat ook vond. Hij zou alleen maar nog meer van haar genieten omdat hij Milly pal onder die knul zijn neus had weggekaapt.

'Luister eens,' zei hij, enthousiast vooroverleunend met zijn handen op zijn knieën. 'Ik wil me er niet mee bemoeien, maar je ziet eruit alsof je wel een verzetje kunt gebruiken. Ben je hier klaar voor vandaag?'

'Eh... ja.' Milly haalde haar schouders op. 'Ik denk het wel. Ik moet alleen nog wel de paarden naar de andere wei brengen...'

'Dat moet een van de knechten maar doen,' zei Todd aanmatigend. 'Wanneer is de laatste keer geweest dat je je hebt opgetut en bent uitgegaan?'

'Hemeltje,' zei Milly hoofdschuddend terwijl ze probeerde na te denken. 'Ik weet het niet. Lang geleden, denk ik. We hebben het hier zo druk gehad.'

Eerlijk gezegd hadden Dylan en Tara haar de afgelopen week een paar keer mee uit eten genomen nu Bobby weg was, maar ze was zo moe geweest van het trainen en de wedstrijden dat ze bijna aan tafel in slaap viel.

Het was bizar en volkomen onverwacht dat Todd hier nu opdook. Maar aangezien hij er nu eenmaal was, en zo aardig was, en aanbood haar mee uit te nemen... waarom ook niet? Hij was immers Bobby's partner en dus in feite haar baas. Het was alleen maar goed dat ze hem leerde kennen. Bovendien was het weekend en had ze wel een beetje lol verdiend.

'Wanneer ben je voor het laatst in LA geweest?' vroeg hij.

'LA? Nog nooit,' zei ze. 'Nou ja, ik ben er geland op het vliegveld... twee keer. Maar dat telt eigenlijk niet mee, vind ik.'

'Nog nooit?' zei Todd met geveinsde verbazing. 'Je bent al een halfjaar hier en Bobby heeft je nog nooit meegenomen naar LA? Geen wonder dat je tegen de muren op loopt.'

Ja, dacht Milly. Zo had ze het eigenlijk nooit bekeken, maar Bobby liet haar altijd thuis als hij naar de stad of ergens anders heen ging. Ze voelde zich plotseling flink benadeeld.

'Ga met me mee.' Hij sprong overeind, pakte haar hand beet en trok haar mee naar de trap.

'Wat doet u?' giechelde ze. Ze moest bijna rennen om hem bij te houden. Voor zo'n kleine man was hij verbazingwekkend sterk en hij trok haar mee alsof ze niets woog.

'Waar is je slaapkamer?' vroeg hij.

Milly sperde in paniek haar ogen open. O, shit. Hij was toch niets met haar van plan, of wel?

'Maak je geen zorgen,' zei hij grinnikend toen hij haar gezicht zag. 'Ik ben niet van plan je te verkrachten. Ik ga je helpen pakken.'

'Pakken?'

'Ja, pakken,' zei Todd. 'Ik neem je een weekend mee naar LA, en ik duld geen tegenspraak.'

17

Toen Bobby die avond thuiskwam, had hij al een slechte bui. Niet alleen was zijn vlucht vertraagd, maar toen hij eindelijk in dat verdraaide vliegtuig zat, bleek hij naast een Texaanse vrouw te zitten die aan verbale diarree leed en een zo sterk parfum op had dat je er een stier op twintig passen afstand mee kon verdoven. Dit had hem een daverende hoofdpijn bezorgd, die nog erger was geworden door het voortkruipende vrijdagavondverkeer op de 101.

Het enige wat hij wilde was een warm bad, een dubbele whisky en dan naar bed. Het eerste wat hij echter zag toen hij vermoeid de oprijlaan in draaide, waren Domino en Charlie Brown, zijn twee meest waardevolle quarterhorses, die nog in de paddock stonden zonder zelfs maar een deken op hun rug.

'Waar is Milly?' snauwde hij toen hij bij de McDonalds naar binnen ging nadat hij zijn koffers had uitgeladen. 'Ze heeft verdomme de paarden buiten laten staan en het vriest.'

Het hele gezin zat in de woonkamer naar *American Idol* te kijken en het duurde even voor iemand hem hoorde.

'O, hé, je bent terug,' zei Dylan uiteindelijk. 'Hoe is het gegaan?'

'Prima,' zei Bobby, terwijl hij probeerde kalm te blijven. 'Maar waar is Milly?'

'Ze is niet hier,' zei Summer, vanaf de bank naar hem glimlachend. Ze had haar haren gewassen en haar strakste, meest sexy spijkerbroek aangetrokken voor zijn terugkeer, maar zoals gewoonlijk leek het niet tot hem door te dringen hoe goed ze eruitzag.

'Hoe bedoel je, niet hier?' vroeg hij fronsend. 'Waar is ze heen?'

'Naar LA,' zei Dylan, die zich nu losmaakte van de televisie om echt met hem te praten. 'Todd Cranborn heeft haar uitgenodigd voor het weekend.'

Bobby had het gevoel of iemand hem in zijn maag stompte.

'Was Todd hier? Waarom? Hij wist dat ik weg was. Wat kan hij hier nou…' De woorden bestierven op zijn lippen toen hij zich het afschuwe-lijke diner bij Jimmy Price herinnerde, en de opmerkingen die Todd had gemaakt over Milly. Hij was voor haar gekomen. Hij had expres gewacht tot Bobby naar Montana was, zodat hij zijn slag kon slaan.

Dylan haalde zijn schouders op. 'Geen idee. Maar Milly leek heel blij om te kunnen gaan. Val haar niet te hard over de paarden. Ze heeft zich deze week kapotgewerkt, weet je.'

Ziedend van woede – op Todd omdat die zo geniepig was, op Milly om-dat ze zo naïef was en op zichzelf omdat hij zo'n stomme idioot was – stormde hij de keuken in. Hij pakte de telefoon, liep daar een paar minu-ten mee te ijsberen en smeet hem uiteindelijk terug.

Wie wilde hij bellen? Todd? Milly? En wat zou hij zeggen als hij hen te pakken kreeg? 'Hoe haal je het in je hoofd om een weekend vrij te nemen?' Hij zou nog idioter klinken dan hij zich al voelde, en overkomen als een bazige, jaloerse eikel. Hij kon niets doen. Helemaal niets.

'Hé.'

Hij draaide zich om en zag Summer in de deuropening staan. Zelfs op blote voeten en in spijkerbroek leken haar benen eindeloos lang en haar pas gewassen haren glommen als een blonde halo in het schemerduister. De jongens op Berkeley zouden hun handen niet van haar af kunnen hou-den, dacht hij vaderlijk.

'Hé,' zei hij glimlachend, in een poging wat vrolijker te doen omwille van haar. 'Je ziet er erg mooi uit. Krijg ik een knuffel van onze studente? Of ben je daar nu te goed voor?'

'Nooit,' zei ze grinnikend. Ze stapte tussen zijn gespreide armen, drukte haar lichaam tegen het zijne aan, sloot haar ogen en ademde zijn warme, mannelijke geur in. God, wat verlangde ze naar hem!

Met een hand op haar achterhoofd begon Bobby, nog steeds verzonken in onplezierige gedachten aan Milly en Todd, het zijdezachte gordijn van haar haren te strelen. Hij deed dat onbewust, maar Summers hart sloeg een slag over.

Eerst had hij haar bloemen gestuurd, wat helemaal niets voor Bobby was. Daarna had hij haar voor het eerst van haar leven mooi genoemd. Vervolgens had hij haar omhelsd… of nee, hij had háár gevraagd hém te knuffelen. En nu streelde hij haar haren en nek als een minnaar.

Ze verlangde ernaar hem te kussen, maar zelfs nu hij die heerlijke nieu-we signalen afgaf durfde ze niet. In plaats daarvan sloeg ze zelf haar arm om zijn middel, trok hem dichter tegen zich aan en liet haar hand verlei-delijk op de riemlussen van zijn spijkerbroek liggen.

Milly was weg. Wat inhield dat ze hem in elk geval dit weekend helemaal voor zichzelf had.

En ze was van plan daar het beste van te maken.

Milly vond LA fantastisch.

Alles, zelfs de rit van Highwood ernaartoe met Todd was geweldig. Ze genoot van zijn rijstijl: hard, heel hard, maar met de zekerheid en het zelfvertrouwen van een uitstekende chauffeur. Haar vader had ook zo gereden, maar met Cecil had ze nooit dit heerlijke gevoel van de felle zon op haar gezicht en de wind in haar haren ervaren, of de ongelooflijke, glinsterende azuurblauwe oceaan gezien, die soms zo dicht langs de weg lag dat ze bijna het gevoel had dat het schuim van de golven op hun voorruit zou kunnen spatten.

Ze herinnerde zich hoe vol hoop en verwachting ze vorig jaar ten aanzien van Bobby was geweest toen ze voor het eerst naar Amerika was gekomen en deze rit de andere kant op had gemaakt. Highwood had een volmaakt, nieuw hoofdstuk in het boek van haar leven moeten worden, maar de periode na die rit had haar niets dan verlies en verdriet gebracht. Nu, zeven maanden later, zag ze in dat haar hoop om Bobby's liefde te winnen niet veel meer was geweest dan een dwaze kalverliefde.

Het deed er niet eens meer toe. Wat betekende nóg een teleurstelling na alles wat er al was gebeurd? Het enige wat nu nog telde, was racen en Newells terugkrijgen.

Toch was het heerlijk om dat allemaal achter zich te laten, al was het maar voor een weekend. Toen de heuvels en dalen eindelijk plaatsmaakten voor hoogbouw en gigantische winkelcentra, schakelde ze de stemmetjes in haar hoofd uit. Voor het eerst sinds de dood van haar vader had ze oprecht plezier.

Toen ze net voor de lunch de heuvels in reden, door de oostelijke poort van Bel Air en langs een eindeloze reeks kapitale woningen met elektrisch bediende poorten, lange opritlanen en perfect verzorgde tuinen met bloemen in alle mogelijke kleuren, deed ze het bijna in haar broek van opwinding.

'Wauw,' zei ze toen de weg een bocht maakte naar Stone Canyon en langs het befaamde Bel Air Hotel. 'Hoeveel geld hebben die mensen wel niet? Die huizen, die auto's... niet te geloven.'

'Ja,' zei Todd, met bestudeerde nonchalance. 'Het is een mooi stukje van de stad.'

Ze herinnerde zich dat Dylan en Bobby hadden verteld dat ze LA vreselijk vonden. Hoe had Bobby het ook weer gezegd? 'Het verlamt mensen en zuigt dan al het goede eruit, zoals een spin bij een vlieg.' Nu ze in deze prachtige straten met hun sproei-installaties, witte hekjes en alle mogelijke tekenen van de Amerikaanse droom om zich heen keek, kon ze zich moeilijk voorstellen waar hij het in godsnaam over had gehad.

'Sodeju,' zei ze toen ze eindelijk de sierlijke smeedijzeren poort naar

Todds eigen huis door reden. Het was laagbouw, in Spaanse stijl, en veel smaakvoller dan het merendeel van de overdreven, hoge arabeske gebouwen waar ze zojuist langs waren gekomen. Het was echter net zo groot en stond in een zevenenhalve hectare grote, perfect verzorgde tuin. En het uitzicht op de golfbaan en de oceaan daarachter was bepaald spectaculair. 'Jij bent echt rijk, is het niet?'

Hij lachte voldaan. Hij genoot ervan om zijn succes te worden bewonderd. Maar hij genoot nog veel meer van Milly's naïviteit. Ze was zo jong dat ze nog niet had geleerd zich in te houden en er alles uitflapte wat in haar hoofd opkwam, een gewoonte die er waarschijnlijk voor zou zorgen dat ze gemakkelijk te manipuleren was, zowel in bed als daarbuiten. Gewoon de juiste knopjes indrukken, en met een beetje geluk zou ze dan als een lekke zeef alles spuien wat ze over Bobby Camerons zaken wist voor je de kans had om 'misbruik' te zeggen.

Natuurlijk wist hij nog niet zeker of de knul eigenlijk wel een achilleshiel had, maar zijn intuïtie vertelde hem van wel, en dat Milly hem daarheen kon leiden. Maar gezien alle olie die op het spel stond, was hij hoe dan ook van plan daarachter te komen.

'Kom binnen,' zei hij terwijl hij haar weekendtas uit de kofferbak haalde. 'Ik zal je je kamer laten zien en dan kunnen we de stad in gaan. Wat vind je ervan om te gaan lunchen en winkelen in Beverly Hills?'

'Geweldig!' zei Milly stralend, maar haar gezicht betrok meteen weer.

'Wat is er?' vroeg hij.

'Al mijn prijzengeld gaat meteen in mijn Newells-spaarpot,' verkondigde ze met vertederende ernst. 'Ik kan het me niet veroorloven te gaan winkelen. En ik heb ook niets leuks om aan te trekken voor de lunch.'

'Rustig maar,' zei Todd. 'Dit weekend krijg je cadeau van mij. Het enige wat jij hoeft te doen,' zei hij terwijl hij zwierig de voordeur opende, 'is genieten.'

Was Bel Air al overweldigend geweest, ze keek helemaal haar ogen uit toen ze in Beverly Hills aankwamen en Todd het geplaveide voorplein van The Peninsula op reed en de in het grijs geklede bediende een briefje van twintig gaf om zijn auto voor de deur te parkeren.

'Ik voel me net Julia Roberts in *Pretty Woman*,' fluisterde Milly toen ze aan tafel gingen voor een lunch van gekoelde kreeftenstaarten en verse truffelrisotto, die ze schaamteloos verorberde. Ze had sinds het ontbijt om zes uur niets meer gegeten en was uitgehongerd. 'Moet je al die vrouwen nou zien. Ik lijk in vergelijking met hen wel een zwerfster.'

Milly's onopgemaakte gezicht en jeans met T-shirt vormden inderdaad een schril contrast met de onberispelijk gekapte, in couture geklede, elegante Hollywood-vrouwen om hen heen. Todd, die thuis zijn pak had verruild voor een lichtblauw poloshirt en kakibroek, bekeek haar keurend.

'Hmm,' zei hij. 'Ja. Je mag wel een beetje opgedoft worden.'

Milly bloosde. Het was natuurlijk waar, maar ze had verwacht dat hij haar uit beleefdheid zou tegenspreken en zou zeggen dat ze er prima uitzag. Misschien waren haar verwachtingen wat onrealistisch na zeven maanden tussen de cowboys, die ondanks hun onvolkomenheden ongetwijfeld de beleefdste mensen op aarde waren.

Ze legde haar mes en vork neer, omdat haar eetlust plotseling verdwenen was.

'Kijk niet zo beteuterd,' zei Todd. Hij pakte haar hand beet en gaf er een bemoedigend kneepje in. 'Ik heb iets in gedachten. Een plannetje.' Hij glimlachte. 'Maar daarvoor moet je me wel vertrouwen, alles helemaal aan mij overlaten. Vertrouw je me, Milly?'

'Natuurlijk.' Ze lachte nerveus. Hij stelde soms rare vragen. 'Waarom zou ik je niet vertrouwen?'

'Mooi,' zei hij grinnikend. 'Eet dat dan maar braaf op. We hebben een drukke middag voor de boeg.'

Na de lunch rekende hij af en reden ze meteen drie straten verder, naar Rodeo Drive. Onderweg pleegde hij een paar korte telefoontjes.

'Uitstekend,' zei hij, en hij hing op en zette zijn glimmende donkerblauwe Ferrari met moeiteloze precisie op een kleine parkeerplaats. 'Ze hebben tijd voor je. Kom mee.'

Voor de tweede keer die dag werd Milly bij de hand genomen en meegetrokken, deze keer Jennifer's Beauty Salon in.

'Hallo, lieverd,' kraste de oude vrouw achter de ontvangstbalie tegen Todd. Ze deed een verwoede poging om een glimlach op haar door te veel plastische chirurgie verpeste gezicht te toveren, maar het resultaat was een grimas. 'Is dit de jongedame?'

Ze keek Milly aan alsof die net onder een steen vandaan gekropen was. En Milly wenste plotseling dat ze kon weglopen en er weer onder kon kruipen. De vrouw zag eruit als iets uit *The Rocky Horror Show*.

'Ja, dit is Milly,' zei Todd. 'Ze wil alles laten doen: wenkbrauwen, wimpers, nagels, harsbehandeling. We hebben om halfzes een afspraak bij Mimi's, dus ik kom haar om kwart over vijf weer halen.'

De oude vrouw keek op haar horloge en schudde haar hoofd, klakte met haar tong en keek toen naar Milly met de wanhoop van een loodgieter bij een oude, kapotte verwarmingsketel.

'Maar twee uur?' zei ze meewarig. 'Dat is niet lang.'

'Natasha, je bent een genie,' zei Todd, die nu vooroverboog en een kus op de zwaar bepoederde wang drukte. 'Ik weet dat je het kunt, lieve schat.'

Milly zag het gezicht van de oude vrouw kleuren van plezier. Jakkes!

Had ze een oogje op hem? Todd was al oud, maar dat mens kon wel zijn moeder of zelfs zijn grootmoeder zijn. Ranzig!

'Voor jou, lieverd, zal ik mijn best doen.'

Weer die grimas.

'Je laat me hier toch niet achter?' Milly klampte zich vol afgrijzen aan Todds arm vast toen die naar de deur liep. Ze herinnerde zich de vorige keer dat ze een schoonheidsbehandeling had ondergaan, op de dag van het debutantenbal in Londen. Dat was vreselijk geweest! En ze vreesde dat deze valse, lelijke oude vrouw nog veel akeliger dingen met haar van plan was dan alleen föhnen en een manicure.

'Doe niet zo raar,' zei hij, zich uit haar greep bevrijdend. 'Ik heb nog werk te doen. Je kunt dit best. Veel plezier, ik zie je rond vijf uur weer.'

Toen hij twee uur later terugkwam, zat Milly mokkend en met een nog enigszins rood gezicht op hem te wachten.

'Dat was verschrikkelijk,' klaagde ze terwijl hij zwijgend zijn creditcard aan de negentienjarige met de grote boezem gaf die de plaats van de oude vrouw had ingenomen aan de balie. 'Ik zie eruit als zo'n eng kaal hondje dat mensen in een mandje meenemen.'

'Dat is niet waar,' zei hij kordaat. 'Je ziet er veel beter uit.'

Hij had gelijk. Hoewel haar huid nog wat rood was van de gezichtsbehandeling en het harsen, hadden haar voorheen natuurlijke, ruige Brooke Shields-wenkbrauwen nu een mooi gewelfde en strakke vorm, en haar zwartgeverfde wimpers deden het blauw van haar ogen fantastisch uitkomen. Toen hij haar bij de hand pakte, was de huid van haar handpalm glad en zaten er nog maar kleine oneffenheden waar ze voorheen eeltknobbels had gehad door het langdurig vasthouden van leidsels en teugels. En haar afgebroken en afgebeten nagels waren rond geveild, opgepoetst en in een natuurlijke koraalroze kleur gelakt. Een flinke verbetering.

Daarna gingen ze naar de kapper, waar Todd Milly er fysiek van moest weerhouden uit de stoel te springen toen hij een drastische aanpak besprak met Mimi, een van de meest gevraagde haarstylisten van LA.

'O, nee, je blijft van mijn haar af. De puntjes mogen eraf, maar meer niet,' hield ze vol. 'Ik vind deze lengte mooi. Mijn haar is het enige aan me wat echt mooi is.'

'Onzin,' zei Todd. 'Die lengte maakt je veel te jong. En het verbergt je gezicht. Je zei toch dat je me vertrouwde?'

'Eh… ja,' stamelde ze, 'Maar ik bedoelde niet…'

'Vertrouw me dan.' Het klonk bepaald niet als een verzoek. 'Het moet geknipt worden.'

Tot Milly's afgrijzen bleek Meedogenloze Mimi het helemaal met hem eens te zijn, en al snel bespraken ze samen de mogelijkheden alsof zij er zelf niet eens bij was.

Ze verliet de kapsalon met donkerder haar dat in korte, piekerige laagjes was geknipt. De langste daarvan hingen in chocoladebruine krullen in haar nek en raakten net haar schouders.

De hele weg terug naar Bel Air zat ze in het spiegeltje achter de zonneklep te kijken, aan haar nieuwe pieken te trekken en over haar geëpileerde wenkbrauwen te strijken. Vanochtend reed ze nog op Charlie Brown en verheugde ze zich op weer een saai weekend op de ranch. Zelfs het vooruitzicht dat Bobby thuiskwam had niet veel enthousiasme of opwinding opgeroepen. En nu reed ze hier nota bene met Todd Cranborn door Los Angeles en zag ze eruit als – én voelde ze zich – een heel ander mens.

'Vind je het mooi?' vroeg hij toen hij vanaf Beverly Glen Sunset op reed en de indrukwekkende East Gate weer in het zicht kwam.

'Ja,' zei ze. 'Ik geloof het wel.' Ze zat nog steeds aan haar haren te plukken en leek er niet af te kunnen blijven. 'Het is heel... anders.'

'Beter,' zei hij. 'Sexy.'

Ze keek hem zijdelings aan. Hij hield zijn ogen nog op de weg gericht en zijn gebaren en bewegingen hadden niets flirterigs of suggestiefs. Het was kennelijk gewoon een compliment, geen versiertruc.

Toch voelde ze vaag iets van voldoening toen ze besefte dat hij haar sexy vond. Thuis was Rachel altijd degene geweest die sexy was. Op Highwood was dat Summer. Zij, Milly, was altijd een 'leuke meid' geweest, met een 'natuurlijke uitstraling' of, erger nog, 'schattig'. Niemand noemde haar ooit sexy.

Bobby leek de laatste tijd zelfs amper te zien dat ze een vrouw was, laat staan aantrekkelijk.

Maar Todd zag haar anders.

Hij maakte dat ze zichzelf anders zag.

Dat was een fijn gevoel.

'Bedankt dat je dit allemaal voor me doet,' zei ze toen ze zich eindelijk losrukte van de spiegel en het klepje omhoog deed. 'Ik heb echt een heerlijke dag gehad.'

Hij legde even een hand op haar knie.

'Graag gedaan, lieverd,' zei hij. 'Zoals ik al zei: je had het verdiend.'

Ze dineerden die avond met een grote groep van zijn vrienden in Katana, het ultratrendy sushi-mekka dat in West Hollywood boven Sunset uittorende als een hedendaags cool Colosseum.

Milly had eerst geweigerd de vleeskleurige zijden jurk aan te trekken die

Todd die middag had gekocht terwijl zij bij Jennifer's werd kaalgeplukt en gladgestreken. Ze had volgehouden dat die veel te vrouwelijk voor haar was en dat ze zich prettiger voelde in haar spijkerbroek. Toen ze zag wat de andere vrouwen droegen, was ze echter blij dat ze toch had toegegeven. Ze waren tot in de puntjes opgedirkt in Gucci en Marc Jacobs, hun graatmagere, gebronsde lichamen opgesmukt met grote, schaamteloos geëtaleerde nepborsten en diamanten om hun hals, in hun oren en om hun polsen, en deden haar denken aan de Fashion-Barbie die ze voor haar negende verjaardag had gekregen van Linda, in plaats van de Barbie-met-paard die ze had gewild.

De mannen waren nonchalanter gekleed, de meesten in spijkerbroek en shirts die erg ver openhingen, los over hun broek heen. Heimelijk vond ze hen er nogal goedkoop uitzien, en erg 'jaren zeventig', vooral degenen die binnen hun zonnebril ophielden. Al snel had ze het echter te druk met haar chopsticks, en met veelbetekenend knikken als haar werd gevraagd of ze de voorkeur gaf aan yellowtail- of tonijnsashimi, om veel aandacht aan hen te besteden.

'Wat vond je ervan?' vroeg Todd toen ze eindelijk thuiskwamen, de lampen in de keuken aandeden en Milly op het aanrecht ging zitten, haar schoenen uitschopte en haar pijnlijke voeten masseerde. 'Wel wat anders dan Solvang, hè?'

Ze gaapte en knikte, en keek met één oog nog steeds naar de weerspiegeling van haar ongelooflijke nieuwe kapsel in de donkere ruit. Het was inderdaad anders dan Solvang. Zo anders dat het allemaal moeilijk te bevatten was. Todd, zijn huis, zijn charmante vrienden, het chique eten, haar nieuwe kleren en kapsel. Ze had het gevoel of ze door een wervelwind was meegenomen en als Dorothy was terechtgekomen in een vreemde, nieuwe wereld.

'Moe?'

'Ja,' zei ze met een zucht. 'Maar het was erg leuk. Bobby is heel veel weg, op reis en zo, dus het was de laatste tijd een beetje eenzaam op Highwood.'

'O ja?' zei Todd nonchalant. Hij had het gevoel dat dit gesprek wel eens een interessante wending zou kunnen nemen.

'Eerlijk gezegd loopt hij als hij wel thuis is nóg rond als een beer met koppijn,' zei Milly. 'Dit verzetje was precies wat ik nodig had.'

'Zit hem iets dwars dan?' Hij schonk twee koppen cafeïnevrije koffie in en gaf er een aan haar. 'Geldproblemen?'

'Dat speelt wel mee, denk ik,' zei Milly. 'Hoewel we een hoop nieuwe klanten hebben voor de stallen en hij werk genoeg lijkt te hebben, dus ik snap niet goed wat het probleem is. Maar nu heeft iedereen het over die rechtszaken in Wyoming, dus daar maakt hij zich minstens zo druk over.'

'Wat voor rechtszaken?'

'O, jeetje, daar heb ik eigenlijk niet veel verstand van.' Ze klonk alsof het onderwerp haar nu al verveelde. 'Iets over gasbedrijven die cowboys van hun land verdrijven. Om het methaan te kunnen krijgen. Of zoiets. Het is in Californië nog niet gebeurd, maar iedereen in het dal maakt zich er zorgen om.'

'O ja?' zei Todd, die slechts met grote moeite zijn opwinding kon verbergen. Dit kon wel eens de doorbraak zijn die hij nodig had. 'Nou, ik weet zeker dat het wel goed zal komen.'

Milly geeuwde weer en sloeg haar hand voor haar mond. Hij zette zijn koffiekop neer, liep naar haar toe, pakte haar om haar middel en tilde haar van het aanrechtblad. Het was maar een klein gebaar, maar het was onverwacht intiem, vooral omdat het haar geen andere keus liet dan hem recht aan te kijken toen hij tegen haar begon te praten.

'Maar nu,' zei hij, en hij liet haar met tegenzin los, maar bleef haar wel aankijken, 'moet jij ophouden je druk te maken over andermans problemen en lekker gaan slapen.'

Zodra zij veilig in een van de gastensuites aan de andere kant van het huis in bed lag, haastte Todd zich zijn werkkamer in en pakte de telefoon op.

'Jack?'

De stem van zijn advocaat aan de andere kant van de lijn klonk slaperig en wat onduidelijk.

'Todd? Ben jij dat? Jezus, hoe laat is het?'

'Dat doet er niet toe,' zei Todd ongeduldig. 'Ik heb misschien iets over Highwood. Je moet alles voor me uitzoeken over rechtszaken in Wyoming tussen cowboys en gasbedrijven.'

'Wyoming?' vroeg de advocaat verdwaasd. 'Eh... natuurlijk, oké. Wanneer heb je het nodig?'

'Morgenvroeg,' zei Todd, en hij hing op.

Toen Milly de volgende ochtend wakker werd, scheen een stralende zon door de geopende luiken haar slaapkamer binnen.

'Wakker worden.' Todd zette haar ramen open om de frisse, naar kamperfoelie geurende lucht binnen te laten, en Milly trok instinctief de dekens wat verder omhoog. Hij had wel mogen aankloppen. Gelukkig had ze een pyjama aan.

'Het is al kwart over negen,' zei hij, 'wat inhoudt dat je een halfuur de tijd hebt om op te staan en je aan te kleden voor we vertrekken.'

'Vertrekken... waarheen?' mompelde ze, nog versuft van de slaap.

'Dit is je geluksdag,' zei hij grinnikend. 'We gaan een stukje rijden.'

Het Mandeville Canyon-ruitercentrum was in Milly's ogen bijna de hemel op aarde.

Het uitgestrekte, quasilandelijke terrein met weelderige groene weidevelden, een natuurlijk riviertje en honderden hectaren heuvelachtige, beboste paden lag maar een paar kilometer ten noorden van Sunset in Brentwood, een welgestelde buitenwijk van LA. Aan de voet van de canyon was een onberispelijk geveegd en door witte hekken omringd erf, waarop in een hoefijzervorm geplaatste traditionele houten stallen meer prachtige paarden huisvestten dan ze ooit bij elkaar had gezien, zelfs op Newells.

Alleen de twee hoge, volmaakt symmetrische palmbomen en de onverstoorbare, knappe blonde stalknechten vertelden je dat dit inderdaad LA was, en geen paardenfarm op het platteland van Kentucky.

'Todd Cranborn. Wat een verrassing!' Een uitermate knap meisje, dat opviel tussen de andere stalknechten omdat ze de enige brunette was, kwam naar hem toe om hem te begroeten. Ze droeg een kort afgeknipte spijkerbroek en een wit shirt dat losjes onder haar borsten bijeen was geknoopt, waardoor een glimp te zien was van een felrood bikinitopje. 'We zijn niet gewend dat je persoonlijk langskomt. En wie is dit?' Ze glimlachte naar Milly.

'Milly Lockwood Groves, dit is Chloe Colgan.' De twee meisjes schudden elkaar de hand.

'Milly traint in mijn nieuwe stal in Santa Ynez,' legde Todd uit. 'Ze begint net als quarterhorse-jockey.'

'Mijn' nieuwe stal? Bobby zou woest zijn als hij dat hoorde, hoewel het technisch gesproken natuurlijk wel waar was, of in elk geval voor de helft.

'O ja?' zei Chloe en ze trok sceptisch een wenkbrauw op. Als een van zijn vele exen kon ze maar moeilijk geloven dat zijn relatie met dit erg knappe, erg jong uitziende meisje puur zakelijk van aard was; of als dat al zo was, dat het lang zo zou blijven. En Milly leek ook helemaal niet op andere quarterhorse-jockeys die zij kende. 'Wat brengt jullie beiden hier? Kom je naar Demon kijken?'

Todd nieste luid, haalde zijn inhalator uit zijn jaszak en nam een pufje voordat hij antwoordde.

'Alsjeblieft,' zei hij. 'Demon is een bijzonder mooi hengstveulen waar ik onlangs de eigenaar van ben geworden,' legde hij aan Milly uit, waarna hij eraan toevoegde: 'Een spelletje poker. Ik heb hem gewonnen van een plaatselijke fokker. Die man was dol op pokeren, maar hij miste twee essentiële zaken: talent en geld, dus uiteindelijk gaf hij me het paard.'

'Wat afschuwelijk!' zei Milly. Hoewel ze was opgegroeid op een winstgevende stoeterij, had ze een veel te emotionele band met paarden om ze als handelswaar te beschouwen, laat staan als iets wat je kon winnen of verliezen met kaarten.

'Ik was van plan hem te verkopen,' zei Todd, die haar verontwaardiging niet opmerkte, 'op de jaarlingenveiling in San Mateo. Maar Chloe hier vond dat hij veelbelovend was en dat ik hem moest houden. Ik wil weten of jij het daarmee eens bent.'

Milly vergat voor even haar afgrijzen en bloosde van genoegen bij het idee dat een wereldwijs man als Todd Cranborn háár om advies vroeg. Ze was gewend als een kind te worden behandeld, eerst door haar ouders, en daarna door Bobby. Het was leuk om voor de verandering eens serieus te worden genomen.

Todd wendde zich weer tot Chloe. 'Er komt over ongeveer een halfuur een vriend van me langs,' zei hij met een blik op zijn horloge. 'Ik hoop dat dat goed is. Hij wil Milly zien rijden.'

'Natuurlijk, geen probleem,' zei Chloe en ze glimlachte naar Milly. 'Ik zal Demon meteen opzadelen, dan kun je een proefrit met hem maken. Wat zeg je daarvan?'

'Wat voor vriend…?' begon Milly, maar Chloe nam haar mee naar de stallen voor ze de vraag kon afmaken. En zodra ze Demon zag, was ze de geheimzinnige bezoeker vergeten.

'Het is een schoonheid, hè?' zei Chloe, terwijl ze een hoofdstel over zijn slanke voskleurige hoofd met talloze witte vlekken schoof.

'Nou en of.' Milly drukte zich tegen de zachte huid van de neusgaten. Het paard had mooie, ver uiteenstaande ogen met lange wimpers zoals Bambi, maar zijn spierstelsel was verre van tenger. Hij leek wel een paardenversie van Myke Tyson met het gezicht van Marilyn Monroe. 'Bobby zou wild zijn van dit paard.'

'Bobby Cameron? De cowboy?' Chloe's ogen lichtten op. 'Dus het is waar? Hij is inderdaad degene met wie Todd in zaken is gegaan? Ik heb gehoord dat hij een geniale trainer is en een spetter vanjewelste. Traint hij jou?'

'Ja. Als hij tenminste tijd heeft,' zei Milly bitter. 'Ik zie hem de laatste tijd nauwelijks, omdat hij steeds op reis is.'

Zelfs de gedachte aan Bobby was genoeg om haar stemming te bederven, dus ze besloot snel van onderwerp te veranderen.

'Kom maar.' Ze nam Demons zadel over van een andere stalknecht en legde het op zijn brede rug. 'Dat kan ik zelf wel.' Toen boog ze naar het oor van het paard en fluisterde: 'Laten we eens kijken of je net zo goddelijk bent om op te rijden als om naar te kijken, hè jongen?'

Jimmy Price liet een mondvol uitstekende Cubaanse sigarenrook langs zijn smaakpapillen rollen alvorens hem in de zuivere lucht van de canyon uit te blazen. 'Vertel me nog eens,' zei hij lijzig tegen Todd, 'wat ik hier in godsnaam doe.'

Ze zaten op harde, oncomfortabele plastic stoelen in de openlucht te wachten tot ze Milly met Demon over de vierhonderd meter lange quarterhorse-oefenbaan konden zien rijden. Dat kind zou wel heel bijzonder moeten zijn om hem te kunnen afleiden van het verdoofde gevoel in zijn billen. Jimmy's achterwerk was al vele jaren gewend aan comfortabele kussens in luxe directiestoelen. Zijn beperkte tolerantie voor ongemak was legendarisch laag.

'Kijk nou maar,' zei Todd. 'Je zult niet teleurgesteld worden, dat beloof ik je.'

Hij had gelijk. Toen Milly uit het starthek tevoorschijn stoof, was het of een al lang slapende vulkaan plotseling weer tot leven kwam. Ze was zo klein, en het paard zo reusachtig en breed, en toch leek ze hem niet alleen onder controle te hebben, maar zelfs een snelheid uit hem te persen die Jimmy niet voor mogelijk had gehouden. Het was lang geleden dat hij iemand met zo veel overgave had zien rijden; zijn hart bonkte van opwinding en hij dacht aan de schijnbaar eindeloze mogelijkheden van wat hij met zo'n jockey zou kunnen doen als hij de hand op haar zou kunnen leggen.

'Ik geef toe,' zei hij, hoofdschuddend van bewondering en ongeloof, 'dat ik onder de indruk ben. Ze is verrekte goed.'

'En...' zei Todd, 'ze is prima handelswaar. Je hebt haar gezicht nog niet van dichtbij gezien, maar ze is een erg mooie meid. En ze verveelt zich dood daarginds op die ranch.'

'Hmm,' gromde Jimmy. 'Er mag wel een paar kilo af als ze voor mij wil racen.' Het was niet verstandig om al te veel enthousiasme te tonen.

'Geen probleem,' zei Todd, hoewel hij dacht dat Jimmy niet goed wijs was. Milly was al heel tenger. 'Ik heb haar binnen een week in vorm. Ze is erg' – hij glimlachte in zichzelf terwijl hij naar het juiste woord zocht – 'plooibaar.'

Op dat moment draaide Milly zich om en zwaaide naar hem vanaf de baan. Ze grijnsde van oor tot oor, als een kind dat zijn moeder aan de rand van het schoolplein ziet staan.

Todd zwaaide terug en wenkte haar.

'Milly,' zei hij, zijn hand uitstekend om haar te helpen afstijgen terwijl Chloe aan kwam rennen om Demon mee te nemen. 'Dit is Jimmy Price. Jimmy, mag ik je de nieuwe quarterhorse-sensatie voorstellen, juffrouw Milly Lockwood Groves?'

Ze bloosde en zweette nog van de rit, en was aanvankelijk te verrast om iets te zeggen. Price was een van de bekendste eigenaren van renpaarden ter wereld. Ze hoorde zijn naam al haar hele leven, van haar vader en andere mensen in Newmarket; maar pas sinds ze Bobby had ontmoet wist ze dat hij ook een grote naam was in de kringen van het quarterhorse- en westernrijden.

Ze wist ook dat Bobby de man hartgrondig haatte, hoewel hij daar slechts vage redenen voor had opgegeven. Afgezien van het verhaal over zijn eerste vrouw, die zelfmoord had gepleegd na hun echtscheiding, herinnerde ze zich nu. Dat was echt afschuwelijk...

'Aangenaam kennis te maken.' Haar innerlijke monoloog werd onderbroken toen ze besefte dat hij niet alleen tegen haar praatte, maar ook haar hand vastpakte en die zo hard schudde dat ze het gevoel had dat ze een fruitmachine was die per ongeluk zijn geld had ingeslikt. 'Todd vertelde me dat je serieus bezig bent met quarterhorse-racen.'

'Nou en of,' zei ze, onmiddellijk haar kalmte hervindend. 'Bloedserieus. Ik moet meer geld verdienen. Veel meer geld, zelfs,' voegde ze eraan toe.

Jimmy lachte. 'Een meisje naar mijn hart! Nou, dan moeten we maar eens kijken wat we daaraan kunnen doen, jongedame.'

Als ze niet zo veel negatiefs over hem had gehoord van Bobby, had ze hem waarschijnlijk een grappige, joviale man gevonden; een soort baardloze, sigaren rokende kerstman. Hij was in elk geval beleefd en vriendelijk, en toonde interesse in haar zogenaamde carrière.

'Neem me niet kwalijk,' zei Todd, die het nummer op zijn mobiele telefoon controleerde toen die begon te zoemen. 'Ik moet jullie even alleen laten, als je het niet erg vindt.'

Aangezien geen van beiden zelfs maar in zijn richting keek, ging hij ervan uit dat ze het niet erg vonden. Hij liep een stukje bij hen vandaan en richtte zijn aandacht op de beller.

'Zeg het eens, Jack?'

Het was Jack Green, zijn advocaat, met een reactie op zijn telefoontje van die nacht.

'Oké,' zei hij. 'Wyoming. Ik denk dat je het had over de methaanreserves in het Powder River Basin.'

Hij beschouwde Todds stilzwijgen als instemming en ging door.

'Het komt erop neer dat daar een stel noodlijdende cowboyranches zijn met tonnen methaan onder de bodem. Onder de wet van Wyoming zijn die cowboys alleen eigenaar van het oppervlak van het land, niet van de natuurlijke rijkdommen eronder.'

'Van wie zijn die dan?' vroeg Todd.

'Van de regering. Min of meer. Laten we het zo stellen, de regering kan mijnrechten toekennen aan olie- en gasbedrijven, die dan gewoon kunnen gaan boren, of de grondeigenaren het nou leuk vinden of niet. En je kunt je wel voorstellen dat de meesten het niet leuk vinden.'

'Hmm.' Todds hoofd gonsde. 'Ik begrijp het. En de rechtszaken?'

'Nou, wettelijk hebben de cowboys geen poot om op te staan,' zei Jack, 'maar ze doen evengoed hun best om de boel flink te vertragen. Ze kunnen de gasbedrijven dwingen een hoop grondonderzoek en vegetatiestudies en zo te doen, wat allemaal tijd en geld kost. Een paar van hen hebben zelfs een contactverbod aangevraagd om de mannen van het gasbedrijf van hun land te kunnen weren. Die werden uiteindelijk vernietigd, maar uitstel kost veel geld.'

'Dat neem ik aan, ja,' zei Todd. Hij had soortgelijke tegenstand ondervonden met zijn woningbouwprojecten en wist dus hoe vervelend dat kon zijn.

'Sommige gasbedrijven hebben inmiddels financiële regelingen getroffen met de grondeigenaren, gewoon om die juridische strijd te vermijden,' zei Jack. 'Maar officieel hoeven ze die kerels eigenlijk geen rooie cent te betalen. Als er gas wordt gevonden en zij de mijnbouwrechten krijgen van de staat, kunnen ze het er zonder meer uit gaan halen.'

De Californische wet, legde hij verder uit, was iets ingewikkelder. Maar alle grote olie- en gasbedrijven – Chevron, Devon, Energy, Seneca – zochten naar manieren om aan de westkust dezelfde stunt te kunnen uithalen.

'Bedankt, Jack,' zei hij, terwijl hij zijn oortje uitschakelde. 'Ik neem nog contact met je op.'

Het was geen wonder dat Bobby zich zorgen maakte. Highwood, met zijn legendarische olievoorraad, was in Californië waarschijnlijk het grootste doelwit van de oliebedrijven. En zonder Milly zou Todd niets van die nieuwe mogelijkheden geweten hebben.

Ze was haar eerdere onbeholpenheid kennelijk al vergeten, want hij zag haar lachen en grapjes maken met Price. Dat nieuwe kapsel liet haar elfachtige trekken en brede mond echt prachtig tot hun recht komen. Hij kreeg al een stijve als hij eraan dacht hoe graag hij die lichtroze lippen rond zijn eigen pik zou zien.

Bobby praatte altijd over haar alsof ze een kind was, of de Maagd Maria, of allebei. Maar zoals hij het zag, was ze beslist een vrouw.

Hij wist nog niet precies wat zijn volgende stap zou zijn, of hoe hij dit juweeltje van nieuwe informatie over Highwood zou gebruiken. Maar nu Milly – zij het onbewust – zo'n effectieve mol was gebleken, was het belangrijker dan ooit dat ze zich aan zijn kant schaarde. Hij moest op de een of andere manier een permanente wig tussen Bobby en haar drijven.

En Jimmy Price nam steeds meer de vorm van die wig aan.

'Meneer Price heeft aangeboden me te sponsoren!' zei Milly, die nu opgewonden stond te dansen.

'Alsjeblieft,' zei Jimmy lachend, 'als je dat zegt voel ik me vreselijk oud. Ik heet Jimmy, oké?'

'Sorry, Jimmy,' mompelde Milly. Ze deed geen poging te verbergen hoe ontzettend blij ze was. Onderhandelen was duidelijk niet haar sterkste punt, maar daar konden ze nog wel aan werken. 'Maar, Todd, is het niet fantastisch? Hij zegt dat ik vijf dagen per week kan trainen in Palace Verdy...'

'Pal-ós Ver-dés,' corrigeerde Todd, niet onvriendelijk.

'Ja, daar, en dat jij Demon daar mag stallen... als je dat wilt, natuurlijk. En hij gaat me ook promoten in de bladen, zoiets als Rachel, maar wel anders...'

'Wat had je in gedachten?' vroeg Todd aan Jimmy, de eindeloze stroom van haar opgewonden gekwetter onderbrekend om er een woord tussen te krijgen.

'Dat weet ik nog niet precies,' zei Jimmy, 'maar iets in de lijn van de "Engelse cowgirl"-pers die ze al krijgt. "Engelse roos tussen de heikneuters", of zoiets. Het hangt natuurlijk helemaal af van haar prestaties, maar het lijkt me dat je vriend meneer Cameron haar op dat front ook heeft tegengehouden.'

Todd knikte ernstig. Hoe meer andere mensen Bobby afkraakten, zodat hij het niet hoefde te doen, hoe beter het was.

'Mijn trainer, Gill, zal haar vijftig uur per week laten rijden op de beste quarterhorses die er zijn,' schepte Jimmy op. 'Als ze het met die ruggensteun niet redt, zal ze het nooit redden.'

'O, ik ga het redden, meneer P... Jimmy,' zei Milly. 'Dat beloof ik u.'

Ze zag zichzelf al als een wereldberoemde quarterhorse-ster beladen met trofeeën terugkeren naar Newmarket. Ze zag Rachel, wier eigen carrière op mysterieuze wijze ten einde was gekomen, als een vluchteling haar koffers over de oprijlaan van Newells wegslepen – alleen was ze dikker en had ze cellulitis en acne – terwijl zij, Milly, haar thuis weer opeiste onder het oog van een juichende menigte en een deemoedige Linda, die eindelijk toegaf dat ze zich in Rachel had vergist.

In het verleden was ze in deze fantasie altijd getrouwd geweest met Bobby, maar vandaag liet ze dat stukje om de een of andere reden weg. Vandaag draaide het alleen om haar, en niemand anders.

Pas in de auto op weg terug naar Bel Air keerde ze terug in de werkelijkheid.

'Ik moet dan wel weg van Highwood, zeker?' zei ze plotseling toen ze Bellagio in draaiden.

'Natuurlijk,' zei Todd, zonder zijn ogen van de weg af te wenden. 'Is dat een probleem?'

'Bobby vindt misschien van wel,' verzuchtte ze. 'Ik bedoel, ik betwijfel of hij mij zal missen,' zei ze triest, 'maar je weet dat hij een hekel aan Jimmy heeft.'

'Ach, kom, dat valt vast wel mee,' loog Todd. 'Ze kennen elkaar nauwelijks. En Bobby geeft toch om je? Hij zou je een dergelijke kans niet misgunnen. Of wel?'

Hij had besloten dat het nog geen zin had Bobby af te kraken, in elk geval niet rechtstreeks. Hij kon de zaak nu beter op z'n beloop laten, zodat de cowboy het zelf bij Milly kon verbruien.

'Ik weet het niet,' zei Milly. 'Misschien toch wel. Ik denk dat hij me zelf wil blijven trainen. Het probleem is alleen dat hij nooit genoeg tijd heeft.'

'Aha!' zei Todd. 'Eerlijk gezegd denk ik dat je hem een dienst zou bewijzen. Hij moet een stal runnen, om nog maar te zwijgen van een noodlijdende ranch en zijn werk overzee. Bij Jimmy kun je fulltime trainen en wedstrijden rijden. En dan heb ik het over grote races: Los Alamitos, Del Mar, Bay Meadows. Misschien volgend jaar de Triple Crown. Wie weet?'

Milly's hart bonkte. De Triple Crown was de ultieme kans in het quarterhorse-racen. Die vond plaats in Mexico en bestond uit de Ruidoso Derby in juni, de Rainbow Futurity in juli en de All American op Labour Day in september. Ze droomde ervan om ooit aan een van die races of zelfs maar aan de trials te mogen deelnemen.

Todd had gelijk. Ze zou Bobby een dienst bewijzen en hem bevrijden uit een relatie die om de een of andere reden voor geen van hen beiden nog werkte.

'Mag ik je telefoon even lenen?' vroeg ze.

Hij keek haar vragend aan.

'Ik ga Bobby vertellen wat er is gebeurd. Dat kan ik net zo goed meteen doen, niet dan?'

'Inderdaad,' zei hij grinnikend. Hij begon het meisje steeds leuker te vinden. 'Alleen even één ding? Waar wilde je logeren als je aan het trainen bent?'

'O.' Milly's gezicht betrok. 'Ik had eigenlijk aangenomen... Ik bedoel, natuurlijk niet voor lange termijn... maar ik dacht min of meer...'

'Dat je bij mij zou kunnen logeren?' maakte Todd de zin voor haar af. 'Rustig maar,' zei hij lachend. 'Het was een grapje. Je bent van harte welkom. Ik bied je met plezier onderdak.'

Summer hoorde maar een paar, geschreeuwde, fragmenten van het gesprek: 'Nee, het kan me niet schelen wat hij zei... Geef hem de telefoon!... Milly, geef Cranborn verdómme de telefoon!'

Hij had het gesprek aangenomen in de keuken van de McDonalds, en zij zat in de slaapkamer daar recht boven zogenaamd te studeren, maar lag in werkelijkheid met haar oor tegen de vloerplanken gedrukt om zo veel mogelijk van het gesprek op te vangen. Zelfs zonder de extra decibels zou ze de grove strekking van wat er werd gezegd wel hebben begrepen: Milly had kennelijk een aanbod gehad en (o, wat geweldig!) geaccepteerd om voor een eigenaar in LA te komen racen, een of andere Jimmy die volgens Bobby de reïncarnatie van de duivel was. En hij scheen dat Todd kwalijk te nemen.

Op een gegeven moment, dacht ze blij, had Milly kennelijk de hoorn op de haak gegooid, want ze hoorde hem allerlei obscene woorden mompelen terwijl hij een nummer intoetste, en daarna begon het gebrul opnieuw: 'Wáág het verdomme niet om nog eens op te hangen,' riep hij. 'Ja, dat ben je wel… je bent wél een kind! Geef hem de telefoon, Milly, ik meen het.'

Het ging nog enkele, volstrekt zinloze, minuten in die trant door, waarna er eindelijk een eind kwam aan het geschreeuw, de telefoon werd opgehangen, de keukendeur werd dichtgesmeten en Bobby het erf op stormde. Ze liep snel naar het raam en zag hem met gebalde vuisten van woede naar de stallen lopen.

In een opwelling trok ze haar joggingbroek van Abercrombie uit en een bordeauxrode wollen jurk aan. Het was een oude van haar moeder, uit de jaren zestig, en ze had hem altijd al prachtig gevonden, maar het was zelden koud genoeg om hem te dragen. Vandaag dacht ze echter wel dat het kon. Ze trok het elastiekje uit haar pas gewassen haren, ging voorover hangen en woelde er met haar vingers doorheen om ze wat meer volume te geven, gooide ze toen achterover en bracht snel een beetje rouge op haar wangen aan en wat vaseline op haar lippen. Tot slot trok ze haar favoriete zwarte laarzen aan en rende de trap af en de koude buitenlucht in, achter hem aan.

Ze vond hem in het kleine kantoortje dat hij uitsluitend gebruikte voor quarterhorse-werk, waar hij met een miniatuur basketbal naar een ring gooide die aan de achterkant van de deur vastzat.

'Dag, lieverd,' zei hij toen ze binnenkwam. 'Het spijt me. Hield ik je van je studie?'

Je houdt me al van mijn studie door gewoon maar adem te halen, zou ze wel willen roepen.

'Nee,' zei ze echter. 'Je leek alleen van streek. Ik wilde… ik dacht…' Kom op, Summer, niet terugkrabbelen. Niet nu. 'Ik dacht dat je misschien wel wat gezelschap kon gebruiken.'

Haar hart ging zo tekeer dat ze zeker wist dat hij het kon horen. Ze dwong zichzelf echter naar het bureau te lopen waar hij achter zat en ging erop zitten. Ze legde haar ene hand op zijn schouder en de andere op de blote, bruine huid van haar eigen dijbeen, pal onder zijn neus.

'Ik wist wel dat Milly je uiteindelijk teleur zou stellen,' fluisterde ze. Haar vingers dwaalden van zijn schouder naar zijn nek en begonnen die te strelen. 'Ze houdt niet van je, weet je. Niet zo veel als ik.'

Ze legde haar hand steviger in zijn nek, bracht haar gezicht naar het zijne en drukte haar zachte, trillende lippen tegen de zijne.

Heel even beantwoordde Bobby haar kus. Ze was immers zo mooi, zo sensueel en vol verlangen en... zo aanwezig. Het zou op dat moment heel eenvoudig zijn geweest om de liefde met haar te bedrijven, om zich te verliezen in de heerlijke zachtheid van haar lichaam, haar lippen. Om Milly en Todd te vergeten, en alle beelden van hen samen die hij tevergeefs uit zijn koortsige verbeelding probeerde te bannen.

Toen kreeg hij echter weer greep op zichzelf. Dit was Summer, in godsnaam. De kleine Summer McDonald!

'Niet doen,' zei hij, en hij duwde haar vastberaden weg.

'Waarom niet?' vroeg ze, en ze probeerde hem weer te kussen. De wol van haar jurk was zo zacht als een babydekentje en stak als de rode wollen rand van een kerstkous af bij haar dijen. Hij kon zich de laatste keer niet heugen dat hij haar in een jurk had gezien, laat staan een die zo verleidelijk was als deze. Het kostte hem al zijn wilskracht om hem niet van haar lijf te scheuren en precies datgene te doen wat zij kennelijk wilde dat hij deed. 'Wil je me niet?'

'Shit, Summer,' zei hij en hij wou maar dat hij zich niet zo geprikkeld voelde. Hij had haar nooit anders gezien dan als Dylans kleine zusje; het paste absoluut niet in het plaatje om zich haar naakt voor te stellen. 'Ik... ja, natuurlijk wel. Ik verlang naar je,' gaf hij toe. 'Maar we kunnen dit niet doen.'

'Waarom niet?' Ze duwde zijn afwerende hand opzij, liet zich van het bureau op zijn schoot glijden, drukte haar gezicht tegen zijn hals en schoof haar handen onder zijn shirt. 'Jij wilt mij, ik wil jou. Dus waarom niet?'

'Aaahh!' Hij sprong overeind, trok haar met beide handen van zich af en zette haar met kracht terug op het bureau. Daarna sprong hij bij haar vandaan alsof ze een ratelslang was. 'Daarom!' riep hij uit, en hij haalde gefrustreerd zijn handen door zijn haren. 'Omdat het niet kan, oké? Omdat jij Wyatts dochter bent, en Dylans kleine zusje. Je bent Summer, in godsnaam. Jezus. Nee.'

Er welden tranen van schaamte en pijn in haar ogen op.

'Maar je hebt me bloemen gestuurd,' zei ze wanhopig. 'En toen we elkaar omhelsden vandaag... toen was je anders.'

'Hoezo?' Bobby keek ontzet. 'Hoezo was ik anders? Ik was niet anders.'

'Je streelde mijn haren!'

'Het was een vriendschappelijke omhelzing! Verdomme, Summer, ik geef om je. Je bent als een zus voor me.'

'Onzin!' zei ze snikkend. De vernedering was ondraaglijk. 'Dat voer je gewoon aan als excuus! Het komt zeker door Milly? Dáárom wil je mij niet. Je bent verliefd op haar.'

'Dat is belachelijk,' zei Bobby, maar hij was zich er zelf van bewust hoe weinig overtuigend hij klonk. 'Nee, dat is het niet. Dat is het helemaal niet. Milly en ik… Het ligt erg gecompliceerd,' besloot hij zwakjes.

'Nee, dat is het niet,' zei Summer. Ze had niets meer te verliezen, dus kon ze net zo goed haar hart luchten. 'Het ligt helemaal niet gecompliceerd. Het is heel simpel. Jij wilt haar, maar je kunt haar niet krijgen, en nu krijgt iemand anders haar misschien en dat maakt je gek.'

Hij keek mistroostig omlaag. Ze zou ooit een geweldige advocaat worden. En hij dacht nog wel dat hij zijn gevoelens zo goed had weten te verbergen. Summer had hem vanaf de eerste dag doorzien.

'Ik heb met je te doen, Bobby, echt waar,' zei ze toen ze huilend naar de deur stapte. 'Geloof me. Ik weet wat het is om van iemand te houden die niet van jou houdt.'

Toen ze weg was, ging hij weer aan zijn bureau zitten en legde zijn hoofd in zijn handen.

Wat een puinhoop.

Wat een verschrikkelijke, godvergeten puinhoop.

18

Amy Price stelde de parasol boven haar ligbed naast het zwembad bij en trok aan haar bikinitopje om de lichtblauwe stof op te rekken waarvan de bovenkant pijnlijk in haar borsten sneed. Er vormde zich nu al een rode streep – deels zonnebrand en deels druk van de te strakke stof – boven aan haar decolleté, en er puilden twee rollen rozig vlees bovenuit, als rauwe worstjes uit een broodje.

Ze draaide zich op haar buik en sloeg het boek met sonnetten van Donne open. Ze was zelf amateurdichteres – ze droomde ervan ooit iets te kunnen publiceren – en probeerde zich weer te verdiepen in het prachtige taalgebruik en het gespetter en gekrijs van haar kleine broertjes in het zwembad te negeren.

Ze had normaal gesproken een hekel aan zonnebaden, maar had onlangs in de *Marie Claire* gelezen dat je met een bruin kleurtje algauw tien pond lichter leek. Toen Candy dus in een ongekend vertoon van moederlijke genegenheid had aangeboden zelf een uur op de tweeling 'te letten', had ze dan ook haar kans gegrepen.

Ze zweette en voelde zich ongemakkelijk, en wenste nu al dat ze had gekozen voor een fatsoenlijk kunstmatig kleurtje; hoewel dat gezien haar pech waarschijnlijk vlekkerig, oranje en lelijk zou zijn uitgevallen. Ze sloot haar ogen en probeerde zich voor dat te stellen dat ze tijdens het jaarlijkse gezinsuitje naar New York in september gebronsd en slank zou zijn. Niet dat Garth haar zelfs dan zou zien staan.

Garth Mavers, een prachtige, blonde playboy uit Martha's Vineyard, was haar vaders nieuwe protegé in het volbloedencircuit, en Amy's hopeloze obsessie. Hij was een talentvolle jockey en een nog veel talentvoller rokkenjager, en was in beide 'hobby's' even meedogenloos. Hij was afgelopen seizoen, toen hij naar Californië was gekomen in de hoop bij haar machtige, rijke vader in het gevlij te komen, een paar keer met Amy naar bed geweest, en zij was als een blok voor hem gevallen. Natuurlijk had hij haar onmiddellijk gedumpt zodra Jimmy hem had aangenomen. Hij had geen belangstelling meer voor de dikke dochter van Price nu de mooie meisjes met lange benen voor hem in de rij stonden.

Amy was daar uiteraard kapot van, al deed ze haar uiterste best dat niet te laten blijken. Ze had net het punt bereikt dat ze zijn naam in een gesprek kon horen vallen zonder dat ze zich meteen terug moest trekken om te huilen, toen ze ongeveer een maand geleden het gerucht had opgevangen dat hij heimelijk verloofd was met een supermodel.

Diep in haar hart wist ze wel dat ze geen kans maakte bij Garth, met of zonder de supermodelverloofde. En toch, ondanks alle strenge preken die ze zichzelf had gegeven – hij hield niet van haar, hij had nooit van haar gehouden, evenmin als al die anderen – vervulde de gedachte dat ze hem in september weer zou zien, wanneer hij voor haar vader op de Aqueduct-baan reed, haar hart met hoop en opwinding.

Ze kneep nog een klodder zonnebrandcrème op haar hand – het was maar factor 6, maar ze dacht dat ze met een hogere factor nooit bruin zou worden – en smeerde die op haar brandende schouders. Daarna probeerde ze opnieuw zich te ontspannen.

Had ze maar een eigen huis! Ergens waar geen krijsende kinderen en nachtmerries van stiefmoeders bestonden, of in elk geval konden worden uitgeschakeld, zoals een slechte aflevering van Jerry Springer.

Op haar vierentwintigste had ze echter nog nooit ergens anders gewoond dan thuis. Jimmy, die haar gewichtsprobleem gênant vond en niet wist hoe hij daar met haar over moest praten, negeerde haar niet alleen schaamteloos, maar gaf ook blijk van een consequente, terloopse wreedheid jegens haar waar het voltallige personeel in Palos Verdes van huiverde. Ondanks dat alles hield Amy van hem. Ondanks zijn gedrag, zijn kreng van een vrouw en zijn overduidelijke voorkeur voor zijn zoontjes, was hij de enige familie die ze had. Ze was ervan overtuigd dat de fantasiewereld die hij voor zichzelf had opgebouwd rondom de valse, op geld beluste Candy (Jimmy was er zeker van dat zijn vrouw niet alleen van hem hield, maar hem ook trouw was en wilde geen kwaad woord over haar horen) met veel kabaal in elkaar zou storten. En als dat gebeurde, zou zij, Amy, er zijn om de stukken op te rapen.

In de tussentijd leidde ze echter een buitengewoon eenzaam leven in de gouden kooi van Palos Verdes. Donny, haar echte broer (ze zou Candy's duivelse ivf-gebroed nooit echt als haar broers beschouwen), had Jimmy nooit de dood van hun moeder vergeven. Hij was naar Manhattan vertrokken op de dag dat hij afstudeerde, belde sindsdien zelden en was nooit meer langsgekomen. Hij maakte er geen geheim van dat hij vond dat Amy verraad pleegde jegens hun moeders nagedachtenis door onder hetzelfde dak te blijven wonen als Candy, en hij weigerde botweg te begrijpen waarom ze hun klootzak van een vader trouw bleef. Hoewel ze haar best deed het te bagatelliseren, deed het Amy erg veel pijn dat Donny haar in de steek had gelaten.

Zo nu en dan, wanneer het leven thuis ondraaglijk werd, waagde ze zich in het sociale leven van LA, maar telkens brandde ze haar vingers en/of werd haar hart gebroken. Op zoek naar de liefde en genegenheid die ze thuis moest ontberen, knoopte ze een reeks rampzalige relaties aan met knappe jonge acteurs die alleen op haar geld uit waren – waarom zouden ze anders uitgaan met een dik meisje in een stad waar de knapste vrouwen van de wereld woonden? – of met playboy-jockeys als Garth. Telkens als ze door een van die opportunisten was gebruikt en in de steek gelaten keerde ze terug naar Palos Verdes om als een gewond dier haar wonden te likken, en om troost te zoeken bij de enige constante factor in haar leven sinds haar tienerjaren: eten.

Ze had door de jaren heen alle diëten, bewegingsprogramma's en zelfs psychotherapie geprobeerd om de overtollige kilo's kwijt te raken, maar uiteindelijk hadden ze geen van alle gewerkt. Zelfs haar dierbare dichtkunst had niet geholpen. Haar behoefte aan de troost en veiligheid die chocolade bood, was sterker dan wat ook. Ze had al lang geleden aanvaard dat het haar lot was om zwaar te zijn, en dat er niets aan te doen was.

'Je ligt te verbranden.'

Ze keek op en zag Sean staan, wiens gedrongen, stevige lichaam een schaduw over haar rood kleurende rug wierp.

'Shit. Echt waar?' Ze ging zitten, bloosde en bedekte zichzelf snel met een handdoek. Zoals iedereen in Palos Verdes vond ze haar vaders dierenarts fantastisch. In tegenstelling tot de meeste andere knappe mannen die ze kende, was hij echter ook lief: vriendelijk, grappig, nooit neerbuigend tegen mensen die arm of dik waren of op een andere manier niet helemaal volmaakt. Hij was een goede vriend geworden sinds hij vorig jaar op het landgoed was komen wonen, en een van de weinige mensen bij wie ze zich kon ontspannen en zichzelf kon zijn.

'Wat doe jij hier?' zei ze plagerig. 'Moet je niet ergens tot aan je oksel in het achtereind van een paard zitten?'

'Nou, nou,' zei hij grinnikend. 'Genoeg vieze praatjes, juffrouw Price. Ik kom met een bevel van hogerhand. Je vader wil Hare Majesteit daar spreken. Pronto.'

Hij knikte naar Candy, wier oranje bikinitopje naast het zwembad lag, zo klein dat het nauwelijks een van Amy's tepels had kunnen bedekken. Zijzelf stond als een Amazonegodin topless tot aan haar middel in het water en probeerde vruchteloos haar zoontjes in bedwang te houden.

'Het ziet ernaar uit dat ze haar proberen te verdrinken,' zei Sean.

'Ik wens ze veel succes,' zei Amy.

Chase en Chance, beiden omgord met diverse oranje zwembanden en -bandjes en zo dik ingesmeerd met zonnebrandmiddel dat ze eruitzagen alsof ze zich klaarmaakten om de Atlantische Oceaan over te zwemmen, spatten vrolijk zo veel mogelijk water op het zorgvuldig opgestoken blonde vogelnestje van hun moeder. Die zag er verre van blij uit.

'Amy. Amy!'

Jezus, dacht Sean, wat een stem! Woede had haar sexy, lijzige stem veranderd in het gekrijs van een harpij, waarmee je verf van de muren zou kunnen krabben.

'Blijf daar niet liggen als een gestrande walvis. Kom me helpen met je broertjes.'

'Blijf maar hier,' zei Sean kordaat. 'Je hoeft niet te vliegen zodra zij haar mond opendoet. Ik ga wel.'

Hij liep naar het zwembad en tilde de jongens moeiteloos uit het water, een onder elke arm. Hoezeer hij Candy ook verafschuwde, hij kon niet anders dan de aanblik van haar stevige, appelronde borsten bewonderen toen ze overeind kwam om hem te begroeten, genoegen scheppend in haar naaktheid als een jonge Bo Derek.

'Dank je,' zei ze. Ze keek hem recht aan en nam niet de moeite naar een handdoek te zoeken. De sexy, lijzige klank was terug. 'Je bent een engel.'

Jakkes! En jij bent de duivel, dacht Amy, jaloers naar haar stiefmoeders gladde, slanke dijbenen kijkend, waarop geen spoor van cellulitis te bekennen was. Ze wist dat het verkeerd, oppervlakkig en zielig was, maar ze wou dat haar eigen dijbenen niet zo op twee vaatjes pap in plasticfolie leken.

Toch weigerde ze jaloers te zijn op Candy. Die vrouw was alles wat ze verafschuwde.

'Jimmy vraagt naar je,' zei Sean terwijl hij de krijsende, tegenstribbelende jongens in de box naast het zwembad zette. Volgens hem hadden ze allebei een flinke, ouderwetse draai om hun oren nodig. 'Hij zit in zijn werkkamer. Het ging over iets wat geregeld moest worden voor New York, geloof ik.'

'Hmm.' Candy keek buitengewoon verveeld, maar sloeg niettemin een perzikkleurige zijden kimono om en maakte aanstalten om naar binnen te gaan. 'Nou, als mijn heer en meester me roept, kan ik maar beter naar binnen gaan,' zei ze pruilend.

Jimmy was op veel fronten het ideale suikeroompje – toegeeflijk, gul, argeloos – maar hij had er een hekel aan om te moeten wachten. Bovendien was haar aanval van moederlijk enthousiasme al meer dan uitgeput na een halfuur in het gezelschap van haar kinderen.

Toen ze weg was, stak Sean zijn hand in zijn kontzak, haalde er een kleine witte envelop uit en gaf die aan Amy.

'Deze is trouwens voor jou gekomen,' zei hij. 'Hij lag onder een stapel folders en troep in het kantoor. Ik had hem bijna weggegooid.'

'Bedankt,' zei ze en ze bestudeerde het handgeschreven adres en het poststempel van New York in de rechterbovenhoek. Eén kort, dwaas moment lang hoopte ze dat de brief van Garth was, maar die gedachte schoof ze snel terzijde. Waarom zou Garth haar in hemelsnaam schrijven?

Ze legde de envelop onder haar kleren – ze zou hem straks openmaken, als hij weg was, voor het geval het toch iets persoonlijks was – en keek glimlachend naar hem op.

'We hebben gasten vanavond,' zei ze. 'Todd, die vriend van je makker Bobby. Het is al de derde keer in een maand tijd dat hij hierheen komt.'

'Ja, ik heb het gehoord,' zei Sean sceptisch. 'Ik geloof trouwens niet dat Bobby hem graag mag. En ik mag hem zelf overigens ook niet. Hij is een gladjakker, vind je niet?'

Amy giechelde. 'Misschien. Ik ken hem eigenlijk niet echt. Maar goed, hij brengt kennelijk een meisje mee, een quarterhorse-jockey die papa wil promoten. Jilly, heette ze, geloof ik, of zoiets.'

'Nee toch!' zei Sean, die snel zijn conclusie trok. 'Toch niet Milly? Het meisje dat Bobby uit Engeland heeft meegebracht?'

'Dat was het, ja,' zei Amy. 'Milly heette ze. Ze is Engelse.'

'Nondeju.' Sean schudde zijn hoofd. 'Ik vraag me af of Bobby weet dat ze komt. En dan ook nog met zijn partner… Dat is dan zijn dank, na alles wat hij voor haar heeft gedaan.'

'Wat bedoel je?'

'Nou, ik wil jou niet beledigen, engel, maar Bobby is niet je vaders grootste fan.'

'O,' zei Amy. 'Ik begrijp het.'

'En ik vermoed dat Milly dat weet. Jammer, hoor. Bobby is gek op haar, echt waar. Hij is veranderd sinds hij haar heeft leren kennen, en niet ten goede.'

'Ik weet alleen dat papa haar zondag heeft zien rijden en haar fenomenaal vindt,' zei Amy. 'Ik zou Bobby niet graag kwetsen, maar ik hoop echt dat ze hier komt trainen. Het zou leuk zijn als hier nog een meisje was.'

Toen Milly later die avond de stenen trap naar huize Price op liep, stak haar onlangs donkerder geverfde haar sterk af bij de glinsterende korte zilverkleurige cocktailjurk die Todd had gekocht om haar te feliciteren, en ze voelde de adrenaline door haar lijf jagen.

Normaal gesproken zou ze nerveus geweest zijn bij het vooruitzicht een avond door te brengen met een nieuwe sponsor, vooral een die zo rijk en machtig was als Jimmy Price. Haar gesprek met Bobby twee dagen geleden had haar echter zo woest gemaakt – wie dacht hij verdomme wel dat hij was, om haar als een sergeant-majoor te gaan commanderen? – dat ze nog steeds opgefokt was, en bereid het tegen iedereen op te nemen.

Ze had gemengde gevoelens van hem verwacht. Ze had gehoopt, al durfde ze dat niet toe te geven, dat hij het jammer zou vinden dat ze Highwood ging verlaten, maar ook trots zou zijn omdat er eindelijk vaart in haar carrière kwam. Heimelijk had ze gemeend dat ze door weg te gaan en het zelf te maken, hem eindelijk zou kunnen bewijzen dat ze een volwassen vrouw was, en niet het onaanraakbare, onschuldige kleine meisje waar hij haar voor aanzag.

Maar in plaats van trots en genegenheid had ze alleen maar pure verontwaardiging en woede over zich heen gekregen. Hij had haar niet alleen – zeer onterecht – beschuldigd van verraad en ondankbaarheid; hij had ook geïmpliceerd dat Todd haar gebruikte. Dat ze helemaal niet volwassen, maar juist vreselijk naïef was.

Zijn hypocrisie benam haar de adem. Híj mocht wél geobsedeerd zijn door Highwood en voor de rest alles – inclusief hun vriendschap en haar training – negeren in zijn steeds wanhopiger pogingen om de ranch weer winstgevend én onder eigen beheer te krijgen, maar als het erom ging dat zíj geld wilde verdienen om Newells terug te kopen, gaf hij blijk van een haast belachelijke minachting.

'Heb je enig idee wat die stoeterij waard was?' had hij aan de telefoon gevraagd. 'Je hebt geen benul van de waarde van geld, Milly, geen flauw benul. Denk je nou echt dat je met die wedstrijden genoeg geld kunt verdienen om Newells terug te kopen? Dan ben je je hele leven bezig.'

Ze zou het hem laten zien! Hij mocht zo'n hekel aan Todd en Jimmy hebben als hij zelf wilde. Hij mocht zelfs haar haten. Het kon haar niets meer schelen, hield ze zichzelf voor, ook al was dat niet helemaal waar. Ze zou het gaan maken als quarterhorse-jockey. En ze zou Newells terugkrijgen, met of zonder zijn steun.

In zekere zin hadden zijn woede en onredelijkheid het haar gemakkelijker gemaakt; ze hadden haar laatste schuldgevoelens doen verdwijnen en vervangen door vastberadenheid. Het was bijna bevrijdend om iets anders te voelen dan hopeloze, onbeantwoorde liefde; en ze koesterde haar wrok opzettelijk nu ze achter Todd aan het hol van Jimmy Price binnenging.

Ze deed haar jas uit in dezelfde marmeren gang waar Bobby een paar maanden eerder met Todd had gestaan en werd een eetkamer binnengeleid die zo mooi was dat ze naar adem hapte. De tafel werd uitsluitend verlicht door kaarsen, en de vlammen werden als miljoenen scherven licht weerkaatst in het kristal en het zilver; het leek of de tafel was gedekt voor het banket van Titania. Karaffen van onbewerkt glas met glanzende zilveren deksels waren gevuld met rode wijn, en schalen vol met fruit vormden prachtige pièces de milieu, omringd door lage vierkante vazen van onyx gevuld met witte rozen.

'Aha, eindelijk. Kom binnen, lieverd. Kom binnen.'

Jimmy zat aan het hoofd van de tafel; de koning van zijn eigen kasteel. Zijn aura van macht en gezag was nog tastbaarder dan het in Mandeville Canyon was geweest, ondanks zijn bijna clowneske uiterlijk: de dikke bos rossig haar, de ogen die diep in zijn vlezige gezicht lagen, als verschrompelde kastanjes die in deeg waren gedrukt, de armen die uit aaneengeschakelde rollen vet bestonden. Om de een of andere reden was zijn fysieke lelijkheid Milly afgelopen zondag niet zo opgevallen, maar vanavond sprong die alleen maar meer in het oog door de knappe blondine die naast hem zat, die waarschijnlijk zijn vrouw was.

'Sorry dat we zo laat zijn,' zei Todd, maar hij zag er helemaal niet uit alsof het hem speet toen hij vol zelfvertrouwen iedereen toelachte. 'Het verkeer...'

'Geen probleem,' zei Jimmy. Zonder op te staan stak hij zijn hand uit naar Milly, die hem stevig schudde. 'Jullie hebben het voorgerecht gemist, maar zijn precies op tijd voor het hoofdgerecht. Gaan jullie alsjeblieft zitten.'

Ze keek even naar Todd en die wees naar de lege stoel naast Jimmy. Hij nam zelf plaats tussen Candy en een veel te zwaar meisje in een vreselijke, kreeftroze kaftan, dat Milly van Bobby's beschrijving herkende als de lieve, maar uitgebuite Amy. Haar jurk leek gemaakt om de aandacht niet alleen op haar overgewicht te vestigen, maar ook op haar glanzende, verbrande gezicht met als middelpunt het rode, vervellende puntje van haar neus.

Milly glimlachte instinctief naar haar en werd meteen beloond met een stralende glimlach.

Amy had in feite meer reden om gelukkig te zijn dan Milly of wie dan ook vermoedde. De brief uit New York was niet van Garth geweest, maar was wel bijna net zo goed: een briefje van een kleine, gerespecteerde uitgeverij die belangstelling toonde voor haar gedichten! Ze hadden weliswaar niet met zo veel woorden gezegd dat ze de gedichten die ze had ingestuurd wilden uitgeven, maar haar wel gevraagd om langs te komen wanneer ze weer in New York was. En dat alleen al was voldoende om een glimlach op haar gezicht te toveren die zelfs de gedachte aan een formeel diner met haar vader niet helemaal kon doen vervagen.

'Ik zal je even voorstellen,' zei Jimmy, en hij sloeg een arm om Milly's schouder en gebaarde met de andere grootmoedig naar de rest van de tafel. 'Mensen, dit is Milly Lockwood Groves. Ze komt hier trainen en zal hopelijk het komende seizoen voor me rijden.'

Milly bloosde van genoegen. Het leek nog echter en geweldiger nu ze het hem weer hoorde zeggen.

'En Todd Cranborn,' voegde hij eraan toe, 'die de meesten van jullie al kennen.'

Milly zag dat Candy Todd veelbetekenend aankeek, en dat hij die blik beantwoordde met een knipoog. Om de een of andere reden irriteerde dat haar mateloos. Ze was de afgelopen anderhalve dag het enige onderwerp van zijn belangstelling geweest en het zat haar meer dwars dan ze zou hebben verwacht dat een of andere slet met meloenborsten die aandacht zomaar wegkaapte. Ze begreep trouwens niet waarom het Jimmy niet ook vreselijk irriteerde.

'Dit is Candy,' zei hij trots, onverstoord door de miniflirt onder zijn ogen. 'Mijn verschrikkelijk lieve vrouw.'

'Haaaaiii,' zei de blondine, die haar ogen met tegenzin heel even van Todd afwendde en Milly de hooghartige blik toewierp die bloedmooie vrouwen aan gewone stervelingen schonken: een neerbuigende, Rachel Delaney-achtige grijnslach.

Heks.

'En dit is Amy,' vervolgde Jimmy. 'Mijn dochter.'

Hij had niet minder enthousiast kunnen klinken als ze een voetwrat was geweest. Arme meid! Milly zag haar blozen van ellende, en haar hart ging naar haar uit. Hoe kon Jimmy zo hartelijk en vriendelijk zijn tegen haar, en zo gemeen tegen zijn eigen vlees en bloed?

'Hoi,' zei ze, zoekend naar iets aardigs om te zeggen dat geen leugen zou zijn en uiteindelijk kiezend voor: 'Wat heb je mooie oorbellen in.'

'Dank je,' zei Amy, oprecht blij. 'Ze zijn nieuw.' Milly was een leuk meisje, besloot ze.

'Dit,' zei Jimmy, naar de kleine, donkere knappe man tegenover haar wijzend, 'is Sean O'Flannagan. Sean zorgt voor mijn paarden.'

'O, hallo,' zei Milly opgewekt. 'Sean. Jij bent Bobby's vriend, toch? Hij heeft me al veel over je verteld, al zal dat wel een gekuiste versie zijn geweest,' grapte ze.

'Insgelijks,' mompelde Sean met een blik die alleen maar als vernietigend kon worden geïnterpreteerd. De glimlach bestierf op Milly's lippen. 'De opgepoetste versie,' voegde hij er sarcastisch aan toe.

Dat was vreemd. Waarom deed hij zo vijandig?

Voor ze de kans kreeg een geschikt antwoord te bedenken, of verder door te vragen, eiste Jimmy haar aandacht weer op en stelde hij haar voor aan zijn trainer, een enigszins robuuste, stug uitziende vrouw van in de vijftig die Gill heette. Ze had kortgeknipt grijs haar en droeg een mannenjack, maar anders dan de meeste trainers die Milly kende, was ze beleefd en knikte ze haar kort maar vriendelijk toe.

'En tot slot,' zei Jimmy, met een glimlach naar de man die links van Milly zat, 'wil ik je graag voorstellen aan Brad Gaisford. Brad weet alles van pr wat de moeite waard is om te weten.'

'In feite ben ik, eh, veeleer een soort imago-consultant dan een pr-man,' zei Brad aanmatigend. 'Sommige mensen noemen wat ik doe "holistische pr", maar ik genereer in feite gewoon imago's.'

'O,' zei Milly botweg. 'Aha.'

'Hé, Brad,' zei Todd, op een toon alsof ze al sinds de middelbare school met elkaar bevriend waren in plaats dat ze elkaar net pas hadden ontmoet. 'Wat vind je van Milly's accent? Geweldig, hè?'

'Zeker weten.' Brad knikte. 'Fantastisch accent, fantastische naam, vat je? Ze heeft echte Austin Powers-vibes, man. Precies wat we zochten.'

Milly fronste. Die Brad zag eruit als een nerd, was waarschijnlijk rond de veertig, maar probeerde zich jeugdiger te kleden in een combatbroek en een te strak katoenen T-shirt met lange mouwen, waarvan hij kennelijk geloofde dat het zijn borstspieren goed deed uitkomen. Met zijn montuurloze bril en rare baardje deed hij haar een beetje denken aan een soort Fonz van middelbare leeftijd. Wie zei er tegenwoordig nou nog 'vat je'? En wat 'vibes' betreft... Ze had nooit meer zoiets zieligs gehoord sinds Justin Timberlake had geprobeerd als een zwarte te klinken. Ze kreeg de kriebels van hem.

'Ik heb besloten Brad al je pers en promotie te laten regelen,' zei Jimmy, terwijl hij grote stukken in olie gedrenkt brood in zijn blubberige, natte mond stopte.

'Waarom?' wilde Milly vragen, maar ze bedacht zich. In plaats daarvan staarde ze alleen maar naar zijn mond, die nu openstond en vol zat met halfgekauwd voedsel, en probeerde zich voor te stellen dat de mooie Candy die mond kuste. Dat viel niet mee.

'Todd en ik hebben het er vanmiddag over gehad,' vervolgde Jimmy.

'O ja?' Milly keek Todd vragend aan. Daar had hij niets over gezegd.

'Mm-mm,' zei Jimmy. 'Je bent een talentvol ruiter, maar dat is niet genoeg. Imago... dat is waar we aan moeten werken. Dat wordt de sleutel.'

'De sleutel,' praatte Brad hem na. 'Zeker weten.'

'Nou,' zei Milly, terwijl ze met ongegeneerde eetlust op haar bord lamsbout en boontjes aanviel, 'ik geef eerlijk gezegd niet veel om imago, meneer Price. Ik wil gewoon racen. En winnen. En veel geld verdienen.'

'Helaas, beste kind,' zei Brad met een kleinerende grijns, 'heeft Jimmy gelijk. Je kunt het een niet krijgen zonder het ander; geen geld zonder imago, bedoel ik. Dit is Amerika.'

Ik weet heus wel dat dit Amerika is, dacht Milly. Wat heeft dat er verdomme mee te maken?

'Laat me eens raden,' zei Sean, die net zo goed weg wist met zijn lamsbout en ook de cabernet in een indrukwekkend tempo achteroversloeg. 'Jullie gaan voor de invalshoek van de Engelse cowgirl.' Hij trok spottend een wenkbrauw op naar Brad. 'Heel origineel.'

'Het gaat niet om originaliteit,' beet Brad hem toe. Zij hadden kennelijk ook weinig met elkaar op. 'Al vind ik het overigens wel degelijk behoorlijk origineel.'

'Ik ook,' zei Todd. Hij herinnerde zich de arrogante Ierse klootzak van de keer dat hij met Bobby hier was geweest en zijn negatieve houding begon hem te vervelen.

'Het gaat om verkoopbaarheid. Het accent, het uiterlijk.' Hij wees naar Milly zoals een boer naar een bekroonde koe. 'Dat kunnen we verkopen. Met Jimmy's media-invloed achter haar kunnen we het zelfs voor een fortuin verkopen.'

'Misschien,' zei Sean, die daar geen moment aan twijfelde. Hij wist uit de eerste hand hoeveel deuren de naam Price kon openen. 'Maar het is nogal stijlloos, vind je niet?' Hij had het nu tegen Milly. 'Na alles wat Bobby voor je heeft gedaan, verbaast het me dat je met zo'n publiciteitsstunt afbreuk wilt doen aan de oude westerntradities die zo veel voor hem betekenen.'

'Ik ga niet…' begon ze. 'Ik bedoel, dit heeft niets met Bobby te maken.' Ze twijfelde plotseling. Had hij gelijk? Zou Bobby dit alles als een klap in zijn gezicht ervaren?

'We lopen te veel op de zaken vooruit,' zei Jimmy sussend. Hij wist niet waarom Sean zo dwarslag, maar hij wilde niet dat zijn nieuwe jockey en zijn briljante veearts meteen al ruzie kregen. 'De eerste prioriteit is dat Milly bekendheid krijgt in het nationale quarterhorse-circuit. De rest komt allemaal later wel.'

'Kom je hier wonen?' vroeg Amy schuchter. Ze had niets meer gezegd sinds Jimmy's schampere woorden en wilde duidelijk niet meer aandacht trekken dan absoluut noodzakelijk was.

'Nee,' zei Todd laatdunkend. 'Ze zal hier vijf dagen per week van negen tot zes trainen als ze geen races rijdt. Nietwaar, Jimmy?'

Jimmy knikte. 'Dat klopt.'

'Maar ze woont bij mij.'

Milly hoorde het zwijgend aan en keek van de een naar de ander, als een hond die naar een tenniswedstrijd kijkt. Het leek wel of ze niet bestond. Todd en Jimmy hadden helemaal niet met haar overlegd. Ze hadden gewoon in volle vaart plannen zitten maken voor háár leven.

Toch had ze weinig te klagen. Ze boden haar namelijk alles waarnaar ze ooit had verlangd.

Dat wil zeggen, alles behalve Bobby Cameron.

Maar na wat er de afgelopen dagen was gebeurd, begon ze eindelijk te aanvaarden dat die ene droom nooit werkelijkheid zou worden.

Bobby zat te huiveren in zijn pick-up voor de poort van Todds landhuis in Bel Air en deed zijn uiterste best om wakker te blijven.

Misschien had Dylan gelijk gehad. Misschien had hij niet moeten komen.

Maar verdomme, waaróm niet? Moest hij zich gewoon overgeven en die klootzak van een Cranborn Milly van hem af laten pakken? Toestaan dat hij haar bezoedelde en pijn deed, haar een keiharde wereld in duwde waar ze niet klaar voor was en haar van grote hoogte laten vallen zodra hij had wat hij wilde?

En dat was het andere punt. Wat wilde Todd nou eigenlijk precies? Was het Highwood? Hij had beslist een verborgen agenda, daar was Bobby van overtuigd, al had hij het tot dusver niet kunnen bewijzen. Of zat hij achter Milly zelf aan?

Het was sinds die vreselijke avond bij Jimmy Price vorig jaar, de avond voordat Cecil was overleden, in elk geval duidelijk dat hij haar wilde. Maar hij had sterk het gevoel dat ook daar meer achter zat dan alleen lust. Waar paste Jimmy Price bijvoorbeeld in het plaatje? Waarom deed Todd al die moeite om Milly en Jimmy bij elkaar te brengen? Het leek bijna of de man een persoonlijke vendetta tegen hem voerde, al had hij geen idee waarom of hoe.

Misschien had Dyl gelijk en was hij gewoon paranoïde. De druk waar hij onder stond doordat hij Highwood had geërfd, door het opzetten van de trainingsstallen en zijn pogingen zijn gevoelens voor Milly verborgen te houden, begon fysiek en emotioneel zijn tol te eisen. Misschien beeldde hij zich inderdaad van alles in.

Hij kon het gevoel echter niet van zich af schudden dat zijn leven zich achter melkglas afspeelde – dat alles niet was zoals het leek – en dat Todd Cranborn op een of andere manier de sleutel tot dat alles in handen had.

En dan was Summer er natuurlijk nog. Hij wist nog steeds niet wat hij aan de situatie met haar moest doen. Hij had op weg hierheen alleen wat afleiding van de Milly-Todd-nachtmerrie gevonden door zijn hersens te pijnigen op zoek naar signalen die hij wellicht over het hoofd had gezien. Wanneer waren haar gevoelens voor hem begonnen? Hij huiverde bij de gedachte dat hij haar misschien onbewust had aangemoedigd.

Niet dat ze niet knap was. En sexy. Hij moest tot zijn schaamte bekennen dat hij wel degelijk een wip met haar had willen maken, om Milly eens en voor altijd uit zijn gedachten te zetten.

Maar er was één ding dat alle meisjes waarmee hij had geslapen gemeen hadden: hij had nooit echt van hen gehouden. En van Summer hield hij wel. Niet zoals hij van Milly hield, maar toch. Nog afgezien van de heibel die het op de ranch zou veroorzaken, kon een verhouding met haar zijn leven alleen maar nog gecompliceerder maken. En hij had op het moment verdorie al complicaties genoeg in zijn leven.

Omstreeks één uur zakte Bobby's hoofd toch achterover tegen de hoofdsteun en viel hij in een onrustige slaap. Alleen het plotseling opduikende felle licht van Ferrari-koplampen op zijn gezicht was genoeg om hem wakker te maken.

'Bobby?'

Todd had zijn raampje opengedraaid en glimlachte de quasionschuldige glimlach waar Bobby gek van werd en die hem achtervolgde tot in zijn nachtmerries.

'Wat een verrassing. Kom alsjeblieft binnen.'

Bobby tuurde naar hem in het donker en zag Milly voorovergezakt in de passagiersstoel zitten. Hij dacht tenminste dat het Milly was. Wat was er verdomme met haar haren gebeurd?

Voor hij de tijd kreeg beter naar haar te kijken, liet Todd de krachtige motor met luid gebrul weer op toeren komen en reed hij de poort door, zodat hem niets anders overbleef dan zijn pick-up te starten en hem te volgen. Tegen de tijd dat hij had geparkeerd en zijn stijve benen strekte op het voorplein, had Todd de voordeur al geopend en het alarm uitgeschakeld en bracht hij Milly naar binnen. In haar korte, glimmende zilverkleurige jurk zag ze eruit als een dwaallichtje, etherisch en bovenaards.

'Waarom heb je me niet teruggebeld?' Hij duwde Todd opzij, pakte haar ruw bij haar schouders en draaide haar naar hem om.

Ze was wat onvast ter been en probeerde haar blik scherp te stellen. God, wat was hij knap, zelfs als hij kwaad op haar was. Het verlangen om zijn dikke blonde haren te strelen en zich in zijn armen te werpen was vreselijk sterk, zelfs nu. Maar ze wist dat ze dat niet moest doen. Als ze nu niet haar poot stijf hield, zou haar carrière nooit uit de startblokken komen. En hij zou haar niet respecteren of haar als een volwassene beschouwen als ze telkens terugkrabbelde en aan hem toegaf.

'Ik ben uit eten geweest,' zei ze opstandig. 'In Palos Verdes. Bij de Grote Boze Jimmy Price.'

'Je bent dronken,' zei Bobby hardvochtig toen ze weer haar evenwicht verloor en vanuit de deuropening in zijn armen viel. Heel even hield hij haar vast. Hij kon wel janken van verlangen toen hij de zijdezachte donshaartjes op haar arm over zijn huid voelde strijken. Maar ze duwde hem weg.

'Nee, dat ben ik niet,' zei ze. 'Ik heb een paar glaasjes gedronken, dat is alles. Om het te vieren.'

'Ja, ik kan wel zien dat je het hebt gevierd,' zei hij spottend. 'Je bent zelfs in je ondergoed weggegaan en hebt je haar geverfd.'

'Ach, hou je mond!' riep Milly. 'Mijn haar zit mooi zo. Dat weet je heel goed.'

'Het ziet er ordinair uit,' zei hij. Hij wist dat hij zich hufterig gedroeg, maar hij kon het niet helpen. 'Je had eerst prachtig haar. Je vader zou dit vreselijk vinden, dat weet je.'

'Laat papa erbuiten!' snikte ze. De tranen, die toch al in haar ogen brandden, rolden nu over haar wangen en ze liet haar schouders hangen. Cecil had haar lange haren inderdaad nog mooier gevonden dan zijzelf, maar daar had ze niet meer aan gedacht tot Bobby het zei. 'Dat jouw vader jou haatte, geeft je nog niet het recht iets over de mijne te zeggen.'

'Ik stel voor dat jullie allebei eens even kalmeren,' zei Todd zo kalm alsof ze het over het weer hadden. 'Waarom ga je niet in de woonkamer zitten, Bobby? Dan schenk ik een drankje voor je in.'

'Nee, dank je,' snauwde Bobby. 'Er moet hier iemand nuchter blijven. Moet je kijken hoe ze eraan toe is!' Hij wees naar Milly, die achter hem stond. 'Ze is nog geen eenentwintig, hoor. En vertel me niet dat je zelf niet ook hebt gedronken voordat je in die levensgevaarlijke auto stapte en haar naar huis bracht.'

'Als er hier één auto levensgevaarlijk is,' zei Todd met een minachtende blik over zijn schouder naar Bobby's oude truck, 'dan geloof ik niet dat het de mijne is.' Hij deed de deur achter zich dicht, liep naar de woonkamer, schonk een borrel in en ging op de bank zitten.

Milly volgde hen hevig geschokt.

'Vertel me nou maar eens,' zei Todd met gespreide armen, 'wat is nou precies je probleem, Bobby? Je denkt toch niet dat ik geloof dat je hierheen bent gekomen omdat je bang was dat Milly misschien zou drinken? Volgens mij ben zelfs jij niet zo overdreven beschermend.'

'Laten we het niet over mij hebben,' zei Bobby. 'Wat is jóuw probleem?'

'Ik weet niet wat je bedoelt.' Todd nam rustig een slok van zijn borrel.

'Natuurlijk wel,' snauwde Bobby. 'Laten we maar bij het begin beginnen. Wat had je vorig weekend op de ranch te zoeken? Je wist dat ik er niet was.'

'Jaaaa,' zei Todd, als een schoolmeester die iets vreselijk simpels uitlegt aan een klein kind. 'Ik wist dat je weg was. Maar ik moest in Buellton zijn, dus ging ik even langs om te kijken hoe de zaken ervoor stonden.'

'Onzin. Je liep te spioneren!' Bobby ijsbeerde nu woedend voor de open haard. 'Ik ben niet blind, al was het wel knap stom van me om jou te vertrouwen. Je loopt in het hele dal vragen te stellen en je neus in mijn zaken te steken…'

'Onze zaken,' corrigeerde Todd hem. 'Ik heb een aandeel in Highwood, weet je nog? Ik heb het recht om die dingen te weten.'

'Wat voor dingen?' vroeg Bobby. 'Waarom zit je in de modder te wroeten? Wat hoop je te vinden?'

'Niets. Jezus, vanwaar die paranoia? Ik ben een zakenman. Ik blijf graag op de hoogte van mijn investeringen. Als je iets ouder en verstandiger was, knul, dan zou je beseffen dat dat helemaal niet zo bijzonder is. We zijn niet allemaal achterlijke cowboys, weet je.'

Bobby had er genoeg van. Hij boog voorover, pakte Todd bij de kraag van zijn dure Italiaanse shirt en trok hem zonder enige moeite met één hand overeind. Gedurende één korte, bevredigende tel zag hij echte, fysieke angst in de ogen van de man toen hij zijn andere arm uithaalde naar achteren om toe te slaan.

'Hou je praatjes voor je, schijnheilige klerelijer,' zei hij. 'Je wist hoe ik over Jimmy dacht. Je hebt met opzet gewacht tot ik weg was en toen Milly mee naar hem toe genomen. En nu denk je dat je een sponsorschap kunt regelen en dat alles dan weer koek en ei is? Nou, dat gaat niet door, hoor je me?'

Hij liet Todd los, tot diens grote opluchting, en wendde zich weer tot Milly, die hij stevig bij haar pols pakte.

'Ze gaat met mij mee terug naar de ranch.'

'Vind je niet,' zei Todd, terwijl hij zijn das rechttrok en probeerde zowel zijn waardigheid te hervinden als op adem te komen, 'dat ze dat zelf moet beslissen? Ze is geen kind meer.'

'O ja, dat is ze wel,' zei Bobby. 'En belangrijker nog, ze is een kind dat aan mijn zorgen is toevertrouwd. Ga je spullen pakken,' beval hij Milly, en hij duwde haar naar de deur.

Dat was de druppel. Nadat Todd en Jimmy en die afschuwelijke Brad over haar toekomst hadden zitten praten zonder zelfs maar te vragen wat zij ervan vond, kwam nu Bobby op hoge poten hierheen om bevelen uit te delen… Ze had er genoeg van!

'Weet je wat, Bobby?' zei ze, en ze trok zich los uit zijn greep. 'Je bent verdomme mijn vader niet, dus hou op met dat gedoe.'

Door de combinatie van haar sexy, volwassen jurk, haar kapsel, haar uitgelopen make-up en haar uitdagend naar voren gestoken kin leek ze net een kind dat de verkleedkist van haar moeder had geplunderd. Hij wilde haar zo graag beschermen. Haar laten inzien wat hij zag: dat Todd een meedogenloze, roofzuchtige haai was en dat hij haar pijn zou doen. Hij realiseerde zich echter dat hij door alles wat hij vanavond had gezegd alleen maar overkwam als een jaloerse, egoïstische idioot.

'Dat weet ik,' zei hij, eindelijk zachter. 'Maar ik heb Cecil beloofd voor je te zorgen…'

'In godsnaam!' zei Milly. 'Wanneer laat je dat eindelijk eens achter je? Todd heeft gelijk, ik ben geen kind meer. Dat zou je misschien wel willen, maar ik ben het niet. Wat je ook van hem denkt, Jimmy heeft me een geweldige kans geboden.'

'O, dus het is al "Jimmy", hè?' zei hij onbehouwen.

'Ik ga op de beste quarterhorses van het land rijden,' zei ze, 'en meedoen aan belangrijke races. Hij zegt zelfs dat ik misschien volgend jaar naar Ruidoso Downs kan.'

'Hij praat je naar de mond,' zei Bobby, die er niet bij stilstond hoe hardvochtig dat klonk. 'Dat niveau heb je nog lang niet.'

'O, nee?' zei ze woedend. 'Nou, híj lijkt te denken van wel. Hij gaat me ook promoten en me een heel nieuw imago geven.'

'Ja, dat zal best!' zei Bobby hoofdschuddend. Hoe hij het ook probeerde, hij leek zijn woede niet langer dan een halve minuut in bedwang te kunnen houden. 'Je hebt geen flauw idee, is het wel? Je bent verdomd naïef.'

'Ik heb geen flauw idee?' Milly lachte wrang. Ze was nu echt woest. 'En jij dan? Jij bent te blind om je eigen motieven te onderkennen. Je bent jaloers!'

'Dat is belachelijk,' zei Bobby.

'Je bent wel jaloers,' hield Milly vol. 'Je wilt niet dat ik succes heb, of wel soms? Je wilt me voor altijd bij je op de ranch houden als je eigen project, je kleine kindslaaf.'

'Doe niet zo melodramatisch,' beet hij haar toe.

Todd zat ondertussen op de bank te genieten van de voorstelling. Gelukkig gooide Bobby heel netjes zijn eigen glazen in zonder extra hulp van hem. Al die onderdrukte cowboywoede… Hij kon het gewoon niet laten het meisje van zich weg te duwen. Het had niet beter kunnen gaan als Todd zelf het scenario voor deze avond had geschreven.

'Luister nou eens even,' zei Bobby, 'ik zal het simpel stellen: Jimmy Price doet mensen pijn. Ik sta niet toe dat hij jou pijn doet. Die man mag dan fantastische paarden hebben, maar hij is slecht.'

'Slecht?' pareerde ze. 'Wie doet er nu melodramatisch? Trouwens,' zei ze, en ze gooide haar hoofd achterover, ging naast Todd op de bank zitten en legde expres haar hand in de zijne, 'het kan me niet schelen wat je zegt. Ik ga niet met je terug naar Highwood. Nu niet, morgen niet, nooit meer. Ik heb een kans aangeboden gekregen en die neem ik. Als je echt zo veel om me gaf als je zegt, zou je dat begrijpen.'

Heel even meende ze iets – angst, wroeging, wanhoop zelfs – in zijn ogen te zien, maar toen was het weg en kwam er een muur van zelfbeschermende gevoelloosheid voor in de plaats. De klassieke Bobby-respons.

'Oké dan,' zei hij. 'Ik vind het best. Blijf jij maar hier als je dat wilt. Maar kom niet met hangende pootjes terug als het allemaal fout loopt, als je volwassen genoeg bent om te beseffen dat deze kerel je gebruikt.' Hij priemde met zijn vinger in Todds richting.

'Me gebruikt?' Ze keek oprecht verbaasd. 'Hoe? Waarvoor?'

'Om mij te pakken. Om Highwood te pakken,' zei Bobby. 'Hij is op de ranch uit, Milly. Hij geeft niets om jou.'

'Weet je, dit wordt echt een beetje te gek,' zei Todd, die nog steeds een welwillende façade ophield. 'Niemand probeert hier iemand "te pakken". Het enige wat ik wilde was Milly een handje helpen. Het levert mij niets op. Het laatste waar ik op uit ben is tussen jullie in komen.'

'Hou op,' zei Bobby met opgestoken hand. 'Misschien kun je een tiener voor de gek houden die niet beter weet…'

Milly's gezicht werd rood van hernieuwde verontwaardiging.

'Maar mij niet! Ik wil je uit de zaak en van mijn grondgebied af hebben.'

'Kom nou, Bobby,' zei Todd grinnikend, 'zo simpel is het niet, en dat weet je heel goed. Ik heb in Highwood geïnvesteerd en dat geeft me wettelijke rechten…'

Voor hij wist wat er gebeurde, werd hij weer vastgegrepen, maar dit keer hield Bobby zich niet in. Binnen enkele seconden kreeg hij geen lucht meer en keek hij paniekerig in de twee bruine ogen die waren samengeknepen tot spleetjes vloeibare haat.

'Als je ooit nog één voet op mijn ranch zet,' fluisterde Bobby dreigend, 'bij god, dan vermoord ik je. Is dat "simpel" genoeg voor u, meneer Cranborn?'

Todd knikte hulpeloos en Bobby smeet hem zonder plichtplegingen op de grond, waarna hij door de voordeur naar buiten stormde en die met een luide knal dichtsmeet.

Het duurde een volle minuut voordat Todd voldoende tot rust was gekomen om op te staan.

'Alles goed?' vroeg hij aan Milly.

'Met mij? Ja, prima,' zei ze. 'Ik maak me meer zorgen om jou.' Maar hij zag dat ze beefde als een rietje in haar dunne jurk. Elk restje dronkenschap was met één klap uit haar lichaam verdwenen, en ze zag er, met haar bleke, betraande gezicht verre van 'prima' uit.

'Kom eens hier,' zei hij. Hij hees zichzelf op de bank en trok haar tegen zich aan.

Hij voelde haar lichaam meteen ontspannen in zijn armen. Zo dicht bij hem was haar jeugd bijna tastbaar, als een levend, fysiek wezen. Hij had met heel wat jonge vrouwen geslapen, onder wie aardig wat tieners, maar er lag een wereld van verschil tussen de geoefende, zakelijke negentienjarigen uit Hollywood, met hun siliconentieten en seksuele ervaring, en dit kwetsbare Engelse meisje, dat een en al zachtheid, onschuld en bevende emotie was. Bobby had helemaal gelijk wat haar naïviteit betrof... en tjonge, wat was die opwindend.

Het vluchtige contact met de dood had hem nog geiler gemaakt dan normaal. Hij was zich sterk bewust van haar stevige borsten tegen zijn borst en voelde zijn pik stijf worden.

Milly voelde het ook, en even week ze geschrokken terug.

Ze had zich wel duizend keer voorgesteld hoe ze haar maagdelijkheid zou verliezen. In haar fantasieën zag ze altijd Bobby's gezicht boven het hare, overweldigd door een verlangen en lust die net zo hartstochtelijk waren als de hare. Ze had zich de tederheid voorgesteld waarmee hij de liefde met haar zou bedrijven, eerst aarzelend en allengs zekerder wanneer hij haar behoefte aanvoelde, en hoe ze zijn lichaam en ziel steeds dieper naar binnen trok...

Maar dat waren kinderlijke dromen. Vage beelden, overgenomen uit goedkope romannetjes en de goedkope soaps waar ze als kind naar keek.

Dit was de volwassen werkelijkheid: Todd, een volwassen man, wiens pik keihard tegen haar dijbeen drukte en wiens blik vol was van een allesbehalve tedere hartstocht.

Er kwamen vage herinneringen aan een gedicht bij haar boven... of was het een gebed dat ze op school had geleerd? Iets over 'groeien naar volwassenheid'.

Ze had Bobby zojuist verteld dat ze geen kind meer was. Dit was het moment om dat te bewijzen.

Ze begon aarzelend de contouren van zijn pik te strelen. Hij kreunde, boog toen naar voren en kuste haar gretig op de mond terwijl zijn handen naar de ritssluiting op haar rug graaiden. Toen hij die gevonden had, trok hij haar de jurk uit voor ze het goed en wel besefte. Ze droeg er geen beha onder, alleen een eenvoudig wit slipje met schattige gele bloemetjes erop.

'Sorry,' zei ze blozend. 'Niet erg sexy, wel?'

'Au contraire,' zei Todd, terwijl hij zijn warme hand onder de stof liet glijden en zijn vingers door haar zijdezachte schaamhaar haalde. 'Ik ben dol op die kleinemeisjeslook.'

Hij was niet van plan geweest haar vannacht te verleiden; hij had verwacht dat het hem enkele weken of misschien zelfs langer zou kosten om haar vertrouwen te winnen. Hij had het aan Bobby te danken dat ze zich zo snel in zijn armen en, zo hoopte hij, op zijn pik stortte.

Milly hoorde zichzelf naar adem happen en voelde een golf van genot toen hij zachtjes met zijn linkerhand haar clitoris begon te strelen en met zijn rechterhand zijn eigen broek uittrok. Ze keek omlaag en zag heel even zijn pik, die groot en warm leek te bewegen in zijn hand.

'Maak je geen zorgen,' zei hij grinnikend toen hij haar blik zag, 'Ik zal je geen pijn doen.'

Dat bleek een leugen. Met een harde stoot drong hij bij haar binnen en ze schreeuwde het uit van de pijn. Het was alsof iemand een intercityrein door een tuinslang probeerde te duwen.

'Sst, Sst, het is goed,' mompelde hij in haar haren terwijl ze hem in zijn schouder beet.

'Je zei dat het geen pijn zou doen!' Ze keek hem zo verontwaardigd aan dat hij moest lachen. Opgelucht dat het ergste voorbij was, begon Milly zelf ook algauw te lachen.

'Nu niet meer,' zei hij. 'Ik beloof het je. Voel maar.'

Hij begon langzaam in haar heen en weer te bewegen. Ze sloot haar ogen en verloor de controle over zichzelf in alle nieuwe, heerlijke gevoelens die haar van binnenuit verteerden. Na een paar minuten voelde ze dat zich een climax opbouwde. Instinctief verstevigde ze haar greep op zijn nek. Haar benen begonnen onbeheerst te trillen. Het was alsof ze verdronk, alleen was het... heerlijk, ongelooflijk. Ze wilde dat hij samen met haar verdronk.

Met een luid gegrom trok hij zich terug en spoot hij iets warms en wits over haar buik. Gefascineerd als een kind dat net voor het eerst een goocheltruc heeft gezien, raakte ze het aan terwijl Todd al opstond en zijn broek weer aantrok.

'Morgen,' verkondigde hij resoluut, 'ga je aan de pil. En ik duld geen tegenspraak, begrepen? Ik was bijna te laat.'

Ze was niet van plan hem tegen te spreken. Ze knikte slechts.

Morgen.

Wat kon morgen haar nou schelen? Ze kon alleen maar denken aan vandaag. De dag waarop ze een vrouw was geworden. De dag waarop alles was veranderd.

Morgen was haar zorg niet.

19

'Rustig maar. Rustig.'

Milly streelde Demons nek terwijl ze achter het starthek stonden te wachten en wou dat hij niet zo rilde. De arme schat was niet helemaal in orde.

Het was juli en ze stonden op Del Mar, een van de belangrijkste quarter-horse-renbanen in Californië, klaar voor deelname aan een trial voor de grote race van volgende maand. Sean, toch al nooit haar grootste fan, was vanochtend tegen haar tekeergegaan omdat ze het doorzette. 'Ik zeg je dat dat paard niet in orde is,' zei hij op dringende toon toen ze Demon met hulp van twee verzorgers in de trailer laadde. 'Hij moet rusten.'

Eigenlijk wist ze dat hij gelijk had. Hoewel Sean altijd wel wat op haar aan te merken had (hij vond kennelijk dat ze Bobby had verraden door voor Jimmy te gaan rijden – behoorlijk hypocriet, gezien het feit dat hij zelf Jimmy's hoofdveearts was – en door met Todd 'te hokken', zoals hij het noemde), had hij deze keer reden om kwaad te zijn. Demon had al bijna twee weken problemen met zijn ademhaling in de slopende hitte van de zomer. Gisteren had hij spontaan een bloedneus gekregen tijdens een rit door het open landschap van Palos Verdes, en had ze hem vervroegd terug moeten brengen naar de stal.

Maar nadat Jimmy gisteravond een hele reeks tests had laten uitvoeren, die niets hadden opgeleverd, hield Jimmy vol dat hij fit genoeg was om te racen en dus volgens plan naar Del Mar moest. Milly kon daar als jockey erg weinig tegen doen.

'Hij maakt het prima,' zei ze op verdedigende toon tegen Sean. 'De tests wezen niets uit.' Ze maakte zich echter zorgen, al zou ze hem dat niet laten merken. Na de dood van Easy had ze gezworen zich nooit meer aan een paard te zullen hechten. De afgelopen twee maanden had het paard dat Jimmy voor Milly's training van Todd had gekocht, haar echter helemaal voor zich ingenomen met zijn suffige ogen, onuitroeibare competitie- geest, zijn brede borst en zijn schommelende gang, waardoor hij wel een trekpaard leek. Ze was dol op hem en zou nog liever sterven dan hem gewond te zien raken.

Het was moeilijk te geloven dat ze pas tien weken voor Jimmy reed. Soms leek het wel tien jaar, zo ingrijpend was haar leven veranderd.

Haar 'leercurve' in Palos Verdes was niet zozeer een curve als wel een steile helling. Gill Sanders, Jimmy's quarterhorse-hoofdtrainer, bleek zelfs nog strenger dan Bobby. Na een intensieve week van afmattende trainingen in de overdekte manege liet ze Milly en Demon oefenen op sprints van driehonderd meter. Algauw schreef ze hen in voor trials op alle belangrijke banen in Californië – Satan Anita, Alameda, Del Mar, Los Alamitos – voor races met een behoorlijk prijzengeld, zoals de Gold Rush Derby, en de Miss Princess Handicap. Naarmate de weken verstreken en ze elkaar beter leerden kennen, raakten ze steeds beter in vorm en won Milly de ene trial na de andere, vaak met fikse voorsprong op ervaren jockeys.

Het was heel wat anders dan de Ballard Rodeo. Dankzij Gill deed ze in de eerste vijf weken in Palos Verdes meer trainingservaring op dan in een halfjaar op Highwood. Demon en zij werden onafscheidelijk.

Het had echter ook een schaduwkant.

Niet iedereen in het quarterhorse-wereldje bleek zo ontspannen en beschaafd met de sport om te gaan als de cowboys uit Santa Ynez. De kameraadschap die haar tijdens Ballard zo was opgevallen, bestond niet in LA of ergens anders waar jockeys, trainers en eigenaren het voor veel geld tegen elkaar opnamen. En ook seksisme was wijdverbreid.

'We hebben geen fatsoenlijke vrouwelijke quarterhorse-jockey meer gehad sinds Tami Pursell er in 2000 mee stopte,' zei Jimmy tegen haar, nadat een concurrerende jockey haar een gevaarlijk harde elleboogstoot in haar ribben had gegeven en daar niet voor gestraft was. 'Er is nog steeds veel verzet tegen het idee, maar daar moet je doorheen proberen te kijken.'

Milly knikte ernstig en wreef over haar gekneusde ribben.

'Begrijp me niet verkeerd,' vervolgde Jimmy. 'Tami was een fantastische ruiter; ze won vijfenvijftig keer het prijzengeld, ook dat van de All American, daar is niets tegen in te brengen. Maar ze had niet wat jij hebt: je uiterlijk, je jeugd, je accent en je imago. Ze is nooit juist getypeerd.'

'Juist typeren', zo begon Milly te begrijpen, betekende een hoop pr-verplichtingen die net zo vermoeiend en tijdrovend waren als haar trainings- en wedstrijdschema's. Ondanks het chronische gebrek aan vrije tijd en haar voortdurende uitputting was ze gelukkiger dan ze sinds Cecils dood was geweest. Na al die maanden van hopeloos verlangen naar Bobby had haar komst naar LA – en het rijden voor Jimmy en samenleven met Todd – iets van een wedergeboorte. Belangrijker was nog dat ze eindelijk vorderingen maakte met haar carrière, vorderingen die haar zouden helpen Newells terug te krijgen van Rachel voordat die de stoeterij en haar vaders nalatenschap helemaal de vernieling in hielp.

Ze streelde Demon zacht tussen zijn oren, pakte de teugels steviger beet en ging verzitten in het zadel toen de starter zijn bevelen begon te roepen. Gelukkig was het vandaag niet zo vreselijk heet en leken de rillingen waar hij eerder last van had gehad af te nemen.

Ze kon nu toch niets anders doen dan zich op de race richten. Gelukkig leek Demon daar hetzelfde over te denken. Hij stoof weg zodra de hekken wegklapten en zag eruit als een paard in topconditie. Binnen een paar seconden reden ze in de leidende positie.

'Goed zo, jongen,' riep Milly bemoedigend tegen de wind in. 'Nog even volhouden, Demon, en het is voorbij. Je kunt het!'

Er was niet vreselijk veel publiek, een paar honderd mensen hooguit, maar dat was voldoende om ervoor te zorgen dat Demon zich van zijn beste kant liet zien. Of hij zich lekker voelde of niet, Milly had nog nooit een paard bereden dat zo prestatiegericht was en zo schaamteloos genoot van de aandacht en het applaus. Op het moment dat ze over de finish gingen – weer als eerste, voor de tweede keer die week – gooide hij zijn hoofd achterover en begon hij een show weg te geven. Hij trapte tot verrukking van de toeschouwers opgewonden met zijn achterhand in wat al bekend begon te raken als zijn overwinningsdans.

Milly keek op en zag Gill naar hen toe komen rennen, gekleed in een geelgeblokte sweater en gestreepte broek. Normaal schuwde ze alle kleuren die niet ruim binnen de marges van antraciet en donkergroen vielen, dus ze was kennelijk in een feestelijke stemming.

'Dat was mooi,' zei ze hijgend toen ze hen bereikte. 'Goed gedaan.'

'Echt waar?' Milly grinnikte. Een 'mooi' van Gill was ruwweg te vertalen als een 'verdomd fantastisch' van iemand anders, en een 'goed gedaan' was bijna ongehoord.

'Ik hoop dat je gelijk hebt,' zei Milly nerveus. 'Er komen nog twee trials.' Ze steeg af en keek om zich heen in de zee van mensen die haar kwamen feliciteren. 'Weet jij of Todd er is?' vroeg ze zo nonchalant als ze kon.

'Geen idee,' zei Gill, die al haar aandacht op Demon richtte, een deken over hem heen legde en hem meenam naar Jimmy's juniorveeartsen om zijn temperatuur te controleren. 'Ik heb hem niet gezien.'

Milly beet op haar onderlip en drukte de neiging om te huilen de kop in. Verdorie. Hij had beloofd dat hij zou komen. Nu zou ze Amy om een lift naar huis moeten vragen... alweer.

Sinds de nacht in april dat ze haar maagdelijkheid had verloren, was Todd het middelpunt van Milly's leven geworden. De verandering had geleidelijk plaatsgevonden, en aanvankelijk vooral in praktische zin. Dat ze in zijn huis woonde, betekende dat ze zich moest aanpassen aan zijn tijdsindeling, zijn gewoonten. Omdat ze geen rijbewijs had, was ze nog meer van hem afhankelijk dan anders het geval zou zijn geweest; of in elk geval van Miguel, zijn altijd opgewekte Mexicaanse chauffeur die haar elke dag naar Palos Verdes bracht voor haar trainingen, en af en toe naar de stad.

Ze kwam al snel tot de ontdekking dat Bel Air weliswaar betoverend, maar ook ontzettend afgelegen was. Er waren geen winkels, geen koffietentjes, geen contacten met buren. Iedereen zat achter zijn hoge elektrisch beveiligde hekken, tuurde naar elkaar door een verrekijker en probeerde erachter te komen hoeveel het onroerend goed van de ander waard was. Het was het soort buurt waar je dertig jaar kon wonen zonder ooit je naaste buren te ontmoeten, had Todd haar vol welgemeende trots verteld.

Zelfs als ze wel ergens heen had gekund, waren de straten nog zo op autoverkeer afgestemd dat er niet eens trottoirs waren en ze in feite dus toch opgesloten zat. Op Highwood had ze in elk geval naar Solvang gekund om een krant te halen of een kop koffie te gaan drinken als ze daar zin in had. Nu had ze zelfs Todds hulp nodig om van zijn landgoed af te komen.

Dat was allemaal zo omslachtig dat ze steeds meer tijd thuis doorbracht. Afgezonderd als ze was van haar familie en vrienden in Engeland en nu ook vervreemd van Bobby, was er een groot gat in haar leven geslagen, en er was niemand anders om het te vullen dan Todd. Binnen enkele maanden werd ze dan ook helemaal opgeslokt door hun relatie.

Met Bobby was het alsof alles in slow motion was gebeurd. Of liever gezegd: er was niets gebeurd, maar het had in elk geval erg lang geduurd en haar frustratie was tot het kookpunt gestegen. Samenzijn met Todd was alsof het deksel van een hogedrukpan af was gehaald. Het was niet zozeer een bevrijding als wel een explosie.

Ze had nooit verwacht samen te zullen zijn met een oudere man. Maar nu het zo was, voelde het heel natuurlijk aan. Onder zijn geoefende begeleiding genoot ze van seks en van het vertrouwen dat ze door zijn verlangen naar haar kreeg. Ze was niet langer kleine Milly, het dochtertje van Cecil Lockwood Groves dat gek was op paarden, of Bobby Camerons pupil-uit-liefdadigheid. Ze was een sterke, seksueel bewuste vrouw met een rijke, knappe, oudere minnaar. Hoewel hij alle knappe, wereldwijze modellen in LA had kunnen krijgen, had Todd haar gekozen. Niets kon Milly's libido zo prikkelen als dat idee.

Al snel accepteerde ze zijn gezag niet alleen, maar genoot ze er ook van. Nadat ze in een paar maanden tijd haar vader en haar thuis was kwijtgeraakt en haar wereld op z'n kop was gezet, was het heerlijk om iemand te hebben die alle beslissingen voor haar nam. Het gaf haar een veilig gevoel.

Dus toen Todd een prachtige nieuwe garderobe voor haar aanschafte, maar er vervolgens op stond elk onderdeel daarvan eigenhandig uit te zoeken, klaagde ze niet. En ook stribbelde ze niet tegen toen hij een strikt dieet voor haar samenstelde – Jimmy had beslist dat ze een paar kilo moest afvallen – en vervolgens een fulltime 'maaltijdadviseur' aannam die haar overal volgde en ervoor zorgde dat ze zich ook aan het dieet hield.

Het nadeel was natuurlijk dat ze hem vanaf de eerste dag alle troeven van hun relatie in handen had gegeven. En hij aarzelde niet om ze uit te spelen en zorgde ervoor dat ze nooit zeker was van zijn motieven en gevoelens. Hij flirtte altijd met andere meisjes, en probeerde dat niet eens te verbergen. Vaak nam hij zelfs niet de moeite zich te verontschuldigen als hij in de kleine uurtjes thuiskwam van een of ander feestje. Milly huilde en tierde dan van boosheid, maar hij kon haar altijd weer tot bedaren brengen door met haar naar bed te gaan.

Dat ze zo onervaren was, maakte haar zo plooibaar en gemakkelijk te manipuleren als een lappenpop. Tot Todds verrukking bleek haar latente seksualiteit toen die eenmaal was gewekt, veel sterker en dierlijker te zijn dan hij had verwacht. Ze kende nauwelijks seksuele remmingen en was al even open over haar emoties. Het was niets voor Milly om spelletjes te spelen.

'Hé.' Amy kwam naar haar toe in een wijde roze bloes en bijpassende wijde broek. Ze zag eruit als een kruising tussen een michelinvrouwtje en een reusachtige framboos, maar Milly was blij haar te zien. 'Wat is er aan de hand? O, laat ook maar,' zei ze fronsend. 'Hij is zeker niet komen opdagen?'

Milly schudde haar hoofd en probeerde er niet zo terneergeslagen uit te zien als ze zich voelde. 'Er zal zich wel een crisis hebben voorgedaan op het werk.'

'Ja, hoor,' zei Amy sarcastisch. 'Natuurlijk.'

De twee meisjes waren goede vriendinnen geworden sinds Milly voor Jimmy reed. Milly was een waardevolle bondgenote voor Amy, en nam het voor haar op als het gekoeioneer van Candy haar te veel werd. Amy op haar beurt bewonderde haar onvoorwaardelijk, bood haar altijd een schouder om op uit te huilen en luisterde geduldig urenlang terwijl ze tekeerging over Rachel Delaney, over Newells dat ze terug wilde, over haar vreselijke broer en moeder in Engeland en haar ruzie met Bobby Cameron.

De enige twistappel tussen hen was Todd. Amy kon hem niet uitstaan en begreep niet dat iemand die zo knap en getalenteerd was als Milly zichzelf zo overleverde aan zo'n klootzak en rokkenjager.

'Ik kan je wel een lift naar huis geven als je wilt,' zei ze, zonder er verder op door te gaan dat Todd Milly had laten zitten. Milly zag er al ellendig genoeg uit zonder dat zij nog zout in de wonde ging wrijven.

'Naar Bel Air?' vroeg Milly. 'Maar dat is kilometers om.'

Amy haalde haar schouders op. 'Ik heb geen haast om naar huis te gaan. Candy heeft twee vriendinnen op bezoek. Hoe langer ik bij die krengen uit de buurt kan blijven, hoe beter.'

Milly giechelde. Hoe irritant Todd soms ook was, Amy slaagde er altijd weer in haar aan het lachen te krijgen.

'En ik was vanmorgen trouwens zo kwaad op haar omdat ze me weer met de jongens had opgezadeld dat ik de Porsche heb meegenomen.' Ze glimlachte ondeugend. Candy's roze Porsche – de Barbie-mobiel, zoals het personeel en de stalknechten in Palos Verdes hem noemden – was haar grote trots. Ze zou uit haar vel springen als ze ontdekte dat Amy hem had meegenomen. 'Je wilt me toch niet vertellen dat je een ritje daarin laat schieten?'

'Geef me twee minuten om me om te kleden,' zei Milly, en ze probeerde de beelden van Todd die met een of andere mooie meid in bed lag uit haar hoofd te zetten.

'Laat maar. Ga zo maar mee,' zei Amy. 'Dan mag jij Ken zijn.'

Milly lachte. 'Oké dan, Barbie,' zei ze, en ze haakte haar arm door die van haar vriendin. 'Na jou.'

Bijna tienduizend kilometer daarvandaan veegde Jasper voor de tweede keer in vijf minuten tijd zijn klamme handen af aan zijn broekspijpen. Hij wou dat het zweten eens ophield.

Hij zat alleen aan de praktisch lege bar boven in het Electric in Notting Hill te wachten tot Ali Dhaktoub terugkwam van het herentoilet en vroeg zich af wat hem in hemelsnaam had bezield om met deze ontmoeting in te stemmen.

Het was een paar weken geleden heel onschuldig begonnen. (Onschuld was immers een relatief begrip, en wat Rachel niet wist zou haar niet deren. Of hem niet, beter gezegd.) Amelia Kelton, de knappe dochter van een plaatselijke trainer die hij de afgelopen drie weken zo nu en dan had genaaid, had aangeboden hem voor te stellen aan een vriend van haar, een renpaardeneigenaar en zoon van een schatrijke Arabische oliemagnaat. Ze meende dat Jasper wellicht voor Ali zou kunnen werken. En God wist dat hij weinig te kiezen had.

De waarheid was dat hij vreselijk graag wilde terugkomen als jockey, om diverse redenen. De belangrijkste daarvan was zijn teleurstelling in Rachel en hun zogenaamde 'partnerschap'. Toen ze het idee had geopperd om de stoeterij te kopen, was hij aanvankelijk enthousiast geweest. Hij zou daardoor niet alleen snel de beschikking krijgen over meer geld – officieel zou zijn moeder het geld krijgen, natuurlijk, maar het was nooit een probleem geweest om bij Linda een paar duizend pond los te krijgen –, maar hij zou ook bij de onderneming betrokken zijn op zijn eigen voorwaarden, terwijl hij tegelijk Milly kon uitknijpen. Dat dacht hij althans.

In feite had Rachel koppig elke vorm van inbreng van zijn kant geweigerd. Het was bijna alsof ze geen waarde hechtte aan zijn mening, hoewel het toch overduidelijk was dat alles wat zij wist over het runnen van een stoeterij gemakkelijk op de achterkant van een postzegel paste. Ze had al de fout gemaakt enkele van Cecils best presterende hengsten te verkopen en te vervangen door te dure onbeproefde dieren.

Hij werd echter niet alleen op Newells naar de zijlijn geschoven. Haar succes als jockey en in de media leek met de week groter te worden. Ze zei nog steeds wel dat ze haar best deed om hen als stel te promoten, maar gezien de vrije val van zijn eigen 'carrière' had hij het akelige voorgevoel dat er wel eens snel een eind zou kunnen komen aan de *Rachel en Jasper-show*.

De groeiende hoeveelheid coke die hij gebruikte droeg waarschijnlijk ook bij aan zijn paranoia. Sinds Cecils dood maakte zijn oneindige krediet bij Bank Linda, in combinatie met een heleboel vrije tijd, het hem gemakkelijker dan ooit om vrijelijk aan zijn ondeugden toe te geven. Seks met meisjes als Amelia streelde zijn ijdelheid en gaf hem een illusie van macht in zijn relatie met Rachel. In werkelijkheid ontglipte de controle over zijn leven hem, en dat wist hij. Hij moest iets doen om geld te verdienen en te zorgen dat hij onafhankelijk werd.

En daar, zo hoopte hij, zou Ali Dhaktoub hem bij helpen.

Toen ze elkaar voor het eerst hadden ontmoet bij Nam Long in South Kensington, een populaire zaak onder de jonge, verwende rijken van Londen, had Jasper Ali aangezien voor de zoveelste verslaafde Arabische dilettant die papa's geld inzette op de paardenraces, maar die niet serieus belangstelling had voor de sport, en nog minder om een hem onbekende, derderangs jockey met weinig ervaring een baantje te geven.

Toen de cocktaildrankjes echter begonnen te stromen en hij Ali hoorde praten, stelde hij al snel zijn mening bij. De man wist inderdaad weinig over paarden, maar hij had wel verstand van gokken – en onderdrukking – en het subtiele evenwicht tussen risico en beloning bij beide. Hij sprak plotseling Jaspers taal.

Wat Ali van hem wilde, was dat hij zijn paarden inhield, dat hij met gedoodverfde favorieten opzettelijk races verloor die hij gemakkelijk had moeten kunnen winnen.

In feite was dat fraude. Als hij gepakt werd, zou hij zijn wedstrijdlicentie kwijtraken, beboet worden en misschien zelfs de gevangenis in gaan. Maar als hij niet gepakt werd, kon hij gigantisch veel geld verdienen.

In Nam Long had het allemaal spannend, sensationeel en gevaarlijk geklonken. De Dhaktoubs opereerden in een schimmige, grijze wereld waar het onderscheid tussen legitieme en illegale zaken vaag en duister was, een wereld die heel ver verwijderd was van zijn vaders eerlijke en rechtschapen werkwijze, en die van zijn Engelse, gevestigde cliënten. Maar nu hij drie weken later 's middags nuchter in een verlaten Londense club zat, had dat eerdere, dronken gesprek zijn schimmigheid verloren en was de sensatie vervangen door een knagende angst voor de consequenties van wat hij werd gevraagd te doen.

Hij was waarschijnlijk al strafbaar doordat hij hier zelfs maar met Ali over praatte, dacht hij, en het angstzweet brak hem uit.

Anderzijds kon hij, als hij niet werd gepakt, een fortuin verdienen, veel meer dan waarop hij als eerlijke jockey kon hopen. Meer dan Robbie Pemberton, Dettori en Jakey Forster, ruiters van wie hij met tegenzin had leren accepteren dat hij ze nooit zou kunnen evenaren op de renbaan. Meer ook dan Milly, die volgens diverse bronnen de cowboy had gedumpt en nu de protegee was van niemand minder dan Jimmy Price. Tot zijn grote afgunst leek ze inderdaad naam te maken in Amerika.

En bovenal meer dan Rachel.

'En, heb je over mijn voorstel nagedacht?'

Ali kwam grinnikend terug uit het herentoilet. Met zijn achterovergekamde zwarte haren, donkere huid en openhangende witte shirt deed hij Jasper denken aan een piraat. Het enige wat eraan ontbrak was een sabel tussen zijn tanden.

Het zat hem dwars dat deze kerel van zijn eigen leeftijd zo moeiteloos de boventoon voerde in hun 'onderhandelingen'. De werkelijkheid was echter dat Dhaktoub alle troeven in handen had, en dat wisten ze allebei.

'Zoals ik al zei, Ali, ik weet het echt niet,' zei hij in een poging tijd te winnen. 'Het is nog wat moeilijk te bevatten.'

'O ja?' Ali keek hem verbijsterd aan. 'Het lijkt mij nogal simpel. Ik heb iemand nodig die General's Boy over veertien dagen in Bath een beetje inhoudt. Het is geen grote happening, maar wel de ideale kans om jou rustig te laten beginnen. Normaal – als we zouden racen om te winnen – zouden we Pemberton gebruiken, maar mijn vader heeft een roulerende groep jockeys, dus het zal geen argwaan wekken dat jij een keer rijdt.'

'Ik begrijp het,' zei Jasper, groen van de zenuwen. Hij wist nog steeds niet zeker of hij het lef had om zoiets uit te halen.

'Je rijdt de race. Je verliest,' vervolgde Ali. 'Twintigduizend contant, plus commissie als je als vierde binnenkomt en het er ook nog overtuigend uitziet. Je hoeft niets voor dat geld te doen, vriend.'

Jasper dacht na. Het was een klap voor zijn ego dat werd gesuggereerd dat hij wel goed genoeg was om races te verliezen, maar niet om ze te winnen. Die klap werd echter behoorlijk verzacht door het vooruitzicht van twintigduizend pond contant en de mogelijkheid van nog hogere opbrengsten.

En wat kon er nou in feite fout gaan? Wat zijn moeder, Rachel en iedereen in Newmarket betrof zou hij legitiem voor de Dhaktoubs rijden, en toevallig verliezen. Dat zou niet de eerste keer zijn…

'Ik heb wat meer tijd nodig,' zei hij, en hij dronk de laatste slok van zijn whisky op. 'Een week. Om erover na te denken. Je vraagt me mijn carrière op het spel te zetten, Ali. Ik moet het zeker weten.'

Ali fronste en keek hem aan alsof hij wilde zeggen: 'Welke carrière?'

'Je hebt twee dagen,' zei hij, en hij haalde een paar knisperende bankbiljetten uit zijn kontzak en legde die op de bar naast hun lege glazen. 'Als ik donderdag niets van je heb gehoord, zoek ik iemand anders die het wel wil doen. Je hebt mijn nummers.'

Hij slenterde de bar uit zonder achterom te kijken. Geen hand, geen groet, niets. Even was Jasper geïrriteerd. Wie dacht die kerel eigenlijk dat hij was, een arme slaaf uit Abu Dhabi?

Hij liet het echter los. Wat deed het er in feite ook toe wat Ali van hem dacht? Hij stak twee van de briefjes van tien pond in zijn zak voordat de serveerster ze zag, gleed van zijn kruk en volgde zijn toekomstige werkgever naar buiten, de druilerige Londense middag in.

20

Dylan McDonald stond in Carol Bentleys kleine, witgestuukte galerie in Los Olivos en hupte nerveus van de ene voet op de ander.

'Ze blijft lang weg, vind je niet?'

Summer glimlachte en gaf een geruststellend kneepje in zijn hand. 'Niet echt,' zei ze. 'Ze beoordeelt het. Dat is haar werk.'

Ze had hem hier vandaag bijna mee naartoe moeten slepen, maar ze was vastbesloten de plaatselijke kunsthandelaar het voltooide portret van Wyatt te laten zien. Ze was zelf geen kunstenares, maar ze wist het wel als iets echt goed was. Dylan had hun vaders karakter perfect neergezet, wat hij er zelf ook van zei. Het had echter geen zin dat zij hem dat vertelde. Hij moest het van Carol horen.

'Ja, maar het duurt een eeuwigheid,' zei hij, op zijn nagels bijtend terwijl hij steeds meer aan zichzelf ging twijfelen. 'Ik bedoel maar, ze vindt het mooi of ze vindt het niet mooi, ja toch?'

Het was een afschuwelijke gedachte, maar in zekere zin was ze blij dat Dyl vanochtend zo nerveus was. Het gaf haar eens iets anders om zich op te concentreren dan haar eigen problemen. Bovendien was haar actie om hem mee te nemen naar hier een prima excuus geweest om van de ranch weg te gaan. Bobby verwachtte een vriend uit LA, Sean, voor het weekend. Het idee om urenlang gezellig over koetjes en kalfjes te moeten praten met een vreemde terwijl Bobby vlak bij haar was, vervulde haar met een akelig diep afgrijzen, waarbij het zweet haar uitbrak en haar hoofd bonkte van spanning. Al was het niet te vermijden, ze kon het in elk geval een paar uur uitstellen.

Sinds haar rampzalige, mislukte versierpoging in april, het weekend waarin Milly met Todd Cranborn mee was gegaan, was de spanning tussen Bobby en haar om te snijden. Ze waren beleefd tegen elkaar en voor zover zij wist had niemand op Highwood enig benul dat er iets was gebeurd, maar zij wist het en hij wist het. Dat was genoeg om haar te doen gloeien van schaamte en gekwetstheid als ze in zijn buurt kwam, wat zo'n beetje elke dag was. Alleen het vooruitzicht dat ze volgende maand naar Berkeley zou vertrekken hield haar op de been. De weken tot haar vertrek leken echter nog maanden. Het leek haar zelfs een onmogelijke opgave om dit weekend met Sean Hoe-hij-ook-heten-mocht door te komen.

'Hebt u er zo nog meer?' Carol kwam glimlachend het atelier aan de achterkant uit, met Dylans portret in haar armen. 'Portretten, bedoel ik.'

Dylan knikte. 'Een paar, mevrouw. Ik schilder eigenlijk meer landschappen. Maar ik heb er wel een of twee.'

'Hij heeft er genoeg,' zei Summer kordaat. Dit was niet het moment voor valse bescheidenheid. 'Van Willy, Mike, bijna alle knechten op de ranch…'

'Sommige zijn maar schetsen,' sprak Dylan haar haastig tegen.

'Nou, ik neem alles wat u hebt,' zei Carol glimlachend. 'Schetsen, voltooide stukken, het kan me niet schelen. Als er meer bij is dat zelfs maar in de buurt van deze kwaliteit komt, is het geknipt voor de galerie in Santa Barbara.'

Dylan fronste en wreef over zijn slapen. Carol keek verbaasd.

'Wat is er?' vroeg ze. 'U wilt ze toch wel verkopen, of niet?'

'Natuurlijk wel,' zei Summer, en ze trapte hem tegen zijn enkel. 'Of niet soms?'

'Maar pa dan?' fluisterde hij, terwijl hij haar buiten gehoorsafstand van de galeriehoudster trok. 'Je weet hoe hij over dat schilderen denkt. Zal hij niet uit zijn vel springen?'

Ze schonk hem een blik die het midden hield tussen ergernis en medeleven. 'Dat zou kunnen,' gaf ze toe. 'Ja, weet je wat, dat zou best eens kunnen. Maar kom op, Dylan. Je moet ooit je eigen beslissingen gaan nemen. Ze wil je schilderijen hebben!' Ze wees naar Carol, die hun onderonsje met belangstelling gadesloeg. 'Wil je die kans echt voorbij laten gaan?'

'Ik heb al lang geen werk meer van deze kwaliteit gezien,' zei Carol. Ze zag dat de jongen nog steeds aarzelde en besloot dat het geen kwaad kon wat aan te dringen. 'Het is anders, maar ik denk dat het heel goed in de markt zou kunnen liggen. Je zou je bestaande werk kunnen verkopen, daarmee een reputatie opbouwen, en dan misschien in commissie kunnen gaan werken. Dit soort traditioneel portretwerk is een uitstervende kunst, weet je.'

Dylan ademde diep in.

Barst ook maar.

Bobby trainde renpaarden op Highwood, Summer ging binnenkort rechten studeren. Zelfs Milly joeg haar droom na en werd daar in LA een quarterhorse-jockey. Waarom zou hij, Dylan, de enige sukkel zijn die zijn dromen opgaf om een of ander mythisch, geïdealiseerd beeld van Highwood na te leven dat alleen nog maar bestond in het hoofd van zijn vader? En zelfs als het bestond, dan was het Wyatts droom, niet de zijne.

'Goed dan, mevrouw Bentley,' zei hij. 'Ik doe het. Ik breng u de rest van wat ik heb.'

Op de ranch zette Bobby Seans koffer in zijn kamer, de logeerkamer in het grote huis die ooit van Milly was geweest, en nam hem daarna meteen mee naar de stallen.

'Niet slecht,' zei Sean, en hij floot waarderend toen ze het eind van de nette rij uit steen opgetrokken stallen bereikten en doorliepen naar de overdekte manege. Hij was al een tijdje van plan naar Highwood te komen – Milly's komst naar Palos Verdes had zijn nieuwsgierigheid alleen maar groter gemaakt – maar Jimmy gaf hem zelden een heel weekend vrij en hij had dus nog niet eerder de kans gehad. 'Hoeveel dieren heb je hier nu?'

'Tweeëntwintig zijn er fulltime bij ons ondergebracht,' zei Bobby trots, 'en nog eens zes die in de buurt gestald zijn en die ik regelmatig hier train. Vier zijn er van mij.'

'Aha. Trainer en eigenaar, hè?' Sean was onder de indruk. 'En zijn die alleen van jou, of ook van Cranborn?'

Bobby's gezicht betrok meteen en hij stak zijn handen diep in de zakken van zijn jas.

'Moeten we over die lul praten?'

'Nee, natuurlijk niet,' zei Sean. 'Ik vroeg me alleen af hoe het ervoor staat. Je weet dat ik die slijmbal net zomin kan uitstaan als jij.'

Bobby had Todd of Milly niet meer gesproken sinds die vreselijke nacht in Bel Air in april. Hij had verwacht dat ze de dag erna wel zou bellen om het goed te maken. Zij was altijd degene die de eerste stap zette als ze woorden hadden gehad. Ze wist hoe koppig hij was.

Deze keer was dat echter niet gebeurd. Het duurde een paar dagen voor hij zich eindelijk realiseerde dat ze verwachtte dat hij zou bellen, maar toen was er al te veel tijd verstreken om dat nog te kunnen doen, en hij wist niet wat hij moest zeggen of waar hij moest beginnen.

Kort daarna had hij van diverse mensen in LA gehoord dat Todd en zij 'een stel' waren. Radeloos deed hij wat hij als kind altijd deed als hij zich machteloos voelde... zoals wanneer zijn moeder het aanlegde met een of andere waardeloze hippie en zijn leven voor de zoveelste keer op z'n kop zette: hij stak zijn kop in het zand en probeerde er niet aan te denken.

Maar zelfs nu, maanden later, werd hij soms nog steeds midden in de nacht badend in het zweet wakker, gekweld door een beeld van Milly die werd bepoteld door die smerige, perverse klootzak. Hij werd er gewoon ziek van.

Het hielp ook niet dat Milly snel een zeer bekend gezicht werd in het quarterhorse-wereldje, in elk geval in Californië. Hoewel ze nog geen belangrijke race had gewonnen, leek haar imago, met de hulp van Price' ontzagwekkende mediamachine, niettemin behoorlijk te zijn opgepoetst. Advertentiecampagnes voor Boot Barn en een handvol andere cowboygerelateerde bedrijven hadden haar sneller helpen promoten dan haar paardrijcarrière kon bijbenen, en zouden vast snel gevolgd worden door grotere nationale sponsoringdeals.

Niet dat ze het slecht deed op het racefront. Een of andere masochistische neiging dwong hem ertoe zich op de hoogte te blijven stellen van haar resultaten, en die waren beslist indrukwekkend. Als ze haar huidige vorm behield, zouden Demon en zij volgend seizoen beslist alle grote wedstrijden rijden. Dan kreeg ze de kans op een nationale carrière en zou de toch al grote afstand tussen hen helemaal een gapende, onoverbrugbare kloof worden.

Hij trok zijn jas dichter om zich heen toen hij Sean over het erf voorging naar het grote huis. Het was half augustus, maar er woei een koele bries van de heuvels achter hen omlaag en hij was blij met de warmte van de oude leren jas.

Sean volgde hem naar binnen en door de gang naar de woonkamer, waar hij zichzelf een flinke bourbon inschonk van het dienblad op de kast, en waarna hij op een van de banken ging zitten. De kamer werd weinig gebruikt sinds Hanks dood – Bobby bracht zijn vrije tijd meestal door in de warmere, gezelliger huiskamer van de McDonalds – en dat was te merken. Het vertrek was kil en kleurloos, op het steriele af, met niets dan donkere houten meubels en mistroostig tikkende klokken. En lag geen tapijt en er hingen geen gordijnen, en alles was bedekt onder een laagje stof, van de lelijke lage salontafel tot de versleten parketvloer.

'Het is niet beledigend bedoeld,' zei hij, terwijl hij het kussen achter zijn rug opschudde, waardoor een wolk stof vrijkwam, 'maar vind je het hier niet ietwat deprimerend?'

Bobby haalde zijn schouders op. 'Niet echt.' Hij wilde het niet over zijn vaders smaak voor meubilair hebben, of over het gebrek daaraan. Hij wilde weten hoe het er met Todd voor stond. Het feit dat ze elkaar niet meer spraken was enerzijds een opluchting, maar had anderzijds ook zijn nadelen. Het belangrijkste daarvan was dat hij nu nog minder dan voorheen wist wat zijn zogenaamde partner van plan was met Highwood. Het was natuurlijk te veel gevraagd dat hij de ranch vergeten zou zijn, en hoe langer het stil bleef, hoe zenuwachtiger Bobby werd.

'Komt hij nog veel langs? In Palos Verdes?' vroeg hij.

'Cranborn,' zei Sean. 'Ja. Veel te vaak. Hij komt zogenaamd om Milly te zien rijden, maar is meestal in bespreking met Jimmy, of loopt achter diens vrouw aan als een reu achter een loopse teef. Je herinnert je Candy zeker nog wel?'

Bobby trok zijn bovenlip op alsof hij rottend vlees rook.

'Strandbal-Barbie? Natuurlijk.'

'Maar ik heb geen idee wat hij van plan is, maat, echt niet,' zei Sean, en hij nam nog een slok van de heerlijke bourbon. In dat opzicht had de oude Hank in elk geval goed voor zijn gasten gezorgd. 'Jimmy bespreekt nooit zaken met mij, behalve als het over de paarden gaat, natuurlijk. Ik ben de hele dag in de stallen.'

'En Milly?' Bobby vroeg het zo nonchalant mogelijk. 'Je ziet haar zeker voortdurend, niet? Heeft zij niets losgelaten?'

Het was vreselijk om hem over Milly te horen praten en ondanks alles de hoop te zien opflakkeren in zijn ogen. Arme drommel. Hij hield vol dat hij over haar heen was, maar je hoefde geen Freud te zijn om te snappen dat hij uit zijn nek kletste. Sean, die zelf nog nooit verliefd was geweest, nam zich voor het ook nooit uit te proberen.

'Nee,' zei hij. 'Milly en ik zijn niet bepaald boezemvrienden. En zelfs als we dat wel waren… Ik geloof niet dat ze iets van de zaken van die rokkenjager weet. Ze is behoorlijk verliefd op hem, voor zover ik het kan beoordelen, maar hij houdt haar op afstand.'

'Wat bedoel je?' vroeg Bobby.

'Je weet wel,' zei Sean. 'Ze heeft geen idee waar ze met hem aan toe is. Hij heeft andere meiden, gaat naar feestjes, laat haar in het ongewisse. Hij weet dat Jimmy haar hele dagen aan het werk houdt, dus ze kan hem niet in de gaten houden. Trainen, wedstrijden rijden, pr en nog meer pr… ze wordt een echte zakenvrouw.'

Bobby's gezicht betrok nog verder.

'Het zou me verbazen als Todd haar in vertrouwen neemt over zijn zaken,' besloot Sean snel. 'Meer heb ik er niet over te zeggen.'

Hij pijnigde zijn hersenen om met iets nieuws uit LA te komen dat Bobby enigszins zou kunnen troosten, toen hij werd afgeleid door een lookalike van het topmodel Christie Brinkley uit ongeveer 1984.

'De lunch is klaar,' zei het droombeeld, terwijl ze haar haren uit haar gezicht schudde zoals een meisje uit een shampooreclame. Ze had het tegen Bobby, maar Sean zag dat ze hem niet wilde aankijken, en dat hij zich in haar aanwezigheid ook niet op zijn gemak voelde en alleen iets mompelde ten antwoord.

'Echt waar?' zei hij met een blik op zijn horloge. 'Het is pas halfeen.'

'Dat weet ik,' zei het meisje met een schouderophalen. 'Dyl en ik zijn net terug uit het dorp, maar mam zegt dat we nu moeten eten.'

'Ik ben Sean.' Zodra hij weer in staat was iets te zeggen, sprong hij over-eind, pakte haar hand en kuste die enthousiast voor Bobby de kans kreeg hem voor te stellen. 'Sean O'Flannigan. Mijn god, wat is het aangenaam kennis met je te maken.'

Summer lachte. 'Summer McDonald,' zei ze en ze voegde er beleefd, maar volstrekt niet naar waarheid aan toe: 'Ik heb veel over je gehoord van Bobby.'

Sean keek paniekerig.

'Allemaal gelogen, van begin tot eind,' zei hij terwijl hij halfbescher-mend, halfflirterig zijn arm om haar middel sloeg. 'Je kunt geen woord ge-loven van wat die kerel tegen je zegt.'

'Maak je geen zorgen,' zei Summer, met een veelbetekenende blik naar Bobby die hij veinsde te negeren. 'Dat doe ik niet.'

Toen ze een paar minuten later naar het kantoor was vertrokken om Tara te roepen, liepen de twee mannen naar het huis van de McDonalds.

'Is er iets gaande tussen jullie tweeën?' vroeg Sean.

'Gaande? Natuurlijk niet,' zei Bobby, norser dan zijn bedoeling was ge-weest. 'Waarom denk je dat?'

'O, zomaar,' zei Sean, die een landmijn herkende als hij erop trapte. 'Je leek alleen een beetje afstandelijk.'

'Summer is als een zus voor me,' zei Bobby.

'Juist ja.' Sean knikte. 'Natuurlijk. Dat zag ik.'

'Ze is pas achttien, ze is veel te goed voor jou en je blijft met je vingers van haar af,' voegde Bobby er voor de goede orde aan toe.

'Juist ja,' zei Sean weer, en hij slaagde er niet in een grijns te onderdruk-ken. 'Hebbes.'

Twee weken na Seans reisje naar Highwood stond Milly in de kleedkamer van Amy Price kleren te passen. Todd nam haar die avond mee naar een feestje in de Playboy Mansion, iets waar ze zich al weken vreselijk op ver-heugde; al was de glans er wel een beetje af gegaan toen ze vanochtend had gehoord dat haar gezworen vijand Sean ook was uitgenodigd.

'Waarom moet dat nou?' zei ze pruilend en met een wanhopige blik naar haar spiegelbeeld in de antieke Franse spiegel. De smaragdgroene jurk met blote rug die Todd vorige maand voor haar had gekocht als goedmakertje omdat hij niet naar Del Mar was gekomen, zat nu al te ruim, dankzij het strenge laag-glykemische dieet dat ze van Jimmy moest volgen. Hij hing nu vormeloos van haar magere schouders omlaag, waardoor ze eruitzag als ie-mand van de cast van *Les Misérables* die in een vat met glitter was gevallen, of een ernstig ondervoed Vegas-danseresje. 'Waarom moet hij daar nou ook heen? Hij is volkomen onuitstaanbaar. En waarom staat alles me zo af-schuwelijk?'

'Je bent gek,' zei Amy, die op het bed een schaal pistachenootjes leeg zat te eten terwijl ze dit wijze stijladvies gaf. Ze koos ervoor de opmerking over Sean te negeren. Zij vond hem aardig, al kon ze wel begrijpen waarom Milly er anders over dacht. 'Jij ziet er altijd schitterend uit. Je moet hem alleen wat innemen, met een broche of zo. Ik zou er heel wat voor overhebben om jouw figuurtje te hebben.'

Al waren ze zo verschillend als dag en nacht, Amy en Milly waren inmiddels bijna de zusjes geworden die ze als kind allebei zo graag hadden gehad. Als de enige jockey die fulltime in Palos Verdes trainde – Jimmy's andere sterren, zoals Garth Mavers en Michael Shaw in het volbloedencircuit en de quarterhorse-jockey Ricky Crawford, kwamen maar zo nu en dan langs als hun drukke schema's dat toelieten – was Milly meestal tamelijk eenzaam, met bij de stallen niets anders dan de onuitgesproken afgunst van de stalknechten en Seans openlijke vijandigheid als gezelschap. Amy's vriendelijke gezicht en altijd opgewekte, bruisende karakter waren een godsgeschenk.

Voor Amy was Milly als een frisse wind. Vol vertrouwen, talentvol en mooi – kortom, alles wat ze zelf niet was – was ze niettemin heel nuchter en behandelde ze haar nooit als een tweederangs burger, zoals andere knappe meisjes dat deden. En beter nog: ze was grappig. Amy moest geregeld huilen van het lachen om haar briljante imitaties van de valse Candy, en de twee brachten tussen Milly's trainingssessies door heel wat gelukkige uurtjes door, waarin ze giechelden om de grillen van het leven in LA en de wereld van het paardrijden.

Slechts twee onderwerpen waren taboe tussen hen: Bobby (omdat Amy hem fantastisch en ongelooflijk romantisch vond, en dacht dat Milly gek was geweest om Highwood te verlaten en ruzie met hem te maken), en Todd (omdat Milly hem duidelijk het absolute einde vond en hij in Amy's ogen een kwal van de laagste orde was).

Vandaag hadden ze echter – zeer ongebruikelijk – beide mijnenvelden betreden. Milly had gemeend dat ze Todd een paar avonden geleden aan de telefoon over de olierechten van Highwood had horen praten en had de vergissing gemaakt hem om uitleg te vragen.

'Ik vroeg alleen maar wat er aan de hand was,' beklaagde ze zich bij Amy, ongetwijfeld hopend op steun. 'Maar hij snauwde me vreselijk af. Hij zei dat ik altijd naar Bobby en de ranch loop te vragen, maar dat is belachelijk. We hebben het nooit over Bobby. Nooit.'

'Wat denk jij dat er aan de hand is?' vroeg Amy. Ze wist van Sean dat Bobby vermoedde dat Todd iets van plan was met Highwood, maar dat hij niet precies wist wat. 'Denk je dat hij inderdaad op de olie uit is?'

'Todd? O, nee hoor.' Milly schudde vastberaden haar hoofd. 'Zeker we-

ten van niet. Er staat immers een clausule in het contract, dat er niet ge-
boord mag worden. Ik weet nog dat Wyatt Bobby dwong die erin op te nemen.'

'Goed bekeken van Wyatt,' zei Amy. Ze had nog nooit iemand van de
McDonalds ontmoet, maar door de heldere beschrijvingen van Milly en
Sean had ze het gevoel dat ze oude vrienden waren, en ze kon zich Wyatt
voorstellen, die zijn uiterste best deed om de koppige Bobby in toom te
houden en hem te beschermen tegen haaien als Cranborn.

'Hoe dan ook, Todd zou zoiets niet doen. Ik weet dat hij Bobby niet
mag, maar... nee, dat zou hij nooit doen.'

Amy wist niet of Milly haar probeerde te overtuigen of zichzelf. Het leek
in elk geval niet te werken.

'Wat vind je: de gouden oorbellen, of de blauwe?' vroeg Milly nu, eindelijk kiezend voor een licht goudkleurig jurkje met lage taille waarin ze er
iets minder uitgemergeld uitzag dan in de andere. Ze zou het nog niet zo
erg vinden dat ze mager was als haar tieten niet ook tot niets waren gereduceerd, terwijl minstens de helft van de meisjes op het feest vanavond
borsten zou hebben die meer wogen dan haar hele lichaam. Elke keer als
Todd en zij uitgingen in LA was er wel ergens zo'n geblondeerde del die
met haar meloenen naar hem liep te lonken. Dat maakte haar woest.

'De blauwe, lijkt mij,' zei Amy vastberaden.

Er had voorheen nooit iemand om haar advies gevraagd op het gebied
van stijl of schoonheid, en ze was idioot blij dat iemand die zo mooi was
als Milly haar om haar mening vroeg. Alleen al Milly's aanwezigheid leek
haar meer zelfvertrouwen te geven.

Ze wou dat ze haar volgende maand mee kon nemen naar New York, als
een soort magische talisman voor haar ontmoeting met de uitgever, en
misschien met Garth. Ze wist echter dat haar wedstrijdschema dat niet
toeliet. En Amy had haar, of wie dan ook, trouwens niets verteld over de
belangstelling voor haar gedichten. Ze wilde het lot niet tarten.

'Milly!' Onder Amy's raam weerklonk een kakofonie van claxongetoe-
ter. Ze hees zich van het bed overeind en ging kijken. Todd stond op het
grind voor het huis. Hij keek tussen het claxonneren door geërgerd op zijn
horloge en riep boos Milly's naam. Ze zag tot haar genoegen dat zich boven op zijn hoofd een kleine kale plek begon te vormen. Ze hoopte dat hij
snel helemaal kaal zou worden, dat was net goed voor die ijdeltuit.

Er was veel voor nodig wilde Amy echt een hekel aan iemand krijgen,
maar Todd Cranborn had dat in recordtijd voor elkaar gekregen. Als het
alleen zijn onbeschoftheid tegenover haar, zijn minachtende blikken en de
eindeloze stroom wrede opmerkingen over haar gewicht waren geweest,
zou ze hem misschien nog hebben kunnen vergeven. Maar van de manier

waarop hij de baas speelde over Milly, haar commandeerde en inspeelde op haar onzekerheid, vooral door zijn omgang met andere meisjes, werd ze helemaal niet goed. Evenmin als van de overduidelijke hielenlikkerij tegenover haar vader, waarmee die bloedzuiger ongetwijfeld een graantje hoopte te kunnen meepikken. Maar zoals gewoonlijk klaarde Milly's gezicht op toen ze zijn stem hoorde.

'Hoi!' riep ze naar buiten. Ze zwaaide opgewekt naar hem en negeerde de kregelige frons die ze van hem terugkreeg. 'Ik had niet verwacht dat je me zou komen ophalen. Waarom kom je niet naar Amy's kamer? We zijn bijna klaar.'

'Nee, dank je,' zei hij, en hij keek voor de vierde keer op zijn horloge. 'We hebben namelijk niet veel tijd, schat.'

Amy mocht Todd niet, en dat was wederzijds. Wat hem betrof was het de belangrijkste taak van een vrouw slank en knap te zijn; en als ze daar niet in slaagde, moest ze maar stil en nuttig zijn. Amy Price was geen van alle, en daarmee had haar bestaan in zijn ogen geen enkele zin. Hij had geen idee wat Milly in die vetzak zag.

'Ik kan maar beter gaan,' zei Milly verontschuldigend, en ze trok snel de jurk uit en haar spijkerbroek weer aan. 'Hij heeft er een hekel aan als ik hem laat wachten.'

'En dat kunnen we natuurlijk niet hebben,' zei Amy schalks, maar ze had er meteen spijt van toen ze Milly's beteuterde gezicht zag. 'Het spijt me, oké? Maak er nou maar gewoon een leuke avond van, goed? En laat je pret niet bederven door Sean of…' Ze hield zich in. '… of door wie dan ook.'

'Dat beloof ik,' zei Milly. Toen pakte ze een armvol kleren en schoenen bij elkaar en liep naar de deur. 'En ik hoop dat jij ook een leuke avond hebt.'

Ja hoor, dacht Amy. Natuurlijk, Candy, pap en ik. Dat wordt vast reuze gezellig.

Maar het kon haar niet schelen. Over drie weken was ze in New York, bij Garth. Iets anders deed er niet toe.

Milly kon zich niet herinneren of ze eigenlijk ooit foto's had gezien van Shangri-La, de befaamde Playboy Mansion in LA, of dat de voorstelling die ze zich ervan had gemaakt klopte.

Hoe dan ook, toen Todd de Ferrari stilzette en hun namen noemde tegen de beruchte 'pratende steen', een namaakgranieten rotsblok aan één kant van de reusachtige smeedijzeren poort, en de poort openzwierde om hen door te laten, was wat ze zag bijna precies zoals ze het zich had voorgesteld – als een kruising tussen de Hof van Eden en de set van Benny Hill.

'Wauw,' zei ze, en ze voelde nog eens aan de tape boven haar borsten om er zeker van te zijn dat haar jurk niet zou afzakken. 'Verbazingwekkend, vind je niet?'

Todd zwaaide en glimlachte echter al naar de snaterende meisjes die ze passeerden, en luisterde niet naar haar.

Het gotische huis was oorspronkelijk in de jaren twintig gebouwd voor de erfgenaam van een met warenhuizen verdiend fortuin uit Broadway, en was halverwege de jaren zeventig uitgebreid 'ge-hefft', waarbij de tuinen waren getransformeerd tot een kitscherig eerbetoon aan seks en genotzucht. Te midden van de onmiskenbare schoonheid van het tweeënhalve hectare grote terrein – golvende heuvels naast miniatuur tolkieniaanse bossen, een volière en uiteraard de beruchte, zij het prachtige grot – slenterden halfnaakte vrouwen met mannen van middelbare leeftijd in pak langs bordjes waarop stond: LET OP – SPELENDE PLAYMATES.

'Hoe vaak organiseren ze die feestjes?' vroeg Milly vlak bij Todds oor, in een poging zijn aandacht te trekken toen hij hun sleutels aan een onfatsoenlijk royaal geschapen dienstmeisje gaf. In haar goudkleurige jurk, die eerder redelijk sexy had geleken, voelde ze zich nu platter en sekslozer dan ooit. Ze had iets verleidelijks en roods moeten kiezen, dat de ruimte bood om er een gevulde beha onder aan te trekken. 'O, mijn god. Zag je dat?'

Een vrouw van minstens zeventig liep in niet meer dan een bikini van zilverlamé langs de parkeerplaats in de richting van de grot. Boven een lichaam vol vouwen en rimpels en dunne huid, die over de glimmende stof van haar outfit heen hing en een beetje trilde onder het lopen, had ze een bijna angstaanjagend poppengezicht: een gladde, bijna wasachtig witte huid, getekende oranje wenkbrauwen en kunstwimpers die eruitzagen alsof ze er in 1957 op waren gelijmd en er nooit meer af waren gehaald.

'Heff mag dan een seksist zijn, hij doet niet aan leeftijdsdiscriminatie,' zei Todd, lachend om Milly's van afgrijzen vertrokken gezicht. Het was helemaal niet ongebruikelijk dat je bij dit soort gelegenheden afgeleefde voormalige sterretjes zag lopen – hij had het altijd wel grappig gevonden en gemeend dat het bijdroeg aan de liederlijke Hieronymus Bosch-sfeer.

'En gedraag je niet als Dorothy in het land van de Munchkins, wil je? Je krijgt vanavond nog wel ergere dingen te zien, geloof me.'

Hij had gelijk. Het terrein mocht dan zijn wat ze ervan verwacht had, niets had haar kunnen voorbereiden op de bizarre, kermisachtige mengeling van excentriekelingen en modepoppen, bunny's en zakenlui die op de gazons verzameld waren. Links van haar stonden twee mannen in pak zaken te doen. Ze tikten cijfers in op hun palmpilots en dronken mineraalwater. Rechts liep een topless tiener met iemand die eruitzag alsof hij haar opa kon zijn – Milly hoopte maar dat het niet zo was – naar een van de bubbelbaden waar al een klein orgie in volle gang was.

Het meest verontrustend was echter dat zo vreselijk veel mensen, en vooral veel meisjes, Todd leken te kennen.

De een na de ander sprongen de vrouwen op hem af met hun gigantische, stuiterende borsten – ze begon te begrijpen waarom ze bunny's werden genoemd – en ze sloegen hun armen om hem heen alsof hij net terugkwam nadat hij jaren op zee was geweest en fluisterden hem in zijn oor waar zij bij was, alsof ze niet eens bestond.

In Newmarket, of zelfs in Solvang, zouden de mensen hebben gevraagd waar ze vandaan kwam of wat ze deed. Zelfs al hadden ze nooit van quarterhorses gehoord, dan nog zouden de meeste mensen het interessant vinden dat ze een jockey was, vooral nu ze eindelijk succes begon te boeken.

Maar hier vroeg niemand naar wat je deed. Niemand vroeg ook maar iets, tenzij je werd herkend als acteur of miljardair of borsten had die je met een kruiwagen moest ondersteunen.

'Wat mankeert haar, verdomme?' zei ze, eindelijk haar geduld verliezend toen een razend knappe latina die Mia heette en die niet met haar handen van Todd af had kunnen blijven, plotseling iemand zag die rijker was dan hij en er als de roadrunner vandoor ging.

'Wat bedoel je?' zei hij, zijn schouders ophalend. 'Het is een feestje, de meisjes worden betaald om ervoor te zorgen dat de mensen zich welkom voelen.'

'Ze gaf mij anders niet het gevoel dat ik welkom was,' zei Milly ziedend. 'Die stoeipoezen kijken gewoon dwars door me heen. Snappen ze dan niet dat we bij elkaar horen?'

'Maak je niet zo druk.' Todd trok haar glimlachend tegen zich aan en streelde met een vinger over haar nek, waardoor haar haren overeind gingen staan. Het was belachelijk eenvoudig om haar jaloers te maken, en dat gaf hem nog steeds een bevredigend gevoel van macht.

Tot zijn eigen verbazing vond hij haar na vijf maanden – een persoonlijk record voor hem – nog steeds lichamelijk aantrekkelijk. Zelfs nadat de kick van het feit dat hij haar van Bobby Cameron had afgepikt was afgezwakt, vond hij de combinatie van haar onschuld en haar verlangen hem een plezier te doen, vooral in bed, nog steeds ontzettend opwindend.

'Waarom ga je niet nog wat te drinken voor jezelf halen?' zei hij terwijl hij zich van haar losmaakte en weer wegliep. 'Praat met de andere gasten. Ik zie je straks wel weer.'

'Praten?' riep ze woedend tegen zijn verdwijnende rug. 'Hoe moet ik met die halve garen met hun opgepompte tieten praten? Ik ken hier helemaal niemand. Todd!' Hij was echter al verdwenen in een groep giechelende meisjes, als een vis die een draaikolk in wordt getrokken. Een poging hem daaruit te bevrijden zou even onmogelijk als vernederend zijn.

'Heb je nu al niets meer over hem te zeggen?' Milly draaide zich om en de kwastjes onder aan haar jurk zwierden achter haar aan. Ze zou dat spottende Ierse accent overal hebben herkend. 'Lieve hemel. Dat is echt geen goed teken.'

'Sean,' zei ze sarcastisch. 'Wat een aangename verrassing.'

Hij was haar altijd al een doorn in het oog geweest, maar sinds zijn recente bezoek aan Highwood was hij helemaal onuitstaanbaar en sprak hij lyrisch over de ranch en de mensen daar alsof hij die beter kende dan zij. Door haar ruzie met Bobby had ze sinds haar vertrek van de ranch niemand van Highwood meer gesproken, zelfs Dylan niet. Maar ze was er nog steeds, op een bezitterige manier, onzettend dol op. Het zat haar vreselijk dwars dat ze nieuws over Highwood nou juist van die onverdraagzame Sean O'Flannigan moest horen.

Sean, daarentegen, was voor deze keer blij dat hij Milly tegen het lijf was gelopen. Haar op stang jagen was een welkome onderbreking tijdens deze saaie avond.

Niemand kon hem ervan beschuldigen dat hij niet van een goed feest hield, of dat hij de charme niet inzag van een menigte halfnaakte vrouwen. Maar hij was al naar te veel van die playboyparty's geweest en vond ze alleen maar deprimerend. Al het geglimlach had iets geforceerds, en de avances van de meisjes waren zo onaandoenlijk en ingestudeerd dat hij er een vieze smaak van in zijn mond kreeg. Het zou erotisch moeten zijn, maar dat was het niet.

Het hielp ook niet dat hij Summer McDonald niet uit zijn hoofd leek te kunnen zetten. Hij had jammerlijk gefaald in zijn poging tijdens de rest van zijn bezoek aan Highwood vorderingen bij haar te boeken, al had hij alles geprobeerd: elke grappige zinsnede, elke techniek, van de schouder om op uit te huilen tot de ontzettend komische grappenmaker. Niets had gewerkt. Ze bleef hem drie dagen lang met dezelfde beleefde afstandelijkheid behandelen en vertrok tijdens zijn laatste ochtend zonder hem gedag te zeggen naar de bibliotheek. Hij begon het kennelijk te verleren.

'Moet jij je gezicht niet ergens tussen een paar siliconentieten gaan stoppen?' vroeg Milly, terwijl ze probeerde over zijn schouder naar Todd te kijken, die nu helemaal uit het zicht verdwenen was tussen de sletjes.

'Dat heb ik al gedaan,' zei hij droogjes, 'maar volgens mij heeft je vriendje ze nu geleend.'

Milly keek hem vuil aan.

'Ik heb begrepen dat hij hier regelmatig komt.'

'Dat zou jij moeten weten,' pareerde Milly meteen.

'Of misschien trek ik te snel conclusies?' zei Sean. 'Misschien ben jij hier vanavond uitgenodigd, en is hij gewoon met jou meegekomen? Ik bedoel, je laatste advertentie voor Boot Barn zou niet misstaan op het Playboy-kanaal, niet dan? Vertel me eens hoe ze nou eigenlijk een decolleté in een foto krijgen dat er in het echt niet is. Dat heb ik altijd al willen weten.'

'Val dood,' zei Milly. Ze had nooit begrepen wat Bobby, Amy en alle anderen in Sean zagen. Tegen haar was hij altijd afschuwelijk.

Ze hield een passerende bunny aan, verruilde haar lege champagneglas voor een vol glas en nam een grote slok, waardoor de belletjes nogal onplezierig naar haar neus schoten en haar ogen begonnen te tranen.

'Je bent jaloers omdat ik een carrière heb en iets ga bereiken,' zei ze met een geforceerde glimlach. 'En jij de rest van je leven tot je ellebogen in een paardenkont moet zitten.'

'Jaloers? Op jou?' Sean lachte. 'Van z'n leven niet, schat.' Hij keek nadrukkelijk naar Todd, die nu een roodharige aan de ene arm en een look-alike van Grace Jones aan de andere arm had en lachend zijn hoofd in zijn nek gooide alsof hij zich nergens zorgen over maakte. 'Je beseft toch wel dat hij eropuit is om Bobby te belazeren, hè?'

Daar gaan we weer, dacht Milly.

'Ik bedoel, ik weet dat je niet de pienterste bent,' zei Sean. 'Maar dat snap je toch wel, of niet? Jouw vriend gebruikt mensen alleen maar, en heel LA weet dat.'

Ze draaide zich op haar hakken om, liep naar het huis en sloot zich op in het damestoilet. Sinds hun ruzie over Highwood een paar dagen geleden had ze het akelige vermoeden dat Todd misschien inderdaad bijbedoelingen had gehad toen hij een relatie met haar begon. Ze had zichzelf ervan overtuigd dat ze paranoïde was, maar nu ze Sean haar angsten onder woorden hoorde brengen, begon ze weer hevig te twijfelen.

Ze zocht in haar gouden tasje naar haar poederdoosje en werkte ziedend haar make-up bij. Die stomme Sean ook. Hoe waagde hij het om een preek tegen haar af te steken over Boot Barn, of over Todd? Iedereen wist dat hij met elke vrouw binnen een straal van vijftig kilometer rond Palos Verdes naar bed was geweest. Zelfs Bobby, die zijn vriend was, noemde hem een hopeloze rokkenjager.

Toch zat zijn opmerking over Todd haar meer dwars dan ze wilde toegeven.

Gebruikte hij haar inderdaad om Bobby te pakken? En zo ja, hoe? En waarom? Aan de ene kant leek het vreselijk vergezocht, maar aan de andere kant klonk het zorgwekkend plausibel. Hij gedroeg zich vanavond in elk geval niet als een toegewijde vriend, zoals hij onder haar neus met die vreselijke meisjes stond te flirten. Het was allemaal erg verwarrend.

Toen haar gezicht bijgewerkt was, stapte ze de met kaarsen verlichte gang in en bleef even staan om haar kalmte te herwinnen. Ze leek in een kapel voor Marilyn Monroe terecht te zijn gekomen, die volgens de talloze memorabilia aan de muur de allereerste playmate was geweest. Door een dubbele glazen deur links van haar zag ze Todd, diep in gesprek met gelukkig dit keer een man, en ze wilde net naar hem toe lopen toen ze werd aangeklampt door een buitengewoon knap heerschap.

Hij leek voor in de dertig en glimlachte zo breed dat zijn tanden leken op te lichten in het donker, wat ze eigenlijk nogal walgelijk vond. Niettemin was hij precies het type waarmee ze wel een praatje wilde maken terwijl Todd haar kon zien.

Zij kon zelf immers ook flirten.

'Ik ben Johnny Haworth,' stelde de Adonis zich voor. 'Ben jij niet dat meisje van de sportkledingadvertentie? De cowgirl?'

'Dat klopt,' zei Milly stralend, buitengewoon tevreden dat ze was herkend. Ze wou alleen dat Sean het had gezien, maar die leek jammer genoeg te zijn verdwenen. 'Ik ben Milly Lockwood Groves. Aangenaam kennis te maken.'

Ze zei het net zo hard dat Todd haar hoorde en voelde een bescheiden golf van triomf toen ze zag dat hij zich bij zijn gesprekspartner verontschuldigde en naar hen toe kwam.

Ha! Hij was dus toch jaloers!

Haar glimlach vervaagde echter al snel toen hij haar nieuwe bewonderaar enkele ogenblikken later met een ongedwongen glimlach begroette. Was er dan niemand die hij niet kende? 'Hé, Johnny,' zei hij hartelijk. 'Hoe gaan de zaken?'

'Niet slecht,' zei de Adonis, die nu al zijn aandacht op Todd richtte. 'Het Amerikaans genootschap voor cosmetische chirurgie heeft me tot de nummer één voor borstvergrotingen en ooglifts aan de westkust benoemd. Ik wilde de jongedame – Jilly was het toch? – net mijn kaartje geven. Voor het geval ze misschien wat aanpassingen zou willen, begrijp je?'

Hij stak zijn hand in zijn jaszak, haalde er een visitekaartje uit en drukte dat Milly in de hand. DR. J. HAWORTH, COSMETISCH CHIRURG stond erop.

Daar ging haar poging om Todd jaloers te maken. Die kerel wilde helemaal niet met haar flirten. Hij wilde haar opensnijden! Ze geloofde niet dat ze zich ooit zo vernederd had gevoeld.

'De naam is Milly,' zei ze ijzig. 'Milly, met een M, oké? En ik ben volkomen tevreden met mijn lichaam, dank u zeer.'

Johnny keek naar haar platte, magere borst, en even hing er een onuitgesproken 'echt waar?' tussen hen in de lucht.

'Ik ben een professioneel jockey,' beet ze hem toe, 'die hebben geen ingebouwde airbags.'

'Hé, rustig maar,' zei hij en hij stak in een verontschuldigend gebaar zijn handen op, als een voetballer die vals spel toegeeft. 'Het kan nooit kwaad het te vragen, of wel? Hé, Adrianna! Wacht even!'

Hij liep de meer gevulde armen in van wat eruitzag als een tevreden klant en liet Todd en Milly alleen.

'Dat was een geweldig antwoord!' lachte Todd. 'Airbags... fantastisch.'

'Vind je?' zei Milly kwaad.

Ze had kalm willen blijven, maar na Todds insinuaties, en nu die vreselijke dokter die haar openlijk te schande maakte, gooide ze elke schijn van koelbloedigheid overboord.

'Jij ziet airbags duidelijk wel zitten, hè? Je hebt het afgelopen uur ieder paar siliconentieten hier zitten bestuderen.'

Hij vond haar prachtig om te zien als ze kwaad was, zoals ze haar onderlip naar voren stak en haar neus rimpelde. Ze leek soms echt nog maar zeven.

'Ik snap niet waarom je me eigenlijk mee hebt genomen,' ziedde ze, 'als je me toch alleen maar als een stuk bagage aan de bar achterlaat terwijl je zelf op jacht gaat!'

Hij legde een warme hand in haar nek en trok haar naar zich toe.

'Arme kleine Milly,' zei hij poeslief. 'Wat hebben we toch weer een zelfmedelijden.'

Ze wist dat ze zich los zou moeten trekken, haar woede op peil zou moeten houden, hem een lesje zou moeten leren. Maar het was zo geruststellend om na al haar onzekerheid door hem te worden vastgehouden dat ze het niet kon. Ze hoefde alleen maar zijn aftershave te ruiken en de zachte warmte van zijn vingers in haar nek te voelen of haar knieën begonnen al te knikken van verlangen. Ze wou dat ze niet zo naar hem hunkerde, maar het was hopeloos. Ze sloot haar ogen, leunde tegen zijn brede borst en ademde zijn geur in.

'Als je het per se wilt weten,' zei hij, hard wordend nu hij haar tengere, verlangende lichaam tegen zich aan voelde drukken, 'ik was niet "op jacht", zoals je het zo poëtisch uitdrukt. Ik heb zelfs zakengedaan ten behoeve van jou.'

'Wat voor zaken?' mompelde ze.

'Nou, ik beloof nog niets,' zei hij dicht bij haar oor, 'maar ik denk dat ik een spread in de *Playboy* voor je heb geregeld.'

Milly sprong vol afgrijzen achteruit. 'Wát heb je gedaan? De *Playboy*?' Haar stem werd weer luider. 'Ben je gek geworden? Wil je dat ik uit de kleren ga voor de *Playboy*?'

'Nou en of.' Todd keek haar perplex aan. 'Waarom niet? Je wilt toch bekender te worden?'

'Waarom níét?' riep Milly ongelovig. 'Eh... nou, misschien omdat ik een sportvrouw ben, en geen pornoster? Rachel Delaney mag dan graag rondtrippelen in een beha en wat bodypaint, maar ik niet. En bovendien,' besloot ze met een veel praktischer opmerking, 'vindt Jimmy het vast een vreselijk idee.'

'Nee, dat denk ik niet,' zei Todd. 'Hij vindt het beslist geweldig. En ze hebben toevallig volgende maand een speciale sportuitgave. Vreemd eigenlijk dat dat Brad Gaisford is ontgaan. Het merendeel van de foto's is al gemaakt, maar ze hebben altijd ruimte voor late aanvullingen, als die hot genoeg zijn.' Hij glimlachte veelbetekenend. 'Als Jimmy wil dat je naamsbekendheid krijgt, dan is dit het juiste middel. Laat Boot Barn maar verrekken.'

Ze werd verscheurd door twijfel. Aan de ene kant was het vreselijk ordinair. Haar moeder zou een hartverzakking krijgen. Niet dat het haar nog veel kon schelen wat Linda dacht sinds die de hele zaak had verkocht aan Rachel, maar toch. En de stalknechten en alle andere macho's in het quarterhorse-wereldje zouden haar er vreselijk mee plagen. Het was al erg genoeg dat ze bij negenennegentig procent van de races de enige vrouwelijk deelnemer was, maar een spread in de *Playboy*? Ze kon net zo goed haar hoofd in de strop steken. Sean zou genieten!

Maar aan de andere kant betekende het wel heel snelle bekendheid. Het bescheiden beetje 'roem' dat ze tot dusver had ervaren, was haar beter bevallen dan ze had verwacht... beter dan waarschijnlijk gepast was, maar wie kon dat wat schelen? Waarom mocht zij niet een keer het middelpunt van de aandacht zijn?

'Luister nou even.' Todd pakte haar handen vast en trok haar ondanks haar protesten dicht tegen zich aan. 'Je wilt de stoeterij toch van Rachel terugkopen of niet?'

'Natuurlijk,' gaf ze schoorvoetend toe. 'Dat weet je best. Maar naaktfoto's...'

'Het gaat niet alleen om het geld,' fluisterde hij. 'Ik zou het leuk vinden als je het deed. Voor mij. Het lijkt me ontzettend sexy.'

Milly voelde haar vastberadenheid afnemen. Het was niet alleen dat ze hem een plezier wilde doen, al was dat wel zo; ze was ook bang. Ze wist dat er honderd blondjes in de rij zouden staan om haar plaats in te nemen als ze hem wegduwde. Dit feest vanavond had iets van een onheilspellende vooruitblik op de toekomst.

'Ik zal erover nadenken,' zei ze, en ze ging op haar tenen staan en kuste hem.

'Mooi zo.' Hij glimlachte de tevreden glimlach van de overwinnaar. 'En laten we nu weggaan. Ik wil met je naar bed.'

21

Rachel Delaney zat in de badkamer van haar vaders flat in Knightsbridge te wachten tot het toplaagje van haar roze nagellak droog was en bladerde ondertussen het septembernummer van de *Playboy* door.

'Shit,' zei ze, en ze beet woedend op haar onderlip terwijl ze de bladzijden omsloeg en zag dat er maar liefst vier aan Milly gewijd waren als 'De Engelse cowgirl'.

'Hoe heeft ze dat verdomme voor elkaar gekregen?'

Een van de dingen aan Milly Lockwood Groves die haar het kwaadst konden maken – en dat waren er veel – was dat ze telkens weer overeind kwam, hoe vaak je haar ook neersloeg. Ze leek wel die stomme griet in Austin Powers, die het zelfs vertikte om dood te gaan nadat ze van zevenhoog omlaag was gegooid en was doorzeefd met machinegeweerkogels. Het ene moment was ze met die kloothommel van een Bobby Cameron naar Amerika vertrokken, voorbestemd voor een leven lang lassowerpen of wat voor obscure cowboysport het dan ook mocht wezen, en het volgende moment roemde de hele pers haar als Amerika's nieuwe talent in het paardenrennen, met haar fantastische vriendje de miljonair, en prijkte ze met haar magere lijf in de *Playboy*.

Het was belachelijk. Ze mocht dan een nieuw kapsel hebben en een leuk pruilmondje kunnen trekken, maar ze was nog steeds Milly Lockwood Groves, die niets voorstelde. En ze had niet eens tieten.

Als dat het effect was van sponsoring door Jimmy Price, werd het hoog tijd dat zij die man eens ontmoette. Des Leach moest zijn handjes maar eens laten wapperen en een paar afspraken voor haar regelen in Amerika.

Ze boog voorover, blies zacht over haar teennagels en bedacht dat Engeland haar eigenlijk toch al behoorlijk verveelde, ook al had ze een goed zomerseizoen gehad, met een prijzenswaardige race op Ascot in juni, gevolgd door een goede July Cup en een verdiende tweede plaats tijdens Dewhurst. Ze was nu zo bekend dat haar foto geregeld in de *Heat!* stond, de ultieme lakmoesproef voor Britse beroemdheden, hoewel ze nog minstens zo vaak samen met Jasper werd afgebeeld als de 'de Posh en Becks van de paarden-rennen', wat haar woedend maakte. Wat had hij ooit gedaan om die aandacht te verdienen?

Ondanks haar succes slokte Newells echter nog steeds een bijna deprimerende hoeveelheid van haar tijd en geld op. Toen ze de zaak van Linda had overgenomen, had ze gedacht daar een koopje aan te hebben. Een stoeterij runnen bleek echter heel wat moeilijker dan het eruitzag, en Newells kostte haar momenteel alarmerend veel geld.

Een paar weken geleden had ze eindelijk, voor een exorbitant salaris, een ervaren bedrijfsleider aangenomen. Die had haar botweg verteld dat het stom was geweest om zo veel van Cecils uitstekende hengsten te verkopen, en dat had haar humeur geen goedgedaan. Ze mocht Milly dan hebben gekwetst, het had haar veel geld gekost en de stapel rekeningen leek alleen maar te groeien.

Ze was te trots om haar vader om hulp te vragen en zou zich bijna tot Jasper hebben kunnen wenden. Zelfs hij moest, doordat hij op Newells was opgegroeid, toch iets hebben opgepikt van het beheer van een stoeterij. Hij leek de laatste tijd echter helemaal het spoor bijster te zijn. Hij smeet bijvoorbeeld met geld. Ze vermoedde dat hij dat van Linda aftroggelde, maar zelfs met zijn moeders legendarische toegeeflijkheid was dit wel erg veel geld. En het meeste snoof hij gewoon op.

Haar gedachtegang werd verstoord doordat er iemand aanhoudend op de bel drukte.

'Verdomme,' mompelde ze, waarna ze het tijdschrift opzijgooide en in haar haast om bij de intercom te komen haar kleine teen raakte. 'Ja, ja, ik kom al.'

Het enige wat ze zag op de vage zwart-witmonitor was een vooroverge-bogen, in een regenjas gehulde mannelijke gestalte met een pet ver over zijn gezicht getrokken.

'Wie is daar?' snauwde ze. 'Als u soms theedoeken verkoopt, die hebben we niet nodig, dus donder maar op, oké?'

'Ik ben het,' klonk Jaspers stem over de krakende intercom. Hij hijgde en was duidelijk buiten adem. 'Godverdomme, Rach, doe de deur open.'

Ze drukte de knop voor de buitendeur in, liet de deur van de flat open zodat hij zelf binnen kon komen en hinkte terug naar de badkamer om de geruïneerde nagel opnieuw te lakken. Ze kreeg de schrik van haar leven toen hij een paar minuten later in de deuropening verscheen.

'O, mijn god,' zei ze met een zucht. 'Wat is er gebeurd?'

Hij was zo hard en vaak in zijn gezicht geslagen dat ze hem bijna niet herkende. Zijn wangen en kaak waren bedekt met grote paarsblauwe bloeduitstortingen en er hingen straaltjes opgedroogd bloed onder zijn kapotgeslagen neus en gebarsten onderlip. Het vlees rond zijn rechteroog was zo gezwollen dat het oog zelf nog maar een spleetje was; en met zijn linkeroog keek hij nerveus om zich heen, alsof hij verwachtte dat zijn aanvaller elk moment uit Rachels badkamerkastje tevoorschijn kon springen.

'Ik heb een glas cognac nodig.' Hij beefde nog steeds toen hij zonder plichtplegingen zijn weekendtas op de grond liet vallen. 'Heb je dat?'

'In het drankkastje in de huiskamer,' zei ze terwijl ze hem bij de hand pakte. Ze voelde wat meer warmte voor hem dan gewoonlijk sinds hij haar vorige week had verrast met een korte vakantie in St.-Tropez. Ze had zich voor het eerst echt tot hem aangetrokken gevoeld toen hij over het gehuurde jacht rondliep en met zijn mobiele telefoon feestjes regelde in Les Caves, waarvoor hij ook betaalde. Niets maakte een man zo sexy en zelfverzekerd als geld.

Van die zelfverzekerdheid was niet veel meer te merken nu hij op de bank zat te beven als een overlevende van de Titanic. Ze schonk snel wat te drinken voor hem in. Haar vader bleek door zijn cognac heen te zijn, maar ze nam aan dat elke vorm van sterkedrank wel goed zou zijn, dus schonk ze flink wat van haar moeders Grand Marnier in een wijnglas en gaf hem dat.

Jasper nam een grote slok en hoestte even, waarna hij zich zwakjes achterover liet zakken. De warme vloeistof begon langzaam zijn werk te doen.

'Je moet naar het ziekenhuis, weet je dat?' zei Rachel toen zijn ademhaling weer bijna normaal was. Zijn kapotgeslagen gezicht zag er in het felle licht van de huiskamer nog slechter uit dan in de badkamer.

'Nee,' zei hij, meteen weer geagiteerd.' Nee, dat kan niet.'

'Waarom niet?'

En stukje bij beetje kwam het hele trieste verhaal naar buiten. Hij was op weg geweest naar Kings Cross om de trein naar Newmarket te nemen toen hij een paar meter voor de ingang naar de ondergrondse was aangeklampt door een zware kerel die beweerde een vriend te zijn van Ali Dhaktoub. Voor hij de kans kreeg iets te zeggen, werd hij in een busje geduwd, waar achterin nog twee kleerkasten zaten, een blanke en een zwarte, die hem verrot hadden geslagen. Hij moest op een gegeven moment het bewustzijn verloren hebben, want het eerstvolgende dat hij zich herinnerde was dat hij tussen een stapel dozen achter een pakhuis in oostelijk Londen wakker werd. Dat moest ongeveer twee uur geleden zijn – de tijd die hij nodig had gehad om goed bij zijn positieven te komen en naar Rachels flat te lopen – en nu was hij dus hier.

'Ik heb me natuurlijk verdedigd,' verzekerde hij haar, tussen twee vertroostende slokjes Grand Marnier door. 'Ik heb flink tegengas gegeven.'

In feite was hij meteen begonnen te jammeren en om genade te smeken zodra de deur van het busje openging, maar dat hoefde Rachel niet te weten.

'Het probleem was dat zij met z'n drieën waren en ik alleen. Ik had geen schijn van kans.'

'Maar… ik begrijp het niet,' zei ze langzaam. 'Waarom zouden de vrienden van Ali Dhaktoub jou in elkaar willen rammen? Dat slaat nergens op.'

Jasper keek omhoog en ving een glimp van zijn verwoeste gezicht op in de spiegel boven sir Michaels open haard en kreunde. Hij was ijdel genoeg om meer in te zitten over het verlies van zijn knappe uiterlijk dan over de kloppende pijn in zijn gezicht en ribben. De bloeduitstortingen zouden wel genezen, maar zijn neus zag eruit of die gebroken was. Als die nu eens niet meer zo mooi recht aan elkaar groeide? Dan zag hij er straks uit als de eerste de beste lelijke rugbyspeler! Lieve hemel, hij moest er niet aan denken.

Hij probeerde zielig te kijken, maar zijn lippen waren te gezwollen, dus jammerde hij maar wat.

'Nou,' zei Rachel kordaat, 'je kunt het me op het politiebureau allemaal uitleggen. Als je niet naar de Eerste Hulp wilt, dan kunnen we toch in elk geval aangifte gaan doen.'

'Je begrijpt het niet, Rach.' Hij schudde zijn hoofd. 'Ik kan niet naar de politie.'

Hij dronk zich moed in met de rest van de Grand Marnier en besloot haar alles te bekennen. Hij zat er tot zijn nek toe in en hij moest met iemand praten.

Toen hij over de eerste zenuwen heen was, had hij al snel ontdekt dat het in feite lachwekkend simpel was om paarden in te houden voor geld. Naarmate zijn inkomen steeg, werden helaas ook zijn uitgaven hoger – vrouwen en coke waren dure gewoontes – en het duurde niet lang voor de hebzucht vat op hem kreeg en hij zijn voorkennis ging gebruiken om zelf wat weddenschappen af te sluiten. Ali had dat strikt verboden, om de zeer zinnige reden dat het onnodige aandacht trok. Hij zou een enkele overtreding van dat verbod wel door de vingers hebben gezien, maar Jasper had onlangs enorme bedragen ingezet. Vandaar de 'persoonlijke waarschuwing' van vandaag.

Rachel was even te verbaasd om iets te zeggen. Niet alleen omdat ze hier niets van had geweten, maar ook omdat Jasper het lef had gehad om iets dergelijks te proberen.

'Waarschijnlijk een stomme vraag,' zei ze uiteindelijk, 'maar dat is toch illegaal, of niet?'

'Mensen ontvoeren en in elkaar slaan?' sneerde Jasper. 'Ja, natuurlijk is dat illegaal.' Hij fronste weer naar zijn spiegelbeeld. 'Denk je dat mijn neus nog rechtgezet kan worden?'

'Nee, dat niet,' zei Rachel gepikeerd. 'Ik bedoel wat jij doet, met die wed-denschappen.'

'Ja, officieel wel,' zei Jasper. 'Maar het is verdomd moeilijk te bewijzen. En er is een hoop geld mee te verdienen als je er het lef voor hebt. Waar denk je dat ik die vakanties, de Porsche en die robijn die ik voor je heb ge-kocht van betaald heb?'

Rachel dacht na. De waarheid was dat het haar tot dusver niets had kun-nen schelen waar hij die van had betaald, maar achteraf nam ze aan dat het inderdaad vreemd was geweest dat het met zijn carrière als jockey de ene kant op ging en met zijn banksaldo de andere. De nieuwe, dappere Jasper die met duistere criminele machten omging was in elk geval heel wat inte-ressanter en opwindender als vriendje dan de oude saaie, luie versie. Ze moest echter voorzichtig zijn. Het was leuk om van zijn geld te genieten, maar ze kon het zich niet veroorloven dat haar eigen reputatie erdoor be-zoedeld werd als hij betrapt werd.

'Wat ga je nu doen?' vroeg ze hem. 'Denk je... Ik bedoel, zal Ali nog steeds willen dat je voor hem werkt?'

'Waarschijnlijk wel.' Jasper knikte en huiverde daarbij onwillekeurig. 'Ik zit er te diep in om er nog uit te stappen.'

Dat was waar. En zelfs als het niet zo was, zag hij geen ander alternatief voor doorgaan dan het eerlijk spelen, zijn gebrek aan talent als jockey er-kennen en met zijn staart tussen zijn benen teruggaan naar Linda, wat geen van alle opties waren.

'Kan ik iets doen?' mompelde ze, al fantaserend over zichzelf als knap gangsterliefje dat trouw toekeek hoe Jasper het uitvocht met bendes schur-ken uit East End om haar in illegaal bont en juwelen te blijven hullen...

'Allereerst,' verzuchtte hij, opgelucht dat ze het zo goed leek op te ne-men, 'heb ik een fatsoenlijk verhaal nodig om aan mijn moeder te vertel-len. Iets wat haar zal afleiden van de kneuzingen en voorkomen dat ze te veel vragen stelt.'

Rachels ogen lichtten op. Ze liep de badkamer in, pakte de *Playboy* en gaf die aan hem.

'Bladzijde 22,' zei ze triomfantelijk. 'Als dat je moeder niet afleidt, dan weet ik het niet meer.'

'Jeeeeezus!' zei Jasper, die de pijn in zijn gezicht even vergat toen hij stomverbaasd naar de foto's van zijn zus keek. Hij had haar voor het laatst gezien op de begrafenis van hun vader en herkende haar nauwelijks, en niet alleen omdat ze naakt was. Rachel mocht het dan niet willen toegeven, maar ze zag er goed uit. Verdomd goed.

'Na al die heisa die ze maakte over mijn foto's in de *GQ*,' pruilde ze. 'Wat vind je ervan?'

'Ik geloof,' zei hij langzaam, nog steeds niet in staan zijn blik van de foto's af te wenden, 'dat mijn zusje me eindelijk eens een keer een dienst heeft bewezen. Mama zal uit haar vel springen. En jij,' hij kuste haar en kromp ineen van de pijn in zijn lippen, 'bent een genie.'

Jimmy Price was in New York voor zijn jaarlijkse najaarsbezoek en had een pesthumeur.

Het was een prachtige septemberdag. Felle zonnestralen braken helder en tastbaar als strengen koperdraad door de paar aanwezige wolken heen, en de bomen voor het Four Seasons waren nog steeds getooid met felroze en witte bloesems, alsof ze niet wilden toegeven dat de lange hete zomer eindelijk voorbij was.

Jimmy was zich echter niet bewust van al het moois om hem heen.

Dankzij de onverwachte rentestijgingen van gisteren bleek zijn aandelenprijs die nacht met vijf procent te zijn gedaald en hij had de eerste twee uur van de dag aan de telefoon gehangen om verontruste investeerders gerust te stellen. Hij zou eigenlijk terug moeten vliegen naar Californië om de zaak zelf uit te zoeken. Maar hij had zich maanden op dit reisje verheugd en vertikte het om de race van vandaag mis te lopen.

'Kan ik u nog iets brengen, meneer? Nog wat toast?'

De kelner was discreet en beleefd, een symbool van de onberispelijke service waarvoor Jimmy steeds weer terugkwam naar het Four Seasons, hoewel hij gemakkelijk een huis in de stad had kunnen kopen en inrichten. Candy zeurde altijd dat hij een huis in New York moest kopen, maar Jimmy hield van hotels. Ze waren efficiënt en onpersoonlijk, net als hij.

'Nee, dank je,' zei hij zonder op te kijken van de sportpagina's van de *Herald Tribune*. 'Alleen nog wat verse koffie. Goed heet.'

Sinds hij meer dan tien jaar geleden zijn eerste paard, Lost and Found, had gekocht was hij verslaafd geraakt aan de paardenraces, zo erg dat diverse leden van zijn raad van bestuur geregeld en luidruchtig klaagden dat hij zo veel tijd op de renbaan doorbracht. Hij kon moeilijk benoemen wat het precies was. De vreugde van het winnen was natuurlijk altijd heerlijk, maar hij hield ook van de sociale kant van de paardenrennen, de roem die hij als succesvol paardeneigenaar ervoer in de kleine kring van oude rijken, waar je niet per se meetelde als je als mediamagnaat miljarden had verdiend. Door het bezit van renpaarden werd zijn rijkdom legitiem, sociaal acceptabel en chiquer. En het bood een unieke mogelijkheid om te ontsnappen aan de druk en problemen in de rest van zijn leven.

Nadat zijn eerste vrouw zich van kant had gemaakt, ging hij naar de renbaan om te vergeten en zijn schuldgevoel te verdoven. Hij had al zijn emotionele energie in zijn paarden gestoken; eerst volbloeden en later

Amerikaanse quarterhorses. De jaren verstreken en de afschuwelijke ramp van zijn eerste huwelijk zwakte af tot een vage herinnering, maar hij bleef naar de renbaan komen. Nu gaf het gevoel te worden benijd hem de grootste kick. Een stadion of een feestje binnenlopen met de knappe Candy aan zijn arm, wetend dat iedere andere eigenaar haar wilde hebben... een dergelijke bevrediging ervoer hij nooit in zijn zakenleven.

Als Amy er niet was geweest had hij het verleden misschien helemaal uit zijn gedachten kunnen bannen, maar telkens als hij naar haar te volle, ongelukkige gezicht keek, zag hij haar moeder. Het feit dat ze bestond alleen al leek een verwijt, een dagelijkse herinnering aan alle fouten die hij had gemaakt, alle schade die hij had veroorzaakt en die niet meer ongedaan gemaakt kon worden. Op sommige dagen kon hij het nauwelijks verdragen haar aan te kijken.

Hij zou haar niet hebben meegenomen naar New York als Candy niet had volgehouden dat ze haar hulp nodig hadden. Een paar dagen geleden had er weer een kindermeisje opgezegd – het vijfde dit jaar –, dus als ze Chase en Chance mee wilden nemen, moest Amy ook mee.

Leek ze maar wat meer op Milly. Die was gedisciplineerd, doelgericht en veel ambitieuzer dan hij had verwacht; ze had bergen verzet om af te vallen en had al laten zien dat ze volledig toegewijd was aan haar training en aan het opbouwen van haar handelswaarde in de media. Zo'n dochter had hij best kunnen gebruiken.

Hoewel het niet zijn smaak was, was de fotoreportage in de *Playboy* een geweldige zet zo vroeg in haar carrière. Hij was trots op haar, al moest hij in feite Todd Cranborn dankbaar zijn.

Ook Todd was een aangename verrassing gebleken. De meeste projectontwikkelaars waren blaaskaken en windbuilen, maar Cranborn had hem al twee erg interessante bouwprojecten voorgelegd. Hij overwoog serieus om eentje daarvan, de bouw van een aantal koopflats in Orlando, te financieren.

Jammer genoeg bracht liefhebberen in onroerend goed niet veel op, zelfs niet in vergelijking met de op dit moment sombere prognose voor de aandelenprijs van Price Media Inc. Verdomde bankdisconto's. Waarom hadden zijn economen dit niet zien aankomen? Waar betaalde hij die klojo's voor?

Hij prikte het laatste stukje knapperige bacon met eierdooier aan zijn vork, keek naar het heldere zonlicht buiten en fronste zijn voorhoofd.

De vrije val van de aandelenkoersen was niet het enige wat hem vanochtend dwarszat. Gisteravond had hij tijdens de seks met Candy zijn erectie verloren. Ze leek er op dat moment niet door van streek, maar draaide zich gewoon om en viel in slaap alsof er niets gebeurd was. Hij hoopte vurig dat dit niet het begin van het einde van zijn viriliteit was. Hij wist dat veel mannen van zijn leeftijd afhankelijk waren van Viagra om hun veel jongere tweede of derde echtgenotes te kunnen bevredigen. In verband met een erfelijke hartaandoening kon hij het magische blauwe pilletje echter niet gebruiken. Dat baarde hem zorgen.

Zijn vrouw kwijtraken was het ergste wat hij zich kon voorstellen. Erger nog dan dat hij zijn bedrijf of – God verhoede – zijn paarden zou verliezen. Candy was in zijn ogen het toppunt van vrouwelijkheid. Met haar trouwen was zijn grootste prestatie geweest, zijn wraak op alle meisjes die hem hadden afgewezen op de universiteit, toen hij een sullige, rossige knul was geweest zonder een cent te makken.

Buffy, zijn eerste vrouw, had toen wel van hem gehouden. Toen hij niets had. Maar bij haar had hij zich nooit zo vol vertrouwen, zo triomfantelijk en opgetogen gevoeld als bij Candy.

Ze was boven in hun vorstelijk suite. Waarschijnlijk aan het douchen. De gedachte aan het druipende, met schuim bedekte naakte lichaam van zijn vrouw bezorgde hem een stijve.

'Geweldig,' mompelde hij verbitterd, terwijl hij zijn mondhoeken bette met zijn servet. 'Geweldig, jongen, daar heb ik nu veel aan!'

In feite stond niet Candy, maar Amy onder de douche.

De tweeling maakte haar al sinds de vroege ochtend gek. Ze krijsten alles bij elkaar, schreeuwden om hun moeder en haalden de hele zaak overhoop. Hun favoriete spelletje was om tussen de kostbare Chinese vazen en Amerikaanse sculpturen door te rennen die in de presidentiële suite stonden die Jimmy altijd reserveerde, en die ongetwijfeld uitgekozen waren door een kinderloze, homoseksuele interieurontwerper die hevig ontzet zou zijn als hij zag dat zijn *objets d'art* als voetbal dienstdeden.

Aan Candy had ze zoals gebruikelijk helemaal niets. Ze had anderhalf uur in de badkamer gezeten om de laatste hand te leggen aan haar toch al onberispelijke make-up. Ze moest er perfect uitzien als ze naar de baan gingen.

Amy wilde zichzelf ook klaar gaan maken. Vandaag zou ze eindelijk Garth weer zien, voor het eerst in bijna een jaar tijd. Ze had vannacht dan ook geen oog dichtgedaan. Helaas had zelfs Sponge Bob, meestal een feilloos middel, de jongens vanochtend niet rustig kunnen krijgen, en had ze moeten wachten tot ze volkomen uitgeput op de bank in slaap waren gevallen voor ze eindelijk zelf de badkamer in kon duiken.

Ze zat op de stenen rand van de enorme, krachtige douche en liet zich troosten door de harde, hete waterstralen, die met de shampoo ook de pijn in haar spieren wegspoelden. Ze was zo moe dat ze het liefst terug in bed zou kruipen om te slapen.

Gisteren was een vreselijke dag geweest. Haar langverwachte ontmoeting met de uitgever in de stad was een grote teleurstelling geworden. Ze zeiden dat ze haar gedichten goed vonden, maar al snel werd duidelijk dat ze vooral wilden dat ze onthullingen over haar vader op papier zou zetten.

'Hoe was het voor jou om als tiener en op zo'n wrede wijze je moeder te verliezen?' had de nors kijkende oude tang van de afdeling non-fictie haar gevraagd, terwijl ze haar uitgemergelde hand op Amy's knie legde, waarschijnlijk in een poging sympathiek over te komen.

Wat voor iemand dachten ze nou eigenlijk dat ze was?

Ze zou haar vader nooit op zo'n manier verraden, niet op papier of anderszins. Nooit.

Ze pakte de luffaspons en begon haar billen en dijen te schrobben – ze had gelezen dat dat goed was voor de doorbloeding en dat het cellulitis verminderde –, eerst zacht en toen steeds harder, tot er grote rode plekken op haar huid verschenen. Ze merkte enigszins verbaasd dat ze begon te huilen.

Soms wou ze dat ze zichzelf kon wegschrobben. Gewoon al het vet, de angst en de mislukkingen eraf krabben en opnieuw beginnen.

Ze moest wel gek geweest zijn om te denken dat iemand echt belangstelling had om haar gedichten te kopen. Waarom zouden ze? En haar idee om te zorgen dat Garth weer van haar ging houden – alsof hij dat ooit had gedaan! – was nog veel belachelijker. Met een figuur als het hare hoefde ze niet te verwachten dat een man haar ooit aantrekkelijk zou vinden, laat staan eentje die zo knap en talentvol was als Garth.

Was Milly maar hier om mee te praten. Milly zei altijd dat ze fantastisch was en meer waard dan duizend Garths, en dat de mensen die niet door haar overgewicht heen konden kijken zelf een probleem hadden.

Zij had natuurlijk gemakkelijk praten met haar Playboy-perfecte figuurtje.

Ze veegde haar tranen weg en vermande zich. Milly was haar vriendin. Ze mocht niet jaloers op haar zijn. Dat was gemeen.

Ze moest gewoon haar best doen om zichzelf op te knappen voor de tweeling wakker werd en het van zich af zetten. Wat er daarna tussen haar en Garth gebeurde was in Gods hand.

Ze arriveerden pas laat in de Aqueduct, waardoor Jimmy's humeur nog slechter was toen ze eindelijk *en famille* zijn privébox binnenliepen. Hij mopperde nog steeds op het vreselijke verkeer in Queens toen hij naast Candy in hun box plaatsnam.

'Schat, vind je het goed als ik even naar het toilet ga?' onderbrak Candy een nieuwe tirade over het verkeer in Queens. Ze zag er onberispelijk uit in een zedige witte rok van Armani en een blauwzijden bloes, en rook naar Rive Gauche en rozenolie. Hij voelde haar zijdezachte blonde haren langs zijn wang strelen toen ze naar hem toe boog om het te vragen. God, wat was ze mooi.

'Natuurlijk.' Hij glimlachte toegeeflijk. 'Maar blijf niet te lang weg, oké? De volgende race zou een goede moeten zijn. En je weet hoe graag ik met je pronk.'

'Ooo, schatje.' Ze stond op van haar stoel en drukte een kus op zijn zorgvuldig geföhnde en met lak bewerkte rossige haardos. 'Mijn kleine Jimmy Krekel. Natuurlijk blijf ik niet lang weg.'

Gadverdamme, dacht Amy. Mag ik even een teiltje?

Chase en Chance waren eindelijk opgehouden met huilen en zaten naast haar boterhammen met pindakaas en jam te eten, opgewonden omdat ze naar de 'paahdjes' mochten kijken. Het had zo lang geduurd voor zij klaar waren geweest dat ze nauwelijks tijd had overgehouden om zich zelf aan te kleden. Ze had uiteindelijk het eerste het beste kledingstuk gepakt, een vormeloze crèmekleurige linnen jurk die haar absoluut niet stond, en een paar balletschoentjes. Haar lichtblonde haren hingen nog nat op haar schouders – ze had niet eens tijd gehad om ze te drogen, laat staan in model te brengen – en de getinte dagcrème en mascara die ze haastig had aangebracht konden de wallen onder haar ogen niet verhullen.

'Kon je niet beter voor de dag komen?' merkte Jimmy vals op toen ze in de limousine stapte. 'Je had op z'n minst je haar kunnen drogen. Het is gewoon gênant.'

Ze verbeet haar tranen – uitgelopen mascara zou het er beslist niet beter op maken –, maar voelde haar laatste restje zelfrespect verdwijnen.

Waarom moest hij nou zo gemeen zijn?

'Weet je wat, pap,' zei ze een paar minuten na Candy's vertrek. 'Ik geloof dat ik ook even naar het toilet moet.'

Ze wilde naar het inloopterrein wandelen in de hoop Garth te zien. Ze zag al voor zich hoe ze hem per ongeluk expres tegen het lijf zou lopen en haar zorgvuldig voorbereide, nonchalante uitspraak zou doen over wat een verrassing het was om hem te zien.

'Wat, nu?' zei Jimmy geërgerd. 'En de jongens dan?'

'Die vermaken zich wel even,' zei ze. 'En ik moet trouwens plassen. Ik ben zo terug.'

Voor hij nog meer tegenwerpingen kon maken, glipte ze de loge uit en haastte ze zich over de tribune omlaag naar het inloopterrein. Garth was helaas nergens te bekennen.

Verdorie. Als ze moest wachten tot na de wedstrijd, zou hij omringd worden door mensen en zou ze nooit de kans krijgen hem alleen te spreken.

Ze keek om zich heen en zag het grote, modderige gedeelte links van de tribune en achter het winnaarsterrein, dat dienstdeed als provisorische parkeerplaats voor de trailers van de deelnemers. Dat stuk was verboden voor publiek, afgezet met touw en bemand door een paar medewerkers van de renbaan. Ze wisten echter allemaal dat Amy de dochter was van Jimmy Price en lieten haar zonder probleem door.

Ze trok haar jurk een beetje op vanwege de modder en liep tussen de trailers door. Ze negeerde daarbij de nieuwsgierige blikken en het gegniffel van de jockeys en trainers die ze tegenkwam. Als iemand haar tegenhield, zou ze gewoon zeggen dat ze verdwaald was en het damestoilet zocht. Niemand hoefde te weten dat ze op zoek was naar Garth.

Ze stond op het punt het op te geven en terug te gaan naar de loge – Jimmy zou razend worden als ze de tweeling te lang alleen liet – toen ze plotseling stokstijf bleef staan.

Want nog geen drie meter van haar vandaan zat Garth op een draagbare, inklapbare picknicktafel achter een van haar vaders trailers, met zijn broek op zijn enkels en een enthousiast kreunende Candy op zijn schoot. Haar witte Armani-rok was tot haar heupen omhooggetrokken terwijl ze op hem heen en weer ramde.

'O, Garth! Garth!' hijgde ze, en haar strakke, gebruinde naakte billen kletsten duidelijk hoorbaar en ritmisch tegen zijn bovenbenen. 'Harder! Kom op, schat!'

Amy bleef als aan de grond genageld naar hen staan kijken. Ze vond het zelf heel bizar dat ze op dat moment alleen maar kon bedenken dat haar stiefmoeder tijdens de seks net zo bazig en veeleisend klonk als anders.

Als het Garth niet was geweest, zou ze waarschijnlijk hebben gelachen. Het zag er smerig en belachelijk uit. Maar het was wel Garth... haar Garth, de Garth die vorige zomer de liefde met haar had bedreven, wat ze zich nog herinnerde alsof het gisteren was. De uitdrukking van zelfzuchtige drang en concentratie op zijn gezicht nu hij probeerde klaar te komen was akelig, belachelijk vertrouwd.

Haar maag keerde zich om toen hij plotseling zijn ogen opendeed en haar recht aankeek.

Ze voelde haar knieën knikken en hoopte dat ze niet in elkaar zou zakken in de modder, maar het gevoel van zwakte wilde niet wijken. Pijn, schaamte, hartenpijn en hevige geschoktheid welden in haar op tot ze wazig begon te zien en haar hoofd begon te bonken.

Dit kon niet waar zijn. Het kon niet.

Candy kon elke man krijgen die ze wilde hebben.

Waarom moest dat harteloze kreng nou juist Garth uitkiezen?

Ze keek hem nu recht aan – ze keken elkaar recht aan – en wachtte tot er iets van verbazing en schuldgevoel in zijn blik zou verschijnen. Ze had hem immers op heterdaad betrapt met de vrouw van haar vader. Dat moest hem toch zorgen baren?

In plaats daarvan glimlachte hij echter naar haar, zonder zijn ritmische stoten zelfs maar een seconde te onderbreken.

Die klootzak glimlachte!

Voor ze het wist rende ze, verblind door tranen, door de doolhof van trailers terug naar de menigte die rond het inloopterrein verzameld was en zich voorbereidde om te wedden. Ze bette haar ogen, zoog diepe teugen lucht haar longen in en dwong zichzelf tot kalmte. Ze kon niet zomaar instorten. Ze moest terug naar de kinderen.

'Waar heb jij verdomme gezeten?'

Voor ze de kans had gehad te kalmeren, hing Jimmy over de rand van de box naar haar te roepen. 'Dat was verdomme de grootste zeiksessie in de geschiedenis van de mensheid.'

Een paar mensen om haar heen giechelden nerveus, maar het kon haar niet schelen. Ze wist zich op de een of andere manier te vermannen, klom over de tribune terug naar boven en nam zo rustig en onopvallend mogelijk haar plaats achter in de loge weer in. Chase en Chance hadden al genoeg van het paardjes kijken. Ze klommen over haar heen en maakten met hun kleverige pindakaashandjes haar jurk vies. Een halfuur geleden zou het haar nog iets hebben kunnen schelen – weer een outfit verpest –, maar nu verwelkomde ze de afleiding bijna.

'Heb je Candy daar beneden nog gezien?' vroeg Jimmy geïrriteerd.

'Wat?'

'Jezus. Candy. Op de plee, verdomme. Was ze daar?' vroeg hij.

'Nee,' zei Amy met een kop als een biet. 'Ze was er niet. Ze zal wel een ander toilet hebben opgezocht omdat er zo'n lange rij stond of zo.'

Net op dat moment kwam Candy binnenslenteren.

Haar blonde manen, die tien minuten geleden nog los hadden gehangen, waren nu netjes in een knotje opgestoken en ze had een grote zonnebril van Jackie-O opgezet.

Ze verborg haar schuldige blik, dacht Amy bitter. Het kreng.

'Sorry dat het zo lang duurde,' zei ze lijzig toen ze weer naast Jimmy ging zitten zonder Amy zelfs maar een blik waardig te keuren.

Zou ze niet weten dat ze betrapt was? Amy had aangenomen dat Garth het haar wel zou vertellen, maar misschien had hij dat niet gedaan.

'Laat maar zitten,' zei Jimmy. 'Je bent er weer.' Hij pakte haar hand beet – dezelfde hand die ze net nog om Garths pik had geslagen – en drukte die tegen zijn lippen.

Amy voelde gal omhoogkomen naar haar keel.

'Sorry,' zei ze, en ze kwam moeizaam overeind. 'Ik voel me echt niet lekker. Ik denk dat ik wat frisse lucht nodig heb.'

Jimmy fronste zijn voorhoofd. 'Wat is er met haar aan de hand?'

'Wie weet?' zei Candy terwijl ze dichter tegen hem aan kroop. 'Liefdesverdriet, misschien. Je weet dat ze verliefd was op Garth. Vergeet het.'

'Maak je geen zorgen,' zei hij, en hij streek bezitterig over de binnenkant van haar dijbeen. 'Dat is precies wat ik van plan ben.'

22

Oktober bleek een zeer vermoeiende maand te zijn voor Milly. Zoals Todd had voorspeld hadden haar foto's in de *Playboy* haar veel effectiever bij een groot publiek bekendgemaakt dan het paardrijden had gekund, en kreeg ze het in korte tijd vier keer zo druk met promotioneel werk. Sinds Liz Hurley in een paar veiligheidsspelden op de première van Hugh Grant was verschenen, had een enkele foto niet meer zo veel verschil gemaakt voor de carrière van een meisje. Opeens stonden niet alleen maar fabrikanten van westernkleding in de rij om haar te sponsoren. Iedereen, van chipsfabrikanten tot parfumeurs tot gsm-giganten, liep de deur van Brad Gaisford plat. En die steunbetuigingen zetten niet alleen Milly zelf op de kaart. De belangstelling voor de quarterhorse-sport steeg naar een ongekend hoogtepunt. Lokale kabelmaatschappijen streden nu met grote sportzenders als ESPN om de televisierechten van wedstrijden die een paar jaar geleden zelfs nauwelijks voldoende lokaal publiek trokken. De tijden veranderden in de sport; men rook geld.

Milly vond het aanvankelijk erg opwindend om in het middelpunt van al die belangstelling te staan. Met een aantal waardevolle sponsors achter zich en haar steeds beter wordende prestaties had ze heel wat te vieren. Haar dagindeling liet haar weinig ruimte om stil te staan bij haar onzekerheid over Todd, of bij andere verontrustende gedachten, zoals de vraag hoe haar moeder op de foto's had gereageerd, of wat Rachel op Newells uithaalde.

Het duurde echter niet lang voor ze uitgeput raakte. Ze reed nog steeds goede tijden, maar wist dat ze het beter had kunnen doen als er niet constant van alle kanten aan haar getrokken werd. Bovendien werd een hoop van het werk weliswaar goed betaald, maar was het ook knap waardeloos; de ordinaire interpretatie van de cowboycultuur die Bobby altijd pisnijdig had gemaakt. Ze voelde zich ongewild een beetje schuldig dat ze daar nu deel aan had.

Todd had ze de afgelopen weken nauwelijks gezien. Ze kwam vaak pas 's nachts heel laat thuis, viel naast hem in bed, te uitgeput om zelfs maar aan seks te denken, en moest dan vroeg in de ochtend alweer naar de stallen of naar een bespreking met Brad. Todd beklaagde zich daar nooit over. Hij was zelf immers een workaholic. Maar ze kon niet anders dan zich zorgen maken dat haar lange afwezigheid een open plek in zijn leven en zijn bed achterliet die een hele reeks hoeren maar al te graag zou opvullen.

Ze maakte zich ook zorgen over Demon. Hij had nog steeds last van gezondheidsproblemen en moest eigenlijk niet overbelast worden. Al haar protesten ten spijt bleven Brad en Jimmy hem echter inschrijven voor alle grote races, en ze hielden vol dat Milly en het paard als team bekendstonden en dat de menigte voor hen allebei kwam.

Het was vreemd dat het succes zo snel en moeiteloos was gekomen, maar dat ze nu nog minder controle over haar eigen leven had dan voorheen.

Een maand na zijn terugkeer uit New York had Jimmy een feest ter ere van Milly gegeven bij Koi, om te vieren dat ze een felbegeerde sponsordeal had getekend met T-Mobile. Honderden sportmannen en -vrouwen in veel bekendere takken van sport zouden hun rechterarm ervoor hebben gegeven – Garth Mavers was kennelijk ziedend –, dus het was heel wat dat een relatief onbekende, buitenlandse jockey als Milly die deal binnensleepte.

Eerlijk gezegd had ze na weer een lange dag weinig zin er bij Koi over te gaan kletsen met een stel van Jimmy's gabbers en hoge heren van T-Mobile, vooral omdat ze morgen in Los Alamitos een heel belangrijke race voor de boeg had. Haar aanwezigheid was echter verplicht en zou haar in elk geval de kans geven echt bij te kletsen met Amy. Daar had ze nog geen gelegenheid voor gehad sinds de Prices terug waren gekomen uit New York. Dat zat haar dwars, want Amy was duidelijk erg terneergeslagen, maar ze kon er niets aan doen.

'Een toost lijkt me wel op z'n plaats,' zei Jimmy glimlachend tegen de verzamelde gasten, en hij pakte zijn glas bier in zijn hand en hief het hoog in de lucht. 'Op Milly, onze eigen Engelse cowgirl.'

'Op Milly!' Er ging een instemmend gemompel door de hele bar.

Ze schoof ongemakkelijk op haar kruk heen en weer en probeerde blij en bescheiden te kijken; wat niet meeviel in de outfit die Brad voor de gelegenheid had uitgekozen: een felrode jurk van Badgley Mischka met open rug en splitten tot boven aan haar dijbenen, en een diamanten hanger van Fred Leighton die bij de Oscar-uitreikingen niet misstaan zou hebben.

De paparazzi, die een halfuur geleden in groten getale waren verschenen na een tip van Brad, waren verrukt over die extreme look. Toen ze met Todd uit de Ferrari stapte, zette ze heel La Cienega Boulevard zowat stil terwijl ze voor de ene na de andere foto poseerde, met haar nieuwe, met kristal bezette, aangepaste mobiele telefoon op elke foto zichtbaar.

Ze moest toegeven dat dat gedeelte leuk was. Maar zodra ze binnen was, voelde ze zich veel te chic gekleed. Behalve zij had iedereen een spijkerbroek aan, zelfs Candy, die er vanavond idioot goed uitzag in een simpel zilveren Chloe-topje. Todd verspilde geen tijd, maar liep meteen naar haar toe om haar gedag te zeggen, wat Milly's humeur geen goed deed.

Ze doorboorde een rauwe zee-egel met een tandenstoker, doopte hem kwaad in de soja-dipsaus en stak hem toen in haar mond. Daar had ze echter meteen spijt van toen zich een vreselijk zoute drab over haar smaakpapillen verspreidde.

Natuurlijk kwam net op dat moment Sean naar haar toe.

'Heb je het een beetje naar je zin?' vroeg hij, omdat dat heel duidelijk niet het geval was.

Milly deed haar best om niet te gaan braken, spuugde het weekdier in een papieren servetje uit en nam twee grote slokken cola light voordat ze antwoordde.

'Nee,' zei ze naar waarheid, terwijl ze naar Candy's bevallige bruine rug keek. 'Niet echt.'

Hij volgde haar blik en zag dat Candy Todd iets in het oor fluisterde, die daarop schaterend zijn hoofd in zijn nek gooide. God, wat was die man een zak. Ondanks Milly's gebreken – en wat hem betrof waren dat er veel – verdiende ze toch wel wat beters dan zo'n zelfvoldane klootzak als Todd als vriendje.

'Gewoon negeren,' zei hij. 'Hij doet het alleen om je op te fokken.'

Milly keek hem verbaasd aan. Het was de eerste keer dat Sean iets tegen haar zei wat zelfs maar een heel klein beetje aardig was. Ze had geen idee hoe ze moest reageren.

'Denk je?' vroeg ze weifelend.

'Zeker weten. Je trekt zelf trouwens ook aardig wat aandacht in dat gevalletje.' Hij keek naar haar uit de toon vallende rode avondjurk, die inderdaad mensen vanuit het hele restaurant naar haar deed staren, en lachte. Milly glimlachte onwillekeurig terug.

'Luister eens,' zei hij, profiterend van de onverwachte ontspanning tussen hen om haar iets duidelijk te maken. 'Ik wilde je eigenlijk ergens over spreken. Ik maak me zorgen om Amy.'

'Ja, ik ook.' Milly knikte vermoeid. 'Heb je haar gesproken? Ik had gehoopt dat ze er zou zijn vanavond, maar ik zie haar nergens.'

'Ik denk dat ze zichzelf ziek maakt,' zei Sean. 'Ze valt ontzettend hard af en ik heb het vermoeden dat het iets met Garth Mavers te maken heeft.'

'Die man is zo'n vreselijke lul,' zei Milly gloedvol.

'Klopt,' zei Sean. 'En ik heb horen fluisteren dat hij zijn vreselijke lul gebruikt om Hare Majesteit daar van dienst te zijn.' Hij knikte in Candy's richting. 'Ik durf te wedden dat onze kleine Amy daarom haar ogen uit haar hoofd loopt te huilen.'

'Echt waar?' zei Milly. Ze wist dat ze bezorgd zou moeten zijn om Amy, maar ze voelde zich opgelucht. Als Garth mevrouw Price neukte, was het vrij zeker dat Todd dat niet deed.

'Ze heeft je nodig, weet je,' zei Sean, alsof hij haar gedachten had gelezen. 'Amy. Ze is steeds een goede vriendin voor je geweest, maar nu ze jou nodig heeft, ben je er nooit.'

'Dat ben ik wel,' brieste Milly meteen. Waarom dacht Sean toch dat hij het recht had om tegen haar te preken? En sinds wanneer was haar vriendschap met Amy zijn zaak? 'Ik heb het gewoon waanzinnig druk sinds dat hele *Playboy*-gedoe. Een dag heeft nooit genoeg uren.'

Sean haalde zijn schouders op.

'Je zegt het maar,' zei hij en hij dronk met een laatste betekenisvolle blik naar Todd zijn glas leeg. 'Maar als je het mij vraagt heb jij de akelige gewoonte om tijd vrij te maken voor de verkeerde mensen.'

De volgende dag begon fris en helder boven de beroemde renbaan van Los Alamitos. Toen Milly om tien uur arriveerde, was het kil, maar helder en zonnig genoeg om de reusachtige zonnebril te rechtvaardigen waar het grootste deel van haar gezicht achter schuilging, en die haar zowel beschermde tegen nieuwsgierige blikken als tegen de kristalheldere blauwe lucht.

Ze reed al vanaf haar vierde jaar wedstrijden en had zelden last van zenuwen voor een race, maar vandaag was ze nerveuzer dan een vogel in een poezenpension. Dit was haar eerste race sinds ze T-Mobiles 'Engelse cowgirl' was geworden en ze wist dat alle ogen op haar gericht zouden zijn. Ze zou zich misschien beter voelen als ze goed geslapen had. Maar haar gesprek met Sean over de verhouding van Candy en Garth en zijn beschuldiging dat ze geen goede vriendin was voor Amy, bleven maar door haar hoofd spelen. Ze had uren wakker gelegen naast een dronken snurkende Todd, afwisselend woedend op Sean omdat hij zich ermee bemoeide en teleurgesteld in zichzelf omdat ze diep in haar hart wist dat hij gelijk had.

Ze had gehoopt vroeg in de ochtend naar Palos Verdes te kunnen rijden om nog bij Demon te kijken voor hij in de trailer werd geladen, en misschien Amy te zien. Als ze samen naar de renbaan reden, konden ze hopelijk even bijpraten.

Helaas hadden haar nieuwe sponsors andere plannen. Om zes uur stond er een auto klaar om haar naar een radio-interview bij KRCW te brengen, waar een of andere imbeciele diskjockey haar allerlei stompzinnige vragen had gesteld over het werk op een ranch, en of ze liever vee dreef dan paardenraces reed. Daarna moest ze na een snel ontbijt bij Dunkin' Donuts, waar ze haar tong brandde aan de hete koffie, rechtstreeks naar de renbaan voor drie uur handjes geven in de ontvangsttent van het bedrijf.

Niet alleen had ze Amy of Demon de hele ochtend niet gezien, maar Todd had haar ook weer laten zitten. Hij had die ochtend gezworen dat hij omstreeks elf uur op de baan zou zijn. Om één uur, toen ze eindelijk haar rijkleding mocht gaan aantrekken, was hij echter nog steeds nergens te bekennen en had hij haar zelfs niet gebeld.

'Klootzak,' mompelde ze zacht toen ze op de weegschaal ging staan. Van al het knikken en glimlachen had ze pijn in haar kaken en was haar nek zo zwak als te gaar gekookte spaghetti.

Zodra ze Demon echter zag, die vrolijk met zijn staart zwiepte uit enthousiasme voor de race en de aandacht die hij zou krijgen, werd ze wat opgewekter. Ze sprong op zijn rug en reed voortdurend tegen hem pratend rustig met hem over het inloopterrein. Jammer genoeg werd ze zelfs daar, enkele minuten voor de race, niet met rust gelaten. De persfotografen had ze wel aangekund, daar kon ze zich gemakkelijk genoeg voor afsluiten. Maar Marti Goldstein, de opdringerige eikel met zijn stinkende adem en dikke bos neusharen die door een of andere idioot van T-Mobile tot haar pr-man-schuine-streep-oppasser was benoemd, weigerde haar alleen te laten en rende als een schaduw achter haar en Demon aan.

'Waar je goed aan moet denken, Mill,' zei hij met zijn jengelende, schrale stem, joggend terwijl zij herhaaldelijk probeerde van hem weg te draven, 'is dat je altijd cameraklaar en microfoonklaar moet zijn. In lekentermen betekent het dat je glimlacht en je tekst kent; je bent er verrukt over dat je de T-3000 mag vertegenwoordigen, bla bla bla... Heb je dat?'

'Ja hoor, Marti,' zei ze. Ze keek om zich heen op zoek naar een excuus om te ontsnappen en was dolblij toen ze Amy van de tribune af zag komen.

'Sorry, maar je moet me excuseren,' zei ze. 'Dat is een vriendin van me.' Ze zette Demon aan tot een galop en reed bij hem weg terwijl hij nog volop stond te praten en gesticuleren.

'Je probeert te ontsnappen aan Captain Charisma, zie ik?' zei Amy.

Milly grinnikte. 'Ja. Hij is een nachtmerrie.'

Sean had gelijk: Amy was ontstellend veel afgevallen. Vandaag droeg ze een spijkerbroek en een blauwe trui. Niets bijzonders, maar het was voor het eerst dat Milly haar taille kon zien. Jammer genoeg zag ze er ook vreselijk bleek en afgetobd uit, en ondanks haar pogingen een opgewekte indruk te maken, waren haar ogen onmiskenbaar gezwollen en rood door een recente huilbui.

'Maar laten we Marti maar vergeten. Wat is er met jou aan de hand? Ik heb je nauwelijks meer gezien sinds... O, wacht even.'

Een stel tienerjongens duwden elkaar in haar richting met hun wegwerpcamera's en handtekeningboekjes in de aanslag.

'Jij bent toch het meisje uit de *Playboy*, of niet?' vroeg de brutaalste, blozend als een stoplicht.

'Onder andere,' zei Milly glimlachend.

Amy deed een stap terug en zag haar gezicht oplichten. Ze genoot duidelijk van de aandacht. Natuurlijk keurde geen van de jongens Amy nog een blik waardig.

Ze deed haar best geen wrok te koesteren, maar het viel niet mee. Vóór de *Playboy* was Milly haar constante metgezel geweest. Nu was ze er nooit meer. Hoezeer ze ook het tegendeel beweerde, het was wel duidelijk dat ze van haar nieuwe roem genoot. Ze rechtvaardigde het door zichzelf en iedereen voor te houden dat ze alleen maar geld wilde verdienen om het huis van haar familie terug te kopen. Dat begon echter meer en meer een excuus te lijken dat haar in staat stelde zich in het licht van de schijnwerpers te koesteren.

Ze was ook in andere zin veranderd, vaak daartoe aangezet door Todd. Twee weken geleden nog had ze verstek laten gaan tijdens een etentje ter ere van Amy's verjaardag, toen hij haar op het laatste moment had meegevraagd naar een bedrijfsfeest in Century City.

'Je begrijpt het toch wel, of niet?' had ze de volgende dag gezegd toen ze zich nogal laat en halfhartig via de telefoon verontschuldigde. 'Hij werkt de laatste tijd zo hard en ik wil hem niet teleurstellen.'

Natuurlijk niet, dacht Amy. Maar mij teleurstellen is kennelijk geen probleem.

Het was altijd hetzelfde: als er ook maar een kans was dat de pers ergens aanwezig zou zijn, ging Milly eropaf als ijzervijlsel op een magneet. In LA noemden ze dat een GBD (een Grotere, Betere Deal), iets wat de oude Milly verafschuwd zou hebben. Tegenwoordig leek zelfs Paris Hilton vergeleken met haar cameraschuw.

'Sorry,' zei ze, zich eindelijk van de jongens afwendend. 'Wat zei je?'

'Niets,' zei Amy stilletjes. 'Ik zei niets. Ik kreeg de kans niet.'

'O.' Milly keek haar onthutst aan. 'Sorry. O, toe nou, wees niet boos op me. Vertel me wat er aan de hand is.'

Amy wilde het haar graag vertellen. Ze verlangde ernaar haar hart te luchten over Garth en die overspelige hoer van een Candy, over de blik die hij haar geschonken had, alsof zij niets was, of nog erger dan niets, bespottelijk. Over de uitgever die alleen maar belangstelling had gehad voor onthullingen over haar vader, over hoe vreemd het was om je zo dik en lelijk te voelen, en tegelijk toch onzichtbaar.

Milly werd tegenwoordig echter zo door haar eigen wereldje in beslag genomen dat ze het niet kon. Milly zou het niet begrepen hebben.

'Ik ben niet boos en er is niets aan de hand,' loog ze. 'Ik ben alleen wat moe, dat is alles. De tweeling was deze week nog erger dan anders.'

Ze draaiden zich om toen een stroom ruiters in de richting van de start-hekken vertrok.

'Volgens mij moet je gaan,' zei Amy.

'Ja,' zei Milly. Hun gesprek was te kort geweest om de band aan te halen, maar ze had nu geen tijd meer om daarover na te denken. De zenuwen gierden weer door haar keel en ze was nu bijna opgelucht dat Todd niet op tijd gekomen was. Ze voelde toch al meer prestatiedruk dan ze kon verdragen.

Een paar minuten later zat Amy met Sean vooraan op de tribune, naast een nerveus kijkende Gill. Jimmy was die ochtend voor dringende zaken naar Canada gevlogen, dus hij was dit keer niet aanwezig om zijn protegee aan te moedigen, maar een recordaantal van zestienduizend bezoekers had de kou getrotseerd om de playmate-jockey in actie te zien.

'Wil je mijn jas?' vroeg Sean en hij trok zonder haar antwoord af te wachten zijn zware schapenleren jas uit en hing die om haar schouders. 'Je staat te bibberen als een gek.'

'Het gaat wel,' zei ze. 'Ik ben gewoon zenuwachtig om haar, dat is alles.' Ook al was ze de laatste tijd erg in zichzelf verdiept, de echte Milly zat nog steeds ergens in haar, en Amy wilde haar nog niet opgeven. 'Ik hoop echt dat ze het goed doet.'

'Dat weet ik,' zei Sean, en hij kneep in haar hand. 'Het grappige is dat ik dat ook hoop.'

De rest van zijn woorden ging verloren toen het publiek met een luid gebrul ging staan. Zestien quarterhorses schoten uit het starthek tevoor-schijn – Milly en Demon zaten precies in het midden – en verdwenen bijna meteen in een grote stofwolk.

'Goede start,' mompelde Gillian zacht. Ze kon zeker door het stof heen kijken, dacht Amy, die niets zag en moest afgaan op de stem van de commentator die via het geluidssysteem vertelde dat Milly al snel een halve lengte voorsprong had op Dash With Ease.

'Kijk. Daar is ze!' zei Sean een paar seconden later, en hij wees naar de kleine, voorovergebogen gestalte die vooropreed. 'Zie je haar?'

'Ja. Ja!' zei Amy opgewonden springend. 'Als ze die voorsprong kan hou-den...'

Maar toen, na ongeveer honderdvijftig meter, gebeurde er iets. De menigte kreunde massaal, maar de stofwolken waren in alle hevigheid terug en het was moeilijk te zien waar de commotie over ging. Ze wist alleen dat ze paardenbenen door de lucht zag vliegen en dat de jockeys die doorreden bezorgd over hun schouder keken.

'Wat is er?' vroeg ze aan Sean. 'Heb jij het gezien?'

'Het is Demon,' zei hij, en hij sprong over het hek op de grond. 'Hij is gevallen.'

Milly zat op de harde baan. Haar hoofd bonkte alsof er duizend kleine mannetjes met hamers en aambeelden in haar schedel aan het werk waren terwijl zij zich probeerde te oriënteren. Tegen de tijd dat ze begreep wat er aan de hand was, was de race al voorbij. Een paar andere ruiters draafden naar haar terug en mengden zich onder de groeiende menigte wedstrijdfunctionarissen, verplegers en kijkers die al uit het niets leken te zijn opgedoken.

'Ik kan u gelukkig vertellen dat Milly Lockwood Groves rechtop zit, mensen,' klonk de stem van de commentator. 'Het ziet ernaar uit dat met haar alles in orde is. Maar we vragen u om alsjeblieft van de baan weg te blijven, zodat de veeartsen en verplegers hun werk kunnen doen.'

Milly zocht in de vreemde zee van gezichten tevergeefs naar iemand die ze kende en was immens opgelucht toen ze Sean zag, die zich, het hoofd gebogen als een kwade stier, een weg door de menigte baande.

'Alles goed met je?' vroeg hij toen hij haar eindelijk bereikt had.

Ze knikte zwakjes. Hij geloofde niet dat hij haar ooit zo kwetsbaar had gezien. Er stroomden tranen van verwarring en schrik over haar wangen.

'Wat is er gebeurd?' vroeg hij zacht. 'Je leek fantastisch te gaan.'

'Ik weet het niet,' snikte ze. 'Het ene moment lagen we op kop en het volgende...'

Ze keek naar Demon, die een paar meter van haar vandaan lag. Zijn borst ging alarmerend snel op en neer en hij piepte als een kapotte blaasbalg. Toen hij Sean zag, sperde hij zijn waterige ogen open in wat misschien herkenning was, maar evengoed angst of pijn kon zijn. Er liep langzaam maar gestaag een straaltje bloed uit zijn opengesperde neusgat op het gras.

'Probeer u alstublieft niet te bewegen, juffrouw.' Een van de verplegers legde een hand op Milly's schouder toen ze duizelig overeind kwam. Ze duwde hem echter weg en strompelde blindelings naar Demon.

Alsjeblieft God, zeg dat hij in orde is. Zeg alsjeblieft dat hij in orde is.

Sean zat al op zijn knieën naast hem en gaf hem een injectie met demosedan om hem zodanig te kalmeren dat hij hem kon onderzoeken. Ze hoorde dat de baanarts hem inlichtte.

'Het was vreselijk,' zei de man. 'Ik zag het gebeuren. Er kwam bloed uit zijn neus en toen zakte hij zomaar door zijn voorbeen, alsof je een lucifer-houtje doorbreekt,' voegde hij eraan toe, en hij liet zijn knokkels kraken. Sean kromp ineen. 'Het was alsof de touwtjes van een marionet werden doorgeknipt. De arme jongen zakte gewoon in elkaar. Boem.'

Milly hoorde een geluid uit haar eigen mond komen dat deels schreeuw, deels een intens verdrietig gekreun was. Ze had niet met hem moeten racen! Waarom was ze niet tegen Brad en Jimmy in opstand gekomen? Waarom had ze hem niet beschermd?

Er werd aangekondigd dat Dash With Ease de officiële winnaar van de Futurity van dit jaar was, maar niemand leek in een feestelijke stemming. Alle ogen bleven gericht op het drama dat zich op de baan afspeelde.

Al snel waren het niet alleen ogen, maar ook camera's. Het was altijd triest om te zien dat een paard ernstig gewond raakte, maar dat Demon nog zo jong was, maakte het des te pijnlijker – en gaf het meer nieuws-waarde. Het interessantste was natuurlijk dat het Milly overkwam, en ook nog tijdens haar eerste grote, op de nationale televisie uitgezonden race.

Wie had gedacht dat er zo veel drama stak in quarterhorse-racen? ESPN kreeg beslist waar voor zijn geld.

Terwijl Milly met Sean praatte, leken hele hordes tv-camera's spontaan als paddenstoelen uit de grond te zijn geschoten. Zodra ze zich omdraai-de, omringden ze haar, vormden een dreigende, opdringerige muur tussen haar en Demons uitgestrekte, rillende lichaam.

De geschreeuwde vragen volgden elkaar op als machinegeweervuur.

'Milly, ben je gewond?'

'Heeft iemand je geduwd?'

'Gaat Demon het redden? Wat hebben ze tegen je gezegd?'

'Milly! Kijk eens! Hier, lieverd.'

'Jezus,' zei Sean hoofdschuddend tegen een overdonderde steward die de menigte terug probeerde te duwen naar de mediatribune. 'Kun je niet iets doen? Die klootzakken hier wegjagen? Dit dier is zo al bang genoeg.'

Na wat Milly een eeuwigheid leek, kwam er eindelijk versterking, geleid door Gill, die haar met enige moeite wist te overtuigen de veeartsen alleen te laten en mee naar binnen te gaan.

'Je helpt hem niet door hier te blijven, weet je,' zei ze zachtaardig. 'Hoe sneller je weggaat, hoe eerder de tv-crew hem met rust laat. Ze willen jou, niet Demon.'

Ze had natuurlijk gelijk. Ze duwde het leger van artsen en verzekerings-agenten opzij die haar nog steeds probeerden over te halen naar het plaat-selijke ziekenhuis te gaan – 'Het ziekenhuis? Voor een blauwe plek?' zei ze. 'Ga toch weg' – en liet zich door Gill meevoeren naar de relatieve privacy van het clubhuis. Relatief omdat het er zwart zag van de hoge heren van T-Mobile, onder leiding van een opgewonden Marti.

'Is er al nieuws?' vroeg ze hem wanhopig.

'Nog niet,' zei hij, en hij kwam dichterbij om een veeg vuil van haar jukbeen te poetsen. 'Maar laten we ondertussen bespreken hoe we dit gaan brengen.'

Milly keek hem niet-begrijpend aan. 'Wat bedoel je? Wát gaan brengen?'

Marti schonk haar dezelfde blik die een ongeduldige leraar een niet al te slimme leerling zou schenken.

'Het verhaal,' zuchtte hij geërgerd. 'We moeten het verhaal in eigen hand nemen. Jou zo gunstig mogelijk afschilderen. Het spijt me als dat ongevoelig klinkt, maar het is mijn werk.'

Ze was met stomheid geslagen en zei aanvankelijk dan ook niets. Besefte hij niet dat Demon daar buiten vocht voor zijn leven?

Hij interpreteerde haar stilzwijgen als instemming en ging door.

'Het belangrijkste is om de mensen echt te laten zien wat je voelt. Dan kunnen de fans, als hij het haalt, samen met jou de vreugde en opluchting ervaren. En haalt hij het niet…'

Het schrille, aanhoudende gerinkel van Gills mobiele telefoon onderbrak hem voor hij was uitgesproken en gunde Milly niet eens de tijd om de woorden 'toch', 'dood' en 'val' in de juiste volgorde te zetten.

'Hallo?' zei Gill terwijl ze opnam. Milly en Marti keken haar allebei woordeloos aan toen ze hun de rug toekeerde, de telefoon dicht tegen haar oor gedrukt, zodat ze het beter kon verstaan.

'Mm-mm,' zei ze knikkend na wat een oneindig stilzwijgen leek. 'Oké, ja. Ik zal het tegen haar zeggen.'

Toen ze zich weer omdraaide, vertelde haar gezicht Milly alles wat ze moest weten.

'Hij is dood, hè?'

'Het spijt me,' zei Gill met tranen in haar gewoonlijk koude, emotieloze ogen. 'Maar, ja. Dat was Sean. Hij kon niets meer voor hem doen.'

De volgende drie uur waren één groot waas. Milly herinnerde zich dat ze door een paar tv-interviews heen slaapwandelde en was zich vaag bewust van een eindeloze reeks flitslampen en microfoons die onder haar neus werden geduwd voordat Todd eindelijk kwam en haar meenam naar de privacy van Jimmy's trailer.

'Het is mijn schuld!' snikte ze, zich in zijn armen werpend. 'Ik had vandaag niet met hem moeten racen. Ik heb te veel van hem gevergd.'

'Nonsens,' zei Todd, die wou dat ze niet een van zijn beste Gucci-jasjes als zakdoek gebruikte. 'Hij was een renpaard, schat, geen huisdier. En het was Jimmy's beslissing om hem te laten meedoen, niet de jouwe. Die dingen gebeuren. Dat moet je jezelf niet kwalijk nemen.'

Dat was niet bepaald de troostende reactie waarop ze had gehoopt. Ze herinnerde zich plotseling hoe Bobby haar had vastgehouden na de dood van Easy; de warmte, de liefde en het begrip die ze die vreselijke nacht hadden gedeeld. Anders dan Todd begreep Bobby wat het was om van een dier te houden. Hij kende de pijn die ze doormaakte.

Voor het eerst in vele maanden verlangde ze ernaar met hem te kunnen praten. Maar na al die tijd, en met de vete tussen hem en Todd die steeds heftiger werd, was de weg terug naar Highwood voorgoed afgesloten.

'Klop, klop. Kan ik binnenkomen?' Amy's zachte, vriendelijke gezicht verscheen om de deur van de trailer.

Er welden tranen van dankbaarheid in Milly's ogen op. Ze dacht niet dat ze ooit zo blij was geweest iemand te zien.

Maar voor ze iets kon zeggen, nam Todd de leiding. 'Dank je, Amy, maar het gaat best,' zei hij. Hij had al een hand op de deur, klaar om haar buiten te sluiten. 'Het enige wat ze nodig heeft is een warm bad en haar bed. Ik neem haar mee naar huis en zorg dat ze dat krijgt.'

'Mill?' Amy weigerde zich te laten afpoeieren, stak haar hoofd verder naar binnen en trok vragend haar wenkbrauwen op naar haar vriendin. 'Weet je het zeker? Heb je echt niets nodig? Wil je misschien even praten?'

Heel even aarzelde Milly. Ze wou dolgraag met Amy praten. Zich ervoor verontschuldigen dat ze eerder niet naar haar had geluisterd, en haar hart uitstorten over wat ze Demon had aangedaan. Amy mocht dan niet van paarden houden, ze was wel de meest sympathieke en aardige persoon die ze ooit had ontmoet. Eén blik op Todds ongeduldige gezicht deed haar echter van gedachten veranderen. Hij had altijd al een hekel aan Amy gehad, waarom begreep Milly niet. Haar nu binnenvragen zou beslist ruzie betekenen en daar was ze nu mentaal niet tegen opgewassen.

Todd mocht dan niet de warmste en meest aanhalige vriend zijn, maar op dit moment was hij alles wat ze had.

'Ja,' zei ze. 'Ik weet het zeker. Bedankt, maar Todd zorgt wel voor me.'

'Begrepen?' zei Todd kordaat. En daarmee trok hij de deur voor Amy's neus dicht.

23

Bobby bracht de middag voor Kerstmis door bij het graf van Hank.

Het was vreemd rustig in Solvang. Degenen die nog snel een cadeautje moesten kopen waren naar de grote winkelcentra in Santa Barbara vertrokken, waar ze bij dezelfde winkelketens – GAP, Brookstone en The Discovery Store – terechtkonden en precies dezelfde truien, hebbedingetjes en speelgoed konden kopen als de rest van Amerika. Verder zat iedereen schijnbaar gezellig binnen, te koken, te eten of naar *It's a Wonderful Life* op tv te kijken. Hoe dan ook, Main Street was zo goed als verlaten en toen hij eenmaal Alisal Road in was gedraaid naar het kerkhof, was hij helemaal alleen.

Hij legde het kleine boeketje bloemen neer dat hij had meegebracht en veegde met zijn handen de bladeren weg die tegen de voet van de grafzerk waren gewaaid.

HANK CAMERON, COWBOY. 1918-2003.

Meer stond er niet op. Geen 'Liefhebbende echtgenoot en vader' of 'Wij missen hem' zoals op de andere gedenkstenen. Gewoon simpel, kort en duidelijk. Hank onthulde liever niet te veel, zowel bij leven als na zijn dood.

Bobby hurkte neer en probeerde een gebed op te zeggen, of zich tenminste een duidelijk beeld voor de geest te roepen van de vader die hij bijna zijn hele jeugd vruchteloos trots had proberen te maken. Het was echter vergeefs. Zijn gedachten keerden telkens terug naar alle onderwerpen die hij het liefst zou vergeten. Zoals de voortdurende patstelling tussen hem en Todd, de gêne tussen hem en Summer die niet wilde verdwijnen, en natuurlijk Milly.

Haar foto's in de *Playboy* waren een dolkstoot in zijn hart geweest. Het was nu drie maanden geleden dat Dyl zijn leven had gewaagd door hem het blad te laten zien. Maar voor Bobby leek het pas gisteren te zijn geweest.

Onder de kop RIJDEN MAAR, COWGIRL! stond een reeks naaktfoto's van

Milly, allemaal met een westernthema, verdeeld over vier bladzijden. Die foto's waren nu voor altijd in zijn geheugen gegrift. Op de eerste foto keek ze, op haar rug op een paard liggend met haar hoofd tegen zijn manen, de camera in; haar kleine borstjes staken als walnootdoppen op haar magere lijf omhoog. Andere waren minder zedig. Op eentje zat ze geknield op een baal hooi en droeg ze niets anders dan een gigantische hoed en een snoer parels. Haar netjes bijgewerkte bosje donker haar was niet zomaar zichtbaar, maar érg zichtbaar.

Hij worstelde nog steeds met de vraag wat haar ertoe gebracht kon hebben om het te doen. Het geld, natuurlijk... maar er waren wel andere manieren om geld te verdienen. De Milly die hij kende zou er niet over gepeinsd hebben om zichzelf tot zoiets te verlagen.

Maar misschien was dat het wel en wás dit niet meer de Milly die hij kende. De kleine, onschuldige, sproetige paardenliefhebster die hij uit Engeland had meegebracht, bestond niet meer. En dat kwam door die incarnatie van de duivel, die verrekte Todd Cranborn.

Hij streek met zijn handen over de ruwe steen van zijn vaders graf en lachte verbitterd. Hij was zo vol van zichzelf geweest toen de oude man was overleden. Zo overtuigd dat hij het antwoord kende op de problemen van Highwood, dat hij de ranch met één pennenstreek de moderne wereld in zou kunnen trekken en dat alles prima zou gaan.

Maar in feite had hij de deur wagenwijd opengezet voor het grootste paard van Troje aller tijden. Todd had Milly al gestolen. Het was vast alleen maar een kwestie van tijd voor hij hem Highwood ook afnam. Bobby had het in Wyoming zien gebeuren: families die hun land al zes generaties of langer bewerkten, werden gedwongen plaats te maken voor olie- en gasbedrijven. Als enige eigenaar van de ranch had hij in elk geval in de positie verkeerd hem te verdedigen als een oliebedrijf in de aanval ging. Maar nu, met Todd als zijn partner, kon hij zelfs dat niet doen.

Hank lag hier beneden waarschijnlijk flink te woelen.

Zelfs als er, door een wonder, geen overnamebod zou komen, zat Highwood nog steeds in de problemen. Hij had sinds Milly was overgelopen geweigerd nog een cent van Todd aan te nemen, wat wel enig soelaas bood voor zijn gekwetste trots, maar helemaal geen voor zijn banksaldo. Hij had tot dusver nauwelijks quitte gespeeld met de quarterhorse-zaak, en het veebedrijf leed nog steeds verlies.

Er had niets anders op gezeten dan de stallen te sluiten – quarterhorses waren een droom die hij zich niet langer kon veroorloven – en in januari zou hij weer her en der volbloeden gaan trainen. Het brak zijn hart om Highwood te moeten verlaten nu de ranch zo kwetsbaar was, maar ze hadden geld nodig, en zonder Todd was dat de enige manier om daaraan te komen.

Hij kwam overeind, veegde het vuil van zijn broek, stak zijn handen diep in zijn zakken tegen de koude wind en liep terug naar de weg.

'Ik weet dat ik je teleurgesteld heb, pa,' zei hij, met een laatste blik op het graf. 'Ik heb iedereen teleurgesteld, maar ik zweer je, op mijn eer als Cameron, dat ik het in orde maak. Wat het me ook kost. Ik maak het in orde.'

Op Highwood was Summer kerstkaarten aan het ophangen aan een lang lint dat zich over de hele lengte van de huiskamer van de McDonalds uitstrekte. Ze was dol op Kerstmis. Op alles wat ermee te maken had: in de oude dozen met versleten kerstversieringen snuffelen die Tara, Dylan en zij op de kleuterschool hadden gemaakt; haar vader helpen de levende kerststal in de oude schuur op te zetten; aanvallen op haar moeders heerlijke pecannotentaart en kaneelrumgrog, een specialiteit van Maggie McDonald. Wat er verder ook mis mocht zijn in haar leven, Kerstmis thuis kon haar altijd opbeuren.

Ze stond op een keukenstoel en hing de pikante kerstkaart die Sean haar had gestuurd naast een heel saaie die ze van haar oude schoolhoofd had gekregen. Ze glimlachte toen ze de kaart nog eens las: 'Lieve Summer. Verlang ernaar je kous te vullen. Vrolijk kerstfeest van je niet-zo-geheime-aanbidder, S xoxo.'

Hoewel ze zijn hartstocht niet kon beantwoorden, vond ze het heerlijk zoals Sean haar aan het lachen maakte. Ze mailden elkaar regelmatig sinds ze afgelopen zomer kennis met elkaar hadden gemaakt en hij had haar eerste semester op Berkeley opgevrolijkt met een reeks doldwaze, volkomen ongelooflijke verhalen, waarin hijzelf meestal een heldenrol speelde. Het waren dwaze berichtjes, maar ze vormden een welkome afleiding van de gortdroge wetboeken en van haar sombere, obsessieve gepeins over Bobby.

Ze kwam van de stoel af, liep naar het raam en keek over het erf uit. Het was nog geen vier uur, maar het begon al donker te worden. Ze zag de schimmige gestalten van Bobby en haar broer die met elkaar stonden te praten, tot Dylan zich weer omdraaide naar het huis en Bobby in de richting van de paardenstallen liep. Ze waren leeg – het laatste paard was vorige week opgehaald –, maar hij bracht er nog steeds veel tijd door, om na te denken.

'Ik hou van je,' fluisterde ze, terwijl ze met haar vinger de omtrek van zijn silhouet op de ruit natekende. 'Ik zou je gelukkig kunnen maken.'

'Wie zou je gelukkig kunnen maken?'

Ze schrok zich wezenloos toen Dylan achter haar de kamer binnenkwam.

'Niets. Niemand,' zei ze hevig blozend. 'Ik stond maar wat te dagdromen.'

'O.' Hij schonk haar een brede, wezenloze grijns. 'Juist.'

'Waarom kijk jij zo tevreden?' vroeg ze. 'Je ziet eruit alsof je de lotto gewonnen hebt.'

'Wie, ik?' zei hij. Hij liet zich op de bank neervallen en pakte wat van de gesuikerde amandelen die in een schaaltje op de salontafel stonden.

'Ja, jij,' zei ze lachend en ze duwde hem opzij zodat ze naast hem kon gaan zitten. In haar oudste ribbroek en een strakke trui met polosluiting en met haar haren in een paardenstaart zag ze er niet ouder uit dan twaalf, met hetzelfde verlangen om deelgenoot te worden gemaakt van zijn geheimen dat ze als kind ook altijd had gehad. 'Het is duidelijk dat je popelt om het me te vertellen,' zei ze, 'dus kom maar op met het nieuws. Vooruit.'

'Oké,' zei Dyl, en hij pakte opgewonden haar handen vast. 'Maar het is nog geheim, dus je mag het tegen niemand zeggen. Vooral niet tegen pa.'

'Ja, ja,' zei ze ongeduldig. 'Ik zwijg als het graf. Vertel het nou maar.'

Dylan ademde diep in. 'Galerie Gagosian in New York heeft gisteren contact opgenomen met Carol Bentley. Ze willen een tentoonstelling van mijn schilderijen.'

'O, mijn god!' gilde ze en ze sprong overeind voor een overwinningsdansje. 'De Gagosian? Sodeju, Dyl! Dat is geweldig.'

'Ssst,' zei hij terwijl hij haar terug op de bank trok. Haar trots op hem was ontroerend, maar hij wilde het echt nog niet aan Wyatt hoeven te vertellen. In elk geval niet eerder dan na de kerst, als hij hopelijk een manier had bedacht om de klap te verzachten dat hij het erop wilde wagen en het ranchwerk er voorgoed aan wilde geven. 'Het is een geheim, weet je nog? Ik heb het zelfs niet tegen Tara gezegd. Alleen Bobby en jij weten ervan.'

'Oké, oké, maar wanneer?' fluisterde ze. 'Wanneer gaat het gebeuren? O, Dyl, stel je voor! Ze geven waarschijnlijk een feest voor je en schrijven artikelen over je in *The New Yorker*, en…'

Hij lachte. 'Ik denk dat je je iets te veel laat meeslepen. En ik weet nog niet precies wanneer. Waarschijnlijk niet voor de zomer. Maar het is wel cool, hè?'

'Het is vet cool!' Summer kreeg tranen in haar ogen. Ze was de laatste tijd vreselijk emotioneel. 'Het is ongelooflijk. En als ze eenmaal aan het idee gewend zijn geraakt dat je een kunstenaar bent, vinden pap en mam het vast ook geweldig. Dat weet ik zeker.'

Dylan wou dat hij daar net zo veel vertrouwen in had als zij.

'Ik hoop het,' zei hij. 'Ik hoop het echt.'

Op dat moment ging de bel. Ze stoven allebei op om als eerste bij de deur te zijn en duwden elkaar opzij als een stel kinderen. Dylan won en opende de deur voor een kleine, vrouwelijke gestalte die zo dik was ingepakt in jassen, dassen en bont dat hij haar aanvankelijk niet herkende.

'Vrolijk kerstfeest!' zei de gestalte. 'Zijn jullie verbaasd om me te zien, schattebouten?'

'Diana?' Pas toen ze diverse lagen had afgepeld herkende hij Bobby's moeder. 'Ben jij het echt?'

'Zeker weten,' zei ze met een ontwapenende glimlach. 'En kijk niet zo verschrikt, Dylan. Zo veel kan ik niet veranderd zijn sinds de begrafenis van de ouwe baas.'

'Nou en of,' zei Dylan, die dol was op Bobby's moeder. Als kinderen hadden hij en zijn zussen haar altijd vreselijk exotisch en onconventioneel gevonden, en op dat gebied was ze weinig veranderd. 'Je ziet er jonger uit dan ooit.'

'Met vleierij krijg je alles gedaan, lieve jongen,' zei ze grinnikend, terwijl ze hem omhelsde. 'En vertel me nu maar eens waar mijn verdorven zoon is.'

In de verlaten stallen zat Bobby met zijn hoofd in zijn handen op een half bevroren baal hooi radeloos naar zijn voeten te staren.

Hij moest wat vrolijker zien te worden. Het had geen zin om hier te blijven zitten mokken. Daarmee hielp hij Highwood niet, raakte hij Todd Cranborn niet kwijt en kreeg hij Milly niet terug.

Hij werd in zijn mijmeringen gestoord door het geluid van twee auto's die voor de schuur tot stilstand kwamen – stadswagens, te oordelen naar het sonore, lage geluid van de motoren. Inderdaad, toen hij zijn hoofd om de deur stak stonden er iets verderop twee gestroomlijnde zwarte Lincolns geparkeerd, als glimmende zwarte panters. De in pak gestoken inzittenden kwamen al over de hobbelige grond de heuvel op, in zijn richting.

'Meneer Cameron?' vroeg de eerste man, en hij stak een in een zwarte handschoen gestoken hand naar Bobby uit.

'Dat ben ik,' zei hij. Hoewel hij in zijn cowboylaarzen, spijkerbroek en bomberjack boven hen uittorende, had de aanwezigheid van de drie mannen iets dreigends. 'Wie wil dat weten?'

'Ik ben Paul Reeves, en dit zijn mijn collega's Charlie Hill en Ted Burrows. We zijn van Comarco.'

Bobby's ogen vernauwden zich tot spleetjes en zijn hart begon te bonken. 'Comarco Oil?' vroeg hij, hoewel dat overbodig was. Er was maar één Comarco, een zo gigantisch Texaans concern dat zelfs de meest achterlijke heikneuter ervan had gehoord.

'Inderdaad,' zei de man. 'We zijn hier op uitnodiging van uw partner, meneer Cranborn.' Hij stak zijn hand in de binnenzak van zijn lange kasjmieren overjas en haalde er een stapeltje opgevouwen juridische paperassen uit. 'Hij heeft ons gevraagd onderzoek te doen naar uw oliereserves, om te zien hoe we de natuurlijke rijkdommen zo goed mogelijk kunnen benutten.'

'Mooi, meneer Reeves,' zei Bobby met een schampere glimlach. Hij nam de papieren van hem aan, bekeek ze met enig uiterlijk vertoon, scheurde ze langzaam in kleine stukjes en gooide die weg. 'Laten we één ding duidelijk afspreken, oké? Highwood is mijn eigendom. Het eigendom van mijn familie. En er is geen haar op mijn hoofd die erover denkt om u of wie dan ook toestemming te geven hier naar olie te gaan zoeken.'

De man keek hem onverstoord aan. 'Vindt u dat niet een beetje kinderachtig?' vroeg hij met een glimlach om zijn mond die veel van een spottende grijns had. 'U kunt dat wel kapotscheuren, maar dat verandert helemaal niets aan onze wettelijke positie. Ted hier is advocaat. Hij kan u alles precies uitleggen. Maar in lekentermen gesteld: de olie onder uw land is niet noodzakelijkerwijs uw eigendom.'

'Daar ben ik me heel goed van bewust,' snauwde Bobby. Hij wist dat hij beter zijn kalmte kon bewaren, maar dat was onmogelijk nu datgene gebeurde wat hij al zo lang had gevreesd. 'Maar dit is nog steeds privé-eigendom. U hebt toestemming nodig om hier te komen, en die krijgt u niet van mij.'

Hij deed een stap naar zijn tegenstander, die instinctief een stap terug deed, en bijna zijn evenwicht verloor op de met ijsmodder bedekte helling.

'Dat begrijp ik,' zei hij. 'Maar uw partner, meneer Cranborn...'

'Cranborn kan doodvallen,' bulderde Bobby, 'en jullie ook.' Hij stond nu neus aan neus met de man in het pak, die er een stuk minder zelfvoldaan uitzag bij het steeds dreigender vooruitzicht van fysiek geweld. 'Verdwijn verdomme van mijn land voor ik iets doe waar ik geen minuut spijt van zal hebben.'

'Bobby?' Wyatt had de luide stemmen gehoord en kwam nu ook de heuvel op, gevolgd door Dylan en... was dat zijn moeder? 'Wat is er aan de hand?'

'Niets,' grauwde Bobby met een dreigende blik naar de drie mannen van Comarco. 'Deze heren gingen net weg. Nietwaar, jongens?'

Weer in de veiligheid van hun stadsauto's draaide Reeves het raampje open en zei iets tegen Wyatt terwijl hij de sleutel omdraaide in het contact.

'Als u ook maar een beetje verstand hebt, dan praat u met hem,' zei hij met een knikje in Bobby's richting. 'We hebben wettelijk toegangsrecht. We gaan de strijd met hem aan via het gerecht als dat nodig is. Maar zulke rechtszaken zijn niet goedkoop. En onze zakken zijn heel wat beter gevuld dan die van jullie.'

Dat was niet moeilijk, dacht Wyatt terwijl hij hen nakeek. Hij kende tieners die van hun zakgeld meer konden sparen dan Bobby op het moment tot zijn beschikking had.

'Bobby?' Hij legde een troostende hand op zijn arm, maar Bobby schudde die af.

'Laat me met rust, Wyatt,' zei hij, vechtend tegen zijn tranen. Hij had die klootzak van Comarco tot moes moeten slaan toen hij de kans had. 'Jullie allemaal. Laat me met rust.'

Niemand van hen voelde zich op zijn gemak tijdens de kerkdienst op kerstochtend. Bobby was lijfelijk aanwezig – nu zijn wereld om hem heen instortte leek het belangrijker dan ooit om de Highwood-tradities in ere te houden, en hij mocht niet ontbreken tijdens de mis –, maar hij was duidelijk ergens anders met zijn gedachten.

Hij negeerde Diana volkomen, die dat niet erg leek te vinden, hoewel de hele familie McDonald, en met name Maggie, het wel verschrikkelijk vond.

'Hij heeft de laatste tijd erg veel aan zijn hoofd,' zei ze in een poging het uit te leggen. 'Ik weet zeker dat het niets persoonlijks is.'

'Natuurlijk wel,' zei Diana. 'Hij is woest omdat ik er niet vaker ben en onaangekondigd kom opduiken. Maar dat is niet erg. Daarin zijn we altijd al verschillend geweest. Ik ben veel meer een vrije vogel. En hij lijkt ontzettend veel op zijn vader, al zal hij dat nooit toegeven.'

In één ding had ze in elk geval gelijk: het ergerde hem dat ze onaangekondigd was verschenen. Het deed hem te veel denken aan zijn vreselijke vroege jeugd: de 'spontane' veranderingen van plan die elke keer weer zijn hele leven omver hadden gegooid en hem van alle zekerheid hadden beroofd.

'Het is Kerstmis, mam, in godsnaam,' beet hij haar toe voordat ze naar binnen gingen voor de lunch en nadat ze hem eindelijk had gevraagd wat er aan de hand was. 'Mensen hebben plannen. Je kunt niet zomaar hier opduiken en verwachten dat je eten en onderdak krijgt. Dat is niet eerlijk tegenover Maggie en Wyatt. Om van mij nog maar te zwijgen.'

Het was een opluchting toen hij na Maggies heerlijke lunch eindelijk alleen weg kon glippen naar het kantoor van de ranch. Hij wilde de gerechtelijke dossiers nog eens doorkijken. Wyatt en hij hadden al een complete bibliotheek aan informatie verzameld over de zaken in Wyoming, over welke tactieken effect hadden gehad en welke niet, en beschikten over bergen informatie over de gecompliceerde Californische wet met betrekking tot juridische geschillen over grond.

Na een uur tot zijn nek in de verslagen te hebben gezeten was hij nog helemaal niets opgeschoten en was hij zelfs blij dat Summer aanklopte met een flink stuk pecannotentaart en een beker bisschopswijn.

'Ik dacht dat je wel wat hersenvoedsel kon gebruiken,' zei ze terwijl ze die allebei op het bureau neerzette. Ze had de crèmekleurige, laag uitgesneden trui aangetrokken die ze die ochtend van Tara had gekregen en waaronder net iets van haar gebruinde decolleté zichtbaar was. Hij betrapte zichzelf er plotseling op dat hij dat zat te bewonderen en wendde haastig zijn blik af toen zij zag waar hij naar keek.

'Hij staat je goed,' zei hij, 'die trui.'

'Dank je.' Ze wou maar dat een blik en een complimentje van hem haar niet met zo veel hoop en verlangen vervulden. Ze had de vorige keer echter haar lesje geleerd. Er zou tussen hen niets meer gebeuren, tenzij hij de aanzet gaf. Ze was niet van plan zichzelf nog een keer voor schut te zetten.

'Nog iets gevonden?' Ze keek naar de stapel papieren voor hem op het bureau.

'Nee.' Hij schudde zijn hoofd. 'Ik heb geen idee wat ik moet doen. Als er al een uitweg is, dan zie ik hem in elk geval niet.'

'Kom op,' zei ze kordaat. 'Dat is niet de Bobby Cameron die ik ken. Waar is je strijdlust gebleven? We vechten het aan bij de rechtbank, en vragen een voorlopig dwangbevel tegen hen aan terwijl wij onze argumenten verzamelen.'

'Zoals jij het zegt, klinkt het heel simpel.'

'Ach, het is geen hogere wiskunde,' zei ze met een schouderophalen en met al het vertrouwen van iemand die een semester rechten heeft gestudeerd. 'Todd heeft je bedrogen. Hij heeft je de helft van je ranch afhandig gemaakt.'

'Ik wou dat het waar was,' zei Bobby. 'Maar ik ben de enige die schuld draagt aan deze hele ellende, en dat is de waarheid. Wat me nog het meest pijn doet…' Hij schraapte zijn keel, en toen hij opkeek zag ze tot haar ontzetting dat hij tranen in zijn ogen had. 'Ik weet dat het belachelijk klinkt, maar wat me nog het meest pijn doet is dat Milly moet hebben geweten dat hij dit van plan was. Ik bedoel, ze woont met die vent samen. Ze wist dat hij me een mes in de rug zou steken met die oliekerels, en toch heeft ze nooit een woord gezegd.'

'O, Bobby.' Ze vergat haar eerdere scrupules, ging op zijn schoot zitten en sloeg haar armen om hem heen. Ze wilde hem op dat moment alleen maar troosten, hem laten weten dat niemand hem iets kwalijk nam. Dat het niet erg was om fouten te maken, om niet perfect te zijn. En dat Milly hem dan in de steek gelaten mocht hebben, maar dat zij en alle anderen op de ranch er altijd voor hem zouden zijn.

Hij omhelsde haar ook en was zich plotseling sterk bewust van de warmte van haar lichaam, verpakt in zachte wol en dicht tegen hem aan gedrukt. Hij rook de shampoo in haar haren en vaag iets van een parfum op basis van citrus in haar hals.

Het was zo lang – zo belachelijk lang – geleden dat hij een vrouw had gehad, of zelfs echt opgewonden was geweest. Maar of het nu Summers onmiskenbare sexappeal was, of haar mededogen, of gewoon de druk en stress van de laatste maanden die ontladen moesten worden, hij kon zich plotseling niet meer inhouden. Hij legde zijn hand in haar nek, trok haar hoofd omlaag en kuste haar… een lange, hartstochtelijke kus die minuten leek te duren.

'Het spijt me,' zei hij toen hij haar eindelijk losliet, zijn stem nog steeds schor van verlangen.

'Dat hoeft niet,' fluisterde ze, haar volle roze lippen al van elkaar in afwachting van de volgende kus. 'Mij niet.'

Hij boog voorover en kuste haar opnieuw, harder dit keer, en legde zijn handen onder haar trui op haar blote rug, terwijl ze hem terugkuste met de eindelijk ontketende hartstocht van jaren van onbeantwoorde liefde.

'Ho daar, kinderen!' Diana stond in de deuropening en keek verbazingwekkend geschokt.

Summer sprong als een verraste ratelslang van Bobby's schoot en bracht haar haren en kleren in model.

'Diana. We hadden je niet gezien,' stamelde ze.

'Dat had ik in de gaten.' Summer had verwacht dat ze zou glimlachen; in de regel was zij wel de laatste om een preek af te steken over seksuele kwesties, en ze hadden elkaar trouwens alleen maar gezoend. Ze keek echter heel ernstig. 'Ik kwam even met Bobby praten. Zou je ons een poosje alleen kunnen laten?'

'Natuurlijk,' zei ze, en ze keek naar Bobby, die ook hevig bloosde, maar er toch in slaagde bemoedigend naar haar te glimlachen. 'Geen probleem, ik, eh... ga mam wel even helpen.'

Diana wachtte tot ze weg was en begon toen nerveus heen en weer te lopen als een generaal die zijn strijdplannen overdenkt.

'Wat wil je, ma?' vroeg Bobby. Hij hield van zijn moeder, maar hij was nog steeds kwaad omdat ze zichzelf aan de familie McDonald had opgedrongen. En zoals gewoonlijk was haar timing belabberd.

'Hoe lang is dit al gaande?'

'Wat?' vroeg hij geërgerd.

'Wat denk je!' snauwde ze. 'Summer en jij, natuurlijk. Hoe lang zijn jullie al minnaars?'

'Jezus.' Hij schudde vol ongeloof zijn hoofd. 'Niet te geloven dat jij dat durft te vragen, mam! Bedoel je dat jij commentaar hebt op mijn liefdesleven?'

'Hoe lang?' Ze schreeuwde het bijna uit.

'Niet dat het je ook maar ene moer aangaat,' zei hij geïrriteerd, 'maar we zijn geen "minnaars", zoals jij het zo mooi uitdrukt. Die zoen – wat je net zag – was de eerste keer.'

'Godzijdank,' zei Diana, en ze zakte op een stoel neer. Haar normaal zo roze gezicht was lijkbleek. Dat viel Bobby nu pas op.

'Wat is er, mam?' vroeg hij op mildere toon. 'Is er iets aan de hand?'

Diana knikte ellendig.

'Ik moet je iets vertellen,' zei ze. 'Iets wat ik je waarschijnlijk al heel lang geleden had moeten vertellen.'

Een kwartier later was Bobby degene die lijkbleek zag.

Het kon niet waar zijn.

Dat bestond niet.

'Je hebt het mis,' zei hij hoofdschuddend. Hij was zo misselijk geweest dat ze naar buiten waren gegaan en hij leunde in de koele avondlucht tegen de buitenmuur van de nieuwe, lege stallen toen hij tegen haar zei: 'Je moet het mis hebben.'

Ze kwam naast hem tegen de muur staan.

'Bobby, lieverd, ik wou dat het waar was.'

Ze wilde hem heel graag troosten, maar wist niet hoe. Ze had hem in één klap de paar elementen van waarheid en zekerheid afgenomen waaraan hij zich zijn hele leven had vastgeklampt, en ze allemaal als fabeltjes ontmaskerd. Het was geen wonder dat hij het niet wilde geloven.

'Ik wou echt dat het waar was, maar je moest het weten, voordat er verder' – ze zocht naar de juiste woorden – 'iets kon ontstaan tussen jullie. Wat ik vandaag heb gezien, dat is toch echt alles wat er is gebeurd, hè?'

'Ja.' Hij knikte verwoed. 'Ja. Ik bedoel, er is wel eerder seksuele spanning tussen ons geweest.' Hij werd alweer misselijk door er alleen maar over te praten. 'Maar niets serieus. We zijn niet verliefd op elkaar of zo.'

'Schat, spreek voor jezelf,' zei Diana. 'Ik heb gezien hoe ze naar je keek. Je bent blind als je niet ziet hoe verschrikkelijk verliefd dat kind op je is. Dat is een probleem.'

'Nee, dat is het niet,' zei hij. 'Ik bedoel dat ze niet verliefd op me is. Daar ben ik althans vrij zeker van. O, god… is het echt waar?' Hij sloeg zijn handen voor zijn gezicht.

'Of het nou wel of niet zo is, doet er niet toe,' zei Diana. 'Wat ertoe doet is dat Hank haar vader was. Het kan nooit iets worden tussen jullie. Nooit. En zij mag het nooit te weten komen. Dat moet je me beloven, Bobby.'

'Natuurlijk beloof ik dat. Denk je dat ik haar wil kwetsen?' zei hij, en hij trok aan zijn haren van ergernis. 'Maar hoe weet jij het dan, mam? Ik bedoel, weet je het echt zeker?'

'Honderd procent zeker,' zei Diana. 'Het spijt me, Bobby, er bestaat geen enkele twijfel.'

Ze lichtte hem in het kort in. Het verhaal leek slechts bij flarden tot hem door te dringen: 'Vergissing… hadden er allebei spijt van… Maggie en Wyatt… moeilijke periode…' Maar het was genoeg om een akelig levendig beeld te schilderen: van Hank die zijn beste, zijn enige echte vriend op de vreselijkst denkbare manier verried.

'Waar ik met mijn hoofd niet bij kan, is Maggie,' zei hij maar steeds.

'Ze was depressief,' legde Diana uit. 'En dan bedoel ik niet zomaar een beetje down. Ze was echt ernstig depressief na de geboorte van Tara. En Wyatt maakte idioot lange dagen.'

'Voor pa,' zei Bobby verbitterd.

'Ik denk dat jij je moeilijk kunt voorstellen hoe eenzaam en geïsoleerd Maggie was. Hank was in de buurt. Zo simpel is het soms.'

'Maar Summer lijkt helemaal niet op hem,' redeneerde Bobby, die zich vastklampte aan strohalmen. 'Ze lijkt op Tara, en op Maggie.'

'Ze heeft veel van haar moeder, dat klopt,' erkende Diana. 'Maar ze is de enige van de kinderen met blond haar. En kijk eens naar haar ogen, Bobby.'

Bobby voelde zijn maag opspelen. Hij had naar haar ogen gekeken, een paar minuten geleden nog maar, al leek het nu of er uren of zelfs dagen waren verstreken sinds hun zoen.

Ze waren bruin, net als de zijne.

'Er heeft nooit onzekerheid bestaan over wie haar vader was,' zei Diana. 'Maggie heeft alles aan Wyatt bekend voordat ze zelfs maar wist dat ze zwanger was. Hank was zonder twijfel de vader. Zij en Wyatt maakten, zoals ik al zei, een moeilijke tijd door. Ze hadden al maanden niet met elkaar geslapen.'

'Ja maar,' zei Bobby, 'heeft Wyatt hen dan zomaar vergeven?'

Hij klonk boos, en dat was hij ook. Hij had nooit van Hank gehouden en hem zelfs nooit echt aardig gevonden, maar hij had in elk geval respect voor hem gehad. Toen hij nog klein was, had zijn vader in zijn ogen een bijna goddelijk gezag gehad. En tjonge, wat was hij altijd intolerant geweest jegens de zonden en tekortkomingen van anderen, en vooral Bobby.

Tot dusver had hij oprecht gemeend dat wanneer Hank hem veroordeelde, hij dat met een zekere mate van moreel gezag deed. Maar om nu te moeten horen wat hij achter Wyatts rug had gedaan – dat hij twéé buitenechtelijke kinderen had verwekt en zijn uiterste best had gedaan zijn handen van hen af te trekken –, dat nam elk laatste restje fatsoen, al het goede en nobele dat hij zijn vader ooit had toegedicht, volkomen weg.

'Ze werden verdorie geacht vrienden te zijn.'

'Ze waren ook vrienden,' zei Diana, haar schouders ophalend. 'Ik weet dat het achteraf vreemd op je moet overkomen. Maar zoals Wyatt het bekeek, hadden Hank en Maggie er allebei spijt van. Het was een vergissing. En ze waren de twee mensen van wie hij het meest hield. En ze moesten natuurlijk om het kind denken.'

'Summer.' Bobby's ogen werden glazig. 'Wyatt heeft haar grootgebracht als zijn eigen dochter.'

'Wyatt is een goed mens. Wat hem betrof wás ze zijn eigen dochter, en nog steeds,' zei Diana. 'Hank had geen belangstelling om vader te zijn. Dat weet jij beter dan wie ook. Jij was destijds vijf en hij had je pas twee keer gezien. Beide keren onder dwang, wil ik er nog wel aan toevoegen.'

Voor het eerst kreeg hij er een idee van hoe moeilijk het voor haar geweest moest zijn om hem in die afschuwelijk hippiecommunes groot te brengen. Ze had als moeder fouten gemaakt, dat zeker, maar ze was zelf nog een kind geweest. Hank had beter voor haar moeten zorgen. Hij had beter voor hen allemaal moeten zorgen.

Al die tijd had hij het zichzelf zo moeilijk gemaakt wat Highwood betrof, bang om zijn vader, de legende, teleur te stellen. Maar nu werd hem op een afschuwelijke, wrede manier duidelijk dat Hanks heldhaftigheid niet meer was dan dat: een legende. Een verhaal waar de mensen in wilden geloven, een verhaal over een nobele cowboy die een rechtvaardige strijd voerde om de goede oude tijd levend te houden.

De waarheid was echter heel anders. Hank was geen reus onder gewone mensen. Hij was zwak, zelfzuchtig en lichtzinnig. Als er iemand een heldhaftige cowboy was, dan was dat Wyatt. Maar hij droeg natuurlijk niet de fantastische naam Cameron.

'Heeft Summer geen idee?' fluisterde hij, het lange stilzwijgen doorbrekend. 'Heeft ze het nooit vermoed?'

Diana schudde haar hoofd. 'Waarom zou ze?'

Hij zette zich af tegen de muur en liep peinzend een paar passen in het donker.

'Je belooft me toch echt dat je haar niets vertelt, hè Bobby?' vroeg Diana bezorgd.

'Ik moet wel íéts zeggen,' zei hij. 'Ik bedoel, niet over pa. Maar ze zal zich afvragen waarom ik geen belangstelling meer heb, na... je weet wel.'

'Ach, kom,' zei Diana. 'Je zei zelf dat het maar een zoen was. Zeg gewoon dat je haar als een zus beschouwt en dat het niets zou worden.'

'Dat heb ik al eerder geprobeerd.'

'Nou, dan probeer je het maar opnieuw,' zei ze vastberaden. 'En bovendien is het waar, of niet dan? Summer is niet degene op wie je verliefd bent.'

'Wat bedoel je?' zei Bobby. 'Ik ben vrijgezel, mam. Ik ben op niemand verliefd.'

'Je zegt het maar, Bobby,' zei Diana met een sceptische blik. 'Je zegt het maar.'

24

Rachel zat met haar voeten onder zich op de beige suède bank tevreden een dikke stapel persknipsels over zichzelf door te bladeren. Het was april, haar vierde maand in Amerika en de tweede maand dat ze voor Randy Kravitz reed. Die was na Jimmy Price waarschijnlijk de succesvolste renpaardeneigenaar in de VS, hoewel Randy in tegenstelling tot zijn grote rivaal alleen met volbloeden werkte. Tot dusver had de gok om naar Amerika te vertrekken buitengewoon goed uitgepakt.

Ze zat rustig in haar vorstelijke huurappartement in Palm Beach, op een paar minuten afstand van de trainingsfaciliteiten van Randy Kravitz vandaan. Ze besprak met Des, haar agent, voor welke van de vele tijdschriften die over haar wilden schrijven ze zou kiezen.

'Wat vind je van de *W*?' vroeg ze op smachtende toon. 'Hun stijl spreekt me erg aan. En ze hebben de beste fotografen, veel beter dan die saaie Testino met zijn *Vanita Fair*-foto's waarop iedereen een baljurk draagt.'

'Ik heb toch al gezegd,' zei Des zuchtend, 'dat het geen zin heeft om zomaar een blad uit te kiezen alleen omdat je dat zelf leuk vindt? We moeten ons richten op je publiek.'

'En dat is?' vroeg ze ijzig.

'Sportbladen, roddelbladen en de kranten. Thuis zouden we voor de zondagskrant gaan.' Zijn Cockney-accent deed Rachel nog steeds tandenknarsen. 'Hier is het iets lastiger. Maar wie we willen bereiken zijn racefans, geile kerels en meisjes die belangstelling hebben voor de soap tussen jou en Milly.'

Rachel geeuwde. Des was altijd al irritant, maar het meest als hij gelijk had. Hoe graag ze ook de mode-expert zou spelen, het verhaal van haar vete met Milly sprak pas echt tot de verbeelding van het publiek en had voor een goede aftrap gezorgd van haar eerste seizoen in het Amerikaanse racecircuit.

Nu haar T-Mobile-advertenties overal te zien waren – billboards, tv en ook in de bioscoop (Rachel had zelfs naar zo'n vreselijke reclame moeten kijken terwijl ze zat te wachten tot *Bridget Jones 2* zou beginnen) – was Milly duidelijk de grotere ster, en veel bekender in de VS dan zij. Rachel was echter niet van plan de tweede viool te spelen, niet lang tenminste. Haar eerste slag had ze geslagen toen ze Kravitz had gestrikt om haar te steunen. Toen de racepers haar kort daarna dankzij haar uiterlijk en talent begon op te merken, had ze zich tegenover roddelbladcolumnisten enkele geruchten laten ontglippen over de levenslange vete tussen haar en Milly, en die een beetje aangedikt door te zeggen dat de lieveling van het quarterhorse-racen niet meer met haar familie sprak sinds de foto's in de *Playboy*, en dat zij, Rachel, een langdurige relatie had met Milly's broer, die toevallig ook erg fotogeniek was.

Het was natuurlijk een fantastisch verhaal: twee mooie buitenlandse meisjes, brunette versus blondine, mager versus welgevormd, beiden talentvol, beiden ambitieus, beiden trachtend het te maken in Amerika, rijdend voor rivaliserende eigenaren en beschermheren. Dat ze het familiedrama erbij had gehaald verleende het geheel een haast *Dynasty*-achtig karakter. Het had iets van de strijd tussen Paris en Hilton, maar dan met een toegevoegd sportief aspect. Daar smulde toch iedereen van?

Aanvankelijk was Milly er tot Rachels teleurstelling boven blijven staan en had ze – buitengewoon saai – geweigerd zich over haar privéleven uit te laten. Nadat Rachel echter in de *Elle* had laten doorschemeren dat ze met haar foto's in de *Playboy* Cecils nagedachtenis had verraden, had Milly de handschoen toch opgepakt. Ze had gereageerd met een lang interview in de *Vanity Fair*, waarin ze precies uit de doeken had gedaan hoe Rachel haar thuis had 'gestolen' en erop had gezinspeeld dat Rachel haar paarden mishandelde. Ze was ook weinig complimenteus geweest over Jasper en haar moeder.

Het volstaat om te zeggen dat het paardenrennen in lange tijd niet zo interessant was geweest.

'Heb je je fondsbeheerders teruggebeld?' vroeg Des, die de knipsels even opzijlegde.

'Jezus, je lijkt verdomme mijn vader wel,' mopperde Rachel. 'Ja, dat heb ik gedaan, oké? Ik heb weer een bericht ingesproken.'

Na zes maanden alleen maar verlies te hebben gedraaid, had ze eindelijk de knoop doorgehakt en besloten Newells weer op de markt te brengen. De vraagprijs van drie miljoen pond was een beetje optimistisch, maar zelfs als ze akkoord ging met tweeënhalf was dat het nog waard om van die molensteen om haar nek af te zijn.

Ze had er nog niets over tegen Jasper gezegd. Hoewel ze in naam nog samen waren – het kwam haar goed uit om hem achter de hand te houden als figurant in het verhaal over de vete – was hij nog steeds in Engeland om voor Ali te rijden en had ze hem al een maand niet gezien. Hij was er steeds vaker met zijn hoofd niet bij als ze elkaar aan de telefoon hadden. Zijn cokegebruik was helemaal uit de hand gelopen. De kans was groot dat het hem helemaal niets kon schelen wat ze met Newells deed, maar de drugs maakten hem onvoorspelbaar en ze had ervoor gekozen hem niets te vertellen voor het een voldongen feit was.

'Zeg dat ik ze wil spreken wanneer ze terugbellen, oké?' zei Des. 'Het wordt tijd dat ze verdomme eens een poot uitsteken en een koper voor je vinden. Dan kun jij je op echt belangrijke dingen concentreren, zoals de Belmont-race.'

Rachel ging opgewonden recht zitten. 'Heeft Randy iets tegen je gezegd? Heeft hij het bevestigd?' vroeg ze gretig. De kans dat ze tijdens haar eerste seizoen al in de belangrijkste race van Amerika zou rijden kwam steeds dichterbij. Kravitz had er een paar keer op gezinspeeld dat hij erover dacht haar in te schrijven voor juni, maar had nog geen tijd gehad om echt iets te ondernemen. Als hij dat deed, zou het een streep aan de balk zijn in haar strijd om alles wat Milly tot dusver had gedaan te overtreffen. Er bestond geen quarterhorse-race die ook maar in de verste verte zo prestigieus was als de Belmont.

'Nog niet,' zei Des. Hij liet zijn knokkels kraken en verblindde haar met zijn vuist vol zware gouden en diamanten ringen. Hij had altijd al een zorgwekkende voorliefde gehad voor sieraden, maar sinds hun komst naar Amerika leek die alleen maar erger te zijn geworden. 'Maar maak je geen zorgen. Dat komt wel. Er wordt aan gewerkt.'

Rachel maakte zich geen zorgen. Hij mocht dan een irritante, slijmerige gluiperd zijn, Des had zijn waarde als agent wel bewezen.

Als hij zei dat hij haar in de Belmont kon krijgen, dan zou hij dat doen. Hij had haar nog nooit teleurgesteld.

In Bel Air leunde Todd over de rand van het bed en reikte eronder naar het zakje coke dat hij daar verborgen had, samen met een grote dildo en een tube glijmiddel met aardbeiensmaak.

'Blijf zo zitten,' zei hij.

Het meisje, naakt op handen en knieën op de verkreukelde lakens, deed wat hij zei. Even later kwam hij overeind met de drugs in de ene en het glijmiddel in de andere hand.

'Maak je rug nog een beetje holler. Perfect.'

Terwijl zij iets van houding veranderde, strooide hij een lijntje wit poeder boven de welving van haar billen. Daarna pakte hij haar tieten vast en snoof de coke van haar nog bezwete huid op. Man, wat een goed gevoel!

Hij veegde met de rug van zijn hand langs zijn neus en likte gretig de restjes op voordat hij zijn pik weer bij haar naar binnen stak en verder ging waar hij was gebleven.

Het meisje heette Natasha Oakley. Ze stond bij de bladen bekend als een aankomend Hollywood-sterretje en tienerhorrorheldin, maar alle rijke mannen in LA kenden haar bovendien als cocaïnehoer. Hij zou volgens afspraak straks wat van zijn drugs met haar moeten delen, maar dat was een bescheiden prijs voor twee uur met haar ongelooflijke, strakke eenentwintigjarige lijf. De laatste keer had hij haar gedwongen haar aandeel in het kostbare witte poeder van zijn ballen op te snuiven. Voor iemand die zo bezeten was van dominantie als Todd kon het bijna niet geiler.

Het leven was op het moment verdomd goed, dacht hij terwijl hij zich bij Natasha naar binnen beukte. De zaken gingen beter dan ooit. Na bijna een jaar voorzichtig naar zijn gunst te hebben gedongen, had hij Jimmy Price eindelijk weten over te halen te investeren in een gigantisch commercieel onroerendgoedproject in Florida, dat hem, als alles volgens plan verliep, nog vele malen rijker zou maken dan hij al was. Daarbij had hij vorige maand zijn voltooide bouwproject in Buellton met fantastische winst verkocht. En natuurlijk was Highwood er nog.

Vorige week had de rechter van de arrondissementsbank in Santa Barbara na maanden van gerechtelijke strijd Comarco eindelijk een tijdelijk bevel gegeven dat hun toestond om eenentwintig dagen lang 'oriënterend onderzoek' te doen op Highwood. Dat was een zware klap voor Bobby, die in elk geval al een fortuin kwijt was aan de rechtszaak. Met een beetje geluk zouden de hoge kosten daarvan hem binnenkort dwingen het op te geven, en dan zou de buitengewoon winstgevende persoonlijke deal die hij met de oliemaatschappij had gesloten eindelijk vruchten af gaan werpen.

Het meest verbazingwekkende aan het geheel was wel dat Milly nog steeds niets in de gaten had van zijn coup tegen de cowboy, al zou hij het haar wel snel moeten vertellen, misschien zelfs vanavond. Ze hadden elkaar weliswaar al een jaar niet gesproken, maar hij vermoedde dat ze nog steeds een zwak voor Bobby had en waarschijnlijk woedend op Todd zou zijn als hij haar op de hoogte bracht. Het was een ruzie waar hij weinig zin in had, vooral omdat hij toch een beetje genoeg begon te krijgen van hun relatie.

Hij was tot dusver bij Milly gebleven omdat de seks nog steeds goed was, haar levensstijl hem kans genoeg bood om vreemd te gaan en haar groeiende bekendheid deuren voor hem, als haar vriend, opende die hij met geld nooit open had kunnen krijgen, en die hij liever niet kwijt zou raken. Hoewel hij het nooit zou toegeven, vond Todd het heimelijk heerlijk om te worden uitgenodigd voor feestjes met beroemdheden en voor prijsuitreikingen. Hij genoot er vooral van om bij het verlaten van een restaurant door paparazzi te worden gefotografeerd, ook al was Milly degene die de foto's voor hen kostbaar maakte.

Anderzijds was ze sinds Demon was gestorven een vreselijke spelbreker.

Ze was emotioneler en aanhankelijker dan ooit en leek om niets te moeten huilen. Bovendien was ze sinds Kerstmis steeds slechter gaan rijden. En sinds Rachel Delaney in Amerika was opgedoken en via de pers moeilijkheden veroorzaakte, was ze door de stress angstaanjagend mager geworden. Hij was dol op magere meisjes, maar haar borsten waren tegenwoordig bijna hol in plaats van bol en niemand wilde neuken met een zak botten.

Hij voelde dat zijn orgasme zich opbouwde en keek snel even op het Frank Mueller-horloge op het nachtkastje. Verdomme. Halfzeven. Hij kon dit maar beter afronden en Natasha wegsturen. Hij had om acht uur een afspraak voor een romantisch etentje met Milly in The Ivy en moest voor die tijd nog uitgebreid douchen én het bed verschonen.

Hij pakte haar bij haar haren, ramde nog harder en dieper door en keek naar haar door drugs vertroebelde blik in de spiegel toen hij klaarkwam.

'Hier,' zei hij, en hij gooide een nieuw zakje coke op het bed terwijl hij uit haar gleed en zonder nog achterom te kijken liep hij de badkamer in. 'Meenemen en wegwezen. Ik heb haast.'

'Kom op!' riep Milly, hard op de claxon van haar T-Bird convertible drukkend. 'Doorrijden!'

Ze was al laat, ze had een afschuwelijke dag gehad en nu was door een ongeluk op de 5 de snelweg ook nog eens in een parkeerplaats veranderd.

Ze had vanochtend het derde teleurstellende resultaat van deze maand behaald in een race in Del Mar; ze was vijfde geworden in een deelnemersveld waarin zij eigenlijk had moeten winnen. De week ervoor was de eerste kwalificatieronde geweest voor de All American later in de zomer. Ze had zich gekwalificeerd, maar zo nipt dat ze zowel van Jimmy als van haar sponsors van T-Mobile een fikse uitbrander had gehad en te horen had gekregen dat ze er flink tegenaan moest gaan, of anders… En ze had er een hard hoofd in of ze haar prestatie vandaag in Del Mar goed genoeg zouden vinden.

Aanvankelijk had ze haar verslechterende resultaten geweten aan Cally, officieel California Boy, het nieuwe paard waarop Jimmy haar sinds Demons dood liet rijden. Om de een of andere reden leken ze niet echt een goed team te worden. Ze was zich er echter van bewust dat dat een slap excuus was. Andere jockeys hadden uitstekende tijden met hem behaald. Het lag meer voor de hand dat er andere dingen – alle stress om Rachel, en haar toenemende onzekerheid wat Todd betrof – van invloed waren op haar rijvaardigheid.

Ze wou maar dat ze niet nog steeds zo door Todd geobsedeerd werd. Maar hoe meer ze hem zag flirten en hoe banger ze was om hem kwijt te raken, hoe wanhopiger ze hem wilde vasthouden. Nu ze van Amy Price was vervreemd, was hij bovendien de enige 'vriend' die ze had om mee te praten, hoewel ze kon merken dat haar gejammer over Rachel hem verveelde, en ze probeerde het niet te vaak te doen.

En alsof de ramp van vandaag in Del Mar nog niet erg genoeg was, had ze zojuist ook in het nieuwe nummer van de Engelse *Racing Post* gelezen dat Rachel Newells te koop had gezet. Het was vreselijk om het in de krant te moeten lezen, maar dat was nog niet half zo schokkend als het prijskaartje. Drie miljoen pond! Was het echt zo veel waard? Ze had geen idee, maar de verwerkelijking van haar droom om genoeg geld te verdienen om het terug te kopen leek plotseling belachelijk ver weg.

Ze verdiende goed, dat wel, al was het de vraag hoe lang dat nog zo zou blijven als ze niet snel betere tijden ging rijden. Ze besefte nu echter dat ze nog lang niet genoeg had gespaard. Todd moedigde haar altijd aan om geld uit te geven. De auto was zijn idee geweest, net als driekwart van haar garderobe, maar ze had hem zelf betaald. Zijn idee van 'met haar gaan winkelen' was om de duurste boetieks aan Robertson binnen te stappen, veel meer jurken uit te kiezen dan ze wilde hebben of nodig had, en haar vervolgens zelf de rekening te laten betalen. Ze wilde het hem echter zo graag naar de zin maken en ondanks de grote concurrentie zijn belangstelling vasthouden dat ze er altijd mee instemde.

Eindelijk stopte ze, bijna veertig minuten te laat, voor het restaurant. Ze was zo bezweet dat ze haar witte broek moest lostrekken van de achterkant van haar benen voor ze de autosleutels aan de bediende gaf, en zocht in haar tasje naar Tylenol tegen de bonkende hoofdpijn.

'Eindelijk,' zei Todd, terwijl ze zich een weg naar het tafeltje baande tussen de menigte wachtenden, van wie enkelen haar staande hielden voor een handtekening. 'Waar bleef je nou?'

'Sorry, sorry, sorry,' zei ze. Ze pakte zijn hand en drukte er een verzoenende kus op terwijl ze ging zitten. Ze zag dat hij zijn voorgerecht al op had en ook al aardig wat van het beroemde brood van The Ivy, want het rood-witte tafelkleed lag vol met kruimels. 'Er was een vrachtwagen gekanteld op de snelweg en het duurde een eeuwigheid voor ik erlangs kon. Ik wilde nog bellen, maar ik had geen bereik.'

'Hmm,' zei Todd terwijl hij de rest van zijn bier in zijn glas schonk. Hij was kwaad – als hij had geweten dat ze zo laat zou komen, had hij een uur langer van seks met Natasha kunnen genieten –, maar anderzijds kwam het hem goed uit dat ze zich schuldig voelde. Hopelijk zou ze daardoor wat minder heftig reageren op het nieuws over Highwood.

Hij doopte de rest van het brood in een schaaltje olijfolie en veranderde van onderwerp.

'Hoe ging de wedstrijd?'

'Slecht,' zei Milly, terwijl ze een glas water inschonk en daarmee een derde pijnstiller wegspoelde. Ze zag er magerder en afgetobder uit dan ooit. 'We zijn vijfde geworden. Jimmy weet het nog niet, maar hij springt vast uit zijn vel als hij het hoort. En...' Ze pakte wat van zijn brood en nam een hap. 'Raad eens wat ik vandaag nog meer te weten ben gekomen?'

'Ik hou niet van raadspelletjes,' zei Todd, en hij staarde openlijk naar de lange roodharige vrouw in minirok die langs hun tafeltjes liep en uitdagend naar hem knipoogde. 'Of je vertelt het, of je vertelt het niet.'

'Newells staat te koop,' zei Milly somber. Ze wist dat het hem niet interesseerde, maar ze moest het aan iemand kwijt. 'Voor drie miljoen, niet te geloven! Na al die onzin die Rachel mama op de mouw heeft gespeld – dat zij de aangewezen persoon was om zich over paps erfenis te ontfermen – heeft ze de stoeterij te gronde gericht, en nu verkoopt ze de zaak, verdomme.'

'Ik kan het niet volgen,' zei Todd en hij wenkte de ober om hun bestelling op te nemen. 'Ik dacht dat je haar van Newells weg wilde hebben.'

'Dat wil ik ook,' zei Milly. 'Maar niet op deze manier. Ik bedoel, wat gaat er nu met de rest van de paarden gebeuren? Misschien sluit de nieuwe eigenaar de stoeterij wel helemaal. Bouwt hij de stallen om tot vakantiehuisjes of zoiets vreselijks...' Haar gezicht betrok toen de vele akelige mogelijkheden tot haar doordrongen.

'Nou,' zei Todd, die besloot het voordeel van haar duidelijke verwarring uit te buiten door haar nu het slechte nieuws te vertellen. 'Ik heb een heel goede dag gehad, zakelijk gezien. Ik ben al een poosje in gesprek met een Texaans bedrijf – Comarco, daar heb je waarschijnlijk wel van gehoord – over een winstaandeel in de olierechten van Highwood. We hebben wat juridische problemen gehad, maar we hebben net gehoord dat we toestemming hebben om deze maand te beginnen met zoeken. Dus dat is goed nieuws.'

Het duurde even voordat goed tot haar doordrong wat hij zei.

'Bedoel je...' vroeg ze langzaam, 'dat je op de ranch naar olie gaat boren?'

'Dat klopt.' Hij nam een slok van zijn bier alsof het niets voorstelde. 'Het werd onderhand tijd dat iemand dat deed.'

'Maar dat kun je niet doen,' zei Milly vol afgrijzen.

'Waarom niet?'

'Omdat...' Ze schudde haar hoofd, alsof ze de juiste woorden los moest schudden. 'Omdat dat dat gewoon niet kan! Hoe moet het dan met Bobby? Dat land is al zes generaties in zijn familie. Hij zou nog liever doodgaan dan...'

'Alsjeblieft, zeg.' Hij stak zijn hand op om haar te onderbreken. 'Bespaar me de familietoespraak van de Camerons. Dat ben ik zó beu. Ik heb Highwood veroverd om dezelfde reden dat jullie Engelsen India ooit hebben veroverd: omdat ik het zonde vond dat de mogelijkheden ervan niet werden benut. En omdat ik het kon. Ik ben Bobby Cameron niets schuldig. En aan wiens kant sta jij, trouwens? De mijne of de zijne?'

Dat was natuurlijk de hamvraag: aan wiens kant stond ze? Ze had nu het gevoel dat ze aan Bobby's kant stond, maar dat durfde ze niet tegen Todd te zeggen. Bovendien, dacht ze triest, zou Bobby haar waarschijnlijk haar steun niet in dank afnemen. En het had geen zin voor niets haar nek uit te steken.

'Aan jouw kant, natuurlijk,' loog ze dus. 'Maar dat wil niet zeggen dat ik het goedkeur. En stond er trouwens niet een clausule in het contract die stelde dat je niet naar olie mocht boren?'

'Die stond er inderdaad in,' zei hij. 'Maar helaas voor je vriend meneer Cameron zijn persoonlijke overeenkomsten ondergeschikt aan staatswetten. Grappig genoeg,' voegde hij er wreed aan toe, 'heb jij me op het idee gebracht.'

'Ik?' zei Milly geschokt. 'Hoe dan?'

'Jij vertelde me over de rechtszaken in Wyoming tegen de gasbedrijven, weet je nog? Waar Bobby zich zo veel zorgen om maakte? Dat bleek terecht. Het is alleen stom van hem dat hij zelf geen deal heeft gesloten met de oliemaatschappijen voordat ik dat deed. Ik neem aan dat hij ervan uitging dat ik niets van die zaak wist. En dat was ook zo, tot jij me inlichtte.'

Milly werd misselijk. Ze spraken elkaar weliswaar niet meer, en Bobby had zich vorig jaar schofterig tegen haar gedragen – in feite had hij haar zo goed als in Todds armen geduwd – maar ze zou hem nooit bewust pijn doen of verraden. Ze kon niet geloven dat een toevallige opmerking van een jaar geleden tot zoiets rampzaligs zou leiden.

'Alsjeblieft.' Ze keek Todd smekend aan. 'Alsjeblieft. Zet het niet door. Doe het voor mij. Ik zou nooit iets hebben gezegd als ik dit had vermoed, dat weet je.'

'Jammer, schatje,' zei hij. 'Het is puur een zakelijke beslissing. Maar er zijn inmiddels ook andere partijen bij betrokken en ik kan me niet zomaar terugtrekken, zelfs al zou ik dat willen.'

'Maar...'

'Luister eens.' Hij schoof zijn stoel naar haar kant van de tafel, sloeg zijn arm om haar heen en kuste haar op haar wang. Het was het tederste gebaar sinds weken tegenover haar en ondanks alles voelde ze een golf van liefde en opluchting. 'De enige reden dat Bobby het niet zelf heeft gedaan, is achterlijke, koppige trots. Het is belachelijk om al die rijkdom daar ongebruikt onder de grond te laten zitten. Als ik me niet op die olie had gestort, had iemand anders het wel gedaan.'

Milly aarzelde. Ze wilde hem ontzettend graag geloven.

'Het zou veel voor me betekenen als ik wist dat je achter me stond,' zei hij, en hij liet zijn hand van haar schouder omlaagglijden tot boven haar borst en streek zacht door de stof van haar shirt over haar tepel.

'Ik heb medelijden met Bobby,' zei ze, terwijl haar schuldgevoel strijd voerde met haar verlangen. 'Dat is alles. Het betekent niet dat ik niet van je hou.'

Later die avond, nadat ze lang en uitputtend de liefde hadden bedreven, lag ze naast een slapende Todd naar het plafond te staren.

Hoe langer ze erover nadacht, hoe vreselijker ze het vond. Pas toen ze na het eten thuis waren gekomen, was tot haar doorgedrongen wat Bobby moest denken: dat zij er al die tijd van had geweten en niet de moeite had genomen om hem te waarschuwen of iets te doen om het tegen te houden.

Om zeven uur 's ochtends had ze nauwelijks een oog dichtgedaan en hield ze het niet langer uit. Ze sloop naar beneden, pakte de draadloze telefoon in de keuken en toetste het nummer van Highwood in. Het was een jaar geleden, maar ze wist het nog uit haar hoofd.

Ze wilde net ophangen toen ze, nadat de telefoon zeven keer was overgegaan, plotseling bedacht hoe vroeg het was, maar op dat moment werd er opgenomen en zei een vrouwenstem: 'Hallo?'

'Tara?'

'Ja. Met wie spreek ik?'

Milly's hart ging zo tekeer dat ze bijna weer ophing omdat ze niet durfde. Ze was echter al tot hier gekomen en kon dus maar beter doorgaan.

'Met mij, Milly,' zei ze. De stilte aan de andere kant van de lijn was oorverdovend. 'Luister eens, ik bel alleen om het Bobby uit te leggen. Hij moet begrijpen dat ik geen idee had van Comarco, van wat Todd gedaan heeft. Ik heb het pas gisteravond gehoord. Echt waar.'

'Wacht even.' De lijn viel stil en ze hoorde gedempte stemmen op de achtergrond. Tara had kennelijk haar hand over de hoorn gelegd, zodat ze de rest van de familie kon inlichten. Ze was vergeten dat zeven uur in de ochtend op de ranch al laat was voor het ontbijt. Toen zwegen de stemmen en hoorde ze twee duidelijke klikjes van een andere telefoon die werd opgenomen toen de eerste werd neergelegd. Iemand nam het gesprek over.

'Bobby?'

Stilte.

'Bobby? Ben jij dat?'

'Nee.' Summers stem klonk vijandiger dan ooit. 'Hij wil niet met je praten. Nooit meer. Niermand van ons wil nog met je praten.'

Ze hing op en Milly bleef in geschokt, diep ellendig stilzwijgen met de telefoon in haar handen zitten.

25

Een maand nadat Summer het gesprek met Milly zo botweg had afgekapt, zat Rachel in de lobby van het Mondrian Hotel aan Sunset Boulevard nerveus van een schaaltje rijstcrackers te eten terwijl ze op Jimmy Price wachtte.

Ze vond rijstcrackers niet eens lekker; die plakten altijd aan je tanden. Ze was echter zo gespannen dat ze niet leek te kunnen stoppen met eten.

Des was er godzijdank in geslaagd een afspraak voor haar te maken met Jimmy Price, én haar deelname aan de Belmont volgende maand te regelen. De timing had niet beter kunnen zijn. Nu haar selectie voor Belmont zeker was – ze zou voor Randy Kravitz op de beroemde Never Better rijden – had ze tegenover Jimmy een veel sterkere onderhandelingspositie. Hij stond bekend om zijn ambitie en ze hoopte dat hij het geweldig zou vinden om de sexy nieuwe jockey van zijn concurrent 'weg te kapen', al zou het misschien wat meer moeite kosten om hem zover te krijgen dat hij de banden met Milly verbrak.

Ze haalde een zilveren make-upspiegeltje uit haar tas om te controleren of er nergens iets van de rijstcrackers was achtergebleven, maar alles was in orde. Zelfs het dunne laagje lippenstift dat ze die ochtend zorgvuldig had aangebracht voor een natuurlijke, sensuele look, zat nog op z'n plaats. Ze zag er verdraaid goed uit, vond ze zelf. Ze hoopte maar dat Price de moeite die ze zich had getroost – niet alleen om er fantastisch uit te zien, maar ook om uit Florida hierheen te vliegen voor één armzalige lunchbespreking – wist te waarderen.

'Hij wil je wel spreken, maar dan moet het in LA gebeuren,' had Des geduldig uitgelegd toen ze erover begon te zeuren. 'Vanwege al zijn zakelijke verplichtingen en de start van het quarterhorse-seizoen gaat hij nu niet uit Californië weg.'

'Maar weet je wel zeker dat hij echt geïnteresseerd is?' drong Rachel aan. 'Ik heb geen zin om daar helemaal voor niets naartoe te vliegen. Wat nou als hij Milly toch aanhoudt?'

'Dat doet hij niet,' zei Des vol vertrouwen. 'Niet op de lange duur. Milly maakt er sinds het einde van het vorige seizoen een enorm zootje van. Ze heeft er niks van gebakken tijdens de Derby en de Rainbow.' Rachels ogen werden glazig. De namen van quarterhorse-races zeiden haar helemaal niets. 'En,' zei hij, terugkerend naar bekend terrein, 'ze verknalt het ook bij haar promotionele verplichtingen. Het schijnt dat T-Mobile er genoeg van begint te krijgen en Jimmy heeft helemaal genoeg van haar gezeik. Als ze niet heel erg goed presteert tijdens de All American, kan ze het wel vergeten. Geloof me. Er is geen beter moment om haar eruit te wippen.'

'Mooi zo,' zei ze vals. 'Ik hoop alleen wel dat je gelijk hebt. Hij mag zichzelf dan helemaal geweldig vinden, ik hoop dat hij beseft dat ik er niet van hou om mijn tijd te verdoen.'

Nu ze echter hier was, waren haar strijdlustige praatjes helemaal verdwenen en nadat ze twintig lange, onaangename minuten had zitten wachten begon ze te vrezen dat hij misschien helemaal niet zou komen. Eindelijk zag ze echter een dikke, geïrriteerd kijkende kleine man de lobby door komen waggelen. Hij bleef voor haar stilstaan en stak zijn hand uit.

'Rachel.' Hij schonk haar een korte, zakelijke glimlach. 'Sorry dat ik zo laat ben. Zullen we gaan eten?'

Price bewaakte zijn privacy zo obsessief dat er nauwelijks foto's van hem in omloop waren. Ze had dan ook moeten afgaan op de beschrijving van Des. Gelukkig was die behoorlijk accuraat. Toch had ze zich hem voorgesteld als iemand van meer formaat, met meer persoonlijkheid of een soort aura dat de reusachtige macht weerspiegelde die hij ongetwijfeld aanwendde in zowel de paardenwereld als de media. De humeurige rossige dwerg die haar voorging naar hun tafeltje was, althans fysiek gezien, een grote teleurstelling.

Het was druk in het geheel witte, minimalistisch ingerichte restaurant. Er zaten vooral dertigers – zakentypes, directeuren, producers en dergelijke – die waarderend opkeken toen Rachel voorbij paradeerde in haar sexy koffiekleurige kokerrokje en crèmekleurige zijden bloes. De vrouwen in LA waren erg knap, maar weinigen van hen namen de moeite hun dure roze trainingspakken te verruilen voor iets anders voor ze gingen lunchen, zelfs in een hip restaurant als dit. Een goed geklede vrouw in West Hollywood was net zo zeldzaam als een stripper bij een bar mitswa, en Rachel trok evenveel aandacht.

'Zo.' Jimmy ging zitten en bestelde meteen salade Caprese voor hen allebei. 'Ik hoorde dat je deelname aan de Belmont bevestigd is. Je zult wel blij zijn.'

Dat had hij dus al gehoord? Dat was beslist een goed begin.

'Dat klopt,' zei ze. 'Het is echt een eer. En Never Better is een ongelooflijk paard.'

'Randy moet wel veel vertrouwen in je hebben.'

'Ja,' zei ze bedachtzaam. 'Ik neem aan van wel. Net zoals u veel vertrouwen in Milly hebt.'

Jimmy glimlachte. Hij wist dat ze een lijntje uitwierp, maar had er geen probleem mee om toe te happen. Het was immers geen geheim dat hij nogal gedesillusioneerd raakte in zijn Britse protegee. Anders zou hij dit gesprek nu niet voeren.

'Ik ben van mening,' zei hij terwijl hij grote stukken brood in zijn mond stak, 'en Milly weet dat, kan ik er wel bij zeggen, dat iemand nooit beter is dan zijn laatste race. Ik vermoed dat Randy er ook zo over denkt. Hij geeft je een kans tijdens de Belmont. Maar ik betwijfel of hij je in de toekomst nog zo enthousiast zal steunen als je die kans verkloot.'

Rachel haalde haar schouders op. 'Dat is geen probleem,' zei ze hooghartig, 'want ik verkloot het niet.'

'Vertel me eens,' zei Jimmy, 'waarom je eigenlijk zo'n hekel aan Milly hebt.'

Hij was nu al geïntrigeerd door het verwaande, sexy meisje en haar in de pers breed uitgemeten rivaliteit met zijn protegee. Vreemd genoeg deed haar zelfvertrouwen hem een beetje aan de oude Milly denken – het meisje van wie hij zo onder de indruk was geweest, tot haar spectaculaire terugval van de afgelopen maanden. Het was eigenlijk triest, maar hij deed niet aan liefdadigheid. Hij wilde zijn paarden zien winnen.

Voor Rachel antwoord kon geven, kwamen de salades. Jimmy verdronk de zijne direct in een zee van olijfolie, terwijl ze de hare licht besprenkelde met balsamicoazijn. Ze was aangekomen sinds ze naar de VS was verhuisd, door een combinatie van haar natuurlijke hebzucht en de enorme porties die je hier altijd kreeg, maar ze probeerde het tij te keren.

'Ik zou niet echt willen zeggen dat ik een hekel aan haar heb,' oreerde ze om tijd te winnen. Jimmy prikte een druipend stuk kaas aan zijn vork, stak het luidruchtig in zijn mond en wachtte op nadere uitleg. 'We hebben alleen een gezamenlijke voorgeschiedenis, dat is alles.'

'Dat heb ik gelezen, ja,' zei hij. 'Luister eens, ik zal eerlijk tegen je zijn. Wat ik wil is een grote, vrouwelijke sterjockey promoten. Iemand met de ambitie en de toewijding om door te zetten. Ik dacht dat ik die in Milly had gevonden, maar de laatste paar maanden ben ik daar niet meer zo zeker van.'

Rachels ogen lichtten op als kerstboomlampjes. Dat was precies wat ze wilde horen.

'Als het u om ambitie en toewijding gaat, meneer Price, dan ben ik de juiste vrouw voor u.'

Ze boog langzaam voorover en drukte haar ellebogen naar elkaar toe, zodat hij haar verrukkelijke decolleté beter kon zien. Die tactiek werkte gewoonlijk feilloos bij elke man die geen naast familielid was.

Bij Jimmy bleek het echter een vergissing te zijn.

'Laten we één ding even goed duidelijk maken, jongedame,' zei hij, zonder de moeite te nemen zijn stem te dempen, 'ik ben gelukkig getrouwd en ik ben immuun voor die flauwekul, dus laat dat maar achterwege. Afgesproken?'

Rachel bloosde zo hevig dat ze het gevoel had dat haar wangen vlam vatten. Sinds Bobby Cameron had niemand haar avances meer zo resoluut afgewezen, en Bobby was tenminste nog knap geweest. Maar om te worden afgezeken door deze afschuwelijke, dikke kleine man, dat was ontzettend vernederend!

'Milly moet zich nu bewijzen,' vervolgde Jimmy zonder acht te slaan op haar rode wangen. 'Misschien komt het nog goed. Maar in de tussentijd' – hij zweeg even voor een extra dramatisch effect – 'wil ik best met jou enkele mogelijkheden bekijken.'

Rachel verbeet haar trots en antwoordde: 'Wat voor mogelijkheden?'

'Dat weet ik nog niet,' zei hij. 'Laten we eerst maar eens zien hoe je het tijdens de Belmont doet, dan spreken we elkaar daarna wel weer.'

'Ik weet het niet,' zei ze botweg. 'Misschien liggen er na de Belmont wel diverse aanbiedingen op tafel. Of misschien kies ik er wel voor om bij Kravitz te blijven.'

'Dat moet je zelf weten,' zei Jimmy ongeïnteresseerd. Rachel had haar salade nog nauwelijks aangeraakt, maar omdat hij de zijne al op had, aarzelde hij niet om de ober te wenken en hem om de rekening te vragen. 'Je agent heeft mijn telefoonnummer,' zei hij. 'Als het zin heeft dat we in juni nog eens afspreken, kan hij me bellen. Ik ben die hele week in New York.'

Inwendig ziedde Rachel. Wat een onbeschofte, neerbuigende klootzak! Tegen iemand anders zou ze hebben gezegd dat die dood kon vallen.

Ze hield zich echter in. Dit was immers Jimmy Price, de man die de toekomst van Milly Lockwood Groves in zijn vette, klamme hand hield. Als ze zichzelf moest bewijzen tijdens de Belmont om hem van Milly af te pakken, dan zou ze dat doen.

'Prima.' Ze stond op en schudde hem de hand met wat haar nog restte van haar waardigheid. 'We spreken elkaar nog.'

Candy Price drukte haar hoofd in het kussen en kreunde.

'O mijn god, wat is dat lekker,' hijgde ze. 'Ga door, schat. Hou daar alsjeblieft niet mee op.'

Todd pakte haar glimlachend bij haar middel en stootte steeds harder. Hij was niet van plan om op te houden. Hij had hier heel lang op gewacht.

Al sinds hij die eerste keer met Bobby naar Palos Verdes was gekomen, had hij een oogje op Candy. Hij realiseerde zich echter pas sinds een paar weken dat dit wederzijds was.

Hij was naar Jimmy gegaan om over de deal in Orlando te praten, maar toen hij bij het huis arriveerde, bleek dat er in San Francisco problemen waren met zijn privéjet en dat hij de eerste uren niet thuis zou komen. Candy had erop gestaan dat hij bleef eten, maar had niet veel moeite hoeven doen om hem over te halen. Ze aten samen bij het zwembad, waar ze schandalig met hem flirtte en op een gegeven moment naar hem toe boog in niet meer dan een microscopisch kleine bikini en hoge hakken om hem ijs te voeren met een lepel. Dat was een beeld dat hij niet snel zou vergeten.

Als het aan hem had gelegen had hij haar toen meteen genomen. Maar Candy was bang dat een van de bedienden hen zou zien of dat Jimmy eerder thuis zou komen dan verwacht.

'U verbaast me, mevrouw Price,' zei Todd, met zijn lippen zo dicht bij de hare dat ze die bijna raakten en ze zijn adem op haar gezicht voelde. 'Ik had u ingeschat als iemand die van gevaar houdt.'

'O, dat ben ik ook,' zei Candy, 'geloof mij maar. Maar dit soort dingen is des te plezieriger als je er even op hebt moet wachten, vind je ook niet?'

Hij was die avond zo gefrustreerd geweest toen hij naar huis reed dat hij wel iemand kon vermoorden, maar had in plaats daarvan flink op Milly ingebeukt, hoewel hij bleef denken aan het vooruitzicht van het genot dat hij met Candy zou beleven. Er gingen echter dagen en zelfs weken voorbij zonder dat hij iets van haar hoorde. Hij begon al te denken dat ze niet durfde of zich had bedacht, maar gisteravond had ze zomaar opeens gebeld en gezegd dat Jimmy de hele dag in vergadering zou zitten en dat ze wel een smoesje zou kunnen verzinnen om weg te glippen en naar hem toe te komen.

'Het enige wat jij moet doen is zorgen dat Milly er niet is.'

'Geen probleem,' zei hij, nauwelijks in staat zijn opwinding te bedwingen. Het was lang geleden dat een vrouw hem zo had weten te stimuleren. 'Ze moet morgen een wedstrijd rijden en daarna een nieuw reclamefilmpje opnemen in het dal. Ze komt pas heel laat terug.'

Om tien uur die morgen, net toen hij had gedacht dat hij zou barsten van verlangen stond ze voor zijn deur in een helderrode trenchcoat en bijpassende kniehoge laarzen en verder niets dan een vleeskleurig slipje van La Perla. En ze had hem in bed ook niet teleurgesteld. Ze had niet alleen een perfect lijf, maar wist ook precies wat ze ermee moest doen. Het was heel wat anders dan Milly's onschuld.

'Mmm,' kreunde ze, haar ogen gesloten in schaamteloos genot. 'Je bent ook zo verrekte groot.'

'En jij zegt precies de juiste dingen,' mompelde hij, terwijl hij zijn hoofd tussen haar enorme, volmaakt ronde borsten drukte. Hij nam zijn petje af voor haar plastisch chirurg. Sommige van die kerels waren weinig meer dan slagers, maar Candy's lichaam was een kunstwerk.

Ze schrokken allebei toen haar mobiele telefoon ging.

'Laat maar rinkelen,' zei Todd, en hij pakte haar armen beet toen ze haar tas van de vloer wilde oprapen.

'Ik neem niet op,' zei ze, terwijl ze zich loswurmde. 'Ik zet hem alleen even uit.'

Ze pakte de snerpende, trillende telefoon, zag 'Jimmy gsm' op het schermpje staan en liet het giechelend aan Todd zien.

'Weet je zeker dat ik niet moet opnemen?' plaagde ze hem.

Hij graaide de telefoon uit haar hand, zette hem uit en gooide hem op de grond. 'Zeg maar dat je ergens mee bezig was,' zei hij, en vervolgens duwde hij ruw haar benen uit elkaar en dook als een raket weer bij haar naar binnen. 'Dat begrijpt hij vast wel.'

Toen Milly de oprijlaan van het huis in Bel Air op reed en de beveiligings-code intoetste, voelde ze zich opgewekter dan in dagen het geval was geweest.

Na weken van teleurstellende tijden had ze zich vandaag in San Antonio Park eindelijk hersteld en een aantal goede concurrenten, onder wie Ramon Esteves op Pitchers Prince, verslagen door eerste te worden. Daarmee was ze niet uit de ellende, maar het was een begin, en de eerste keer dat zij en Cally echt een team hadden gevormd, wat op zich al een prestatie was. Hij was een goed paard. Hij kon er ook niets aan doen dat hij Demon niet was.

Na de race was haar dag nog beter geworden. Brad had gebeld en gezegd dat de regisseur van het reclamefilmpje ziek was en dat ze het een andere keer moesten opnemen. Ze was dus voor het eerst in – was dat echt al vijf maanden? – een middag vrij.

Het was een mooie, heldere dag en toen de poort openzwaaide zag ze het spectaculaire panorama van Century City, met daarachter de binnen-stad als een soort futuristische luchtspiegeling voor zich liggen. Het was vreemd dat je zo'n buitengewoon uitzicht elke dag kon zien zonder dat het echt tot je doordrong hoe mooi het was. Maar zo voelde het vandaag: als-of ze het voor het eerst zag.

Het verbaasde haar dat allebei Todds auto's, de donkerblauwe Ferrari en de nieuwe zilvergrijze Aston Martin Vanquish die vorige week was afgele-verd, voor het huis stonden geparkeerd. Meestal was hij rond deze tijd naar de sportschool, maar ze nam aan dat hij dat een keer had overgeslagen. Misschien zouden ze – wonder boven wonder – eindelijk eens echt wat tijd met elkaar door kunnen brengen.

Ze haalde haar sleutel uit haar tasje en ging naar binnen. Het was akelig stil beneden.

'Todd?' riep ze. 'Lieverd?'

Niets. Ze liet haar tasje op de grond vallen, stak haar hoofd om de deur van de werkkamer, maar die was leeg. Misschien was hij boven.

Toen ze de trap op liep, voelde ze plotseling hoe moe ze was. Haar armen en benen deden zeer. De wedstrijd moest meer van haar hebben gevergd dan ze had gedacht. Wat zou het heerlijk zijn om haar telefoon uit te zetten, zich op het bed te laten neervallen en te slapen, zo lang ze maar wilde.

'Schat?' riep ze nog eens. Ze hield haar pas in toen ze de slaapkamerdeur naderde.

Hoorde ze nou stemmen?

Het geluid klonk eerst zo gedempt dat het van alles had kunnen zijn, maar naarmate ze dichterbij kwam werd het steeds duidelijker. Het waren echt stemmen, geen twijfel mogelijk. Van een man en een vrouw.

En niet zomaar een man en een vrouw.

Ze zou die zeurderige, lijzige klanken overal hebben herkend.

'Ahhh!' Tod zat – bezweet en met een rood hoofd, naakt afgezien van een paar witte badstof tennissokken – op het bed Candy Price te neuken, en wel met zo veel overgave dat hij duidelijk niet in de gaten had dat ze gestoord werden.

Ook Candy had aanvankelijk niets door; ze draaide als een heavymetal-rocker met haar hoofd heen en weer, zodat haar lange blonde haren in het rond vlogen. Ze deed Milly nog het meest denken aan de Afghaanse teef Lucy die ze op Newells hadden gehad toen zij klein was. Het was een lieve hond, maar ze had de gewoonte om hevig geïrriteerd met haar kop te schudden als ze vlooien had.

Geschokt en niet wetend wat ze anders moest doen, schraapte ze haar keel.

Candy was de eerste die opkeek. En ze begon meteen te gillen.

Ze trok zich los van Todds pik en dook onder het laken als een muis die een slang heeft gezien.

Todd was – echt iets voor hem – veel beheerster.

'Wat doe jij hier?' zei hij, terwijl hij zijn boxershort aantrok en zijn haren gladstreek. 'Ik dacht dat je moest filmen in het dal.'

'Dat is afgelast,' zei ze verdoofd. Het duurde een paar seconden voor haar hoofd weer zo helder was dat ze kwaad kon worden. 'Hoe bedoel je, trouwens, "wat doe ík hier"? Ik woon hier. Wat doet zíj verdomme hier?'

Ze wees naar de gestalte die onder het laken lag te rillen als een bange pup.

'Dat lijkt mij wel duidelijk,' zei hij harteloos. 'Jou niet?'

Milly's hart klopte zo snel dat het even duurde voor ze besefte wat ze voelde. Aan de ene kant verdacht ze hem er al zo lang van dat hij haar bedroog dat het nauwelijks een verrassing was om haar vermoeden eindelijk bevestigd te zien. Maar aan de andere kant deed het nog steeds pijn.

Ze realiseerde zich nu dat hij nooit van haar had gehouden. Niet echt. En dat ze dat diep in haar hart, ondanks haar onzekerheid en angst om hem kwijt te raken, altijd al had geweten.

Zelfs in haar ergste nachtmerries had ze echter nooit vermoed dat Candy degene zou zijn die haar plaats innam. Hoe had ze zo stom en zo blind kunnen zijn?

'Hoe lang?' begon ze. 'Ik bedoel, hoe lang zijn jullie al… O, kom daar in godsnaam onderuit,' beet ze Candy toe. 'Je maakt jezelf volkomen belachelijk.'

Als een ondeugend schoolmeisje kwam Candy tevoorschijn; blozend, of in elk geval met een rood gezicht. Dat kon ook heel goed van de seks zijn.

'Je zegt het toch niet tegen Jimmy of Amy, hè?' smeekte ze. 'Zeg alsjeblieft niets. Het zou zijn hart breken, Milly. Hij houdt van me, hij houdt oprecht van me.'

Niet te geloven! Voelden ze dan geen van beiden ook maar enige schaamte?

'Ik weet dat hij van je houdt,' zei ze nors. 'Maar daar had je misschien aan moeten denken voordat je het bed in dook met míjn vriend.'

Haar spot was een verdedigingsmechanisme. Het was dat of jankend op de vloer vallen, en die lol gunde ze hun niet.

'Laten we proberen hier als verstandige volwassenen over te praten, oké?' zei Todd.

'Ach, stik toch,' zei Milly. Zelfs nu hij op heterdaad betrapt was, wilde hij nog steeds degene zijn die het voor het zeggen had. Maar zij had er voor eens en altijd genoeg van om uit de hoogte behandeld te worden. 'Er valt niets te bepraten. Ik ga.'

Ze was halverwege de trap naar beneden toen hij haar inhaalde.

'Waar wil je naartoe? Je kunt nergens heen,' zei hij, en hij legde een hand op haar arm om haar tegen te houden.

'Lief van je om je daar zorgen over te maken,' zei ze honend. 'Maar ik bedenk wel iets. Ik kan vannacht waarschijnlijk wel bij Amy slapen. We zijn de laatste tijd niet zo close met elkaar geweest, maar ik heb sterk het vermoeden dat dat wel zal veranderen als ze hoort dat ik eindelijk bij je weg ben gegaan. En waarom.'

'Je krijgt er spijt van als je het tegen Jimmy vertelt,' zei hij op een toon die er geen twijfel over liet bestaan dat hij het echt meende.

Ze weigerde echter zich bang te laten maken en antwoordde: 'Niet zo veel als jij.' Het voelde goed om ondanks de pijn en vernedering eindelijk tegen hem in opstand te komen. 'Bobby had gelijk,' zei ze. 'Jij gebruikt mensen. Je hebt hem verraden, en mij, en nu Jimmy. Wat heeft hij je ooit misdaan?'

'Ik zou geen tranen verspillen aan Price,' zei hij. 'Voor het geval je het nog niet hebt opgevangen, het gerucht gaat dat hij op het punt staat je als een baksteen te laten vallen. Weet je met wie hij vandaag geluncht heeft?'

Ze keek hem zwijgend aan.

'Je goede vriendin Rachel Delaney.'

'Onzin,' zei Milly. 'Je liegt.'

Todd haalde zijn schouders op. 'Vraag het maar aan Candy als je me niet gelooft. Ik kan je verzekeren dat je loyaliteit jegens Jimmy volkomen misplaatst is. Maar ach, je hebt nooit zo'n goede kijk op mensen gehad, hè schat?'

Milly luisterde al niet meer. Ieder woord uit de mond van die man was vergif. Dat wist ze nu.

Ze raapte haar tasje op, rende de deur uit, stapte in haar auto en reed bijna een deuk in Todds dure Vanquish in haar wanhopige haast om weg te komen. Ze huilde, maar het waren veeleer tranen van woede en schaamte dan van verdriet. Ze had zó graag willen slagen; om Newells terug te kopen, dat zeker, maar ook voor zichzelf. De roem, het geld en de levensstijl die Todd haar schonk waren in zekere zin allemaal verslavend... een verslaving die niet alleen haar, maar ook veel mensen van wie ze hield pijn had gedaan.

Die had ervoor gezorgd dat ze die lieve Demon de dood in had gedreven. Dat zou ze zichzelf nooit vergeven. En dan was Bobby er nog, en Todds verraad jegens hem met betrekking tot Highwood. Ze was te blind geweest om het te zien en te stom om er een eind aan te maken. Ze had toegestaan dat Todd haar van haar vrienden afsneed, zoals Amy; en ze had beslissingen genomen puur uit angst om hem te verliezen, zoals instemmen met de reportage in de *Playboy*. Die mocht dan goed zijn geweest voor haar carrière, maar het was ook de laatste nagel geweest aan de doodskist van de cowboycultuur waarin Bobby haar had verwelkomd, en dat werd haar allemaal voor de voeten geworpen.

Ze reed de poort uit, veegde haar tranen weg met haar mouw en reed de heuvel op in de richting van Sunset.

Er kwamen woorden in haar op die haar vader wel eens zei: 'Als je de bodem van de put hebt bereikt, kun je alleen nog maar naar boven.'

Ze hoopte dat hij gelijk had, want ze geloofde niet dat ze nog dieper in de put kon zakken.

26

Het was de heetste, benauwdste junimaand die Manhattan in tien jaar had meegemaakt.

Vermoeide, geïrriteerde chauffeurs hingen op Lexington uit hun autoraampjes, verlangend naar een briesje in de verstikkende hitte van de file. Moeders trokken hun kinderen winkels binnen om even van de airconditioning te genieten, en tijdens elke lunchpauze zat Central Park vol zakenlui die ernaar snakten om even hun jas, stropdas en zelfs sokken en schoenen uit te trekken voor ze door de gloeiende hitte werden overweldigd.

Amy Price was een van de weinige mensen die genoten van het weer. Zoals iedereen in de wereld van de paardenraces bracht haar familie de week voor de Belmont door in New York. Meestal vond ze het vreselijk om van het ene saaie, oppervlakkige feestje te worden meegesleept naar het andere, omdat ze wist dat zij de enige dikke vrouw zou zijn en dat Jimmy niet zou aarzelen zijn schaamte om haar te maskeren door haar belachelijk te maken.

Dit jaar was echter alles anders. Ze was voor het eerst in haar volwassen leven wat dunner. Niet slank, natuurlijk, maar ze had wel een gewicht waarmee ze met warm weer een korte rok kon dragen zonder dat iedereen haar nawees. Gisteren was ze er zelfs in geslaagd zich een paar uur aan het babysitten te onttrekken en was ze naar Victoria's Secret gegaan om een nieuwe, sexy beha en een bijpassend, echt klein slipje te kopen... iets wat ze een halfjaar geleden niet voor mogelijk zou hebben gehouden.

De verandering was in gang gezet door de manier waarop Garth vorig jaar naar haar had gekeken toen ze hem betrapte met Candy. Ze wílde niet meer alleen afvallen, ze móést afvallen. Ze moest aan alle Garths van de wereld, maar vooral aan zichzelf, bewijzen dat ze het kon. En vreemd genoeg was het niet eens meer zo moeilijk toen ze de beslissing eenmaal had genomen. De eerste vijftien kilo waren eraf gevlogen zodra ze minder koolhydraten was gaan eten. Daarna werd het moeilijker; ze moest bijvoorbeeld gaan sporten, en dat vond ze vreselijk. De resultaten waren echter zo duidelijk zichtbaar en bevredigend dat het niet moeilijk was om gemotiveerd te blijven. Na een poosje werd het zelfs bijna verslavend.

En ze was niet alleen fysiek veranderd. Nu ze eenmaal haar wilskracht had aangesproken, vond ze ook kracht op andere gebieden. Ze schreef weer – er was meer voor nodig dan een cynische uitgever uit New York om haar hoop de grond in te boren – en leerde naar zichzelf te luisteren en zichzelf te sturen, in plaats van altijd anderen nodig te hebben om haar te bevestigen en haar vertrouwen te geven. Toen Milly haar min of meer had laten vallen voor Todd, had dat Amy aanvankelijk veel pijn gedaan, maar mettertijd had ze geleerd het te zien als Milly's probleem, niet het hare.

Gelukkig was alles weer goed tussen hen. Nadat Milly Todd de vorige maand eindelijk had gedumpt (ze had Amy nog steeds niet verteld waarom ze hem had verlaten, maar dat deed er ook niet toe; het belangrijkste was dat ze bij hem weg was), had Milly haar intrek genomen in een van de personeelsappartementen boven de stallen in Palos Verdes. Het eerste wat ze deed was zich bij Amy verontschuldigen.

'Je had gelijk,' zei ze, met haar magere billen op de rand van Amy's bed, zoals vroeger. 'Ik was zelfzuchtig, en blind. Hij is echt een klootzak, hè?'

'De grootste die er is,' zei Amy.

'Ik weet dat ik een trut ben geweest en dat ik het niet verdien, maar ik zou op het moment echt wel een vriendin kunnen gebruiken.' Het was zo lang geleden dat ze een luisterend oor had gevonden dat ze niet meer kon ophouden toen ze eenmaal begonnen was haar problemen op te sommen. 'Het is niet alleen Todd, weet je,' vervolgde ze, 'Mijn sponsors zitten me dag en nacht op mijn huid over mijn gewicht en mijn wedstrijdprestaties, ik heb nog lang niet genoeg geld gespaard om Newells terug te kunnen kopen, en wat ik wel heb gespaard probeer ik aan Bobby te geven – voor de rechtszaak tegen Todd over de olie, weet je – maar hij wil het niet aannemen, die stomme, koppige…'

'Milly.'

'En nu denkt je vader er ook nog over om Rachel voor hem te laten rijden. Ik bedoel, jezus! En hij zal ons vast niet allebei willen sponsoren, of wel? Ik moet voor Ruidoso Downs mijn vorm verbeteren, dat weet ik wel, maar ik kan me zo moeilijk concentreren als ik constant gestrest ben. Had ik al gezegd dat Rachel Newells te koop heeft gezet?'

'Milly.' Amy ging naast haar op het bed zitten, pakte haar stevig vast en kromp inwendig in elkaar toen ze voelde hoe vreselijk mager ze was geworden. 'Hou in hemelsnaam je mond.'

Haar glimlach maakte Milly echter duidelijk dat ze haar vergaf, en al snel omhelsden de meisjes elkaar lachend en deelden ze weer net als vroeger geheimen met elkaar.

Toch maakte Amy zich zorgen om haar vriendin. Het leek wreed dat Milly zo plotseling zo verschrikkelijk ongelukkig was, net nu haar eigen leven een gunstige wending had genomen en ze de toekomst eindelijk met hoop tegemoet kon zien. Milly praatte er vrij vaak over dat Todd voor haar had afgedaan, maar Amy zag dat ze eenzaam was en dat die klootzak haar behoorlijk had gekwetst. Dat ze het niet goed kon maken met Bobby Cameron – vorige week was haar gezicht begonnen te stralen toen er een brief voor haar was gekomen van Highwood, die echter toen ze hem opende alleen haar eigen, teruggestuurde cheque bleek te bevatten zonder een briefje erbij – stortte haar in een nog diepere spiraal van wanhoop en spijt. Het was geen wonder dat ze niet goed reed.

Ze moest haar kostbare week in New York echter niet verspillen door zich voortdurend zorgen te maken over Milly. Jimmy had duidelijk gemaakt dat ze kon doen wat ze wilde tijdens die week, zolang ze maar zorgde dat Chase en Chance hun moeder niet in de haren vlogen. Dat betekende dat ze een heerlijke week vol cultuur, galerieën, musea en poëzielezingen voor de boeg had, en ze was van plan ervan te genieten.

Vandaag ging ze naar de Gagosian, een galerie die ze al jaren eens wilde bezoeken. Toen ze na een lange strijd om de tweeling in de dubbele buggy te krijgen eindelijk door de draaideuren de lobby in stapte, voelde ze een koel briesje van de airconditioning over haar warme, bezwete gezicht blazen.

Gelukkig leken de jongens bevangen door de drukkende vochtigheid en waren ze nu te uitgeput om iets anders te doen dan tussen de dutjes door futloos op hun lolly te sabbelen. Ondanks de herrie en het gehobbel toen ze ze naar binnen reed, bleven ze allebei in diepe slaap. Ze hoopte dat ze dat zo lang vol zouden houden dat zij in elk geval een deel van de tentoonstelling rustig kon bekijken.

'Er is vandaag een nieuwe tentoonstelling geopend,' zei het meisje van de garderobe opgewekt tegen haar. 'Nieuwe jonge westerse kunstenaars. De toegang is gratis.' Ze gaf Amy een foldertje met een lijst van de schilders. 'Maar als u een bijdrage aan de galerie wilt geven, staat er een doos bij de lift.'

'Dank u.'

Meer uit beleefdheid dan uit nieuwsgierigheid keek ze de lijst even door. Tot haar verbazing stond er een naam bij die ze herkende: Dylan McDonald.

Het was misschien niet dezelfde Dylan; de donkere, knappe cowboy die van schilderen hield en over wie Milly haar had verteld. Bobby's vriend, die haar het vee had leren drijven. In het foldertje stond echter dat hij uit Santa Ynez kwam, dus er bestond toch een goede kans dat hij het wel was.

Ze reed de tweeling de gang door, stopte een biljet van vijf dollar in de doos voor donaties en stapte de lift in. Er stonden al een paar mensen in, die onbeleefd zuchtten omdat ze plaats moesten maken voor de buggy, en toen de deuren dichtgingen mompelde een vrouw: 'Kinderen van die leeftijd, volstrekt ongepast.'

Toen ze een paar seconden laten op de eerste verdieping uit de lift stapte, liep Amy eerst naar het bankje aan de andere kant van de ruimte en ging ze zitten. Zodra ze een beetje was uitgerust zou ze op zoek gaan naar de schilderijen van Dylan.

'Vindt u het goed als ik erbij kom zitten?'

Ze keek opgeschrikt omhoog in het glimlachende gezicht van een goddelijk wezen. Dat wilde zeggen, hij was of goddelijk, of een hallucinatie – echte mannen waren niet zo sexy. Hij was goed gebouwd; niet erg groot, maar met een brede borstkas en schouders. En hij had prachtig dik krullend haar, en schalkse blauwe ogen die zelfs nog leken te twinkelen als ze praktisch tot spleetjes werden dichtgeknepen wanneer hij glimlachte. En te oordelen naar de waaier van fijne lijntjes bij zijn slapen deed hij dat vaak. Haar keel werd droog.

'Ja,' stamelde ze. 'Alstublieft, ga uw gang. Ik wou alleen…' Hij was zo betoverend dat ze niet in staat was haar zin af te maken.

'Even zitten?' opperde hij.

'Hahaha!' Ze lachte nerveus, realiseerde zich toen dat het geen grapje was geweest, helemaal niet grappig zelfs, bloosde en mompelde: 'Inderdaad, ja, precies.'

Shit!

Ze had niet verwacht dat ze vandaag iemand zou ontmoeten, dus ze had de hele weg vanaf het hotel flink doorgestapt, ervan overtuigd dat al het zweet dat ze daarmee verloor minstens weer twee pond gewichtsverlies zou betekenen. Maar nu ze – de wet van Murphy, natuurlijk – ongetwijfeld de allerleukste man op aarde tegen het lijf was gelopen, stonk ze een uur in de wind! Waarom? Waarom moest dat soort dingen nou altijd háár overkomen?

Gelukkig was deze man, in tegenstelling tot negen van de tien knappe mannen die ze kende, niet alleen knap maar ook nog eens aardig. Hij deed alsof hij het niet in de gaten had toen ze hem dwaas met open mond aanstaarde, en dat was ontzettend lief van hem.

'Bent u zelf ook kunstenaar, of gewoon een liefhebber?'

Help! Hij voerde een gesprek met haar. Als hij nou maar ophield met glimlachen, dan kon zij misschien weer ademhalen.

Kom op, Amy, beheers je. Zeg iets. Maakt niet uit wat.

'Eh… nee. Nee, geen kunstenaar. Ik ben dichteres. Min of meer,' flapte ze er uit, en ze kleurde helemaal roze toen ze de woorden uit haar mond hoorde tuimelen.

'Echt waar?'

Hij klonk oprecht geïnteresseerd en zelfs onder de indruk.

Nee, niet echt waar, zou ze willen schreeuwen. Waarom had ze dat in hemelsnaam gezegd? Er was verdorie nog nooit iets van haar gepubliceerd en nu zat ze hier te beweren dat ze dichteres was!

Ze kon maar beter van onderwerp veranderen voor hij de kans kreeg verder door te vragen.

'Ik heb belangstelling voor het werk van een van de kunstenaars hier,' zei ze. 'Dylan McDonald. Kent u zijn werk?'

'Dat zou wel moeten.' De schoonheid lachte, schudde zijn donkere krullen naar achteren en onthulde twee rijen rechte, witte tanden. Amy voelde de paniek opborrelen. Had ze onbewust weer iets stoms gezegd? 'Ik heb het geschilderd.'

'Bent u Dylan McDonald?' Ze hapte naar adem.

'De laatste keer dat ik heb gekeken wel,' zei hij. 'Maar weet u, ik denk dat u me met iemand anders verwart. Dit is mijn eerste tentoonstelling. Ik ben namelijk geen professioneel kunstenaar, ziet u. Althans, nog niet. Dus ik betwijfel ten zeerste of u ooit van mij of mijn werk gehoord zult hebben.'

'Nee, nee, ik heb wel van u gehoord,' zei Amy opgewonden. 'Echt waar, absoluut. Milly... U bent de... het vee drijven... Bobby ontmoet... Palos Verdes.'

Hij knikte langzaam. Haar flarden van zinnen waren moeilijk te volgen, maar hij begon het ongeveer te snappen.

'Hoe heet u?' vroeg hij toen ze lang genoeg stil bleef zitten om adem te kunnen halen.

'Hoe ik heet?' Ze grinnikte stompzinnig. 'O, mijn naam. Ja, ik begrijp het. Amy. Ik heet Amy.'

'Amy...?' Hij trok vragend een wenkbrauw op.

'Hmm? O, sorry.' Ze begreep plotseling wat hij bedoelde. 'Price. Ik ben Amy Price. U hebt waarschijnlijk wel van mijn vader Jimmy gehoord.'

Dylan keek nog eens goed naar haar. Bobby had de dochter van Jimmy beschreven als veel te zwaar. Dit meisje was weliswaar niet slank, maar ook zeker niet meer dan aangenaam gevuld. Met haar gladde, bleke huid en verlegen, zoekende ogen deed ze hem denken aan een pasgeboren kalf: aarzelend, onbeholpen, maar op haar manier heel mooi.

'Dus jij? Jimmy? Wauw.' Nu begon hij onsamenhangend te praten.

Het kostte hun ongeveer een kwartier om het hoe en waarom te ontwarren – wat ze allebei in New York deden, wat Amy naar de galerie had gebracht, hoe lang ze allebei nog bleven – voordat het gesprek onvermijdelijk op Milly kwam.

'Hoe is het met haar?' vroeg Dylan. In tegenstelling tot Summer en Bobby had hij Milly nooit de huidige problemen van Highwood met Comarco kwalijk genomen. Ze mocht dan haar tekortkomingen hebben, maar hij geloofde niet dat ze zo rancuneus of listig was om haar oude vrienden opzettelijk zo dwars te zitten.

Cranborn moest haar hebben belazerd zoals hij Bobby had belazerd. Die twee hadden meer met elkaar gemeen dan ze wilden toegeven.

'Niet geweldig,' zei Amy. 'Ze vindt het vreselijk wat er op Highwood gebeurd is.'

'Het gebeurt nog steeds,' zei Dylan, verdrietig zijn hoofd schuddend. 'De zaak is nog steeds niet beslist, en die smeerlappen krioelen als ongedierte over de hele ranch. Dat is voor een deel de reden dat ik hier ben. Ik dacht dat ik wat zou kunnen bijdragen aan de gerechtskosten als ik een paar schilderijen kon verkopen, snap je? Als we de rechtszaak verliezen, dan verliest mijn familie haar thuis, haar bron van inkomsten. Alles.'

Hij had geen idee waarom hij haar dit allemaal vertelde. Ze kenden elkaar nog maar net. Maar ze had iets waardoor hij zijn hart bij haar wilde luchten.'

'Ze wist het echt niet, weet je,' zei Amy. 'Milly, bedoel ik. Dat van Comarco, en wat Todd van plan was. Ze wil niets liever dan het allemaal weer goedmaken. Denk je dat Bobby…?'

Dylan schudde zijn hoofd. 'Op het moment niet. Je moet bedenken dat ze zelfs vóór dat gesodemieter met Comarco al de fout in ging, met die naaktfoto's, dat "Engelse cowgirl"-gedoe.' Hij bloosde. 'Dat deed Bobby echt pijn. Hij had het gevoel dat ze onze manier van leven, ons erfgoed belachelijk maakte en op een vreselijke manier exploiteerde. Ik neem aan dat het moeilijk te begrijpen is als je niet uit een cowboyfamilie komt.'

'Dat valt wel mee,' zei Amy. 'Ik begrijp het best. Milly kan soms erg ongevoelig zijn.'

'Ja.' Dylan glimlachte. 'Bobby ook.'

Daarna zwegen ze. Ze wilden allebei de ontmoeting wel langer rekken, maar wisten geen van beiden meer iets zinnigs te zeggen. Uiteindelijk werd hun stilzwijgen onderbroken door Chance, die na een lange geeuw om drinken begon te zeuren.

'Ik denk dat ik maar beter kan gaan,' zei ze met een zucht.

'O,' zei Dylan teleurgesteld. 'Echt waar?'

'Ik ben bang van wel,' zei ze met een blik op haar steeds nukkiger broertjes. De koele lucht in de galerie leek hun nieuw leven in te hebben geblazen, jammer genoeg.

'Weet je wat? Laten we contact houden, oké?' Hij schreef zijn e-mailadres op de achterkant van een van Carol Bentleys visitekaartjes en gaf het aan haar. 'Ik zou graag een keer wat van je gedichten willen lezen.'

'O. Natuurlijk,' zei Amy met een grijns van oor tot oor. Dat was voor het eerst dat een man haar ooit ongevraagd zijn nummer had gegeven, laat staan een man als Dylan. 'Heel graag.'

Tien minuten later huppelde ze door de West Village, zich niet bewust van het gekibbel van de jongens, en met het visitekaartje als een talisman tegen haar borst gedrukt. Ze werd overspoeld door een zo gelukzalig gevoel dat ze het nauwelijks kon beschrijven, laat staan bedwingen. Ze negeerde de cynische blikken van passerende New Yorkers, lachte de hele weg terug naar het hotel en maakte pirouettes van vreugde.

'Laten we contact houden!' Ze herhaalde de woorden telkens weer en probeerde zich daarbij zijn gezicht voor de geest te halen. 'Ik ben Dylan McDonald. Laten we contact houden!'

Voor het eerst in haar leven was ze tot over haar oren verliefd. Garth was een obsessie geweest. Dit was anders. Het voelde 'goed', en dat was met Garth nooit het geval geweest.

'Alstublieft,' bad ze in stilte. 'Alstublieft, lieve Heer. Ik doe alles wat u wilt. Ik zal lief zijn voor de jongens, en Candy, ik ga naar de kerk. Alles wat U wilt, als hij mij ook maar aardig vindt.'

De dag van de Belmont – zaterdag 6 juni – begon mooi en helder en er woei slechts een lichte bries door de bomen in het lommerrijke, vredige plaatsje Elmont.

Halverwege de ochtend zouden honderdduizend mensen in dit anders zo slaperige voorstadje – alleen bekend vanwege de spectaculaire renbaan Belmont Park – zijn neergestreken om getuige te zijn van de laatste en volgens velen spannendste van de Triple Crown-races. De Derby en de Preakness waren dit jaar door twee verschillende paarden gewonnen, dus op één gebied was de druk van de ketel. Anderzijds lag het veld nog ongebruikelijk wijd open, wat extra kansen bood aan nieuwkomers als Rachel.

Als ze ooit indruk op Jimmy wilde maken, moest ze dat nu doen.

Gelukkig had ze de nacht voor de race goed geslapen, niet in het minst omdat de vrouw van Randy Kravitz haar tijdens het diner dood had verveeld met een buitengewoon langdurige geschiedenisles over de Triple Crown.

'Niet veel mensen realiseren het zich,' dreunde ze op, 'maar toen August Belmont de race voor het eerst organiseerde, was dat in de Bronx. De Bronx! Kun je het je voorstellen? Rond 1880?'

Rachel gaapte. Ze kon het zich niet voorstellen.

Tegen het eind van de avond was ze gewapend met meer statistieken over het park in Elmont dan een normaal denkend mens zou dienen te kennen. Het was 175 hectare groot. Het had de grootste eretribune en de langste zandbaan van de wereld en was, zoals mevrouw Kravitz haar minstens zes keer had verteld, 'het grootste juweel van de Amerikaanse racewereld'.

Stomme trut. Alsof dat haar ook maar iets kon schelen!

Zelfs Rachel moest echter toegeven dat de Belmont een zekere energie opriep die ze nooit eerder had ervaren. Voor iedereen die serieus bezig was met volbloedpaardenrennen – eigenaren, trainers en jockeys – was dit het hoogtepunt van het jaar. Eigenaren fantaseerden erover dat hun jockey de felbegeerde zilveren beker met de afbeelding van Fenian, een van de eerste Belmont-winnaars, omhoog zou houden. Jockeys verbeeldden zich dat ze de nieuwe Eddie Arco of Bill Shoemaker zouden worden, legendes die deze zware en prestigieuze race respectievelijk zes en vijf keer hadden gewonnen.

'Natuurlijk is Julie Krone degene die jij moet verslaan,' vertelde mevrouw Kravitz haar bij de koffie. 'Randy kende Julie heel goed. Ze was de eerste vrouwelijke winnares. In 1993 geloof ik dat het was. Op Colonial Affair.'

Rachel luisterde toen echter al niet meer.

Ze wist precies wie ze moest verslaan en dat was niet die verrekte Julie Krone.

In tegenstelling tot Rachel had Bobby een vreselijke nacht achter de rug.

Hij verbleef in een obscuur motel aan de rand van de stad om geld te besparen, maar hij had al snel spijt gekregen van zijn zuinigheid. Niet alleen was het bed keihard en waren de lakens van een of ander synthetisch materiaal dat speciaal leek te zijn ontworpen om hem te laten verdrinken in zijn eigen zweet, maar ook had een kapotte kraan de hele nacht gelekt, zelfs nadat hij die met veel moeite had dichtgestopt met een opgerold washandje. Tegen de tijd dat de eerste zonnestralen door het smerige raam boven zijn bed naar binnen schenen, waren zijn ogen zo rood dat hij eruitzag als een tekenfilmfiguurtje waarvan de oogbollen van uitputting langs de bloeddoorlopen breuklijnen kapotbarsten en in duizenden stukjes op de grond vallen. En hij voelde zich zo mogelijk nog slechter.

Op weg naar de baan nipte hij somber van een beker dubbelsterke koffie van Dunkin' Donuts en bedacht hij weer hoe belangrijk de race van vandaag was. Als Thunderbird het goed deed, hoefde hij zich in elk geval niet zo schuldig te voelen over het risico dat hij had genomen door hem te kopen. En als hij het niet goed deed? Daar wilde hij niet aan denken.

Omdat elke cent die hij verdiende in de rechtszaak tegen Todd en Comarco ging zitten, bleef er niets over voor het veebedrijf. De ranch die hij aan het begin van het jaar had verlaten om her en der volbloedpaarden te gaan trainen, balanceerde op de rand van de afgrond. Een paar weken geleden had hij zelfs twee knechten moeten ontslaan die op Highwood waren opgegroeid en wier vaders meer dan drie generaties voor de Camerons hadden gewerkt. Het was hartverscheurend.

Wyatt had aangeboden het hun te vertellen, maar Bobby wilde daar niets van horen en stond erop naar huis te vliegen om het de mannen zelf mee te delen.

'Ik mag dan geen goede baas zijn,' zei hij, en door zijn schuldgevoel klonk hij kwaad, 'maar ik ben niet van plan om iemand anders het vuile werk voor me te laten opknappen. Je kunt me een dwaas noemen als je wilt, Wyatt, maar ik ben geen lafaard.'

Nu het er met Highwood zo slecht voor stond, leek het behoorlijk roekeloos om samen met Barty Llewellyn en nog iemand een hengstveulen te kopen dat hij zelfs nog nooit had gezien. Zijn intuïtie vertelde hem echter dat het paard dat risico waard was. Barty was geen man die snel zijn enthousiasme liet blijken, maar als het om Thunderbird ging, was hij net een klein kind met Kerstmis.

'Geloof me,' had hij tijdens dat ene gedenkwaardige, ademloze telefoontje van een halfjaar geleden gezegd, vlak nadat Comarco was opgedoken. 'Als je niet nu meteen in een vliegtuig naar Kentucky stapt om naar dat paard te kijken, dan heb je daar de rest van je leven spijt van.'

Toen wist Bobby dat de grijze hengst iets bijzonders moest zijn, en dat bleek inderdaad zo te zijn: wispelturig, onvoorspelbaar, maar pijlsnel als hij daarvoor in de stemming was. Hij vond het alleen jammer dat Barty hem zou trainen. Niet dat Llewellyn niet een van de besten was, maar hij had graag zelf meer tijd met het paard doorgebracht. Dat mocht echter niet zo zijn. Zijn agenda stond barstensvol met trainingsklussen over de hele wereld om de advocaten te kunnen betalen, dus hij was het eerste halfjaar constant onderweg geweest. Hij had zich tevreden moeten stellen met nieuws uit de tweede hand over Thunderbirds triomfen in zijn eerste seizoen. Toch had elk telefoontje van Barty over weer een overwinning of een succes tijdens een belangrijke trial hem een beetje opgebeurd. Het was triest om het te moeten zeggen, maar op het moment was de veelbelovende Thunderbird zo ongeveer het enige in zijn leven wat positief en hoopgevend was.

Hij hoorde vandaag eigenlijk in Ierland te zitten, midden in een lucratieve trainingsklus van twee weken. Maar zelfs hij kon het niet over zijn hart verkrijgen Thunderbirds eerste Belmont-race te missen. Sommige dingen waren het waard om je onverantwoordelijk voor te gedragen.

Hij parkeerde zijn gehuurde Chevrolet in een van de voor trainers gereserveerde vakken en liep over het gras van de beroemde 'achtertuin' van Elmont Park, zich niet bewust van het weelderige landschap, de hoge eiken en platanen en de twee meertjes waaraan de Belmont-baan zijn reputatie van schoonheid te danken had.

'Daar ben je.' Barty, normaal op wedstrijddagen zo kalm als een zenmeester, klonk nu ongewoon gespannen. 'Ik dacht dat je om tien uur hier zou zijn? Damian is al op weg naar de weegkamer.'

'Sorry,' zei Bobby, en hij wreef in zijn ogen, deels van vermoeidheid en deels als reactie op Barty's felle paars met roze gestreepte blazer. 'Ik heb een zware nacht gehad. Dat is, eh, een apart jasje.'

'Dank je,' zei Barty zonder enige ironie. 'Het brengt geluk. Het is een soort feng shui in de vorm van kleding.'

Ja hoor, het zal wel, dacht Bobby, maar hij zei niets. Llewellyns kledingkeuze was altijd al eigenzinnig geweest, en maakte de Amerikaanse renbanen minder saai.

Op dat moment liep er een brunette in strakke witte rijbroek en glimmend zwarte laarzen voorbij. Ze keek over haar schouder, zag dat hij waarderend naar haar billen keek en verdween toen giechelend in haar trailer.

'Jezus, hou je daar nooit eens mee op?' Barty schudde zijn hoofd. 'Dit is niet het moment om je pik achterna te lopen, dat besef je toch zeker wel?'

'Natuurlijk,' zei Bobby, die door de vermoeidheid bitser klonk dan hij gewild had. In feite was zijn libido al zo lang in winterslaap dat het hem verbaasde dat hij het meisje had opgemerkt. Normaal gesproken was tijdens zijn trainingstournees de jacht op een wip volop geopend. Vaak maakten alleen de vele meisjes het draaglijk om zo lang van Highwood weg te zijn. Maar deze keer had hij er gewoon de puf niet voor. Of het nu kwam doordat de meisjes minder opwindend waren dan anders, of door de dodelijk vermoeiende financiële stress, of door de verwarde, boze, wanhopige gedachten aan Milly die hem maar niet met rust wilden laten, wat hij ook probeerde... dat wist hij niet. Maar waar het ook aan lag, zijn 'slaggemiddelde', zoals Sean het altijd noemde, was lager dan ooit.

'Neem me niet kwalijk,' zei hij. Hij wilde geen trammelant met Barty, vooral vandaag niet. 'Ik heb ontzettend slecht geslapen vannacht. Ik ben gewoon wat gespannen, denk ik.'

Barty knikte. Hij had zelf ook weinig rust gehad.

'Waarom ga je niet even naar hem kijken? Hij staat daarginds.' Hij gebaarde naar een grote zilverkleurige trailer die bijna tegen het inloopterrein aan stond. Thunderbird stond rustig op het gras ervoor en werd stevig geroskamd door twee van Barty's stalknechten. 'Zo tevreden als een kind, zo te zien.'

Bobby grinnikte en liep in de richting van het paard, maar werd toen bijna omvergelopen door een meisje in zijden kleren, duidelijk een jockey, die de andere kant op ging.

'Verdomme, kun je niet kijken waar je loopt?' snauwde ze, hoewel zij heel duidelijk tegen hem op was gebotst.

Het Britse accent trok meteen zijn aandacht.

'Rachel?' zei hij, oprecht verbaasd. Hij had een paar van de interviews gelezen waarin ze Milly afkraakte en was zich er vaag van bewust dat ze in de VS was en voor Kravitz reed, maar hij had geen idee dat ze hier vandaag deelnam.

'O. Ben jij het,' zei ze met zo weinig enthousiasme als ze in die paar woorden tot uiting kon brengen. Net als hij vergat ze een kleinerende opmerking nooit. Het mocht dan meer dan twee jaar geleden zijn dat hij haar in Mittlingsford had afgewezen, de vernedering stond voor eeuwig in haar geheugen gegrift. 'Wat doe jij hier? Moet je niet achter koeien aan rennen, of omheiningen repareren of… wat je normaal gesproken dan ook doet?'

Wauw. Hij was vergeten hoe vals ze uit de hoek kon komen.

'Er loopt hier vandaag een paard van me, Thunderbird. De jockey is Damian Farley.'

'Ken ik niet,' zei ze laatdunkend, alsof alle Amerikaanse topjockeys haar persoonlijke vrienden waren en degenen die ze niet kende per definitie onbelangrijk. 'Trouwens,' zei ze met een valse glimlach, 'het verbaast me dat je tegenwoordig tijd hebt om wedstrijden bij te wonen.'

'Hoe bedoel je?'

'Nou, misschien heb ik het mis.' Ze fladderde zogenaamd onschuldig met haar wimpers. 'Maar ik meen te hebben gehoord dat je de boerderij van je familie kwijt was of zoiets? Nee, ik weet zelfs zeker dat ik dat heb gehoord.'

'Ik ben niets kwijt,' zei Bobby met op elkaar geklemde tanden.

'O nee? Ik dacht dat Milly's vriend – nou ja, ex-vriend – de hele zaak had overgenomen? Dat moet vreselijk voor je zijn geweest. Milly, bedoel ik, die sliep met de vijand.'

Ze lachte weer. Hij zou haar hebben geslagen als ze geen vrouw was geweest.

'Het deed me aan iets denken wat jij ooit eens tegen me hebt gezegd, tijdens Milly's toneelopvoering. Weet je het nog?' Bobby keek haar wezenloos aan. 'Iets van dat je alleen vrouwen wilde die je kon vertrouwen. Was dat het niet?'

Elk woord drong als een messteek in zijn hart, maar hij was niet van plan Rachel dat te laten merken.

'Het ziet ernaar uit dat je wat vertrouwen betreft het verkeerde meisje hebt gekozen. Vind je ook niet?'

'Wat ik vind,' zei hij met een geforceerde glimlach, 'is dat Milly in één ding volkomen gelijk had: je bent een secreet. En je bent op een heel tragische manier door haar geobsedeerd. Waarom eigenlijk, als ik vragen mag?'

'Ik ben níét door haar geobsedeerd! Dat zou ze wel willen!'

'Ach, kom nou,' zei Bobby, die ervan begon te genieten om haar een koekje van eigen deeg te geven. 'Je gaat me toch niet vertellen dat je met die lul van een Jasper gaat omdat je hem echt leuk vindt? Zelfs jij moet meer smaak hebben.'

Ze sputterde wat, maar kon zich er niet echt toe zetten om hem op dat punt tegen te spreken.

'Dat was alleen om Milly te treiteren. Dezelfde reden als waarom je Newells hebt gekocht.'

'Ik verkoop het weer,' antwoordde ze, omdat ze niets beters wist te zeggen.

'En waarom je die hele woordenstrijd via de pers bent begonnen,' negeerde Bobby haar. 'Als dat geen obsessief gedrag is, dan weet ik het niet meer.'

Hij had geen idee waarom hij het voor Milly opnam nadat ze hem in de steek had gelaten, en daarna het botte lef had gehad om hem een cheque te sturen! Alsof hij ooit een cent zou aannemen van haar Engelse cowgirlgeld van T-Mobile. Rachels zelfvoldane, gemene stekeligheden waren echter gewoon te veel voor hem.

'Gelukkig,' zei ze toen ze eindelijk haar kalmte hervond, 'is er bijna niets wat me zo weinig interesseert als jouw mening, Bobby. En als je me nu wilt excuseren.' Ze draaide zich op haar hakken om, zwierde met opzet haar lange blonde paardenstaart in zijn gezicht en voegde eraan toe: 'Ik moet naar de weegkamer.'

Twee uur later zat Candy Price in haar vip-stoel naar haar echtgenoot te kijken en zich af te vragen hoeveel langer ze het nog zou kunnen verdragen het bed met hem te delen.

'Kom op, Garth, luie sodemieter!' brulde hij hard. 'Tempo, tempo, verdomme!'

Candy glimlachte. Ze herinnerde zich dat ze vorig jaar op een andere renbaan in New York iets soortgelijks tegen Garth had gezegd. Tjonge, wat leek dat lang geleden. Ze snapte niet wat ze ooit in die patser had gezien, afgezien van het feit dat hij Jimmy niet was.

Ze zag het bolle gezicht van haar man met elke decibel roder en roder worden, en de lelijke paarse aders op zijn slapen die begonnen te kloppen. Ze wist zeker dat het niet echt slecht kon zijn om te hopen dat hij een hartaanval zou krijgen. Ze had hem immers vijf van de beste jaren van haar leven gegeven. Was een fataal hartinfarct dan echt te veel gevraagd?

Sinds ze iets met Todd had, vond ze haar huwelijk steeds ondraaglijker worden. Normaal kostte het haar geen moeite om gewoon haar ogen dicht te doen en aan haar erfenis te denken als Jimmy haar bepotelde, maar tegenwoordig niet meer. Ze had natuurlijk eerder minnaars gehad… tientallen. Maar naar geen van hen had ze zo gehunkerd als naar Todd. Ze wist dat het obsessief, impulsief en dwaas was, maar het kon haar niets schelen. Ze was sinds haar tienerjaren niet meer zo hopeloos verliefd geweest. Ze verlangde constant naar hem en hij gaf haar alle reden om te denken dat dat wederzijds was.

Ze vreesde dat Jimmy al snel iets zou gaan vermoeden. Een paar avonden geleden nog had hij haar huilend aangetroffen na een heimelijk telefoontje naar LA (ze miste Todd verschrikkelijk nu hij op reis was). Ze had gelukkig snel iets bedacht en gezegd dat ze de jongens miste, wat hij leek te geloven. Jammer genoeg had hij haar toen willen 'troosten' – op dezelfde manier als alle mannen haar wilden 'troosten' sinds op haar veertiende haar borsten waren begonnen te groeien – maar ze had zijn avances zo ondraaglijk gevonden dat ze migraine had voorgewend en hem van zich af had geduwd.

Ze was al bijna zover dat ze hoopte dat hij erachter zou komen en een einde aan hun ellende zou maken. Bijna, maar nog niet helemaal. De prijs daarvoor was namelijk hoog: het verlies van de luxe levensstijl en alle voordeeltjes die een leven als mevrouw Price met zich meebracht. Ze moest er voor honderd, zelfs voor duizend procent van overtuigd zijn dat Todd voor altijd bij haar zou blijven als ze dat allemaal voor hem liet schieten. En nu was ze dat nog niet.

In de tussentijd leefde ze met de voortdurende angst dat Milly iets tegen Amy, Jimmy, of iemand anders in Palos Verdes zou zeggen. Tot dusver had ze dat niet gedaan. Waarom dat was, begreep Candy niet. Of misschien was het, zoals Todd vermoedde, een misplaatst gevoel voor humor of loyaliteit jegens Jimmy dat haar ervan weerhield. Hoe dan ook, Candy's stalen zenuwen konden het nauwelijks nog aan dat het zwaard van Damocles constant boven haar hoofd hing. Hoe eerder Jimmy Milly eruit gooide en een nieuw project koos om zich mee bezig te houden – misschien die Rachel? – hoe beter het was.

'En nog steeds gaat Best of Friends aan de leiding voor Mommy's Boy,' riep de commentator, 'gevolgd door Thunderbird, Guts and Glory en Never Better, die langs de buitenkant dichterbij komt.'

'Moet je dat nou zien!' riep Jimmy. Hij geloofde kennelijk dat het haar iets kon schelen. 'Dat paard in de vijfde positie is dat van Kravitz. Die Engelse griet rijdt Garth er verdomme helemaal uit. Ik zweer bij God dat ik die kerel ga ontslaan.'

'Waarom doe je dat dan niet?' zei Candy, die zich stierlijk verveelde. 'Gooi hem en Milly eruit en neem dat meisje van Kravitz aan. Ze rijdt goed en is knap genoeg om te promoten.'

'Weet je wat?' zei Jimmy stralend. 'Je hebt helemaal gelijk, zoals gewoonlijk.'

Het mooiste aan Candy was dat ze niet alleen maar een knap smoeltje was. Ze begreep hem, ze begreep hem veel beter dan zijn eerste vrouw ooit had gedaan. Hij had zelf precies hetzelfde bedacht, over Rachel.

'Nondeju!' Net als de rest van het publiek sprong hij overeind toen Best of Friends, de favoriet, vijftig meter voor de eindstreep plotseling terugviel en door maar liefst vier paarden werd ingehaald. De race lag plotseling wijd open.

'En het is Mommy's Boy,' riep de commentator, 'met Never Better en Thunderbird vlak erachter. Mommy's Boy voor Never Better... Allemachtig, wat zitten die drie dicht bij elkaar! En het is Mommy's Boy! Thurston Morton op Mommy's Boy wint de Belmont.'

'Godverdomme!' zei Jimmy, en hij smeet chagrijnig zijn wedstrijdboekje op de grond. Garth Mavers had vanaf de start gereden als een amateur.

'En het is een fotofinish voor de tweede plaats,' vervolgde de stem via de geluidsinstallatie, 'tussen Never Beter, bereden door juffrouw Rachel Delaney, en de verrassende ster van dit seizoen, Thunderbird. Wat een fantastische prestatie vandaag van Damian Farley op de kleine grijze hengst.'

'Ooo, kijk lieverd,' zei Candy, zwaaiend met het wedstrijdboekje dat hij net had weggegooid. 'Heb je dat gezien? Bobby Cameron is gedeeltelijk eigenaar van die grijze hengst. Krijgt hij nog geld als hij tweede is geworden, Jimmy?'

Jimmy luisterde echter niet. Hij was het beu om steeds teleurgesteld te worden, besloot hij. Of het nou quarterhorses of volbloeden waren, hij racete om te winnen. En zijn paarden wonnen al een hele tijd niet meer.

Maanden had hij gehoopt dat Milly weer in vorm zou komen. Maar telkens als ze in haar privéleven een tegenslag te verwerken kreeg – eerst de dood van Demon, nu de breuk met Cranborn – leek ze al haar strijdlust te verliezen. Echte sterren waren sterker. Zoals Rachel.

'Ik zeg je dit,' zei hij tegen zijn vrouw. 'Als Milly het niet ontzettend goed doet tijdens de All American, dan ligt ze eruit.'

'Niets te vroeg, als je het mij vraagt,' zei Candy. 'Je bent veel te soft, Jimmy. Je moet de mensen geen misbruik van je laten maken.'

Hij glimlachte. Garth mocht dan de belangrijkste race van het seizoen hebben verloren, maar hij had nog altijd de knapste, meest liefhebbende en ondersteunende vrouw ter wereld.

27

Linda Lockwood Groves liet haar lidmaatschapskaart aan de wedstrijd-
functionaris zien en mocht met haar chique nieuwe 'Vogue' Range Rover
doorrijden naar de parkeerplaats voor leden, pal achter het clubhuis en de
eretribune.

Ze was gisteravond naar York gereden om Jasper vandaag te zien deelnemen aan de race van halfdrie. Het was juli, maar het weer leek zich daar
niet van bewust. Er was eindelijk een eind gekomen aan de fijne, grijze
motregen die sinds gisteravond laat in Centraal-Yorkshire viel, maar de
lucht zag er nog steeds dreigend uit en de grond was nat. De parkeerplaats
was dan ook nog steeds halfleeg.

Cecil had altijd van dit soort weer gehouden, dacht ze triest. Hij werd er
sentimenteel en romantisch van. Hoe vaak had ze hem niet lyrisch horen
worden over de door een regenbui veroorzaakte glans van het landschap,
of de geur van de natte stenen muren die hem aan zijn jeugd deed denken.

Ze had zijn liefde voor regen nooit gedeeld. Ze had echter wel met heel
haar hart van hem gehouden en ze miste hem nog steeds verschrikkelijk.
Er was het afgelopen jaar zo veel misgegaan dat ze zijn advies en steun harder nodig had dan ooit: Milly die poseerde voor de *Playboy* en die haar familie de rug toekeerde, Jasper die bijna nooit meer thuiskwam en steeds
wispelturiger werd. Zelfs Rachel, die in het begin zo'n rots in de branding
had geleken, had haar in de steek gelaten en was naar Amerika vertrokken
zonder zelfs maar een kaartje te sturen. En daarna had ze in de bladen allerlei kwetsende dingen over Milly gezegd. Het was allemaal erg vreemd,
zeker als je bedacht dat ze nog steeds geacht werd Jaspers vriendin te zijn;
al begreep ze niet hoe die twee dat deden, gezien de grote afstand.

De laatste schok was een paar weken geleden gekomen. Omdat ze zich
op een gegeven moment verveelde, was ze 's middags gaan wandelen. Ze
had vaak niets omhanden sinds ze naar Newmarket was verhuisd. Ze was
destijds blij geweest met het vooruitzicht om al het gedoe van Newells achter zich te laten en naar de stad te verhuizen. Niet meer 's ochtends vroeg

opstaan om paarden in de wei te zetten of een oogje op de graanleveringen te houden, nooit meer die verdraaide haan die midden in de nacht onder haar raam begon te kraaien. Het had een zegen moeten zijn. De waarheid was echter dat ze nu Cecil dood was en de beide kinderen weg waren, de oude dagelijkse routine miste en haar nieuwe leven in de stad verschrikkelijk eenzaam vond.

Maar goed, toen ze zomaar doelloos door de winkelstraat liep, zag ze plotseling een reusachtige kleurenfoto van Newells voor het raam van de makelaar hangen. Dat nest had het te koop gezet – en nog voor een belachelijk hoge prijs ook – zonder haar zelfs maar te bellen! Ze raakte er helemaal door van streek.

Toen ze Jasper er tijdens zijn laatste bezoek op had aangesproken, had hij beweerd dat hij er net zo weinig van wist als zij.

'Het heeft geen zin mij ernaar te vragen, ma,' zei hij nukkig terwijl hij een paarse zijden stropdas omhooghield naast zijn lichtblauwe Thomas Pink-shirt en probeerde te besluiten of het mooi was of dat het hem te veel het air van een nieuwslezer gaf. 'Ik mag tegenwoordig al van geluk spreken als Rach zich überhaupt verwaardigt om me te bellen. Ze is veel te arrogant om mij om advies te vragen, en mijn toestemming vraagt ze al helemaal niet.'

Linda begreep er niets van. Rachel was zo attent geweest na Cecils dood, een echte schat. Ze had geen idee wat er gebeurd kon zijn.

Ze wilde daar echter niet over blijven piekeren. Ze zocht zich voorzichtig een weg over de modderige grond naar het clubhuis, toverde een glimlach op haar gezicht en deed haar best niet aan haar geruïneerde Patrick Cox-muiltjes te denken, of aan hoe misplaatst ze zich op de renbaan voelde zonder Cecil. Vandaag was Jaspers dag, dat was het belangrijkste. Zelfs als alle vrouwen in zijn leven hem in de steek lieten, dan zou zijn moeder er nog voor hem zijn.

In de kleedkamer van de jockeys overtuigde Jasper zichzelf ervan dat er niemand naar hem keek voordat hij nog een steelse blik in de envelop wierp. Hij vond weinig zo bevredigend als het gevoel van knisperende bankbiljetten tussen zijn vingers, en Ali was deze keer buitengewoon gul geweest. Tienduizend pond, allemaal briefjes van vijftig. Het was meer dan hij ooit met eerlijk rijden had gewonnen.

En hij had het nodig. Hij moest zijn aandeel in het jacht dat hij vorige maand met een paar vrienden in Sardinië had gehuurd nog betalen, om nog maar te zwijgen van de vijfduizend pond die hij zijn cokedealer schuldig was.

Sardinië was één groot feest geweest. Ondanks zijn gezeur dat Rachel hem in de steek had gelaten, en zijn ziekelijke, obsessieve afgunst op de groeiende roem van haar en Milly in Amerika, had een zomer in Europa zonder vriendin beslist zijn voordelen. Niet alleen kon hij van Les Caves tot de Billionaire's Club neuken wie hij maar wilde zonder over zijn schouder te hoeven kijken, maar omdat hij een bijrolletje speelde in de vete tussen Milly en Rachel, werd hij tegenwoordig ook overal waar hij kwam gekiekt door de roddelbladen, wat hem geen windeieren legde bij het saboteren van wedstrijden.

Zijn nieuwe, genotzuchtige leven was echter niet goedkoop. En zijn huidige 'doelwit', een razend knappe militaryrijdster die Leonora heette en een aristocratische afkomst had waar de Delaneys u tegen konden zeggen, en tieten die je vanuit de ruimte nog kon zien, weigerde zich gewonnen te geven zonder een 'bewijs van toewijding' van zijn kant. Gisteravond had ze hem twee uur lang gezoend, en daarna was ze naar huis gegaan, hem achterlatend met een stijve van hier tot Tokio en een seksuele frustratie zoals hij die sinds zijn vroege puberteit niet meer had ervaren.

Met het geld van vandaag kon hij bij Theo Fennell iets leuks voor haar kopen en dan nog voldoende overhouden om de bruidssuite bij Claridges te huren. Als hij daarmee dat chique krengetje niet uit de kleren kreeg, dan zou het nergens mee lukken.

Het enige wat hij nu hoefde te doen was naar buiten gaan en de race verknallen. Dan kon hij zich daarna op Leonora concentreren.

Linda stapte met een pink gin in haar hand het balkon van het clubhuis op en ging naast Martha Tooley zitten, die ze vaag kende uit Cambridgeshire. De lucht was onverwacht toch opgeklaard en er schenen een paar hoopvolle zonnestralen op de renbaan, waardoor de jockeys in hun felgekleurde zijden kleding beneden op het inloopterrein duidelijk te onderscheiden waren.

'Heb je Jasper al gezien?' vroeg Martha, en ze gaf Linda haar verrekijker.

'Nog niet. O, ja, kijk,' zei ze opgewonden, 'daar is hij!'

Jasper droeg het blauw en groen van de Dhaktoubs. Hij draaide zich om en zwaaide voordat hij zijn paard, een enorme vos die Babylon heette en meer had van een trekpaard dan van een renpaard, naar de starthekken leidde. Hij was zoals altijd voor een belangrijke wedstrijd nerveus en hij was niet zo blij met zijn moeders gretige, hoopvolle, dominerende aanwezigheid op de tribunes. Gezien zijn huidige financiële positie kon hij het zich echter niet veroorloven onbeschoft tegen haar te doen. Het was belangrijk dat hij Bank Linda te vriend hield.

'Prachtig paard,' zei Martha. 'Is hij de favoriet?'

'Dat weet ik niet zeker,' zei Linda, die dat wel wist, maar Jasper niet wilde belasten met de druk van nog meer hoge verwachtingen. Hij had tot dusver niet geweldig gepresteerd dit seizoen en ze maakte zich zorgen dat hij misschien niet voor Ali zou mogen blijven rijden, al leek Jasper zelf zich vreemd genoeg helemaal niet druk te maken over zijn reeks glansloze prestaties deze zomer.

Toen de wedstrijd eenmaal begonnen was, merkte ze tot haar schaamte dat ze van de zenuwen Martha's hand had vastgegrepen.

'Sorry,' zei ze blozend toen ze zich dat realiseerde.

'Geen probleem,' zei Martha vriendelijk. Linda was niet echt een vriendin, maar net als de andere vrouwen uit Newmarket had ze medelijden met haar omdat ze zo jong weduwe was geworden en vervolgens die ellende met Milly had doorgemaakt. Cecil Lockwood Groves was een erg aardige man geweest. Hij zou zich wel in zijn graf omdraaien als hij kon zien hoe zijn kinderen zich gedroegen, om nog maar te zwijgen van het bedrijf waar hij zijn leven aan had gewijd. Het was tragisch. 'Ik was precies zo toen mijn zoon wedstrijden reed. Het is angstaanjagend, hè?'

Linda knikte dankbaar. 'Inderdaad,' zei ze. 'En ik hoop zo dat hij het er goed afbrengt. De laatste tijd… Nou ja, het voelt een beetje trouweloos om het te zeggen, maar zijn resultaten zijn niet zo goed als ik had gehoopt.'

Toegegeven: ze begreep niet zo heel veel van de paardenrennen, maar zelfs zij had in de gaten dat Jasper voortdurend op het laatste cruciale moment zijn vaart leek te verliezen en in het zicht van de overwinning toch nog een nederlaag leed. Ze kreunde van teleurstelling nu hij weer precies hetzelfde deed doordat hij zijn eindsprint verkeerd timede en Babylon net een paar seconden te laat aanspoorde. Dit keer werd hij met maar een halslengte verschil tweede.

'Wel verdraaid!' zei ze, en ze sprong met een blik vol moederlijke bezorgdheid overeind. 'Ik kan maar beter naar beneden gaan. Hij zal wel vreselijk van streek zijn.'

'Succes,' riep Martha haar na.

Beneden was alles nog nat en de net doorgekomen zon weerkaatste op het glanzende gras en de druipende bomen. De grond was echter nog verraderlijk en hoewel Linda langzaam en voorzichtig liep, zakten haar hakken opnieuw in de blubber weg.

'Verdorie,' mompelde ze in zichzelf. 'Waar is hij?' Ze reikhalsde en probeerde de kleuren van de Dhaktoubs te onderscheiden in de menigte. Eindelijk zag ze hem aan de andere kant van het inloopterrein staan.

'Lieverd,' riep ze schril. 'Joehoe! Jasper!'

Hij zat nog steeds te paard en praatte geanimeerd met Ali Dhaktoub en zijn trainer. Hij hoorde haar dus kennelijk niet. Vreemd genoeg zag ze toen ze dichterbij kwam dat ze alle drie glimlachten. Ze zouden toch teleurgesteld moeten zijn nadat hij weer had verloren terwijl de overwinning zo zeker had geleken?

Enkele ogenblikken later verdween de glimlach echter van hun gezichten, want door de omringende menigte heen kwam een groep politieagenten in uniform op hen af. Zeven in totaal, dacht Linda te zien.

Wat was daar in hemelsnaam aan de hand?

Toeschouwers en pers zwegen geschokt toen de agent met de hoogste rang, herkenbaar aan zijn gestreepte pet, recht op Jasper af stapte.

'Meneer Lockwood Groves? En meneer' – hij keek even op zijn aantekenblok – 'Ali Mishari Dhaktoub?'

'Ja?' zei Ali.

Jasper zag plotseling bijna groen en zei niets.

'Wat is het probleem, agent?' Ali glimlachte minzaam.

'Ik ben bang dat ik u moet vragen mee te komen, meneer. U ook, meneer.' De politieman keek naar de trainer, die zich heimelijk probeerde terug te trekken uit het groepje, zoals de apostel Petrus toen de eerste haan kraaide.

'Mag ik vragen waarom?' zei Ali. Wat hij ook dacht of voelde, uiterlijk bleef hij kalm en onverstoorbaar.

'Dat leg ik u op het bureau wel uit, meneer.'

De politieman was ergens in de vijftig en had, hoewel Ali geen expert was wat de rangen binnen het korps betrof, voldoende strepen op zijn schouders om hem duidelijk te maken dat hij niet met zich liet sollen. Dat, in combinatie met zijn beleefde, maar zeer besliste toon en het feit dat hij het kennelijk nodig had geacht versterking mee te brengen, overtuigde hem ervan dat meewerken op dit moment waarschijnlijk de beste keus was.

'Uitstekend,' zei hij kortaf. Tot zijn verbazing werden er handboeien tevoorschijn gehaald. Voor hij de tijd kreeg te protesteren, werd hij door twee mannen vastgepakt, geboeid en meegevoerd naar de wachtende patrouilleauto's.

Jasper, die tot dat moment stokstijf op Babylon was blijven zitten, alsof hij zichzelf misschien onzichtbaar kon maken door niet te bewegen, jammerde nu hoorbaar.

Tot dat moment had Linda zoals iedereen verstard van afgrijzen staan toekijken terwijl het drama zich voltrok. Nu Jasper echter werd gedwongen af te stijgen en de uit hun verdoving ontwaakte persfotografen naar voren stoven om foto's te maken terwijl hij werd geboeid, baande ze zich een weg naar voren.

'Jasper!' schreeuwde ze hysterisch. 'Laat me erlangs! Ik ben zijn moeder. Jasper!'

Hij keek even op, maar al snel ging haar stem verloren tussen honderden andere toen er talloze camera's en microfoons op hem werden gericht.

'Niets zeggen,' riep Ali over zijn schouder. Nu hij aan weerszijden werd geflankeerd door een politieagent had hij eindelijk zijn kalmte verloren en riep hij luid om zijn advocaat.

Dat advies was niet nodig. Jasper was veel te bang om zijn mond open te doen.

Het laatste wat hij zag voordat hij naast Ali in de auto werd gezet, was zijn moeder die iets tegen hem riep wat hij niet verstond. De paniek was duidelijk van haar gezicht af te lezen.

'Wacht, dat is mijn moeder,' zei hij, zich verzettend tegen zijn twee potige begeleiders. 'Ik moet haar spreken.'

'Het lijkt mij, jongen,' zei de grootste van de twee, die zijn protesten negeerde en hem met harde hand in de auto duwde, 'dat je moeder op het moment niet je grootste zorg is. Jou niet?'

Tot Jaspers afgrijzen stak hij zijn hand in de zak van zijn uniform en haalde hij er de met geld gevulde envelop uit met Ali's kenmerkende schuine handschrift op de voorkant.

'Herken je dit?'

Jasper verkleurde van groen naar wit.

'Nee,' zei hij zacht, 'maar ik zeg geen woord meer voor ik een advocaat heb gesproken.'

Voor de arrondissementsrechtbank van Santa Barbara had ook Bobby juridische problemen.

'Het is nog niet voorbij.' Jeff Buccola, de gespecialiseerde advocaat die hij voor vierhonderd dollar per uur in de arm had genomen om hem te helpen in de strijd tegen Comarco, deed zijn best optimistisch te klinken. 'We kunnen de zaak wat die bodemmonsters betreft nog minstens een paar maanden vertragen. We kunnen elk monster dat ze bovenhalen, elk stukje bewijs waar ze mee komen, aanvechten.'

'O, ja?' zei Bobby sarcastisch. Hij had er genoeg van dat die kerel hem steeds valse hoop gaf. 'En waar moet ik jou dan mee betalen, Jeff? Met bonen?'

Zijn trainingstournee was financieel een groot succes geweest, en dat Thunderbird het zo goed had gedaan tijdens de Belmont was de slagroom op de taart van een uitzonderlijk goed seizoen geweest. De waarde van het dier was in één klap vervijfvoudigd. Daar had Bobby echter niet veel aan als hij hem niet kon verkopen, iets waar Barty uiteraard aan weigerde mee te werken.

'Luister naar me, Bobby. Ik vind het heel erg van Highwood, echt waar,' zei hij toen ze 's avonds na de race een paar biertjes dronken om het te vieren. 'Maar je verwacht toch niet echt van me dat ik hem nu wegdoe? Dit is nog maar het begin van zijn carrière, dat weet je. En bovendien zou als we hem nu verkochten jouw aandeel binnen de kortste keren worden opgeslokt door die rechtszaak. Dat is alleen maar uitstel van executie.'

Hij had natuurlijk gelijk, op beide punten. Het had geen zin om Thunderbird te verkopen, of om door te gaan met de rechtszaak. Wat dat laatste betrof had hij echter geen keus. Het was een kwestie van eer, zoals een kapitein met zijn schip ten onder gaat. Zolang hij nog een cent op zak had, moest hij voor Highwood blijven vechten, wat er verder ook gebeurde. Hij verwachtte niet dat Barty dat zou begrijpen.

De rechter had met hem meegevoeld, vooral na Bobby's hartstochtelijke toespraak over zijn familie die al generaties lang het land in het dal bij Solvang bewerkte, en de onherstelbare schade die Comarco door naar olie te boren zou toebrengen aan het landschap, het grondwaterpeil en het hele ecosysteem op Highwood. Maar zijn handen waren gebonden.

De wet was heel duidelijk op dit punt: de rechten van een landeigenaar en de eigendomsaktes golden alleen voor het landoppervlak, niet voor de natuurlijke rijkdommen die eronder zaten.

'Bel me maandag,' zei Jeff bruusk terwijl hij zijn koffertje dichtklikte. Hij had met Bobby te doen, maar uiteindelijk had die knul al deze problemen aan zichzelf te wijten, en hij had genoeg van de arrogantie en humeurigheid van zijn cliënt. Verwachtte hij soms dat hij de wet veranderde? 'Dan spreken we de volgende stappen door.'

Hij haastte zich de trap voor het gerechtsgebouw af en botste bijna tegen Dylan aan, die met twee treden tegelijk naar boven kwam. Hij was samen met de rest van zijn familie meegekomen om Bobby te steunen, maar hij had twintig minuten voor tijd de zaal uit moeten glippen voor een afgesproken telefoontje naar Amy, en dus had hij de uitspraak gemist.

'Hoe is het gegaan?' vroeg hij ademloos.

Om redenen die hij niet goed kon uitleggen had Dylan besloten zijn ontluikende relatie met de dochter van Jimmy Price stil te houden, dus hij kon zijn afwezigheid niet verklaren. Hoewel hij haar sinds hun toevallige ontmoeting in de Gagosian niet meer had gezien, hadden ze regelmatig contact via e-mail en sms. Voor hij er erg in had waren de snippers contact met haar het hoogtepunt van zijn dagen geworden. Telkens als het op de ranch te deprimerend werd, of hij met iemand over kunst of over het leven wilde praten – of over alles behalve Todd Cranborn, oliebronnen en gerechtskosten – wendde hij zich tot Amy. Ze was lief, bemoedigend en grappig, en leek altijd precies te weten wat ze moest zeggen om ervoor te zorgen dat hij zich beter voelde. Met haar praten was als een diepe teug zuurstof inademen nadat je uren onder water was geweest, alsof je weer tot leven werd gewekt.

'Ze hebben ten gunste van Todd beslist,' zei Tara.

'Alweer,' voegde Summer er verbitterd aan toe. 'En wat sta jij nou te grijnzen?'

'Ikke? O, niets. Niets. Dat is afschuwelijk.' Hij haalde schuldbewust de glimlach van zijn gezicht. Het was niet juist om gelukkig te zijn, laat staan dat te laten blijken, terwijl ieders wereld op instorten stond. 'Maar het is toch zeker nog niet voorbij?' vroeg hij aan Bobby. 'We kunnen toch weer in beroep gaan. Of niet?'

'Dat kun je doen, maar ik zou het niet adviseren.'

Ze draaiden zich allemaal tegelijk om naar Todd, die geflankeerd werd door twee tevreden kijkende advocaten, die er veeleer uitzagen als oppassers. Hij was zojuist niet in de rechtszaal geweest, dus ze konden er alleen maar naar gissen wat hij hier nu deed.

'Het heeft geen zin om het ene gat met het andere te dichten, wel, Bobby?' Hij glimlachte. 'Je moet weten wanneer je het moet opgeven. Dat is nog eens een cowboywijsheid waar ik het mee eens ben.'

'Waarom gaat u niet naar huis, meneer Cranborn?' zei Wyatt, die naar voren stapte. 'We zoeken geen problemen, hè Bobby?'

Bobby, die zo hard met zijn tanden knarste dat de vonken eraf dreigden te springen, zag eruit alsof hij niets liever wilde dan problemen.

'Is Milly er niet bij?' zei Todd met geveinsde verbazing. 'Toen we uit elkaar gingen leek het haar nogal dwars te zitten dat ik je onrecht had aangedaan. Het verbaast me dat ze niet de moeite kon nemen om zich te laten zien nu je in nood zit.'

'We spreken elkaar niet meer,' zei Bobby. Hij wist niet waarom hij Todds getreiter zelfs maar een reactie waardig keurde, maar de woorden tuimelden gewoon uit zijn mond. 'Dat weet je heel goed.'

Hoewel dat strikt gesproken waar was – Milly en hij hadden elkaar niet gesproken –, kon hij haar niet uit zijn hoofd zetten. De eerste keer dat ze hem een cheque had gestuurd als een bijdrage in de gerechtskosten, wat hij nog steeds als een teken van schuld beschouwde, had hij die zonder het begeleidende briefje te lezen teruggestuurd. Toen ze het echter opnieuw probeerde, had hij zijn vastberadenheid verloren. Hij had het geld natuurlijk niet aangenomen – daar kon niets of niemand hem toe overhalen –, maar had wel het briefje opengevouwen.

Op een bepaalde manier was het echt de oude Milly: warrig, overemotioneel, vol kinderlijke spelfouten waarbij hij om de een of andere reden tranen in zijn ogen kreeg. Maar de brief was toch ook anders, volwassener. Hij had geprobeerd de veranderingen in haar karakter en haar leven tussen de regels door te lezen.

'Ik ben in augustus bij de All American,' schreef ze aan het eind, 'als ik dan tenminste mijn baan niet kwijt ben. En ik weet dat jij daar ook zult zijn. Sean vertelde me dat je Dash for Dixie hebt getraind voor Marti Fox.'

Die verrekte Sean ook met zijn grote mond. Wat had hij haar nog meer verteld?

'Ik zou graag denken dat we elkaar als vrienden kunnen ontmoeten,' vervolgde ze. 'Maar wat je ook beslist – of je het geld aanneemt of niet – weet alsjeblieft dat het me verschrikkelijk spijt, Bobby. Alles.'

Hij had er heel vaak over nagedacht, had elk mogelijk motief dat ze gehad kon hebben gewikt en gewogen tot hij hoofdpijn kreeg van frustratie. En hij wist nog steeds niet wat hij moest denken. Het enige wat hij zeker wist was dat hij haar miste, of het nou haar schuld was of niet. Hij wou dat het niet zo was, maar het was waar.

Nu hij Todd haar naam hoorde noemen voelde hij het gemis alleen maar nog heviger.

'Waarom rot je niet op, Cranborn?' snauwde hij. 'Voordat je gewond raakt.'

'Rustig aan,' zei Dylan, en hij legde een hand op zijn arm. Hij kon Bobby's biceps voelen trillen van verlangen om de man aan te vallen, en hij kon het hem niet eens kwalijk nemen. Hij zou zelf ook best naar hem willen uithalen.

'Maak je geen zorgen,' zei Todd. 'Ik ben al weg.' Hij kon het echter niet laten nog een laatste sneer te geven voor hij vertrok. 'Weet je, je hebt in feite geluk gehad dat je zo goed van Milly bent afgekomen. Ze bleek meer problemen te geven dan ze waard was. En wat de seks betreft…' Hij grinnikte kwaadaardig. 'Een geraamte neuken zou nog leuker zijn geweest.'

Nu was het genoeg. Bobby duwde Dylan opzij, sprong met een luide brul vol opgekropte woede op Todd af en gooide hem tegen de grond. De twee advocaat-oppassers deinsden angstig terug en keken vol ontzag toe terwijl hij hun cliënt op zijn buik draaide, hem met zijn gezicht tegen de harde stenen traptreden smakte en toen zijn arm zo hard naar achteren trok dat Todd het uitschreeuwde van de pijn.

'Waag het niet om ooit nog zo over Milly te praten,' zei Bobby. 'Hoor je dat, smerige, weerzinwekkende klerelijer?' Bij dat laatste woord draaide hij Todds arm nog verder om, zodat het gevaar van ontwrichting akelig dichtbij leek. 'Je bent het niet waard haar te kennen.'

'Bobby, laat hem los,' zei Wyatt kalm maar resoluut. Bobby aarzelde even, maar deed uiteindelijk toch wat hem werd gezegd en liet een sputterende, jammerende Todd met zijn gezicht hard op de stenen trede vallen.

De twee advocaten kwamen dichterbij om hem te helpen, maar Todd schudde hen af. Zijn wang was geschaafd en bloedde en zijn arm hing slap langs zijn zij. Hij had duidelijk pijn.

'Opzettelijke mishandeling,' zei hij. 'Mét getuigen. Heel slim, Cameron. En ik dacht nog wel dat je je nauwelijks die ene rechtszaak kon veroorloven.'

Hij draaide zich om en hinkte naar zijn auto, maar zijn dreigement bleef in de lucht hangen.

'Waarom deed je dat nou?' Iedereen keek bezorgd, alleen Summer was woedend. Sinds die vreselijk dag waarop hij had gehoord dat Hank haar vader was, had Bobby haar boosheid en wrok tegen hem zien groeien. Toen hij haar, nadat Diana hem had ingelicht, was gaan zoeken, had ze verwacht dat hij de liefde met haar zou bedrijven. Hij was echter killer en afstandelijker geweest dan ooit... en hij kon haar niet eens uitleggen waarom dat zo was.

Het was geen wonder dat ze zich beledigd voelde. Ze dacht waarschijnlijk dat hij opzettelijk met haar gevoelens had gespeeld, en haar alleen had verleid om haar opnieuw teleur te stellen en te vernederen. Maar wat kon hij doen? Hij had beloofd haar nooit de waarheid te zullen vertellen en hij was van plan die belofte te houden.

'Ik moest iets doen,' verdedigde hij zichzelf. 'Je hoorde toch wat hij over Milly zei?'

Dat was nog meer olie op Summers vuur.

'Milly?' schreeuwde ze woedend. 'Maak jij je druk om Milly? Zij is degene die verantwoordelijk is voor deze hele puinzooi.'

'Nee,' zei hij triest. 'Dat is niet waar, Summer. Dat ben ik. Het is allemaal mijn eigen schuld.'

Summer was echter al snikkend de straat op gestormd.

'Maak je geen zorgen,' zei Wyatt, en hij sloeg vaderlijk en vriendelijk een arm om Bobby's schouders. 'Ze is gewoon emotioneel. Dat zijn we allemaal. Het is een zware dag geweest.'

'Ja,' zei Bobby. Hij zou zelf ook wel huilend willen wegrennen. 'Ja, dat is waar.'

28

De All American Futurity is voor tweejarige Amerikaanse quarterhorses wat de Kentucky Derby voor driejarige volbloeden is: de race die echt telt.

Elke jaar aan het eind van augustus komt het anders zo vredige dorp Ruidoso in New Mexico tot leven als duizenden fans hun jaarlijkse pelgrimstocht naar de Ruidoso Downs-renbaan en het casino maken om de beste quarterhorses van de wereld tegen elkaar te zien strijden in de finale op Labour Day.

Vooral dankzij Milly, wier T-Mobile-advertenties de sport bij een veel breder publiek bekend hadden gemaakt, gonsde het dit jaar zelfs nog harder in het dorp dan anders. Er werden ongekende menigten van meer dan twintigduizend mensen verwacht voor de finale van vandaag, van wie velen hoopten de Engelse cowgirl weer in haar legendarische vorm te zullen zien rijden na een buitengewoon teleurstellend tweede seizoen.

Milly zelf had haar best gedaan zich in de weken voor de race afzijdig te houden van de roddels door geen voet buiten Palos Verdes te zetten en zich zo goed mogelijk op haar training te concentreren. Ze had zelfs hoog spel gespeeld door verplichtingen af te zeggen waarvan haar sponsors hadden geëist dat ze erheen zou gaan.

'Je realiseert je hopelijk wel dat je niet in de positie verkeert om ons tegen je in het harnas te jagen,' had de nieuwe publiciteitsagente van T-Mobile scherp opgemerkt toen Milly zich voor de tweede keer drukte. 'Je contract loopt eind volgende maand af en het is nog maar de vraag of het verlengd wordt.'

Milly had echter voor één keer voet bij stuk gehouden. 'Neem alsjeblieft een beslissing, wil je?' zei ze. 'Of je wilt dat ik win op Ruidoso, of niet.'

'Natuurlijk willen we dat je wint,' snauwde het meisje.

'Donder dan op en laat me rustig trainen,' zei Milly, en vervolgens hing ze op. Er had niemand teruggebeld, en ze had besloten dat als een goed teken te beschouwen. Als ze ontslagen was, zou er vast wel iemand gebeld hebben om haar dat te vertellen. En voor het eerst in maanden – in feite sinds ze in San Antonio had gewonnen, de dag dat ze thuis was gekomen en Todd had betrapt met Candy – had ze het gevoel dat er verbetering zat in zowel haar prestaties als die van Cally.

Gill was het met haar eens.

'Zie je wel?' zei ze, toen Milly de dag voordat ze naar New Mexico reden haar eigen record op het galoppeerterrein verbeterde. 'Jullie hebben wél een band samen. Het enige wat je moet doen is een beetje vertrouwen in hem hebben.'

'Het zal wel,' zei Milly twijfelend, hoewel ze overspoeld werd door blijdschap en opluchting. Na zo veel teleurstellende tijden was ze de uitspraken dat het bij één goed seizoen zou blijven en dat ze het verleerd was gaan geloven.

'Het zal niks,' zei Gill kordaat. 'Met Demon heb je nooit zo'n snelle kwartmijl gereden. Je enige probleem is zelfvertrouwen.'

Ze had natuurlijk gelijk. De waarheid was dat Todd, door haar te dumpen voor Candy, haar toch al kwetsbare zelfvertrouwen compleet aan diggelen had gegooid. Het was moeilijk om dat op commando weer te lijmen, vooral nu Rachel als een piranha naar haar hielen hapte en zowel haar sponsors als Jimmy haar voortdurend over van alles – variërend van haar gewicht tot haar gedrag – op haar huid zaten.

Ze wist niet zeker of de verhouding met Candy nog steeds voortduurde, en hoefde het ook niet te weten, maar door de dromerige, afwezige blik in Candy's gewoonlijk zo ijskoude ogen was ze er vrij zeker van dat het wel zo was. Ze had niemand verteld wat er die dag was gebeurd. Niet, zoals Candy en Todd dachten, uit loyaliteit jegens Jimmy, maar uit pure schaamte en vernedering. Wat ze ook voor Todd mocht voelen – haat, woede, terechte verontwaardiging –, het was een klap voor haar trots om te moeten toegeven dat hij haar aan de kant had gezet voor een andere vrouw. En natuurlijk dat hij haar schaamteloos had misbruikt om zijn vete met Bobby uit te vechten. Hoe je het ook bekeek, door hem had ze zich zwak en stom gevoeld, en ze had geen haast om dat aan de wereld mee te delen.

Hetzelfde gevoel van zwakte weerhield haar ervan om Jimmy op de man af te vragen of hij van plan was haar te laten vallen voor Rachel. Als hij dat wilde doen, zou ze het gauw genoeg weten, meende ze. En omdat ze hem toch niet van gedachten zou kunnen doen veranderen, had het geen zin zichzelf te vernederen door het te vragen. Het beste wat ze kon doen was stug doorwerken; hem voor eens en altijd proberen te bewijzen dat zij degene was met talent.

Op de ochtend van de race hing ze boven het toilet in haar trailer om voor de tweede keer in een uur tijd over te geven.

'Gaat het?' Gill klopte zachtjes op de deur. Zenuwen voor de race waren te verwachten, vooral nu de pers zich constant op het arme kind stortte zodra ze een voet buiten de deur zette en fans met haar op de foto wilden en om haar handtekening schreeuwden. Maar dit klonk helemaal niet goed.

'Ja hoor,' zei Milly, niet van harte. Ze zat nog steeds op haar knieën, met haar klamme voorhoofd tegen het koele porselein gedrukt. 'Ik kom zo.'

Jezus, ze voelde zich vreselijk. Zo zenuwachtig was ze nooit eerder geweest.

Was Demon maar hier. Oké, Cally ging met sprongen vooruit, maar ze miste haar lieve Demon nog steeds heel erg.

'Je ziet er hondsberoerd uit,' zei Gill niet onvriendelijk toen ze eruit kwam. Ze gaf haar een kop hete zoete thee en dwong haar op de geïmproviseerde bank te gaan zitten.

'Dank je,' zei Milly beverig. 'Niet kwaad worden, Gill,' zei ze, bibberend als een schipbreukeling terwijl ze een slokje thee nam, 'maar weet je toevallig of Bobby Cameron er al is? Ik wil zelf wel gaan kijken, maar het is een gekkenhuis buiten en ik kan dat nu niet aan.'

Gill zuchtte. Ze vermoedde dat dit de reden was dat haar ingewanden van slag waren. Het had niets te maken met Todd, de geruchten over Jimmy en Rachel, of de spanning van de race. Het vooruitzicht om Bobby weer tegen te komen maakte haar doodsbenauwd.

Nadat hij haar eerste brief met cheque had teruggestuurd, had ze al haar moed bij elkaar geraapt en besloten het opnieuw te proberen. Ze moest hem laten weten hoe erg ze het vond, dat ze dit allemaal niet had gewild, dat Todd haar ook had belazerd. Ook die brief was echter teruggekomen. En sindsdien werd ze achtervolgd door de gedachte dat ze wat Bobby betrof hem en Highwood opzettelijk had verraden.

'Ik heb hem niet gezien,' zei Gill geduldig, 'maar er lopen daar twintigduizend mensen rond. Het ligt niet erg voor de hand dat onze wegen elkaar zullen kruisen.'

'Ja,' zei Milly afwezig. Ze was kennelijk heel ver weg met haar gedachten. 'Ja, je zult wel gelijk hebben.'

'Hier.' Dylan gaf Bobby een bekertje warm bier en ging naast hem op een van de oude canvasstoelen voor de trailer van Marti Fox zitten. 'Drink op en kijk wat vrolijker, wil je? Je maakt de paarden bang.'

De race van vandaag betekende de officiële afsluiting van Bobby's trainingstournee en dat zou reden geweest moeten zijn voor een feestje, ook al was er geen kans dat Dash for Dixie bij de eerste drie zou eindigen.

Het bier was smerig, maar omdat hij wist hoe lang Dylan ervoor in de rij gestaan moest hebben aan de overvolle bar, dronk Bobby het toch op.

'Bedankt,' zei hij. 'O, hier, voor ik het vergeet.' Hij haalde een met een groezelig elastiek bijeengebonden bundeltje biljetten van vijftig dollar uit zijn broekzak, haalde er vijf af en gaf die aan Dylan. 'Je loon, voor de afgelopen drie dagen.'

'Mijn wat?' Dylan fronste zijn voorhoofd en duwde het geld weg. 'Doe niet zo idioot. Dat geld is voor de rechtszaak. Bovendien heb ik niets anders gedaan dan een paar leidsels vasthouden terwijl jij je werk deed. Ik weet dat het triest klinkt, maar meegaan naar Ruidoso is voor mij ontspanning en geen werk.'

Dat was maar ten dele waar. Hij was in feite om twee redenen naar New Mexico gevlogen: om Bobby moreel te steunen, wat tegenwoordig ongeveer zo leuk was als een wortelkanaalbehandeling zonder verdoving, en om Amy te zien.

Hij had de afgelopen drie dagen zijn uiterste best gedaan voor het eerste deel van zijn missie, en urenlang geduldig geluisterd terwijl Bobby zijn hart uitstortte over het verlies van Highwood.

Het was ook hartverscheurend. Het laatste van de quarterhorses was verkocht aan een concurrent in Los Olivos, en de nieuwe stallen, die anderhalf jaar geleden nog Bobby's grote trots waren geweest, werden nu gebruikt als tijdelijke opslagplaats voor de spullen van Comarco. Thunderbird was nog zijn enige paard, en dan nog maar voor een derde, en die stond duizenden kilometers verderop in Kentucky. Het enige wat er nog over was van de cowboy-idylle waren de paar onaangeroerde weilanden en ruim honderd stuks vee. En niet te vergeten, natuurlijk, een schuldenlast zo groot als de Grand Canyon.

Wat Dylan natuurlijk niet wist, was dat het niet alleen de ranch zelf was die Bobby kwijtraakte. Sinds Diana hem over Hanks slippertje had verteld, moest hij leren verwerken dat zijn vader niet de man was geweest voor wie hij hem had aangezien. Hij had zijn hele leven geprobeerd een ideaal na te leven dat niet eens bestond, dat waarschijnlijk nooit had bestaan. In zekere zin was dat nog het ergst van alles.

Hij kon niet wachten tot de lange zomervakantie voorbij was en Summer terug kon naar de universiteit. Haar aanwezigheid was onbeschrijflijk pijnlijk. Hij bleef maar zoeken naar iets van Hank in haar gezicht, en dacht daarna aan hun zoen. Het was inderdaad maar een zoen geweest, maar als hij eraan dacht hoe hij zich daarbij had gevoeld ging er een hele beerput open, vol met afschuwelijke, verwarrende beelden. Ze was zijn zus. Zijn zus! Soms voelde hij zich zo schuldig en weerzinwekkend dat hij nauwelijks adem kon halen.

'We moesten maar naar de tribune gaan,' zei Dylan, en hij trok een grimas. Dit was geen bier, maar kattenpis. 'De race begint over twintig minuten en het is nu al ongelooflijk druk.'

In feite was het niet de race waarvoor hij terug wilde, maar het vooruit-zicht om eindelijk Amy weer te zien, voor het eerst sinds New York. Afwe-zigheid had in dit geval beslist de liefde versterkt, al was hij ook wel ner-veus. Ze stelden zich allebei heel veel van deze dag voor, maar hadden elkaar zelfs nog nooit gezoend.

'Ga jij maar vast,' zei Bobby terwijl hij het plastic bekertje samenkneep en in de prullenbak gooide. 'Ik ga nog even bij het inloopterrein langs om naar onze jongen te kijken. Ik kom zo.'

Het was vijf minuten lopen van de trailer naar het inloopterrein, waar de zestien snelste, fitste tweejarige quarterhorses en hun ruiters zich verza-melden. Dit was voor hen allemaal de belangrijkste race van het jaar, voor sommigen de belangrijkste van hun leven.

Bobby baande zich rustig en beleefd een weg door de menigte en hield zich voor dat het alleen maar professioneel was om even zijn gezicht te la-ten zien. Hij hoorde Dixie en zijn jockey even geluk te wensen. Het zou on-beleefd zijn om dat niet te doen.

In werkelijkheid kon hij echter gewoon niet wegblijven.

Hij moest haar zien.

Hij zou niet naar haar toe gaan, maar gewoon vanuit de menigte even naar haar kijken. Dan kon hij daarna snel even naar Marti lopen, zich ver-ontschuldigen en naar de tribune gaan.

Geen probleem.

Milly zag er beroerder uit dan ooit toen ze uit de weegkamer kwam en een zee van camera's tegemoet liep.

'Hier!' werd er geroepen. 'Milly!'

'Hoe voel je je? Heb je er vertrouwen in?'

'Ik voel me prima, bedankt,' zei ze, en ze dwong zichzelf tot een glimlach terwijl ze hun zonder succes probeerde voorbij te lopen.

'Hoe is het met Cally?'

'We hebben gehoord dat je vorige week tijdens de training twee secon-den onder je beste tijd met Demon bent gedoken. Is dat waar?'

'Heeft Rachel Delaney gebeld om je succes te wensen?'

Het was hopeloos. Ze zou duidelijk niet zonder hulp het inloopterrein kunnen bereiken. Ze dook terug de weegkamer in, waar de pers haar niet kon volgen, rende naar het damestoilet, sloot zich op in een toilethokje en probeerde op adem te komen.

'Adem in,' zei ze zacht tegen zichzelf, terwijl ze de misselijkheid probeer-de te onderdrukken. 'Concentreer je, oké?'

De deur ging open en er kwamen twee vrouwelijke baanfunctionarissen binnen om hun make-up bij te werken. Aanvankelijk kon ze zich nog wel afsluiten voor hun gekwetter, maar toen hoorde ze een naam die haar aandacht trok.

'Het is Delaney, niet De Mornay,' zei een van de vrouwen. 'Je weet wel, Rachel. Die zo'n hekel heeft aan Milly en die met haar broer gaat.'

'Ja, ja, dat weet ik,' zei haar vriendin bits. 'Maar hoe weet je dat ze al getekend heeft. Ik bedoel, je hebt het contract toch niet gezien, of wel?'

Milly's nekharen gingen overeind staan. Wat voor contract? Hoezo, getekend?

'Natuurlijk niet,' zei de eerste vrouw. 'Jimmy Price doet geheimzinniger dan het Kremlin, dat weet je. Maar ik heb zelf gehoord dat zijn vrouw het tegen haar vriend zei. Hij zet haar op de loonlijst.'

'Denk je dat hij Milly dan zal ontslaan?' vroeg de andere. 'Maar als ze vandaag nou wint? Dan zal hij haar toch zeker niet laten gaan?'

'Ik weet het niet. Misschien wel. Laten we wel wezen, ze ziet er bepaald niet goed uit, vind je wel? Ik heb verhongerde Ethiopiërs gezien met meer vlees op hun botten. Ze moet nodig bijgevoerd worden, met vette chips bijvoorbeeld!'

Milly hoorde hen lachend weglopen, en de deur viel achter hen dicht.

Ze dacht koortsachtig na. Ze had wel gedacht dat het vandaag alles of niets zou worden, maar was het al te laat? Had Jimmy dat secreet echt achter haar rug een contract gegeven?

Gelukkig had ze geen tijd meer om daarover te piekeren. Ze was al laat. Ze wist zich met moeite te vermannen, glipte weg door een zijdeur en bereikte zonder verdere problemen het inloopterrein, waar Cally stond te wachten.

Gelukkig leek hij even ontspannen als een opaatje dat een wandelingetje gaat maken en stond hij kalm en zorgeloos te grazen.

'Daar ben je,' zei Gill opgelucht toen Milly in het zadel sprong. 'Ik begon al bang te worden dat je ervandoor was gegaan.'

Een paar seconden later wou Milly dat ze dat inderdaad had gedaan. Ze voelde dat de moed haar in de schoenen zonk en knipperde met haar ogen, alsof ze dacht dat ze het zich verbeeldde.

Maar nee. Daar recht voor haar, als een still van Clint Eastwood in een oude westernfilm, stond Bobby.

Ze had hem niet meer gezien sinds die vreselijke avond in Bel Air, toen ze voor het eerst met Todd had geslapen, en ze schrok omdat hij er zo anders uitzag.

Hij was toen heel sterk geweest. Woedend en gekwetst, dat wel, maar fysiek heel sterk, als een stervende stier die de speren van de matador van zich afschudt en nog in de aanval gaat terwijl het bloed uit zijn flanken gutst. Maar nu? Nu zag hij er gelaten, moe en op een akelige manier bijna gebroken uit.

Ze wist dat zij wat dat betreft niets mocht zeggen, maar hij was erg afgevallen. Hij had afhangende schouders en dat had ze nooit eerder bij hem gezien. Waar was de Bobby die ze zich herinnerde, de Bobby vol vuur en razernij, de arrogante, eigenwijze, wie-dan-leeft-die-dan-zorgt-cowboy, die ze voor het eerst onder aan de trap op Newells had zien staan en op wie ze halsoverkop verliefd was geworden?

En toen gebeurde het: hij keek op en zag haar.

In dat onderdeel van een seconde vervaagde het oorverdovende lawaai op Ruidoso Downs tot witte ruis en leek de menigte in het niets te verdwijnen, tot alleen zij tweeën nog over waren. Milly wist niet of haar hart nog klopte; ze voelde het in elk geval niet.

Bobby, daarentegen, was zich van niets anders bewust dan het bonken van zijn hart, dat steeds sneller en luider ging, tot hij zeker wist dat de voorbijgangers het konden horen.

Hij had talloze foto's van Milly gezien, op tv en in de kranten, sinds ze voor het laatst tegenover elkaar hadden gestaan. Maar haar in levenden lijve ontmoeten was heel anders. Ze zag er ziek uit. Nietig, bleek, veel te mager. Gewoon vreselijk. De neiging om naar haar toe te rennen, haar van haar paard te trekken en mee te nemen was zo sterk dat het leek of hij fysiek naar haar toe werd getrokken. Elke stap die hij zette werd echter onzekerder en wankeler, tot hij gewoon stil bleef staan en ook naar haar staarde, als een gevangene die naar de wereld buiten het prikkeldraad van de gevangenis tuurt, een wereld waarnaar hij wel kan kijken en verlangen, maar die hij nooit kan bereiken.

'Hoi.' Haar stem klonk zo zwak dat hij haar niet hoorde, maar alleen haar lippen zag bewegen. Ze schraapte haar keel en probeerde het opnieuw. 'Ik wist niet of ik je nog zou zien vandaag.'

'Nou ja,' zei hij korzelig. 'Hier ben ik.'

Milly begon weer te bibberen en zocht steun bij de manen van Cally.

'Je hebt mijn brieven teruggestuurd,' zei ze. 'Ik begrijp wel waarom. Ik bedoel, dat denk ik.'

'Nee, je begrijpt het niet,' zei Bobby sarcastisch. 'Hoe zou je ook? Je begrijpt niets.'

Hij verlangde hevig naar haar, wilde haar vergeven, van haar houden, alles voor haar zijn, maar op onverklaarbare wijze leek dat verlangen zijn boosheid alleen maar aan te wakkeren. Het was alsof hij was geprogrammeerd om naar haar uit te halen, om haar steeds verder weg te duwen, tot ze helemaal verdwenen was… als in een verknipte vorm van zelfverdediging.

'Het enige waar je ooit om hebt gegeven was je eigen succes, ongeacht de prijs. Nou, je hébt nu succes. Ik hoop dat je gelukkig bent, dat is alles.'

Hij draaide zich om en liep weg. Ze riep hem wanhopig na.

'Ik ben niet gelukkig! Bobby, alsjeblieft. Ik wist niets van Comarco. Todd heeft daar nooit iets van gezegd. Je moet me geloven. Ik wist het niet!'

Maar hij was al weg.

'O, shit. Shit, shit, shit. Dat ziet er niet goed uit.'

Dylan stond op de tribune naar de race te kijken. Naast hem, op de plek waar Bobby had moeten staan, stond Amy. Ze hield zijn hand vast en grijnsde van oor tot oor, ondanks het drama dat zich voor hun ogen met die arme Milly afspeelde.

Het was niet gegaan zoals ze het zich had voorgesteld, maar het was niettemin perfect. Nadat ze direct na aankomst een uur vruchteloos had geprobeerd hem te vinden – ze was in het hotel vanmorgen zo gehaast geweest, met de jongens aankleden en zo, dat ze haar mobiele telefoon vergeten was – had ze de hoop al zo'n beetje opgegeven toen ze hem wonderlijk genoeg tegen het lijf liep bij een van de ijscokarretjes.

'Hé!' Zijn ogen begonnen te stralen en vaagden meteen haar zorgen weg dat hij zich misschien had bedacht en niets meer in haar zag. 'Is er daar eentje voor mij bij?'

Ze keek stompzinnig naar haar handen en herinnerde zich de ijsjes, zoenoffers voor de jongens die ze al veel te lang alleen had gelaten met hun afschuwelijke moeder. Het ijs begon al te smelten en drupte langzaam en kleverig over haar handen.

'Ze zijn eigenlijk voor de kinderen,' zei ze met een stralende blik, niet in staat haar blijdschap over het weerzien te verbergen.

'Hmm,' zei Dylan grinnikend. Ze was nog liever en mooier dan hij zich haar herinnerde. 'Hebben ze dat dan verdiend? Zijn ze lief geweest?'

'Hemeltje, nee!' Amy giechelde. 'Vreselijk. Zoals gewoonlijk.'

'In dat geval,' zei Dylan, en hij pakte ze uit haar kleverige handen, 'moesten we ze zelf maar opeten.'

Hij at ze echter niet op, maar liet ze allebei op de grond vallen, trok haar tegen zich aan en kuste haar zo lang en teder dat de mensen stil bleven staan om naar hen te kijken.

Vanaf dat moment voelde ze zich waanzinnig gelukkig. Ze liet zich door hem meenemen naar de tribune om samen met hem en Bobby naar de race te kijken, maar Bobby was om de een of andere reden niet komen opdagen. Het kon haar niet eens meer schelen dat haar vader nu woedend zou zijn omdat ze er niet was om op de jongens te passen.

Dylan McDonald hield van haar. Dat was het enige wat telde.

Maar zelfs op haar roze wolk had ze medelijden met Milly, en ze zag dat Dylan dat ook had.

'Er moet iets gebeurd zijn,' zei ze hoofdschuddend. 'Het ging zo goed de laatste tijd. O, arme Milly. Het is niet eerlijk.'

'Ze staat onder een hoop spanning,' zei Dylan, zijn schouders ophalend. 'Misschien komt het door al die mensen?'

'Nee,' zei Amy. 'Daar is ze aan gewend. Het is iets anders. Het moet iets anders zijn.'

Het was een race van maar ruim vierhonderd meter, maar Milly zag eruit alsof het er vierduizend waren; ze kwam als een dronkaard vooroverhangend over Cally's nek uit de starthekken. Voor iemand die zo licht was, vormde ze niettemin een dood gewicht voor het paard, dat het dapper in zijn eentje probeerde en haar als een gewonde soldaat meesleepte naar de finish. Bij de zesde tussenpaal waren ze al achter op de rest van het deelnemersveld. En toen ze over de eindstreep gingen, zat er behoorlijk wat open ruimte tussen Milly en de jockey voor haar.

Het was in nog geen dertig seconden voorbij, maar het was zonder twijfel de slechtste race van haar leven.

'Vind je dat we naar haar toe moeten gaan?' vroeg Amy, haar gezicht vertrokken van bezorgdheid.

Dylan knikte. 'Ik vind wel dat wé dat moeten doen, ja.'

Ze vond het heerlijk zoals hij 'we' zei!

Hij smolt bijna toen hij haar met die grote, lichtblauwe ogen naar hem op zag kijken. Langzaam, nog steeds een beetje nerveus, boog hij voorover en kuste haar opnieuw, drukte zijn droge lippen tegen de hare en genoot van haar zijdezachte, porseleinkleurige huid tegen zijn stoppels van een dag oud.

'Het kan me niet schelen wat ze ervan zeggen,' fluisterde Amy, dronken van geluk. 'Pap, Candy, Milly of wie dan ook. Ik wil je niet meer geheimhouden.'

'Ik ook niet,' zei hij, en hij hield haar zo stevig vast dat ze nauwelijks adem kon halen.

'Kom,' zei ze, zich met tegenzin loswurmend. 'We hebben nog ons hele leven, nietwaar? Ik denk dat Milly me op dit moment harder nodig heeft dan jij.'

'Dat betwijfel ik,' zei Dylan, en hij beet gefrustreerd op zijn lip, 'maar oké. Laten we gaan.'

Helaas voor Milly was Amy niet het eerste lid van de familie Price die haar trailer bereikte.

'Wat had dat verdomme te betekenen?' bulderde Jimmy, en zijn onderkinnen schudden van boosheid terwijl hij door haar trailer heen en weer beende. 'Ben je achterlijk of zo?'

'Doe een beetje kalm aan,' zei Gill. Ze had zelf ook geen idee wat er mis was gegaan, maar het had geen zin om dat arme kind nu een uitbrander te geven.

'Kalm aan doen?!' Dat was kennelijk een nieuw begrip voor Jimmy. 'Ik doe al een halfjaar kalm aan met haar. Ik ben geen liefdadigheidsinstelling! Denk je dat T-Mobile haar met fluwelen handschoenen aan zal pakken?' Hij lachte kort en honend. 'Die mensen hebben een hoop tijd en geld in je gestoken, Milly. Ik heb een hoop van mijn tijd en mijn geld in je geïnvesteerd.' Hij wees bij ieder woord met een beschuldigende vinger naar haar. 'Maar je hebt me laten vallen. Je hebt jezelf laten vallen. Jezus nog aan toe!'

Milly hoorde zijn woorden slechts als een vage, verre echo, alsof er watjes in haar oren zaten, of ze net ontwaakte uit een heel diepe slaap. Toen Bobby het inloopterrein af was gestormd, was er iets in haar gebroken. Alsof alle kleine spanningen in haar leven eindelijk een kookpunt hadden bereikt en al haar lichaamsfuncties stilgevallen waren.

Ze herinnerde zich niet eens meer dat ze met Cally naar de starthekken was gereden. En evenmin kon ze Jimmy, Gill of wie dan ook uitleggen wat er tijdens de race was gebeurd. Alles was één groot waas.

'Ik kan dit niet op een gemakkelijke manier zeggen, Milly,' zei Jimmy, en hij stak een nieuwe sigaar op. 'Dus ik zeg het maar gewoon: je bent ontslagen.'

'Hé, ho even, ho even,' verdedigde Gill Milly. Iemand moest het doen. Zelf zat ze daar maar stil en onbeweeglijk als een standbeeld. 'Laten we niets overhaasten.'

Het was ook voor Gill hartverscheurend geweest om vandaag te zien dat al het harde werk van de afgelopen maand verspilde moeite was geweest.

Op dat moment liet haar mobiele telefoon een reeks indringende, hoge piepjes horen. Ongetwijfeld een verslaggever die het eerste commentaar van Cally's trainer wilde horen op het schokkende resultaat. Ze realiseerde zich nu dat ze zo druk bezig was geweest om Milly te redden van de bloedhonden die buiten stonden dat ze niet eens wist wie er gewonnen had.

Terwijl ze haar hand in haar tas stak om het ding eruit te halen en uit te schakelen, werd er weer op de deur geklopt en kwam Amy binnen, hand in hand met Dylan.

'Waar heb jij verdomme uitgehangen?' Jimmy richtte zijn woede meteen op zijn dochter. 'Die arme Candy wordt stapelgek van de jongens. En wie is die pias?' Hij keek Dylan woest aan, maar die keek net zo woest terug.

Amy negeerde haar vader echter, liep meteen naar Milly toe en omhelsde haar.

'Arme meid,' zei ze zachtaardig. 'Wat is er in vredesnaam gebeurd?'

Voor het eerst sinds de race leek Milly uit haar verdoving te ontwaken. Ze keek verbijsterd van Amy naar Dylan en weer terug en verbrak eindelijk haar stilzwijgen.

'Jij... en Dylan?' Ze knikte naar hun verstrengelde vingers.

Amy knikte stralend.

'Maar hoe? Ik bedoel, wanneer hebben jullie...? Ik begrijp het niet.'

'Dat leggen we je later wel uit,' zei Amy. 'Jij bent nu belangrijker. Vertel ons eens wat er is misgegaan, Milly.'

Een enkele grote, dikke traan rolde uit Milly's rechteroog langzaam over haar wang. Daarna was het net of de sluisdeuren werden opengezet.

'Ik kwam Bobby tegen,' snikte ze, 'net voor de race. En hij haat me, Amy. Hij haat me.'

'Verdomme,' mompelde Dylan zacht. 'Ik wist het wel. Die stomme, koppige klootzak...' Toen wendde hij zich tot Milly en zei: 'Luister eens, lieverd. Hij haat je niet. Dat weet ik heel zeker.'

'Maar jij hebt zijn gezicht niet gezien, Dylan. Je hebt niet gezien hoe hij naar me keek.' Ze schudde intens verdrietig haar hoofd.

'Geloof me.' Dylan pakte haar hand beet en de kleine anderhalf jaar dat ze elkaar niet gezien hadden leken zomaar op te lossen. 'Hij zoekt gewoon een zondebok, dat is alles. Het verlies van de ranch is ontzettend zwaar voor hem.'

'Is hij die kwijt?' Ze keek hem vol afgrijzen aan. 'Is hij Highwood kwijt?'

'Nou, nee, nog niet,' corrigeerde Dylan zichzelf. 'Maar het kan niet lang meer duren. Hij kan het zich niet veroorloven om door te gaan met de rechtszaak.'

Voor de tweede keer in evenzoveel minuten ging er een telefoon. Nu was het die van Milly.

'Niet opnemen!' zei Gill, maar het was al te laat. Milly had al opgenomen.

'Hallo?'

'Milly?' De stem aan de andere kant van de lijn klonk zo zwak en beverig dat Milly hem in eerste instantie niet herkende.

'Ja? Met wie spreek ik?'

'Milly, met mij, mama.'

Het duurde een paar seconden voor het tot haar doordrong.

'Mama?'

'Ja, lieverd. O, Milly...' Linda barstte in hevige tranen uit en had al snel moeite om op adem te komen. 'Er is... er is iets vreselijks gebeurd.'

Je meent het, dacht Milly wrang. Ik ben net ontslagen, mijn carrière is voorbij, Rachel staat op het punt mijn baan in te pikken, ongetwijfeld samen met de andere resterende flarden van mijn leven die ze me niet al afgenomen heeft, Bobby haat me, de halve wereldpers staat te wachten om zich te verkneukelen over mijn openbare vernedering... en jij belt mij om te zeggen dat jij problemen hebt!

'Niet huilen, mama,' zei ze, terwijl ze haar eigen tranen droogde. Zoals altijd bracht Linda's vergaande hulpeloosheid haar eigen verstandige, doortastende kant naar voren. Iemand moest zijn hoofd erbij houden. 'Wat is er? Zo erg kan het toch zeker niet zijn?'

'Dat is het wel!' jammerde Linda. 'Het is echt afschuwelijk. Jasper is gearresteerd wegens fraude! En ze willen hem niet op borgtocht vrijlaten of wat dan ook. Hij zit in York in de gevangenis, Milly. De gevangenis! En hij wil niet dat ik hem kom opzoeken. Ik mag hem niet eens bellen...'

De paar woorden die daarna nog tussen de heftige snikken door kwamen, waren zo onsamenhangend dat Milly er geen wijs uit kon worden.

'Luister naar me, mama, probeer niet in paniek te raken,' zei Milly, toen ze er eindelijk tussen kon komen. Daarna voegde ze er – een zwaar understatement – aan toe: 'Ik heb hier zelf even een klein probleempje. Kan ik je over een halfuur terugbellen?'

'Een halfúúr?' Linda was bijna hysterisch.

'Ja,' zei Milly vastberaden. 'Dan hebben we het wel over vluchttijden. Ik kom zo snel mogelijk naar huis.' Joost mocht weten wat voor ellende J zich nu weer op de hals had gehaald. Het was in elk geval duidelijk dat haar moeder het niet in haar eentje aankon. Ze moest naar haar toe.

Ze verbrak de verbinding en rolde met haar ogen naar Amy, die begon te giechelen. Opeens leek alles veel minder belangrijk. Milly had zelfs het akelige gevoel dat ze zelf wel eens in lachen kon uitbarsten... wat onder de huidige omstandigheden niet gepast zou zijn.

Jimmy vond het geheel echter helemaal niet amusant. Hij had tranen verwacht van Milly, en zo geen smeekbeden, dan toch minstens een kruiperige verontschuldiging voor het fiasco van vandaag. Ze leek zich echter drukker te maken over Bobby Camerons problemen en het regelen van een vlucht naar Engeland dan over het feit dat ze de laan uit werd gestuurd.

'Amy,' blafte hij, 'ga op je broertjes passen. Milly en ik zijn nog niet uitgepraat. En bied maar meteen je verontschuldigingen aan Candy aan omdat je er zomaar vandoor bent gegaan.'

Amy ademde diep in.

'Weet je wat, pap?' zei ze. 'Barst maar.'

'Pardon?' Jimmy was eerst te verbaasd om tegen haar uit te vallen. 'Wat zei je daar?'

'Ik zei: "Barst maar."'

Milly voelde haar hart zwellen van trots en grinnikte naar Dylan, die er kennelijk hetzelfde over dacht. Het werd tijd dat ze tegen die dikke schreeuwlelijk in opstand kwam.

'Ik ben je slavin niet,' zei ze kalm. 'Als Candy niet voor haar eigen kinderen wil zorgen, had ze ze niet moeten krijgen, of wel dan?'

'Praat niet zo respectloos over Candy!' zei Jimmy, die eindelijk zijn stem had hervonden. 'Ze is een fantastische moeder.'

'Ze is een afschuwelijke moeder!' zei Amy. 'Pap, ik hou van je, echt waar. Maar hoe kun je zo blind zijn?'

Milly stond op, trok een trui aan, keek even in de spiegel, snoot haar neus en veegde de laatste tranen van haar wangen. Amy en Jimmy hadden wat te bespreken. Ze kon hen net zo goed alleen laten en de onvermijdelijke aanval van de verslaggevers buiten onder ogen zien. Ze wist nog steeds niet wat ze zou zeggen, of hoe ze kon uitleggen wat er gebeurd was, maar hoe eerder ze buiten haar neus liet zien, hoe eerder het voorbij was.

'Eh… waar dacht jij heen te gaan?' brieste Jimmy toen hij zag dat ze samen met Gillian naar buiten wilde glippen. 'Ik ben nog niet klaar met jou.'

Misschien was het de koeionerende toon van zijn stem die haar zo nijdig maakte, of misschien het feit dat ze niets meer te verliezen had. In elk geval zorgde iets ervoor dat ze zich omdraaide en hem de wind van voren gaf.

'Je hebt me net ontslagen, Jimmy. Weet je nog? Voor het geval je niet weet wat dat inhoudt: het betekent dat ik niet meer voor je werk.'

'Kom terug!' riep hij. 'Je bent me een excuus verschuldigd, jongedame, om verdomme nog maar te zwijgen van een beetje respect.'

'Ik ben je niets verschuldigd,' zei Milly. 'Ik heb geld aan jou verdiend, jij hebt geld aan mij verdiend en nu is dat voorbij. Einde verhaal. Bovendien kun je nu ik buiten beeld ben rustig de zaak met Rachel Delaney rond maken. O, sorry, mijn fout,' voegde ze er sarcastisch aan toe. 'Dat heb je al gedaan, of niet soms?'

'Rachel heeft hier niets mee te maken…' stamelde hij. Het was voor het eerst dat Milly zag dat hij in de verdediging werd gedrukt, al was het maar even. Ze vond het vreemd bevredigend.

'Zelfs als ik vandaag gewonnen had, dan zou je me toch wel vervangen hebben.'

'Niet per se,' loog hij.

'Luister eens, Jimmy. Ik ben je dankbaar voor de kans die je me gegeven hebt,' zei ze, 'maar dat hele Engelse cowgirlgedoe… daar heb ik geen zin meer in.' Pas toen ze het gezegd had, realiseerde ze zich dat ze het ook echt meende. 'Dus gaan jij en Rachel je gang maar. Voel je vooral niet schuldig omdat je mij hebt vervangen.'

'Dat doe ik ook niet,' zei Jimmy vals. 'Geen moment.'

De deur zwaaide open en Candy kwam binnen, met onder iedere arm een krijsend kind. Haar prachtige Ralph Lauren-jasje was besmeurd met allerlei kleverigs, variërend van gesmolten chocolade tot snot, haar haren zaten zo in de war dat het leek of ze ruzie had gehad met een propeller, en haar gewoonlijk zo onberispelijke make-up was door haar kinderen uitgesmeerd tot een afschuwelijk, vlekkerig masker.

Je kon gerust zeggen dat ze er niet op haar best uitzag.

'Shit,' fluisterde Dylan tegen Amy. 'Wie heeft Cruella De Vil uitgenodigd?'

'Jimmy!' Ze klonk woest en haar gebruikelijke meisjesachtige stemmetje was nu koud en hard als staal. 'Ik heb je overal lopen zoeken. En jou!' zei ze met een knokige vinger naar Amy wijzend en letterlijk bevend van woede.

'Dit is belachelijk,' zei Gill, die eindelijk haar geduld begon te verliezen. 'Het lijkt hier wel Times' Square.'

'Het spijt me, schatje,' zei Jimmy, de beide jongens van haar overnemend toen Amy daartoe geen aanstalten maakte. 'Ik was Milly gaan vertellen dat ik haar ontsla.'

'Mooi zo,' zei Candy, die door haar slechte humeur nog wraakgieriger was dan anders. 'Dat zou ik ook denken na zo'n race. Schandalig!'

Milly had op het punt gestaan om weg te gaan – als Jimmy nog door wilde razen, moest hij dat maar tegen iemand anders doen – maar Candy's schimpscheuten waren de druppel. Sommige dingen kon ze gewoon niet over haar kant laten gaan.

'Weet je, Jimmy,' zei ze langs haar neus weg, 'als je echt iets zoekt om je kwaad over te maken, dan weet ik wel iets: je vrouw neukt achter jouw rug met mijn vriend… Sorry, mijn ex-vriend.'

Jimmy's mond viel open en ging toen weer dicht. Hij keek naar Candy, zocht in haar blik wanhopig naar tekenen van ontkenning. Maar Milly's aanval was te plotseling gekomen. Ze kreeg de kans niet om de schuldbewuste blos op haar wangen te verbergen.

Alle kleur trok uit Jimmy's gezicht weg. Ook Amy keek behoorlijk verbaasd.

'Ja, het is waar,' zei Milly. 'Het is al… hoe lang gaande, Candy? Drie maanden? Vier?'

'Leugenaar!' krijste Candy, maar niemand geloofde haar.

'Ik heb hen samen in bed betrapt,' gaf Milly haar nog een trap na. 'In juni. Dat is de reden dat Todd en ik uit elkaar zijn gegaan.'

Daarna liep ze naar buiten en gooide de deur achter zich dicht, zodat de atoombom die ze binnen had neergegooid achter haar kon ontploffen.

29

'Iedereen opstaan.'

De rechter hobbelde weer de rechtszaal binnen en iedereen kwam vermoeid overeind. Met zijn rode ceremoniële toga en witte krullende pruik deed rechter Justice Carmichael Milly denken aan een ietwat magere kerstman die zijn baard, en daarmee ook al zijn vrolijkheid, had afgeschoren. Hij zag er vanmiddag nog somberder en ellendiger uit dan anders, en ze hoopte maar dat dat geen slecht nieuws betekende voor Jasper.

'O god,' fluisterde Linda, die haar hand vastpakte. 'Nu gaat het gebeuren.'

'Het komt wel goed,' zei Milly, die haar best deed geruststellender te klinken dan ze zich voelde. 'Wat er ook gebeurt, Jasper redt zich wel. Wij allemaal.'

Het was vanochtend kantje boord geweest of haar moeder wel naar de rechtbank zou komen voor het vonnis, zo nerveus was ze. Al sinds Milly thuis was (als je Linda's vreselijke huis in de stad met zijn geplooide gordijnen, hoogpolige tapijten en overmatig gebruik van kroonluchters tenminste 'thuis' kon noemen, iets waartoe Milly niet in staat was), was Linda een zenuwinzinking nabij. Ze leed aan alle denkbare symptomen van stress, van misselijkheid en spanningshoofdpijn tot koorts, paniekaanvallen en soms zelfs flauwtes. Ze zat nu stijf rechtop naast Milly, zo gespannen dat je het gevoel had dat ze elk moment kon knappen als een te strak aangedraaide gitaarsnaar.

Milly zette haar benen weer naast elkaar – je kon onmogelijk een comfortabele houding vinden op die verdraaide houten banken – en dacht na over alle veranderingen van de afgelopen zes weken. Terug zijn in Engeland was al vreemd genoeg nadat ze er zo lang was weg geweest. Alles leek hier kleiner, van de straten en de auto's tot aan de bosbessenmuffins bij Starbucks toe, die in Californië wel twee keer zo groot waren. Het vreemdste van alles was echter dat ze niet op Newells was.

De makelaars hadden kennelijk een bod geaccepteerd, maar ze kon er niet achter komen van wie of van hoeveel, ondanks herhaalde telefoontjes waarbij ze gebruikmaakte van pseudoniemen en vreemde accenten om zich voor te doen als een buitenlandse koper. Vooralsnog stond het echter leeg en een week na haar terugkeer had ze de tien minuten durende rit van Newmarket naar Newells ondernomen om te kijken wat voor veranderingen er waren doorgevoerd sinds haar vaders begrafenis.

Ze wist natuurlijk dat het er anders uit zou zien, maar niets had haar kunnen voorbereiden op de emotionele schok die ze voelde toen ze haar thuis er leeg en verlaten bij zag staan. Vooral de stallen maakten haar bijna aan het huilen. Bij Cecil waren ze altijd glimmend en smetteloos schoon geweest; ze waren zijn grote trots. Nu hingen de deuren echter los aan hun scharnieren, lagen bouten en oude stukken van hoofdstellen en stijgbeugels in de goot te roesten en was het geritsel van de dode bladeren die over het erf woeien alvorens ze zich tegen de muur van de hengstenstal ophoopten soms oorverdovend luid.

Ze hing zelf een van de staldeuren recht, keek op en zag vlak onder het dak nog steeds een groezelige oude naamplaat hangen. Ze veegde het ergste vuil er met haar mouw af en kreeg tranen in haar ogen toen ze de naam zag: EASY VICTORY.

Nu ze hier stond en Easy's naam zag, kwam er een stroom van herinneringen naar boven, zowel pijnlijke als gelukkige. Ze herinnerde zich de dag dat Cecil Easy had gekocht. Hij was een klungelig en onopvallend paard geweest, maar ze was zelfs toen al dol op hem. Ze herinnerde zich haar laatste rit met hem, voordat haar ongeluk alles had verpest en ze drie jaar lang niet in het zadel had gemogen – jaren die toen een eeuwigheid hadden geschenen, maar nu heel kort leken. Ze herinnerde zich hoe vals Rachel was geweest op de dag dat Easy haar merrie dekte, toen ze was begonnen met Jasper te flirten. Het sprak voor zich dat zijn arrestatie het einde had betekend voor hun zogenaamde relatie. En dat was naar Milly's idee zo ongeveer het enige goede aan de hele toestand, afgezien van het feit dat die haar weer thuis had gebracht, natuurlijk.

Bovenal herinnerde ze zich echter de nacht van Easy's overlijden. Ze herinnerde zich dat Bobby haar had vastgehouden en getroost toen ze had gedacht ontroostbaar te zijn.

Ze wenste vurig dat hij nu hier was om haar te troosten.

Die avond reed ze met nog grotere vastberadenheid terug naar Newmarket. Ze was nog steeds van plan Newells op een of andere manier terug te krijgen – ze móést het terug zien te krijgen – en in de tussentijd zou ze alle schade ongedaan proberen te maken die Rachel had veroorzaakt.

'Je bent vreselijk mager, lieverd,' zei Linda, en ze schepte een enorme hoop van de ovenschotel op haar bord terwijl Milly probeerde uit te leggen wat ze van plan was. Ze stond op het punt te protesteren, maar toen ze de heerlijke geur van aardappelpuree, uien en gehakt rook, realiseerde ze zich dat ze uitgehongerd was.

'Dat komt wel goed,' zei ze. Ze pakte de ketchup, smoorde de smaak van het vlees in een kleverige plas rode saus en schepte al pratend het resultaat gretig in haar mond. Linda keek zwijgend, maar vol afgrijzen toe. 'Ik wil dat je voor me naar stalhouderijen kijkt. Probeer van een van paps oude vrienden een fatsoenlijk tarief los te krijgen.'

Linda keek haar wezenloos aan.

'Ik zou het zelf wel doen,' zei Milly, die zo snel at dat ze haar gehemelte verbrandde. 'Maar ik krijg mijn handen al vol aan Jaspers rechtszaak en het opsporen van Radar, Elijah en de andere paarden. En dan heb ik het nog niet over het transport.'

'Sorry,' zei Linda. 'Wat voor transport? Waarheen?'

'Luister dan ook, mam,' zei Milly geïrriteerd. Soms was het alsof je de aandacht van een driejarige probeerde vast te houden. 'Ik mag dan niet ge-noeg geld hebben om Newells terug te kopen. Nog niet, tenminste,' voeg-de ze er uitdagend aan toe. 'Maar ik heb het een en ander gespaard van mijn T-Mobile-geld. Genoeg om uit te zoeken aan wie die trut papa's hengsten heeft verkocht en om ze terug te kopen.'

'Maar Milly,' protesteerde Linda zwakjes. Ze had Milly's obsessie voor paarden nooit begrepen, en snapte al helemaal niet dat ze zich druk kon maken over Cecils oude hengsten terwijl de toekomst van haar broer op het spel stond en haar familie te schande dreigde te worden gemaakt. 'Die kunnen overal wel zijn. En als de nieuwe eigenaren ze nou niet willen ver-kopen?'

'Natuurlijk willen ze dat,' zei Milly vol zelfvertrouwen. 'Iedereen wil ver-kopen als je een goede prijs betaalt.'

De paarden vinden bleek inderdaad een hele klus, en soms een heel aan-grijpende. Veel van haar dierbare oude vrienden waren naar het buiten-land verscheept, naar plaatsen waar ze nauwelijks of helemaal geen kans had ze ooit nog terug te vinden. Ze huilde bittere tranen toen ze hoorde dat iemand had gezien dat Elijah in een truck was geladen die naar Saudi-Arabië ging. Een van Jaspers connecties had hem kennelijk voor een schijntje gekocht... alsof de Dhaktoubs haar familie nog niet genoeg ver-driet hadden gedaan.

Er waren echter ook vreugdevolle momenten. Radar bleek nog geen dertig kilometer verderop te zijn. De oude Anne Voss-Menzies had nooit haar belangstelling voor hem verloren en had haar kans schoon gezien toen Rachel de dieren van Newells begon te verkopen.

'Ik weet eigenlijk niet of ik hem wel weg wil doen,' zei ze, Milly's rade-loosheid aanvoelend toen die met haar chequeboekje in de hand naar Ce-darbrook kwam. 'Hij begint net erkenning te krijgen als dekhengst.'

De prijs die de oude heks uiteindelijk van haar vroeg grensde aan afper-sing, maar het kon Milly niets schelen. Hem zijn oren te zien spitsen en van blijdschap te horen hinniken toen ze over het veld naar hem toe rende, was al het geld van de wereld waard, en nog wel meer ook.

Ze wou dat ze al haar tijd bij haar dierbare paarden kon doorbrengen, maar dat kon jammer genoeg niet. Iemand moest Jaspers verdediging op zich nemen. Linda was veel te zenuwachtig om met advocaten te praten of belangrijke beslissingen te nemen. En Jasper zelf zwolg, hoewel hij was overgebracht naar een vrij gerieflijk huis van bewaring buiten Cambridge, zo in afgrijzen en zelfmedelijden over zijn proces dat niemand iets aan hem had, hijzelf nog het minst.

Wat betekende dat Milly degene was die uren in advocatenkantoren zat om raad te vragen en een strategie te bespreken voor de verdediging. Hoe-wel ze geen idee had hoe J zich zou kunnen verdedigen, behalve door schuld te bekennen en berouw te tonen. Zelfs naar zijn maatstaven was het ongelooflijk stom en riskant geweest om aan het bedrog van de Dhaktoubs mee te werken.

Het feit dat ze het zo druk had, betekende in elk geval dat ze heel weinig tijd had om te piekeren over de puinhoop die ze in Californië had achter-gelaten. De zes weken sinds ze was vertrokken, leken al wel zes jaar. Een lange brief van Amy was het enige contact dat ze tot dusver had gehad met haar oude leven.

Pap heeft echtscheiding aangevraagd, schreef ze. *En Candy is bij Todd in-getrokken, mét de jongens, kun je het je voorstellen?*

Zelfs Milly moest glimlachen bij het idee dat Todd de liefdevolle stiefva-der speelde voor Chase en Chance, én dat Candy zich moest zien te redden zonder Amy. Dat hielden ze vast geen dag vol.

Ze blijkt in gemeenschap van goederen met pap getrouwd te zijn, dus pap is de klos, vervolgde Amy, *al lijkt het geld hem niets te doen. Je zou hem moe-ten zien, Milly. Hij is zo… verdrietig. Maar hij is ook erg veranderd. Hij is echt aardig tegen mij en hij heeft Donny zelfs gebeld… voor het eerst in zes jaar.*

Wat kan ik je nog meer vertellen? Je wilt waarschijnlijk niets over Rachel horen, maar ik vond dat je moest weten dat ze toch niet voor pap is gaan rij-den. Randy Kravitz heeft haar een hoop geld betaald om te blijven, en door al dat gedoe met Candy is pap op het moment niet zo met de paardenrennen be-zig. Ik heb ook iets leukers: ik zag deze foto in de Enquirer *van vorige week staan. Ik weet zeker dat je hem mooi zult vinden.*

Die schat had een foto van Rachel op een liefdadigheidsfeest in Palm Beach uitgescheurd, waarop ze duidelijk een dubbele onderkin had! Hij was misschien vanuit een ongunstige hoek genomen, maar een foto waar Rachel dik en lelijk op stond, was het waard om te bewaren.

Dylan maakt het prima. Hij heeft me vorige week voor het eerst mee naar Highwood genomen... O, mijn god, wat is het daar mooi! Ik begrijp echt niet dat je daar ooit hebt weg gewild...

Op dat punt had Milly even moeten stoppen met lezen om een paar keer diep in te ademen, maar na een paar minuten dwong ze zichzelf verder te gaan.

En je raadt het nooit. Pap denkt erover Bobby te helpen weer in beroep te gaan! Hij is zo waanzinnig kwaad op Todd, dat hij het hem volgens mij op alle mogelijke manieren betaald wil zetten, en ook wil voorkomen dat hij de olie te pakken krijgt. We zullen zien. Voorlopig weigert Bobby nog met pap te praten. Dyl probeert hem over te halen.

Echt iets voor Bobby, dacht Milly. Zo koppig als een ezel, zelfs als hem een reddingsboei werd toegeworpen. Ze begreep dat hij haar geld niet had willen aannemen, maar nu hij en Jimmy in Todd een gemeenschappelijke vijand hadden, konden zij de strijdbijl toch zeker wel begraven?

We missen je allemaal, vooral ik, sloot Amy af, *en je krijgt de groeten van Dylan! Veel succes met het proces van je broer – we denken aan je – en zorg goed voor jezelf. xxx. Amy.*

Het was een bitterzoete brief. Het meeste was goed nieuws, maar Amy zei nergens dat Bobby wat haar betrof van gedachten was veranderd, of dat hij haar dat hele gedoe met Comarco niet meer kwalijk nam.

Misschien moest ze het loslaten. Ze mocht dan Bobby's vergiffenis en vriendschap willen, maar ze had daar geen enkel recht op als hij ze niet wilde geven.

Intussen had ze zelf genoeg sores. Jasper en Linda mochten dan niet gemakkelijk zijn, ze waren haar enige familie en hadden haar harder nodig dan ooit.

Toen de rechter had plaatsgenomen, ging iedereen in de rechtszaal ook weer zitten, wachtend tot hij zijn oordeel zou vellen.

Links van het middenpad zag Milly de familie en vrienden van Ali Dhaktoub zitten. Ze droegen allemaal westerse kleding: pakken van Hugo Boss en zijden stropdassen van Liberty. Niemand droeg traditionele Arabische kledij.

Ze waren zogenaamd hier om Jasper te 'steunen', maar iedereen wist dat ze eigenlijk in de rechtbank waren om iets op te pikken wat hen misschien zou helpen bij het beroep dat ze voor hun zoon wilden aantekenen. Ali was de vorige week afzonderlijk berecht en had een gevangenisstraf van vier jaar gekregen. Dat was een zware klap voor zijn rijke familie en het nieuws had zowel in Engeland als in het Midden-Oosten de voorpagina's van de kranten gehaald.

Het had uiteraard Jasper ook de stuipen op het lijf gejaagd, ook al had Zac Goldstein, zijn jonge maar briljante advocaat, hem verzekerd dat het erg onwaarschijnlijk was dat hij net zo zwaar gestraft zou worden, vooral omdat hij schuld had bekend.

Milly mocht Zac vanaf het eerste moment. Hij was aantrekkelijk, zij het niet op een klassieke manier zoals Brad Pitt of zo. Hij had vaag iets van een wetenschapper, wat hem in combinatie met zijn opvallende lengte van een meter vijfennegentig het air verleende van een geleerde, Joodse Clark Kent. Zijn venijnige, wrange humor was echter een godsgeschenk geweest in de dagen voor de rechtszaak, en ze hadden heel wat avonden doorgebracht in diverse kroegen in Newmarket om hun strategieën en tactiek te bespreken.

Al snel werd duidelijk dat ze elkaar aantrekkelijk vonden. Ze hadden er zelfs over gepraat, maar waren het erover eens geweest dat dit niet het moment was om daar iets mee te doen.

Jammer genoeg laat verlangen zich niet zomaar opzij zetten. Sinds Zac haar had verteld wat hij voor haar voelde, draaiden ze behoedzaam om elkaar heen als een stel honden die nog niet wisten of ze met elkaar moesten paren, spelen of elkaar de strot afbijten.

'De ernst van wat u hebt gedaan kan niet worden overschat,' begon de rechter onheilspellend, en zijn bulderende stem riep Milly met een ruk terug naar het hier en nu. Jasper zat te bibberen op zijn stoel vooraan in de rechtszaal en zag lijkbleek.

'Verder blijkt uit het feit dat u het misdrijf niet alleen zorgvuldig hebt gepland, maar gedurende een periode van twaalf maanden herhaaldelijk hebt gepleegd, duidelijk opzet en een besef van wat u deed dat naar mijn mening de zaak nog erger maakt.'

Shit, dacht Milly. Dat klinkt helemaal niet goed.

De rechter ging verder. 'Ik ben er echter van overtuigd dat het fysieke geweld en de represailles tegen u door de ondergeschikten van meneer Dhaktoub, en uw angst voor meer van dergelijke represailles, een grote rol hebben gespeeld in uw beslissing om uw medewerking te blijven verlenen aan een complot, terwijl u anders wellicht gestopt zou zijn.'

Aan de andere kant van het middenpad schudde de Arabische delegatie verbitterd het hoofd, maar Milly had haar aandacht op J gericht en zag het niet. Ondanks het kwade bloed tussen hen had ze vandaag toch medelijden met hem.

'Dit alles in overweging nemende, evenals het feit dat u zo verstandig bent geweest op beide aanklachten schuld te bekennen, heb ik besloten u een gevangenisstraf op te leggen van zes maanden, met mogelijkheid tot vervroegde vrijlating na drie maanden.'

De hamer kwam met een definitieve klap neer en Zac draaide zich grinnikend om naar Milly, die ook glimlachte. Zes maanden was een geweldig resultaat, veel beter dan iemand van hen had verwacht. Als hij vervroegd werd vrijgelaten, zou hij misschien nog voor de kerst thuis zijn. Zelfs Jasper zag er weliswaar nog bleek en beverig uit, maar toch ook zichtbaar opgelucht. Hij zwaaide aarzelend naar Linda voor hij weer werd afgevoerd.

'Zes maanden?' Linda keek Milly gekweld aan. 'Dat lijkt me vreselijk lang voor zo'n dwaze vergissing. Hoe moet hij het daar zes hele maanden volhouden?'

'Mogen we dan wel naar hem toe?' vroeg Linda aan Zac, die bij hen was komen staan en nog steeds grinnikte. Hij was natuurlijk blij met het resultaat, maar nog veel blijer om Milly te zien, die er nog aantrekkelijker uitzag dan anders in het sexy pakje in de stijl van de jaren veertig dat ze vandaag droeg.

'Vast wel,' zei hij vriendelijk. Hij zag dat Linda bijna in tranen was. Deze hele zaak was een nachtmerrie voor haar geweest. 'Gaat u nu maar even met me mee. Meestal krijgen ze nog een minuut of tien om met hun advocaat te praten voor ze worden weggebracht.'

Hij zwaaide met zijn pasje en liep met hen een achterdeur door naar de verhoorkamers en cellen. Milly bedacht zich echter op het laatste moment.

'Ga je niet mee?'

'Nee.' Ze schudde haar hoofd. 'Ik denk dat mama nu liever alleen met hem wil praten.'

'Goed dan.' Hij glimlachte. Ze was niet alleen sexy, maar ook aardig… wat van haar broer niet gezegd kon worden. Jaspers unieke combinatie van blinde arrogantie en lafheid had hem als cliënt niet geliefd gemaakt.

'Hier,' zei hij, terwijl hij iets op een stukje papier krabbelde en dat aan haar gaf.

'Wat is dat?'

'De geheime code van een vrijmetselaarsloge in Cambridge,' zei hij zonder aarzelen. En toen ze niet lachte: 'Natuurlijk niet, gekkie. Dat is mijn telefoonnummer.'

Ze deed haar mond open om iets te zeggen, maar hij was haar voor.

'Als je niet wilt bellen, bel je gewoon niet,' zei hij. 'Ik zal me niet beledigd voelen. Maar je ziet eruit alsof je wel wat bijgevoerd mag worden.'

'Je wordt bedankt!' zei Milly.

'Dus wou ik je een etentje aanbieden. Denk er maar even over na.'

Voor ze daar de kans voor kreeg, duwde hij Linda echter voor zich uit en viel de zware eiken deur van de rechtszaal achter hen dicht.

30

De periode voor Kerstmis was wat Todd Cranborn betrof helemaal niet gezellig.

Hij had gedacht dat Milly veel werk was. Hij realiseerde zich nu echter dat ze vergeleken met Candy Price de eenvoud zelve was geweest. De dagelijkse woedeaanvallen, haar astronomische persoonlijke uitgaven en een ijdelheid die aan grootheidswaanzin grensde had hij allemaal nog wel kunnen hebben als ze niet nog meer 'bagage' had gehad: Chase en Chance, die hem duidelijk net zozeer haatten als hij hen verafschuwde, en Jimmy.

Hij had natuurlijk wel een reactie van Price verwacht. Iedereen wist dat je Jimmy beter niet kon dwarszitten, en een groter verraad dan er met zijn vrouw vandoor gaan was niet denkbaar. Hij had toen ze hun verhouding begonnen echter oprecht geloofd dat het op een gegeven moment wel zou overwaaien. Dat Jimmy het zou gaan accepteren, van Candy zou scheiden en uiteindelijk een andere vrouw zou nemen.

Wat hij echter niet had begrepen was dat Jimmy's liefde voor Candy niet alleen oprecht was, maar ook allesomvattend en buitengewoon obsessief. Het feit dat zij haar keuze had gemaakt, speelde voor hem geen rol. Als híj haar niet kon hebben, zou hij ervoor zorgen dat niemand haar kon hebben. En dat Todd niet alleen gestraft werd, maar ook van al zijn kracht beroofd en als het kon gevierendeeld omdat hij haar van hem had afgenomen.

Eerst had hij zich teruggetrokken uit de bouwprojecten in Orlando. Dat had Todd wel verwacht, maar daarna opende hij systematisch en akelig effectief de aanval op al Todds andere zaken. Hij had niet alleen de rechtszaak over Highwood nieuw leven ingeblazen en een of andere pientere advocaat gevonden die een reeks vertragingsacties tegen Comarco ondernam, waardoor het boren minstens drie lange, dure maanden moest worden uitgesteld. Daarnaast had hij ook een aantal telefoontjes gepleegd naar mensen elders die hem nog iets schuldig waren. De ene na de andere deal liep fout. In plaatsen die ver uit elkaar lagen, zoals New York, Chicago, Pittsburgh en

San Francisco, lieten voormalige partners en collega's hem in de steek als ratten die het zinkende schip verlaten. Todd had de invloed die een man als Jimmy in talloze kringen kon doen gelden duidelijk zwaar onderschat.

Al snel werd hij in allerlei ondernemingen financieel buitengewoon kwetsbaar. Juist nu hij de meest veeleisende vrouw van de wereld had gevonden (Candy verwachtte op alle gebieden een eersteklas behandeling, zowel materieel als op het gebied van seks. Als hij haar niet minstens twee keer per dag neukte, én iedere keer haar orgasme verbeterde, werd ze zelfs nog sikkeneuriger. Het was hem een raadsel hoe Jimmy erin geslaagd was een miljoenenbedrijf te runnen en belangstelling te houden voor de paardenrennen terwijl hij met haar getrouwd was) zat hij voor het eerst sinds bijna twintig jaar krap bij kas.

Ondanks alles voelde hij zich nog steeds meer tot Candy aangetrokken dan hij ooit bij een andere vrouw had meegemaakt. De gedachte dat ze misschien bij hem weg zou gaan zodra ze het geld van de echtscheiding in haar zak had, verstoorde zijn nachtrust nog erger dan Jimmy's persoonlijke vete. Dus toen ze had geëist dat hij met Kerstmis twee weken met haar en de kinderen zou gaan skiën in Telluride, had hij toegegeven.

Maar nu de vakantie dichterbij kwam, besefte hij dat hij het zich onmogelijk kon veroorloven om twee weken niet te werken. Vroeg of laat zou hij dus door de zure appel heen moeten bijten en Hare Majesteit vertellen dat het bij een lang weekend moest blijven.

Hij zat er op een zondag begin december over te piekeren hoe hij dat zou doen, toen hij werd onderbroken door een aarzelende klop op de deur.

'Als het niet over de Derde Wereldoorlog gaat,' zei hij tegen Lucy, het laatste uitgeputte sloofje dat ze als kindermeisje hadden aangenomen, toen die haar hoofd om de deur stak, 'dan wil ik het niet weten.'

Candy was weg – winkelen, zoal gewoonlijk – en de kinderen lagen godzijdank te slapen en zich ongetwijfeld op te laden voor nog eens zes uur herrie voordat ze naar bed gingen. Hij zou eigenlijk moeten werken, maar na de marathon vanochtend in bed met Candy (drie erecties in een uur tijd, Jezus, hij was geen negentien meer) was hij te uitgeput om daar zelfs maar aan te denken.

'Het spijt me heel erg,' zei het meisje nerveus. 'Maar ik denk dat u toch beter kunt komen. De politie is hier.'

'De politie?' Hij kwam fronsend overeind, duwde haar opzij en liep de gang in. 'De politie van LA, bedoel je? Wat moeten die kerels hier?'

De drie mannen in het zwart die net binnen de deur stonden, waren echter niet van de politie van LA. Ze leken eerder van de FBI.

'Bent u Todd Cranborn?' vroeg de man die vooraan stond terwijl hij een nietszeggende penning uit zijn binnenzak haalde, er even mee zwaaide en hem toen weer wegstopte.

'Dat weet u best,' snauwde Todd. 'Je staat in mijn huis, Columbo. De vraag is wie jullie zijn.'

De confrontatiebenadering was kennelijk geen goed idee. Na een knikje van hun baas kwamen de twee andere mannen naar voren, pakten hem aan weerszijden bij zijn armen en draaiden die pijnlijk op zijn rug, waarna ze hem in de boeien sloegen.

'Wel verdomme...' sputterde hij. 'Dit is schandalig.'

'Ik arresteer u op verdenking van fraude,' zei de eerste man. 'Belastingfraude, om precies te zijn.' 'U hebt het recht om te zwijgen...'

'Val dood,' zei Todd. 'Denk maar niet dat ik zal zwijgen. Ik weet helemaal niets van fraude. Ik betaal verdomme altijd mijn belasting.'

'Blijkbaar denkt de fiscus daar anders over,' zei zijn kwelgeest, die nonchalant zijn nagelriemen bekeek terwijl Todds bloeddruk gevaarlijk de hoogte in schoot. 'Ze hebben informatie, die aan ons is doorgegeven, over wat ik alleen maar kan beschrijven als herhaalde en systematische pogingen om de staat Californië de rechtmatige eigendoms- en andere belastingen te onthouden.'

Verrekte Jimmy. Deze keer was hij te ver gegaan. Hij zat met sommige van zijn bouwprojecten inderdaad op de grens van het toelaatbare, maar hij was uitermate nauwgezet als het om zijn juridische positie ging. Zijn accountants mochten dan creatief zijn, het waren geen criminelen. Dat geloofde hij tenminste niet.

'Jullie gaan je boekje hier verschrikkelijk mee te buiten,' zei hij kwaad, terwijl ze hem mee naar buiten namen en in hun wachtende ongemarkeerde suv duwden, net op het moment dat Candy in haar lichtblauwe Mercedes aan kwam rijden. 'Dit zet ik jullie betaald, wacht maar af.'

'Todd?' Toen Candy op haar hoge krokodillenleren laarzen van Jimmy Choo en in een zwartleren minirok die niets aan de verbeelding overliet over de keitjes paradeerde, raakten zelfs de mannen van de fbi even van de wijs. 'Wat is er aan de hand?'

'Niets om je zorgen over te maken, schatje,' verzekerde hij haar. 'Maar bel Marcus, mijn advocaat even op, wil je? Zijn nummer staat in het bruine adresboekje op mijn bureau. Zeg dat ik hem meteen nodig heb.'

Hij deed zijn best om zelfverzekerd te klinken, maar dacht ondertussen koortsachtig na.

Wat had Jimmy gevonden? Wat had die klootzak over hem boven water weten te halen?

Milly genoot tot haar verbazing met volle teugen van de weken voor Kerstmis. En dat kwam voor een groot deel door Zac Goldstein.

Het begon ermee dat hij met flauwe smoesjes bij hen langskwam; zoals dat hij informatie had over de datum van Jaspers vervroegde vrijlating (dat had hij gemakkelijk telefonisch of via e-mail kunnen doorgeven), of dat hij meende dat hij Linda per ongeluk te veel btw had berekend over zijn honorarium (dat was niet zo). De werkelijke reden voor zijn bezoekjes was echter zo duidelijk dat zelfs hij het uiteindelijk moest toegeven, en hij vroeg Milly mee uit eten.

Haar eerste impuls was geweest om nee te zeggen, om hem tegen te houden voor de zaak uit de hand liep en zij – god verhoede – zijn gevoelens zou gaan beantwoorden. Vreemd genoeg was Linda degene die haar overhaalde.

'Ach lieverd,' zei ze, terwijl ze opkeek van de grote pan waarin ze bosbessenjam stond te maken. 'Het is maar een etentje. Geef die arme jongen toch een kans. Het zal je goeddoen om er eens uit te zijn en wat nieuwe mensen te ontmoeten.'

En ze had gelijk. Het deed haar goed.

Zac maakte haar tijdens het eten vreselijk aan het lachen, op een uitbundige, zorgeloze manier waarvan ze bijna niet meer had geweten dat ze ertoe in staat was. Toen hij haar een paar uur later lichtelijk aangeschoten thuisbracht, liep hij met haar naar de voordeur en liet ze zich door hem kussen.

Het was een fijne kus. Niet wereldschokkend. Geen voorbode van lust die haar knieën deed knikken, maar een aangename, tedere, bevredigende ervaring. Ze vond het fijn.

Die eerste kus zette de toon voor de relatie die volgde. Na de emotionele achtbaan van het afgelopen jaar nam Milly maar al te graag genoegen met tevredenheid in plaats van extase, en dat was precies wat Zac haar schonk. Niet dat ze zich niet tot hem aangetrokken voelde. Hij was knap genoeg en hoewel ze hem natuurlijk alleen met Todd kon vergelijken, leek hij een heel bedreven minnaar. De seks was alleen het minste van wat haar aantrok. Zijn vriendschap, zijn humor, zijn intelligentie en goede adviezen waren allemaal belangrijker onderdelen van het geheel. En als ze daarvoor de hartstocht moest opgeven – dezelfde hartstocht die haar bij Bobby zo veel ellende en verdriet had bezorgd en die haar bij Todd zo lang blind had gemaakt voor de realiteit – dan vond ze dat de moeite waard.

Zac op zijn beurt was slim en intuïtief genoeg om haar terughoudendheid aan te voelen. Hij lette goed op dat hij niet meer druk uitoefende dan ze hebben kon en dat hij niet meer betrokkenheid van haar vroeg dan ze bereid was te geven. Hij was verstandig genoeg om het rustig aan te pakken en bijna als vanzelf haar leven en haar familie binnen te glijden.

Zac was echter niet de enige positieve verandering op het thuisfront. Nu de stress van de rechtszaak voorbij was, werd Linda weer de oude. Of beter gezegd, een iets mildere, minder aanmatigende versie van de oude Linda. De grootste onzekerheid over haar sociale positie was weg. Zelfs zij moest onder ogen zien dat ze met één kind in de *Playboy* en het andere in de gevangenis niet langer in de positie verkeerde om commentaar te leveren op de fatsoensnormen van anderen. De snob die ze in zich meedroeg was echter beslist niet dood.

'Wat was je van plan aan te trekken lieverd?' had ze Milly een paar weken geleden gevraagd toen ze thuiskwam na een lange dag in de stallen bij Radar en Stanley, een ander lid van Cecils 'oude garde' dat ze had weten op te sporen en te redden.

'Aantrekken?' Ze pakte wat van de bisschopswijn uit de dampende pan op de Aga en ging in de leunstoel in de keuken zitten, een dierbare herinnering aan Newells. 'Waarheen?'

'Het feest van de Delaneys op kerstavond, natuurlijk,' zei Linda. 'We zullen iets nieuws voor je moeten kopen.'

'Je houdt me zeker voor de gek,' zei ze, zich bijna verslikkend in de wijn. 'Wil je na alles wat Rachel ons heeft aangedaan toch gaan?'

'Het is geen kwestie van willen,' zei Linda met alle ernstige oprechtheid van iemand die heel graag wil gaan, 'maar van beleefdheid.'

Rachel had zich inderdaad vreselijk gedragen. De manier waarop ze die arme Jasper had laten vallen toen hij haar het hardst nodig had, had Linda eindelijk doen inzien dat Milly gelijk had: het meisje was een kreng. Maar er was meer voor nodig om haar van een van de grote jaarlijkse evenementen in Mittlingsford weg te houden. Het was immers niet de schuld van die arme Michael en Julia dat hun dochter een trouweloze slet bleek te zijn? Wat Rachel ook had gedaan, haar ouders bleven hoekstenen van de gemeenschap in Newmarket. De Delaneys schrapte je niet zomaar uit je in leer gebonden adresboekje.

Milly had aanvankelijk zelfs geweigerd erover na te denken, maar Zac had haar op andere gedachten gebracht.

'Ach, kom nou, het wordt vast leuk,' zei hij. Hij hielp haar een paar dagen nadat Linda de uitnodiging had ontvangen Stanleys stal uit te mesten in de vrieskou.

Ze gingen nu drie maanden met elkaar, dus hij was het gewend tijd bij de paarden door te brengen, maar toch leek hij nog net zo misplaatst in een stal als een zwarte op een bijeenkomst van de Ku Klux Klan.

'Je kunt lachen om hoe dik Rachel geworden is,' zei hij, het verse hooi omdraaiend met een riek, 'en ik kan ervan genieten dat alle andere kerels naar me staren en wensen dat hun meisjes playmates waren.'

'Ik was verdomme geen playmate!' zei Milly, en ze gooide een bonk stro met mest in zijn richting. 'Ik was een quarterhorse-jockey, oké?'

'Een quarterhorse-jockey die uit de kleren ging,' plaagde Zac haar.

Ze probeerde boos te kijken, maar was heimelijk blij dat hij zo goed reageerde op de foto's en de afschuwelijke cowgirlreclames waarin ze in de VS had gefigureerd. Na het gekwelde handenwringen van haar moeder was het heerlijk er met iemand om te kunnen lachen.

'Laten we alsjeblieft gaan,' drong hij aan. 'Die oude pastorie schijnt prachtig te zijn. En je moeders outfit alleen al zal het de moeite waard maken. Dat weet je best.'

Het sprak voor zich dat Linda dolblij was dat ze van gedachten was veranderd en dat Zac haar had overgehaald. Ze toonde hem haar waardering door koekjes voor hem te bakken.

'Weet u heel zeker dat u niet Joods bent, mevrouw L.G.?' vroeg hij toen ze trots stond toe te kijken terwijl hij koekjes at tot hij dacht dat hij zou ontploffen.

'Stil, jongen,' zei ze goedmoedig. 'Eet je koekjes op.'

Gezien het feit dat hij niet op Eton had gezeten, geen groot landgoed op zijn naam had staan en zelfs was opgegroeid in Golders Green, was het vreemd dat Linda zo'n zwak voor hem had. Maar dat had ze wel, om wat voor reden dan ook. Ze zei steeds tegen Milly dat ze 'door moest gaan naar een volgende fase' met hem, wat ze daar ook mee mocht bedoelen.

Helaas werd iedereen in huis op de ochtend voor kerst wakker met een gigantische kater.

Twee dagen geleden hadden ze bericht gekregen dat Jasper wegens goed gedrag vervroegd werd vrijgelaten. Hij was dus op tijd thuis voor Kerstmis, en het feest van de Delaneys, als hij daar mee naartoe wilde. Na een hoop hysterisch gehuil en handengewring van Linda werd besloten dat Zac en Milly hem zouden gaan ophalen, om haar de vernedering te besparen daar door plaatselijke verslaggevers te worden gezien. Linda zou thuis het welkomstmaal bereiden en de laatste hand leggen aan haar kerstversieringen. Tot Milly's woede had ze alle bonte oude versieringen van Newells weggegooid en ze vervangen door smaakvolle witte en groene ballen, waardoor het huis wel een door Anouska Hempel ingericht hotel leek, of iets uit zo'n kerstartikel van de *Home & Gardens* waar onmogelijk gelikt uitziende gezinnen zelfgemaakte biologische koekjes aten en elkaar liefdevol toelachten.

Na het aanvankelijke onbehagen van het weerzien – een onbehagen dat werd versterkt door het feit dat Jasper in de gevangenis kennelijk 'de Heer had gevonden' en tegen iedereen die wilde luisteren doorzeurde over de vrede van Christus – waren ze alle vier zo verstandig geweest om zo snel mogelijk dronken te worden.

Vandaar de groene, schaapachtige gezichten aan de ontbijttafel.

'Ik weet dat ik heb gezegd dat ik mee zou gaan, mama,' kraste Milly, met een stem die klonk als schuurpapier. 'Maar dat kan ik nu echt niet aan. Kun je niet tegen sir Michael zeggen dat ik ziek ben?'

Ze pakte een pasteitje uit het geopende pak op de tafel, joeg de kat uit de leunstoel en ging er zelf in zitten, waarna ze met één grote hap de helft van het pasteitje verzwolg.

'Geen sprake van.' Linda was resoluut, al voelde ze zich zelf ook niet al te best. 'Dat zou hij meteen doorhebben. Ze zouden denken dat je niet was gekomen omdat je Rachel niet mag.'

'Ik mág Rachel toch ook niet?' zei Milly op redelijke toon.

'Reden te meer om te gaan,' zei Jasper, die net binnen was gekomen in een van Cecils oude kamerjassen, die hem veel te groot was. Hij was veel afgevallen in de gevangenis. 'Rachel mag ons dan onrecht hebben aangedaan, maar dit is onze kans om haar te vergeven, om haar de andere wang toe te keren. Liefde en genade zijn de grootste gelijkmakers.'

'Juist,' zei Linda, die geen idee had waar hij het over had.

Milly keek over de tafel heen naar Zac en deed haar best niet te giechelen. Ze zouden even moeten wennen aan Sint-Jasper van Hare Majesteits Gevangenis.

Het was een onwerkelijk ervaring om die avond in Mittlingsford de oprijlaan op te rijden. De pastorie werd verlicht door kaarsen, net als de avond van het zomerfeest ruim twee jaar geleden, toen Cecil zijn eerste beroerte had gehad en Rachel zich bij het drama in het ziekenhuis had opgedrongen. Het huis zag er vanavond nog mooier uit dan toen. Een dun laagje sneeuw dat die middag was gevallen gaf het iets betoverends en sprookjesachtigs, en het vaag hoorbare, door de sneeuw gedempte gelui van de kerkklokken droeg nog bij aan de algehele kerstsfeer.

'Ik ben echt blij dat je erbij bent,' zei Milly, en ze kneep zacht in Zacs hand toen ze naar de voordeur liepen.

Hij kneep terug. 'Ik ook.'

Ondanks de openlijke, onverbloemde strijd tussen hen in de pers had Milly Rachel helemaal niet gezien in Amerika. Alles wat ze over haar leven en carrière wist – haar vroege succes in de Belmont, de veelvuldig beschreven romance met tv-ster Mickey Malone na de breuk met Jasper, haar op foto's vastgelegde gewichtstoename toen de relatie was stukgelopen – had ze allemaal uit de roddelpers. Dezelfde bladen waar Milly tot voor kort zelf geregeld in had gestaan.

Ze was nu kennelijk alleen in Engeland om dat overgewicht kwijt te raken buiten de aandacht van de media. Ze hoopte duidelijk nog steeds terug te kunnen keren naar Amerika en haar vroegere succes daar te heroveren, al zou ze dat wel voor een andere eigenaar moeten doen: Randy Kravitz had haar ontslagen toen ze dikker werd. Het had Milly enorm veel plezier gedaan toen ze dat hoorde, ondanks Jaspers wijze woorden over genade en vergiffenis.

Het idee haar aartsrivale vanavond weer te zien, had haar waarschijnlijk nerveus moeten maken. Een paar maanden geleden zou dat nog wel het geval zijn geweest. Maar de combinatie van Zac, het feit dat ze zelf niet meer in de schijnwerpers stond, en de vreugde van de hereniging met Radar en de andere paarden had haar natuurlijke zelfvertrouwen grotendeels hersteld. Ze was nu vooral nieuwsgierig. En ze hoopte dat Rachel er inderdaad zo vreselijk uitzag als in de *Star* van vorige maand.

Ze werd niet teleurgesteld.

'Sodeju,' zei Zac zacht. 'Vanessa Feltz is opgevreten door een marshmallow!'

Rachel, die naar hen toe kwam in een bollende jurk van roze tafzijde, zag er inderdaad afschuwelijk uit, en zo dik als een olifant. Haar blonde haar was nog steeds vol en glanzend, en haar borsten, nog groter dan tevoren, deinden boven haar korsettopje als twee enorme blanc-mangers op een schaal. Het vriendelijkste was nog wel om te zeggen dat ze eruitzag als een matrone. Maar Milly voelde zich niet vriendelijk.

'Rachel,' zei ze met een schampere glimlach. 'Mijn hemel, wat ben jíj veranderd.'

'Ik mag dan een paar maatjes meer hebben,' antwoordde Rachel giftig, 'maar daar kan ik iets aan doen. En míjn familie wordt tenminste niet in het hele land uitgelachen.' Dat laatste was vooral bedoeld voor Linda, die anderhalve meter verderop stond te praten met een paar vrouwen uit de paardrijwereld en hevig bloosde toen ze het hoorde.

'Eerlijk gezegd verbaast het me dat jullie dit jaar je gezicht durven te laten zien, met Jasper in de gevangenis en jouw – hoe zullen we het noemen – zondeval? Ik weet zeker dat mama jullie alleen uit medelijden heeft uitgenodigd. Maar jullie konden zeker nergens anders heen?'

'Mag ik me even voorstellen?' zei Zac, die een stap naar voren deed voordat Milly de kans kreeg Rachel naar de keel te vliegen. 'Zac Goldstein. Buitengewoon prettig kennis met u te maken. Ik heb veel over u gehoord.'

Hij zei het met zo'n uitgestreken gezicht dat Rachel even niet wist hoe ze moest reageren. Ze raakte nog meer van haar stuk toen even later Jasper naast Zac kwam staan.

'J?' stamelde ze. 'Wat doe jij…? Ik bedoel, moest jij niet…'

'Hallo Rachel.' Hij boog naar voren met een vreemde grimas op zijn gezicht (hij had voor de spiegel in zijn cel uren geoefend op wat hij als zijn 'serene en gelukzalige' blik beschouwde, maar in feite keek hij alsof er een scheet verkeerd zat) en kuste haar op beide wangen.

'Ze hebben me vervroegd vrijgelaten wegens goed gedrag,' legde hij uit. 'Maar hoe is het met jou? Ben jij gelukkig?'

Het was buitengewoon verontrustend zoals hij allebei haar handen vastpakte en haar diep in de ogen keek, niet als een minnaar, maar als een psychiater. Alsof zij degene was wier leven op orde gebracht moest worden.

'Ik ben volmaakt gelukkig, dank je, Jasper,' zei ze defensief.

'Ik hoop het,' zei hij en hij keek haar weer aan alsof er een scheet verkeerd zat. 'Want ik zou het vreselijk vinden als je het idee had dat je niet vergeven bent. We schenken je allemaal vergiffenis voor wat er is gebeurd.' Hij keek naar Milly. 'Nietwaar?'

Ze stond op het punt in niet mis te verstane bewoordingen te zeggen dat ze er niet over peinsde haar ooit te vergeven. Rachel was haar echter voor en barstte verontwaardigd uit: 'Wat? Jullie schenken mij vergiffenis?'

'Inderdaad,' zei Jasper. Egocentrisch als altijd, leek hij zich volstrekt niet van haar woede bewust. Hij probeerde haar zelfs te omhelzen, maar ze wurmde zich los. 'Ik heb geleerd mijn boosheid los te laten, Rachel. Dat zou jij ook eens moeten proberen. Misschien hoef je dan geen troost te zoeken in eten, maar kun je je tot de Heer wenden.'

De blik die toen op Rachels gezicht verscheen was het bijna waard om Newells voor te verliezen. Milly geloofde niet dat ze ooit van haar broer had gehouden, tot op dit moment.

'Maar voor je je tot de Heer wendt,' zei ze opgewekt, 'moet je ons toch even het laatste nieuws over Mickey vertellen. Ik heb gehoord dat hij nu iets heeft met die Tsjechische gymnaste, Pauline... hoe heet ze ook weer? Hebben jullie nog steeds contact met elkaar?'

'Nee,' zei Rachel ijzig. 'Dat hebben we niet. En in tegenstelling tot wat je misschien hebt gelezen, heb ik Mickey gedumpt en niet andersom.'

'Aha, daar ben je.' Rachels vader stortte zich glimlachend als altijd op zijn dochter. 'En Milly!' zei hij joviaal. 'Hoe maak je het, beste meid? Wat leuk om te zien dat jullie eindelijk de strijdbijl hebben begraven.'

'Hallo Michael,' zei ze, en ze kuste hem met een hartelijkheid waarvan ze wist dat die Rachel nog woester zou maken. 'Vrolijk kerstfeest.'

'Ik geloof dat je ma iets tegen je wil zeggen,' zei hij. Ze draaiden zich allemaal om naar Linda, die inderdaad Milly en Zac stond te wenken. Jasper was al doorgelopen, ongetwijfeld om het evangelie onder de andere goddeloze gasten te verspreiden.

'Wat deed je nou?' fluisterde Linda theatraal toen Milly eindelijk naar haar toe kwam. 'Je had me beloofd dat je geen scène zou schoppen met Rachel.'

'Dat heb ik ook niet gedaan,' zei Milly verontwaardigd, en ze wendde zich tot Zac om steun. 'Ik heb nauwelijks iets gezegd. Jasper joeg haar op de kast.'

'Nou ja,' zei Linda, maar ze klonk verre van bedaard. 'Hoe dan ook, er is nog iets anders.' Ze stak haar hand in haar goudkleurige Escada-tasje en haalde er een stugge witte envelop uit. 'Dit is gisteren voor je gekomen en ik was vergeten het je te geven. Ik denk,' zei ze op fluistertoon. 'Ik denk dat het misschien van Bobby is.'

Milly voelde haar eerdere koelbloedigheid wegsmelten als sneeuw voor de zon en er verspreidde zich een onaangename tinteling over haar hele huid. Het was inderdaad het poststempel van Solvang.

'Je komt er veel sneller achter van wie het is als je het openmaakt,' zei Zac zacht, toen hij zag dat ze de envelop telkens weer omdraaide in haar bevende handen.

Milly scheurde de envelop open en haalde er een formele gedrukte uitnodiging uit.

'Het is van Amy,' zei ze een poos later. 'Dylan en zij gaan trouwen. De bruiloft is op Highwood, op oudejaarsdag.'

'Nou, dat is toch goed nieuws, of niet?' zei Zac. 'Je mag Dylan toch graag?'

'O ja, ja natuurlijk. Hij is heel aardig,' zei ze afwezig. Ze was duidelijk ergens anders met haar gedachten en als ze al blij was, liet ze dat in elk geval niet merken.

'Je zult wel snel een vlucht moeten boeken,' zei Linda. 'Er willen veel mensen naar de zon en alles zit misschien al vol.'

'O, maar ik ga niet,' zei Milly en ze probeerde er nonchalant bij te lachen. 'Dat kan ik niet.'

Zac keek haar aan. Het was zo'n blik die haar razend kon maken, een ik-ben-advocaat-en-ik-kijk-dwars-door-je-heen-blik waardoor je geen andere keus had dan te bekennen wat hij al die tijd al wist. Soms zat het Milly dwars dat hij haar zo gemakkelijk doorzag.

'Wat nou?' zei ze verontwaardigd. 'Het is veel te veel gedoe en op veel te korte termijn.'

Hij keek haar weer aan.

'Kijk niet zo naar me!'

Maar Zac hield niet op. Amy en Dylan gingen trouwen. Ze moest erheen.

Alleen Bobby weerhield haar. Milly kon dat niet eens aan zichzelf uitleggen, laat staan aan Zac. De mengeling van angst en hoop die ze voelde als ze eraan dacht dat ze hem weer zou zien was niet te beschrijven.

Ze wilde wegrennen. Zich verstoppen in Zacs armen, voor altijd wegkruipen onder de deken van rust en kalmte die hij haar bood. Maar ze wist ook dat ze daarmee het onvermijdelijke alleen maar zou uitstellen. En daar was ze bang voor.

'Vroeg of laat zul je hem toch moeten zien,' zei Zac. 'Zie je spoken onder ogen. Dat kan net zo goed nu gebeuren.'

'Ik weet het,' zei Milly, en ze leunde tegen hem aan zoals een jong vogeltje onder de vleugel van zijn moeder kruipt. 'Ga je mee?'

Zac glimlachte, maar schudde zijn hoofd. 'Ik kan niet. Ik heb mijn familie beloofd voor Nieuwjaar mee te gaan naar Schotland. Dat is allemaal al geboekt. Bovendien,' zei hij, en hij streelde zachtjes over haar hoofd, 'is dit iets tussen jou en Bobby. Ik zou alleen maar het vijfde wiel aan de wagen zijn.'

Hij had natuurlijk gelijk. Verdorie.

'Je redt je wel.'

'Echt waar?' Ze keek naar hem op en voelde dat ze tranen in haar ogen had.

'Natuurlijk,' zei Zac, haar stevig omhelzend. 'Het gaat vast allemaal prima.'

31

Summer keek naar haar spiegelbeeld en zuchtte. Het bordeauxrode wollen jasje was prachtig, een echt kunstwerk, maar de rest van haar outfit voor de bruiloft zat haar niet helemaal lekker. Misschien waren het de hoge hakken die zo vreemd aanvoelden? Of de lange bordeauxrode rok die bij het jasje paste en haar gebruinde huid prachtig deed uitkomen, maar vreemd stijfjes leek voor iemand die negenennegentig procent van de tijd in een spijkerbroek rondliep?

Wat het ook was, ze wilde dat ze zich prettiger en zekerder voelde, juist vandaag.

Dylan, haar dierbare broer, ging trouwen. Dat had op zich al een bitterzoete gebeurtenis kunnen zijn, afgezien van het feit dat hij met de leukste, liefste, aardigste vrouw van de wereld ging trouwen. Alle McDonalds waren dol op Amy. Binnen enkele uren na de eerste kennismaking met haar waren alle twijfels die ze gehad mochten hebben over het feit dat Dyl een verwende rijke erfgename uit de stad meebracht helemaal verdwenen.

Natuurlijk had Dylan hun al in gloedvolle bewoordingen verteld hoe geweldig en nuchter zijn toekomstige bruid was, maar hij was duidelijk verblind door de liefde en geen betrouwbare getuige. Amy zelf had hen voor zich gewonnen. Zodra ze op Highwood was komen logeren, waren haar zachte, lieve karakter en ontroerende verknochtheid aan Dylan zo overduidelijk dat ze meteen verkocht waren. Een paar weken later had ze het onmogelijke bewerkstelligd en vrede gesticht tussen haar vader en Bobby, wat voor Jimmy de weg vrijmaakte om geld in het gevecht tegen Comarco te pompen.

En tien dagen geleden hadden haar inspanningen eindelijk vruchten afgeworpen: de oliemaatschappij had besloten haar verlies te accepteren en haar claim op de ranch in te trekken. Na een hels jaar met een zwaard boven hun hoofden te hebben geleefd, konden ze eindelijk terug naar de normale gang van zaken. En dat hadden ze aan Amy te danken.

Summer frummelde met het bandje van haar nieuwe schoenen en probeerde haar vreemde bui van zich af te zetten. Er was zo veel om dankbaar voor te zijn. Haar dierbare thuis was veilig, Dylan was gelukkiger dan ooit, zowel met Amy als met het feit dat hij met schilderen succes begon te boeken. En als klap op de vuurpijl had Jimmy Price twee weken geleden enthousiast gebeld om Amy te vertellen dat Todd Cranborn beschuldigd was van fraude, belastingontduiking en het witwassen van geld.

Amy had het vermoeden dat haar vader iets met die beschuldigingen te maken had, maar dat kon haar niets schelen, en Summer ook niet. Todd had zo veel gedaan waar hij ongestraft mee weg was gekomen dat het een perverse vorm van rechtvaardigheid was als Jimmy hem er hiermee in had geluisd. Het zag ernaar uit dat hij ten minste een behoorlijk zware boete kon verwachten, en ook gevangenisstraf was niet ondenkbaar. Wyatt en Maggie waren veel te beschaafd en vergevensgezind om blij te zijn met dat nieuws. Maar Summer, Tara, Dylan en Amy waren de grootste fles champagne gaan kopen die ze in Solvang konden vinden en vierden feest tot in de kleine uurtjes.

Alleen Bobby nam geen deel aan de festiviteiten. Of het een verlate reactie was op de stress, of dat de opluchting hem gewoon te veel werd, wist niemand. Maar voor een man wiens leven zojuist was gered, leek hij onverklaarbaar neerslachtig.

Summer had hem graag willen helpen, maar haar eigen hart was nog te kwetsbaar, en ze had bovendien geen idee wat ze zou moeten zeggen. Sinds ze op Berkeley zat, voelde ze zich iets minder ellendig. Ze was met een paar jongens uitgegaan en had zich in het sociale leven op de campus gestort, in elk geval deels om zich over de pijn van Bobby's afwijzing heen te zetten. Maar een gebroken hart geneest niet in een dag, of zelfs in een semester.

Toen ze zag hoe Bobby reageerde toen Dylan hem vertelde dat Milly zou overkomen voor de bruiloft – alle kleur trok weg uit zijn gezicht en zijn handen begon te beven – had ze nog steeds het gevoel dat haar hart uit haar borst werd gerukt en door een papierversnietiger werd geduwd. Ze wou dat het niet zo was, maar dat was het wel.

'Mag ik binnenkomen?' Het was Dylan, die aarzelend aanklopte en toen zijn hoofd om de deur stak. 'Ik heb hulp nodig met mijn das.'

Ze wenkte hem glimlachend dichterbij, zette hem op het bed en ontwarde de puinhoop die hij van zijn vlinderdasje had gemaakt.

'Wat ben je toch een kleuter,' plaagde ze hem. 'Niet te geloven dat je op jouw leeftijd nog steeds niet weet hoe dat moet.'

'We hebben niet allemaal in de debatclub gezeten, hoor,' zei hij met opgestoken handen. 'Of bij de Toekomstige Advocaten van Amerika.'

'Zo,' zei ze, toen ze in recordsnelheid een mooi strikje had gemaakt. 'Perfect. En, hoe voel je je? Geen bedenkingen, hoop ik?'

Het was een grapje, maar Dylan keek haar verschrikt aan.

'Van m'n leven niet,' zei hij. 'Ik wil het alleen snel rondmaken voordat Amy zich realiseert dat ze een gigantische vergissing begaat en iets veel beters had kunnen krijgen dan mij.'

'Onzin,' zei Summer. 'Je bent de vangst van de eeuw. Heb je haar vanochtend al gezien?'

Dylan schudde zijn hoofd. 'Dat brengt ongeluk, maar we hebben elkaar wel aan de telefoon gehad en alles lijkt in orde. Ze is een beetje zenuwachtig, maar Milly is bij haar en lijkt haar aardig te kunnen kalmeren.'

'O ja?' zei Summer. 'Raar, maar ik herinner me niet dat Milly een kalmerende invloed had. Ik zou denken dat ze ongeveer evenveel nut heeft voor een nerveuze bruid als een doofstomme tolk, maar misschien ligt dat aan mij.'

'Sum,' zei hij fronsend. 'Toe nou. Je had beloofd om aardig te zijn. Waarom loop je eigenlijk nog steeds zo op Milly te vitten?'

'Meen je dat nou serieus?'

'Ze heeft fouten gemaakt,' gaf hij toe, 'maar diep in haar hart is het een goeie meid, echt waar. Als je het maar even de kans zou geven, zou je haar vast aardig vinden.'

'Ha! Dat betwijfel ik,' zei Summer, maar ze bond in toen ze zijn gezicht zag betrekken. 'Maak je geen zorgen. Ik zal me netjes gedragen, dat beloof ik je. Ik zal geen olie op het vuur gooien. Dat zou ik wel leuk vinden, maar ik zal me inhouden.'

'Mooi,' zei Dylan. 'Want ik weet dat ze nerveus is omdat ze hier terugkomt, en Bobby weer ziet en alles. En dit wordt geacht een gelukkige dag te zijn. Voor ons allemaal.'

'O! Je ziet er prachtig uit!'

Amy keek stralend naar Milly, die haar slaapkamer binnenkwam in een flessengroene halterjurk en bijpassende oorbellen met smaragden. Ze had de jurk in een boetiek in Newmarket uitgekozen als sexy maar toch ingetogen genoeg voor de bruiloft. Ze wist uit ervaring dat het onmogelijk was Bobby een plezier te doen met een outfit, dus nam ze graag genoegen met Amy's goedkeuring.

'Dank je. Maar lieve hemel, jij ook,' zei ze naar waarheid. 'Dylan zal wel vreselijk trots zijn.'

Het was moeilijk te geloven dat de knappe, weelderige vrouw tegenover haar in de eenvoudige, schuin gesneden jurk van Vera Wang dezelfde was als het dikke, ongelukkige meisje dat ze nog geen twee jaar geleden in Palos Verdes had ontmoet. Het was niet alleen het gewicht; alles aan haar zag er anders uit. Haar haar was langer en was in piekerige laagjes geknipt en door een slimme styliste voorzien van honingkleurige accenten die haar witblonde, noordse uiterlijk en stralende huid een warmere uitstraling gaven. Haar blik was nog net zo schalks als altijd en uit elke expressie spraken de vriendelijkheid en goedheid van haar karakter. Nu ze echter niet meer ingebed waren in omringend vet kwamen haar volmaakte, popachtige trekken des te beter tot hun recht.

Als het waar was dat er in ieder dik meisje een slank meisje verborgen zat dat wachtte om naar buiten te treden, dan was dit Amy's slanke meisje. Alles aan haar leek te zinderen van geluk en de verrukking van haar triomfantelijke ontsnapping.

Milly logeerde in de Ballard Inn. Tot haar verbazing had ze bij haar aankomst gisteren ontdekt dat ze deel zou uitmaken van de groep van de familie Price, dat haar kamer grensde aan die van Amy en dat ze zelfs in de tweede bruidsauto zou meerijden naar de kapel.

'Ik weet niet of dat wel zo'n goed idee is,' zei ze paniekerig toen Amy haar het plan uit de doeken deed. 'De laatste keer dat ik je vader zag, vertelde ik hem dat zijn vrouw vreemdging met Todd, en zei ik volgens mij dat hij kon doodvallen met zijn baan. Ik ben waarschijnlijk wel de laatste die hij op de bruiloft van zijn dochter zo dicht bij zich wil hebben.'

Amy was echter vastbesloten.

'Geloof me,' zei ze. 'Hij is veranderd.'

Dat was geen flauwekul. Gisteravond tijdens het eten zat Milly naast Jimmy en als ze niet beter had geweten zou ze gezworen hebben dat hij was ontvoerd door buitenaardse wezens en vervangen door een nederige, charmante dubbelganger. Uiterlijk was hij nog steeds dezelfde dikke, sigaren rokende man met zijn wijd uitstaande rossige haren, maar zijn echtscheiding had hem behoorlijk veranderd.

Hij begroette haar met oprechte hartelijkheid: 'Ik ben heel blij dat je kon komen,' zei hij, en daarna vergaf hij haar niet alleen haar uitbarsting in Ruidoso, maar bedankte hij haar zelfs voor haar eerlijkheid.

'Het is vreemd dat we soms de belangrijkste dingen niet zien, zelfs als ze pal onder onze neus gebeuren,' zei hij. 'En dan heb ik het niet alleen over Candy. Je had ook gelijk wat Amy betreft. Ik ben een vreselijke vader voor haar geweest. En ze is een fantastische meid.'

Daarna was er geen houden meer aan. Hij kletste haar de hele avond de oren van het hoofd; over hoe fantastisch het was om zijn twee oudste kinderen te herontdekken, en dat hij eindelijk iets had gedaan wat hij jaren geleden al had moeten doen: zijn zoon Donny bellen en zijn aandeel in de verantwoordelijkheid voor de dood van zijn en Amy's moeder toegeven. Het contact tussen hen was hersteld. En hij probeerde de voogdij over de tweeling te krijgen.

'Candy heeft ze meegenomen toen ze wegging, maar dat was alleen om nog meer geld van me los te krijgen,' zei hij. 'Maar weet je wat?' zei hij met een schouderophalen. 'Het kan me niets meer schelen. Ik wil alleen maar mijn kinderen, en het plezier te weten dat ik die klootzak van een Cranborn te grazen heb genomen. Wist je dat Candy bij hem weg is gegaan op de dag dat hij werd aangeklaagd?'

Dat wist Milly niet. Ze wist eerlijk gezegd ook niet of het haar nog wel iets kon schelen, maar de nieuwe Jimmy Price begon ze beslist aardig te vinden.

'Wat kan ik doen?' vroeg ze nu aan Amy, en ze deed de slaapkamerdeur dicht en ging bij haar vriendin op het bed zitten. 'Moet er iets worden vastgespeld? Of heb je misschien iets nodig van beneden? Water? Vruchten-sap?'

'Ik heb niets nodig,' zei Amy. 'Ontspan je. Vertel me eens wat meer over Zac.'

Ze waren de vorige avond na het eten begonnen roddels uit te wisselen en hadden tot laat doorgepraat. Amy bracht Milly op de hoogte van de ontwikkelingen op Highwood, vertelde haar de laatste nieuwtjes uit de racewereld in Palos Verdes, en gaf een lange, gedetailleerde beschrijving van haar verkering met Dylan. Milly vertelde Amy over haar nieuwe leven in Engeland en het terughalen van de paarden. En ze maakte Amy vreselijk aan het lachen met imitaties van de vrome Jasper. Ze had ook af en toe iets opgemerkt over Zac.

'Er valt niet zo veel te vertellen,' zei ze. 'Hij is lief. Hij is heel grappig en aardig. Hij is erg intelligent. Mijn moeder is dol op hem.'

'Maar?' zei Amy.

'Wat, maar?' Milly fronste. 'Er is geen "maar". Hij is een goede man. Ik mag van geluk spreken met hem.'

'Maar hou je ook van hem?' vroeg Amy. 'Ik weet dat hij lang, donker en knap is en dat soort dingen, maar hoe voel je je bij hem?'

Milly dacht een poosje na.

'Veilig,' zei ze uiteindelijk, alleen antwoord gevend op Amy's tweede vraag en niet op haar eerste. 'Ik voel me veilig bij hem.'

'Nou, zo te horen is hij geweldig,' zei Amy kordaat, 'en heel romantisch, zoals hij je het hof heeft gemaakt en zo. Je zult hem wel missen.'

'Dat klopt,' zei Milly. En ze meende het ook. Telkens als de spanning over het weerzien met Bobby haar te veel dreigde te worden – wat sinds haar vliegtuig in Californië was geland zo ongeveer om de anderhalve minuut was – verlangde ze ernaar Zac te bellen.

'Het zal toch wel goed gaan, hè?' vroeg ze, de regel verbrekend die ze zichzelf had opgelegd om niet in paniek te raken waar Amy bij was. 'Wat nou als Bobby me nog steeds haat? En Wyatt en Maggie? Hoe kan ik hun onder ogen komen na alle problemen die ik heb veroorzaakt?'

Amy pakte haar hand vast en kneep er zachtjes in.

'Het komt helemaal goed,' zei ze geruststellend. 'De McDonalds zijn geen haatdragende types, dat weet je zelf ook wel. En alles is uiteindelijk goed gekomen. En wat Bobby betreft,' – ze zweeg even, alsof ze zich afvroeg hoe ze het het beste kon zeggen – 'die is ook milder geworden. Geloof me. Niemand zal het je moeilijk maken. Anders zou ik je niet hierheen hebben gehaald, of wel?'

'Dat zal wel niet,' zei Milly, en ze omhelsde haar. 'Bedankt.'

Vanbinnen voelde ze echter nog steeds een knagende ongerustheid die zich niet liet uitbannen door Amy's woorden van troost, of wat dan ook.

Tegen de tijd dat de familie van de bruid de lange oprijlaan van Highwood in draaide, stond de zon hoog aan de hemel boven de ranch en was het een prachtige winterdag.

De adobeschuur, die voor de gelegenheid was getransformeerd tot kapel, zag er prachtig uit, net zo vredig en plechtig als een kerk. De schuur was al bijna niet meer herkenbaar toen alle hooibalen en landbouwmachines eruit waren gehaald, de vloer was geveegd en de houten wanden wit waren geschilderd. Maar de oude negentiende-eeuwse banken uit het grote huis, vier reusachtige boeketten witte lelies en rode rozen, lange slierten klimop aan de dakbalken en de honderden geurkaarsjes in glazen potjes langs het middenpad maakten het helemaal af.

'Het ziet er prachtig uit,' zei Bobby tegen Tara, die bij de schuurdeur misboekjes uitdeelde aan de laatkomers, en hij kuste haar op haar wang. Met maar heel weinig hulp van Summer en haar moeder was zij verantwoordelijk geweest voor de organisatie.

'Je realiseert je toch zeker wel dat je in de stad miljoenen zou kunnen verdienen als *wedding planner*?'

'En dit alles achterlaten?' zei ze, naar de groene weilanden achter haar wijzend, waarvan alle booruitrusting verdwenen was. 'Nooit!'

Bobby voelde zich niet prettig in zijn gehuurde smoking, zo ongeveer als een pinguïn in de Sahara. Hij was al zenuwachtig omdat hij getuige was – hij had het laatste halfuur wel tien keer gevoeld of de ringen in zijn zak zaten – en het wachten op de bruid (en Milly, natuurlijk) maakte het nog veel erger.

Hij was zich ervan bewust dat ze zich allemaal zorgen om hem maakten. Wyatt, Dylan, allemaal. Ze hadden verwacht dat hij zijn vreugde van de daken zou schreeuwen toen Comarco opgaf. Maar het zat hem dwars dat niet hij maar Jimmy Price Highwood had gered, hoezeer Price ook veranderd mocht zijn. Het was de laatste klap voor zijn toch al ernstig gekrenkte trots, en hij wist niet hoe hij daarmee om moest gaan.

Zelfs vandaag, nu Dylan het middelpunt van de aandacht vormde, kon hij het gevoel niet van zich af zetten dat de mensen naar hem keken, en fluisterden dat hij van geluk mocht spreken en dat hij stom was geweest om Highwood en zijn erfenis op het spel te zetten.

Niet dat iemand harder over hem kon oordelen dan hijzelf al deed.

Eindelijk kwam er een oude Ford-pick-uptruck uit 1950, versierd met witte linten en gevolgd door een tweede, identiek versierde auto, het erf op rijden.

Amy stapte als eerste uit, oogverblindend mooi in haar schuin gesneden jurk van organza, geholpen door een glunderende Jimmy, die geduldig wachtte tot ze haar sluier goed had gedaan. Enkele ogenblikken later ging het portier van de tweede auto open en stapte Milly uit.

Waarom, dacht Bobby bijna boos terwijl hij heimelijk naar haar herstelde rondingen in de strakke groene jurk keek. Waarom moest ze er nou zo krankzinnig, verbijsterend knap uitzien? Alsof hij vandaag nog niet genoeg aan zijn hoofd had.

Hoewel het voor Summer en iedereen met een beetje verstand overduidelijk was, verzette Bobby zelf zich nog steeds tegen het idee dat hij nog iets voor Milly voelde. Omwille van Dylan had hij beloofd vandaag beleefd tegen haar te zijn, maar verder wilde hij niet gaan. Als ze echt verwachtte dat hij zomaar zou vergeten wat ze had gedaan, dat hij Todd zou vergeten, dat hij die stijlloze advertenties zou vergeten, dat hij zou vergeten hoe ze hem verraden had…

Hij onderbrak zijn innerlijke tirade plotseling toen hij zag dat ze de arm van een knappe jongeman met kastanjebruin haar vastpakte.

'Wie is die kerel, verdomme?' vroeg hij aan Tara toen hij zijn zelfbeheersing verloor door een irrationele steek van jaloezie.

'Hoezo, Bobby?' plaagde ze hem. 'Had jij daar willen staan?'

'Nee,' mompelde Bobby, die meteen spijt had dat hij zijn zwakte had getoond. 'Natuurlijk niet.' Maar hij bloosde zo schattig dat Tara moest lachen.

'Rustig maar,' zei ze. 'Dat is Donny, Amy's broer. Hij is homo.'

Bobby's schouders ontspanden zichtbaar.

'Ga nou maar naar binnen en vertel Dylan dat ze er zijn.'

Hij deed wat hem gezegd werd en haastte zich naar binnen en het middenpad op, zichzelf vervloekend omdat hij zo'n sentimentele dwaas was. Wat kon het hem nou schelen met wie Milly hier was?

Niets. Helemaal niets.

De aanwezigen draaiden zich om toen het orgel enkele inleidende akkoorden begon te spelen. Sean O'Flannagan, die in de derde rij van voren zat, gaf Bobby een bemoedigende knipoog, die hij nog net kon beantwoorden. Maar toen begon het.

Milly klampte zich aan Donny's arm vast en voelde zich zeker zo ongemakkelijk als Bobby, wiens ogen ze doelbewust ontweek. Amy had bijna de hele zaterdag geprobeerd haar ervan te overtuigen dat de McDonalds niet haatdragend waren, maar ze was niettemin doodsbang. Ze wist hoeveel waarde iedereen op Highwood aan de cowboycultuur hechtte. Zelfs als ze haar de toestanden met Comarco niet kwalijk namen, dan nog zouden ze haar zeker verachten om dat ordinaire Engelse cowgirlgedoe, en omdat ze hun erfgoed door het slijk had gehaald.

Gelukkig werd ze afgeleid door een collectieve, romantische zucht van alle vrouwen in de kapel toen Amy binnenkwam en aan de arm van Jimmy haar statige gang naar het altaar begon, haar ogen liefdevol op Dylan gericht.

Stel je niet aan, zei Milly streng tegen zichzelf. Dit is hun dag. Het gaat niet om jou.

Helaas draaide Bobby zich op dat moment ook om en heel even keken ze elkaar aan. Hoewel ze zichzelf steeds had voorgehouden dat ze verder was gegaan met haar leven en dat ze nu met Zac samen was, voelde ze zich meteen helemaal week worden vanbinnen en begonnen haar knieën te knikken.

Ze had zich nooit door Zac moeten laten overhalen om te komen. Dit was een vergissing.

Ze had zichzelf voorgehouden dat ze Bobby's vergiffenis wilde, die van hem en die van de McDonalds. Maar nu ze hem zag, wist ze heel zeker dat ze meer wilde dan vergiffenis.

Veel meer.

En dat was heel jammer, want afgaande op zijn minachtende frons, was hij zelfs niet van plan haar die te geven.

Was de schuur annex kapel al indrukwekkend, met de versiering van het grote huis voor de receptie had Tara zichzelf helemaal overtroffen. De wat muffe, sjofele grandeur die Milly zich herinnerde was vervangen door lichte, frisse kamers vol kleur en licht. De formele eetkamer, ooit de eenzaamste plek in het huis, was omgetoverd tot een culinaire grot van Aladdin; op de reusachtige tafel lag een prachtig rood kleed, waarop een spectaculair buffet was opgediend in schalen van allerlei vormen, kleuren en maten. Overal lagen rode en witte zijden kussens, en mensen vonden plekjes in de woonkamer en de salon waar ze konden gaan zitten, eten en praten. Zes enorme terraskachels zorgden ervoor dat ze zelfs op de veranda plaats konden nemen, onder de kerstverlichting. De gang werd gedomineerd door een enorme kerstboom en een plaatselijk vierstemmig kwartet zong een mengeling van kerstliedjes en cowboyfavorieten terwijl de gasten binnenkwamen uit de kou en zichzelf bedienden bij het reusachtige vat warme bisschopswijn dat hen verwelkomde.

'Zeg, kijk eens wat vrolijker,' zei Sean tegen Bobby toen die Milly nakeek, die de trap op liep. 'Je gezicht in de kerk had de melk zuur kunnen maken.'

'Sorry.' Hij wendde zijn blik van de trap af en dwong zichzelf te glimlachen.

'Je hoeft je bij mij niet verontschuldigen,' zei Sean. 'Je bent niet mijn getuige.'

Bobby keek plotseling ongerust. 'Was het zo erg? Denk je dat Dylan het gemerkt heeft?'

'Nee,' zei Sean. 'Niets aan de hand. Die sukkel zat zo wezenloos naar Amy te staren dat hij het volgens mij niet eens gemerkt zou hebben als er een bulldozer binnen was komen rijden. Maar in godsnaam, man, als je dat meisje iets te zeggen hebt, zeg het dan. Dan kunnen jullie daarna plezier gaan maken, of althans doen alsof.'

'Ja,' zei Bobby, nog steeds afwezig. 'Je zult wel gelijk hebben.'

'Maar ik wilde je nog wat anders vragen,' zei Sean, zelf plotseling ook wat ongemakkelijk. 'Ik weet dat je Summer als een zusje ziet en ik weet dat ik me in het verleden niet… nou ja, misschien niet helemaal als de ideale zwager heb gedragen…'

Bobby trok een wenkbrauw op bij dit understatement.

'Maar ik hou van haar, Bobby,' zei Sean. 'Ik kan er niets aan doen.' Hij lachte hoofdschuddend, alsof hij het zelf nauwelijks kon geloven. 'Zou het je erg van streek maken als ik haar vroeg om met me te trouwen? Hier? Vandaag?'

Bobby was even sprakeloos, maar verbrak de stilte uiteindelijk met een brede grijns. Sean voelde zich vreselijk opgelucht.

'Natuurlijk niet,' zei hij, en hij sloeg zijn vriend op de rug. 'Dat zou ik fantastisch voor jullie vinden. Meer dan je ooit zult weten zelfs,' voegde hij eraan toe. Niets zou hem meer plezier doen dan te weten dat Summer over hem heen was en gelukkig werd met iemand anders, en dat het geheim van haar ouderschap weer voor altijd begraven kon worden. 'Maar denk je niet dat je een beetje hard van stapel loopt? Heeft ze je enig idee gegeven dat ze…'

'Dat ze me wil hebben? Nee, nog niet,' zei hij grinnikend en zijn schouders ophalend. 'Maar dat komt nog wel. Dat weet ik zeker.'

Bobby wenste dat hij maar een fractie van Seans vertrouwen voelde toen hij diens advies opvolgde en Milly achternaging naar boven met de grimmige blik van een man die zich voorbereidt op de strijd. Sean ging intussen terug naar het feest, en zag tot zijn vreugde meteen Summer triest in een hoekje staan.

'Nee maar. Je ziet eruit alsof je een shilling bent verloren en sixpence hebt gevonden,' zei hij, en hij vervloekte zichzelf meteen omdat hij met zoiets belachelijks kwam.

Geweldig, Sean. Helemaal geweldig.

'Alsof ik wat?' zei ze fronsend.

'Een oude Ierse uitdrukking,' legde hij haar uit en hij gaf haar een volle beker bisschopswijn. 'Het betekent dat je er teleurgesteld uitziet. En ontevreden.'

'O, nee, niet echt. Ik voel me prima,' zei ze, niet erg overtuigend. Het was vreemd. Via de e-mail had ze het gevoel dat ze hem alles kon vertellen, maar nu hij hier voor haar stond leek hij bijna weer een vreemde. Ze had gezien hoe hij tijdens de dienst naar haar zat te kijken. Dat was natuurlijk vleiend – hij was een aantrekkelijke man – maar zij dacht gewoon niet op die manier aan hem. Ze dacht feitelijk aan niemand, behalve aan Bobby.

Ze glimlachte nerveus.

'Voel je vrij om te zeggen dat ik kan doodvallen,' zei Sean. 'Maar ik zou zeggen dat je nog steeds verliefd op hem bent.' Hij keek Bobby na. 'Heb ik gelijk?'

Summers glimlach werd meteen vervangen door een frons. Sinds wanneer was ze hem een verklaring schuldig over haar gevoelens?

Jammer genoeg voor haar vond Sean haar boosheid alleen maar nog aantrekkelijker. Ze zag er al fantastisch uit in dat bordeauxrode pakje, maar niets wist het vuur zo goed aan te wakkeren als een vrouw die op het punt stond haar geduld te verliezen.

'Nee,' zei ze koeltjes. 'Je hebt toevallig geen gelijk. Je zit er zelfs helemaal naast. Ik maak me alleen zorgen om hem, dat is alles.'

Ze wendde zich van hem af om weg te gaan, maar Sean was haar te snel af. Onder het motto 'Wie niet waagt, die niet wint' pakte hij haar bij de elleboog voor ze weg kon lopen.

'Hij is niet de juiste man voor je, weet je. Hij is veel te chagrijnig.'

'Ik dacht dat jij geacht werd zijn vriend te zijn,' zei Summer verontwaardigd.

'Dat ben ik ook,' zei Sean. 'Daarom vertel ik je dit. Jullie zijn niet goed voor elkaar. Bobby weet niet wat hij wil, en jij hebt een man nodig die de leiding kan nemen.'

'O, ja?' vroeg ze. Hij was zo verwaand dat het bijna grappig was. 'En wie mag dat dan wel zijn? Jij, zeker?'

'Ja,' zei Sean nonchalant. 'Ik. Ik vind dat we maar moeten trouwen.'

Ze lachte. Hij deed zo belachelijk dat ze onmogelijk kwaad kon blijven. 'Er zit een steekje aan je los, O'Flannagan. Dat besef je toch zeker wel?'

'Misschien,' zei hij met enerverend zelfvertrouwen. Hij hield nog steeds haar arm vast en ze was zich plotseling heel sterk bewust van de warmte van zijn greep. Het was niet echt een onplezierig gevoel.

'Maar misschien ook niet.' Hij keek haar diep in de ogen en ze zag dat alle speelsheid en bravoure uit zijn blik verdwenen waren. Hij was doodserieus. 'Ik kan je gelukkig maken, lieverd. Dat weet ik zeker. Als jij me de kans maar geeft.'

'Ik zal erover nadenken,' zei ze, en ze trok zich eindelijk los en verdween weer in de menigte.

Boven negeerde Milly de bordjes die naar het toilet verwezen, die Tara had opgehangen, en liep rechtstreeks naar wat ooit 'haar' kamer was geweest, waar ze zich opsloot in de badkamer. Ze vroeg zich af of die ook veranderd was, maar de koperen badkuip stond er nog, glimmend als gesmolten lava in het afnemende licht, en afgezien van een paar nieuwe handdoeken en een vaas rozen op de vensterbank was alles nog zoals ze het zich herinnerde.

Ze liep naar de spiegel en slaakte een kreet van afgrijzen toen ze haar rode wangen en uitgelopen mascara zag. Ze moest altijd huilen bij huwelijksvoltrekkingen, maar toen Amy haar jawoord gaf, was het echt erg geweest.

Ze begon aan geïmproviseerde herstelwerkzaamheden met behulp van de camouflagecrème en de rouge die ze had meegebracht en knapte haar gezicht zo goed mogelijk op, waste daarna haar handen en deed de deur open en botste tegen Bobby op.

Ze schrok zo dat ze gilde.

'Ho!' zei hij, en hij legde een hand op haar schouders, zoals hij dat zou doen bij een schichtige merrie die hij gerust wilde stellen. 'Ik wilde je niet laten schrikken. Ik vond alleen dat we, je weet wel… zouden moeten praten.'

Praten. Juist. Waarover?

Hij was ongetwijfeld degene die ze het meest te vertellen had, maar nu ze hier voor hem stond, was ze nauwelijks in staat een woord uit te brengen.

'Ik voel me net een aap in een dwangbuis in dit achterlijke pak,' zei hij om de stilte te doorbreken.

Inwendig gaf hij zichzelf een schop. Kon hij nou echt niets beters verzinnen? Was hij haar helemaal naar boven gevolgd alleen om stompzinnige dingen te zeggen?

'Ja, ik weet wat je bedoelt,' mompelde ze. 'Ik verga van de jeuk in deze jurk. En mijn voeten zitten onder de blaren.'

Ze liet zich op het bed, haar oude bed, neerzakken, trok haar schoenen uit en hield haar voet naar hem omhoog.

Hoe kreeg ze het toch altijd voor elkaar om alles te veranderen? Hij was van plan geweest om haar flink de waarheid te zeggen over Todd, om echt te zeggen wat hij op zijn hart had. Maar in plaats daarvan pakte hij teder haar kuit in zijn bevende hand.

Hij had het niet als een flirterig gebaar bedoeld. Het gebeurde gewoon. Maar de intimiteit ervan was onmiskenbaar, en het duurde niet lang of ze keken elkaar strak aan.

'Waar doet het pijn?' vroeg hij met een stem die hees klonk van verlangen.

Milly's antwoord was nauwelijks meer dan een fluistering.

'Overal.'

En dat was het. Als magneten die door de ruimte naar elkaar toe worden getrokken, vlogen ze naar elkaar toe en drukten ze hun lippen, handen en lijven tegen elkaar in een razernij die het midden hield tussen liefdesspel en een gevecht.

'Ik haat je,' zei Bobby, tussen twee zoenen door die zo hevig waren dat zijn stoppels haar huid er bijna af schuurden.

'Nee, dat doe je niet,' antwoordde ze, en ze dronk zijn verlangen in als een kolibrie die zich te goed doet aan nectar. O, wat had ze hier lang op gewacht. Zo lang zelfs dat ze zichzelf ervan had overtuigd dat haar eigen gevoelens voor hem waren doodgebloed. Maar ze bleken alleen wat mond-op-mondbeademing nodig te hebben gehad.

'Onderbreek me niet als ik tegen je praat,' zei hij grinnikend.

Hij duwde haar achterover op het bed, drukte haar erop neer met het gewicht van zijn lichaam en kuste haar weer. Hij begon bij haar mond en gleed toen via haar hals omlaag tot ze zijn stoppels op de aanzet van haar borsten voelde.

'Wacht,' zei ze ademloos. Er ging van alles door haar hoofd wat ze hem moest uitleggen. Over Todd, en dat ze alleen met hem was meegegaan omdat híj, Bobby, haar afwees. Over hoezeer ze hem nodig had gehad toen Cecil was gestorven en Rachel haar moeder had gehersenspoeld en Newells had overgenomen, maar dat hij het te druk had met Highwood en het trainen om dat zelfs maar in de gaten te hebben. En dat ze zich later had vastgeklampt aan Todd en haar nieuw verworven roem omdat ze bang was dat ze nooit genoeg geld zou kunnen verdienen om Newells terug te kopen, en dat ze alleen en berooid was achtergebleven.

'Alsjeblieft, we moeten praten,' zei ze. 'Ik moet je een heleboel vertellen, en uitleggen.'

'Praten? Waarvoor?' zei Bobby, terwijl hij zijn handen onder haar rug duwde en probeerde haar beha los te maken. Zijn eigen gedachtegang was op dat moment veel eenvoudiger en doelgerichter: hij stond op het punt de liefde te gaan bedrijven met het enige meisje naar wie hij altijd had verlang. Praten kon wachten.

'Bobby!!!' Ze wurmde zich vrij, stond op en liep naar het raam. De slaapkamer lag net boven de veranda en ze zag de kruinen van diverse bruiloftsgasten die daar beneden zaten te praten. Haar blik ging echter naar de heuvels. Het licht zwakte al af, maar ze kon toch nog de onherbergzame noordelijke hellingen zien waar hij haar op haar eerste dag mee naartoe had genomen om vee te drijven.

'Prachtig,' zei Bobby, die achter haar kwam staan en zijn armen om haar middel sloeg.

'Highwood?' zei Milly dromerig. 'Ja. Ja, je hebt gelijk.'

'Ik had het niet over Highwood,' zei hij en hij drukte zich tegen haar aan zodat ze zijn stijve tegen haar onderrug voelde.

'Luister eens, het spijt me,' zei ze terwijl ze zich naar hem omdraaide. 'Het spijt me van Comarco, het spijt me van Todd, het spijt me van dat hele Playboy-gedoe.'

'O, god,' kreunde Bobby terwijl hij zijn hand over haar mond legde om haar tot zwijgen te brengen. 'Hoeven we het daar alsjeblieft niet over te hebben? Nooit?'

Ze werd onderbroken door een klop op de deur. Tara kwam binnen en grijnsde breed toen ze hen samen zag.

'Het spijt me vreselijk dat ik jullie moet storen,' zei ze, 'maar Dyl wil beginnen met de speeches. We hebben je nodig.'

Ze keek Bobby verontschuldigend aan, en die wendde zich weer tot Milly. Hij streelde haar gezicht met een tederheid die ze van hem nooit verwacht had en zei: 'We hebben al zo lang gewacht. Een halfuur langer houden we ook nog wel vol.'

Een paar minuten later zweefde Milly krankzinnig van geluk naar beneden. Heel even dacht ze dat ze echt krankzinnig was geworden, want zag ze daar nou Sean in een hartstochtelijke omhelzing met Summer?

Sean opende één oog, zag haar en stak triomfantelijk zijn duim op achter Summers rug. Milly beantwoordde het gebaar met een brede grijns. Kennelijk werden er vandaag meer strijdbijlen begraven.

Bobby stond intussen alleen in de voorraadkamer, te wachten tot zijn ademhaling zou kalmeren en het bloed zou wegtrekken uit zijn pik en zou terugkeren naar zijn hersenen, zodat er in elk geval een kans bestond dat hij zijn speech er goed af zou brengen.

'Daar ben je!' Dylan kwam binnen. Hij zag er geprikkeld uit. 'Ik heb je overal gezocht. Het is bijna tijd voor de toespraken, kerel. Je mag me nu niet in de steek laten.'

'Sorry,' zei Bobby. 'Ik, eh… ik kwam Milly tegen.'

'Je hebt toch niet weer ruzie gemaakt, hè?' vroeg Dylan gespannen. 'Ik heb tegen Amy gezegd dat zich geen problemen zouden voordoen.'

'Nee, nee,' zei Bobby bruusk. 'Helemaal niet. Ik was, eh… erg beleefd.'

Hij wist niet waarom, maar hij wilde Dyl, of wie dan ook, nog niet over hun hereniging vertellen. Nadat het zo lang had geduurd voor hij haar hart had kunnen winnen, wilde hij Milly eerst nog een poosje voor zichzelf houden. Bovendien was nog steeds niet duidelijk hoe het verder zou gaan tussen hen. Hij nam aan dat ze voor morgen een vlucht terug naar Londen had gereserveerd. Zou ze gaan? Zou hij gaan? Zou ze een poosje blijven?

Dat waren allemaal dingen waar ze over moesten praten, alleen. Zodra hij met haar naar bed was geweest. O, en zijn speech had gehouden, natuurlijk.

'Mooi,' zei Dylan opgewekt. 'Ik ben blij dat jullie het uitgepraat hebben. Amy heeft gisteravond met haar zitten kletsen. Ze zegt dat Milly veel gelukkiger is in Engeland. Vooral met haar nieuwe vriend, de advocaat.'

Bobby voelde dat zijn handen zich tot vuisten balden en dat zijn ademhaling versnelde, alsof hij naar lucht stond te happen.

'Heeft ze een vriend?'

'Ja,' zei Dylan, zich niet bewust van zijn ontzetting. 'Zo te horen is het behoorlijk serieus ook. Maar ik ben blij voor haar, weet je? Na al die ellende met Todd verdient ze wel wat veiligheid en geluk.'

'Ja.' Bobby knikte als een zombie. 'Ja, dat is zo.'

Op de een of andere manier volbracht hij zijn speech. Hij herinnerde zich naderhand geen woord van wat hij had gezegd, maar de mensen leken op het juiste moment te lachen en te klappen.

Hoe kon ze hem dit aandoen? Was ze daarom hierheen gekomen: om hem voor de gek te houden? Om te zorgen dat hij zichzelf voor gek zette, en hem dan in het gezicht te gooien dat ze thuis een geliefde had?

Dat was wreed. Het was niet de Milly die hij zich herinnerde, maar misschien had hij de vorige keer gelijk gehad; misschien was de Milly die hij zich herinnerde, het lieve, onschuldige kind, voorgoed verdwenen. Misschien had Todd Cranborn haar kapotgemaakt, zoals hij alles kapotmaakte wat hij aanraakte.

Een paar keer keek hij op van zijn speech en zag hij haar naar hem glimlachen. Hij was erin geslaagd zijn blik af te wenden en het vol te houden tot de toost, maar toen haastte hij zich de deur uit en de avond in.

Milly keek hem perplex na. Waarom was hij ervandoor gegaan, zonder haar te komen halen? Ze deed haar best om te voorkomen dat haar fantasie met haar op de loop ging. Misschien wilde hij het gewoon zo onopvallend mogelijk doen en verwachtte hij dat ze hem achterna zou komen naar buiten? Ja, dat was het waarschijnlijk.

Ze ging achter hem aan, maar werd onderschept door een dolgelukkige Amy.

'Hé.' Ze glimlachte en probeerde haar ongeduld niet te tonen. 'Heb je het naar je zin? Het zal wel een opluchting zijn dat de ceremonie achter de rug is.'

'Ja, dat klopt,' zei Amy. 'Ik kan niet geloven dat ik nu mevrouw McDonald ben. Jij wel?

'Je bent ervoor geboren,' zei Milly trots. 'Ik ben zo blij voor je, lieverd. Voor jullie allebei. Dylan ziet eruit als de kat die de slagroom gevonden heeft.'

'Ja, hè?' zei Amy stralend. 'En we zijn ook blij voor jou. Om Zac, bedoel ik. Dyl heeft Bobby er net over verteld. Het werd tijd dat het eindelijk goed kwam met je liefdesleven.'

Milly's hoofd begon te tollen.

'Wat?' zei ze beverig. 'Heeft Dylan Bobby over Zac verteld?'

'Ja,' zei Amy, en ze keek bezorgd. Ze hoopte maar dat ze niets stoms had gedaan. 'Waarom? Is er iets aan de hand?'

Milly strompelde blindelings tussen de gasten door naar de gang, trok de voordeur open en liep het trapje af.

'Bobby!' Ze probeerde wanhopig zijn gestalte te onderscheiden in het toenemende duister. 'Bobby, waar ben je? Alsjeblieft,' riep ze. 'Ik kan het uitleggen!'

Op dat moment zag ze een meter of vijf bij haar vandaan iemand op een paard. Hij draaide zich om toen hij haar stem hoorde en staarde even alleen maar naar haar. Toen trapte hij het paard zonder waarschuwing hard in de flanken en galoppeerde hij het erf af en het open land op.

'Bobby!' Ze wilde schreeuwen, maar er bleef een snik in haar keel steken en ze rende hopeloos achter hem aan in het donker. 'Kom terug! Alsjeblieft. Het is niet wat je denkt. Bobby!'

Maar het was te laat. Hij was al weg.

32

Jasper keek naar Milly, die met Radar heen en weer reed over het galop-peerterrein van Dewhurst, en blies tegen de vingers van zijn handschoe-nen tegen de kou.

De stalhouderij en stoeterij die werd gerund door een oude vriend van Cecil, bood nu plaats aan vier van de oude hengsten van Newells en was de plek waar ze het merendeel van haar tijd doorbracht. Ze zei steeds dat het maar een tijdelijk thuis was, ook al leek het vooruitzicht om Newells terug te kunnen kopen verder weg dan ooit. Ze wist nauwelijks hoe ze het in haar eigen leven zou redden, laat staan in dat van Radar. Maar ze moest blijven hopen.

Het was vandaag Valentijnsdag en dat viel midden in de guurste en koudste februarimaand die iemand in Cambridgeshire zich kon herinne-ren. Er woei de hele dag al een ijskoude Siberische wind over de Fens, en die sloeg in haar gezicht tot het rood en ruw was van de kou. Ze zag er be-vroren, moe en ellendig uit.

'Sodeju,' kreunde ze, en ze sprong van Radar af voor hij stilstond en wreef koortsachtig in haar in handschoenen gestoken handen. 'Het lijkt hier godverdomme de Noordpool wel. De grond is een ijslaag. Als die arme jongen uitglijdt, breekt zijn been verdomme in kleine stukjes.'

Jasper kromp ineen bij haar taalgebruik en keek haar stuurs aan. Bij zijn nieuwe spiritualiteit hoorde ook een totale ban op vloeken, wat Milly altijd oneerlijk vond, omdat er ook bij scheen te horen dat hij een reeks afschu-welijke Richard Briers-vesten droeg die iedereen die ze zag gewoonweg smeekten om een krachtterm. Hij droeg nu ook zo'n monsterlijke ding, vaalgroen met grote knopen en elleboogstukken. Ze zou bijna wensen dat de oude, ijdele, modebewuste Jasper terugkwam.

'Zac heeft gebeld,' zei hij. 'Hij vroeg me je aan jullie etentje van van-avond bij Chez Pierre te herinneren. Ik neem aan dat dat betekent dat al-les weer goed is tussen jullie?'

'Natuurlijk,' zei Milly, niet geheel overtuigend. Het was al zes uur. Ze zou al onder de douche moeten staan om haar haren te wassen voor hun afspraakje, en niet meer hier rond moeten lopen als een Eskimo die dood wilde. Ze bleef het echter uitstellen.

Het feit dat zelfs Jasper had gemerkt dat het niet goed zat tussen haar en Zac gaf wel aan hoe duidelijk hun problemen waren. Sinds ze terug was uit Californië was er iets helemaal mis in hun relatie.

Ze had hem niet over Bobby verteld. Er viel immers niets te vertellen, behalve dan een kus die nooit meer navolging zou krijgen, en die hem alleen maar pijn zou doen als hij ervan wist. Ze hadden geen ruzie gehad, geen woedende confrontatie. Niets.

Maar hoeveel ze ook nog steeds om hem gaf en hoe ze ook terugverlangde naar de comfortabele rust van hun relatie die haar voor Amy's huwelijk zo had gekalmeerd, die rust was weg. Er was iets veranderd. En ze kon het niet terugveranderen.

'Heb jij plannen voor Valentijn?' veranderde ze van onderwerp terwijl ze Radar de heuvel af leidde om hem droog te wrijven. Zelfs de nieuwe Jasper kon een wending in het gesprek niet weerstaan als hij daardoor zelf het onderwerp werd.

'Ik?' zei hij sip. 'Nee, ik heb een afspraak met een gekookte aardappel en een rugbywedstrijd op tv,' voegde hij er zo klaaglijk aan toe dat ze medelijden met hem kreeg.

'Je mag best met Zac en mij mee als je wilt,' hoorde ze zichzelf zeggen.

'Op Valentijnsdag?' Hij lachte tactloos. 'Sorry, Mill, maar zo wanhopig ben ik ook weer niet.'

Weer thuis in haar kamer na een lange, hete douche om haar pijnlijke spieren te ontspannen en de diep doordringende kou te verjagen, keek ze taxerend naar haar naakte spiegelbeeld. Kritisch pakte ze haar borsten een voor een vast. Hoewel ze weer een gezonder gewicht had, waren haar borsten nog steeds kleiner dan ze graag zou willen. Haar tepels waren zo klein dat ze haar deden denken aan een paar bevroren frambozen op twee bolletjes ijs. Niet erg sexy.

Zac zei steeds dat ze heel mooi was. Dat hij haar lichaam prachtig vond zoals het was. Ze wenste meer dan wat ook dat ze de klok terug kon zetten en weer troost kon vinden in zijn liefde en toewijding. Zoals ze dat voor Amy's bruiloft had gekund. Voor Bobby. Voor de kus.

Toen Bobby die avond was weggereden, was het echter net of iemand haar hart in stukken had gezaagd.

Hij had alle recht om kwaad te zijn. Ze had hem meteen over Zac moeten vertellen, maar toen ze zich eindelijk in zijn armen kon storten, had het niet belangrijk geleken. Vergeleken met haar liefde voor hem, de geschiedenis die ze samen deelden, leek Zac niet meer dan een voetnoot.

Het was vreselijk, maar waar. Ze had geen moment aan hem gedacht, en dat maakte dat ze zich alleen maar nog schuldiger voelde.

Ze was tot drie uur 's nachts op Highwood gebleven, wachtend op Bobby's terugkeer. Maar hij kwam niet, en uiteindelijk was ze naar Ballard gegaan om haar spullen in te pakken en nog een paar uur onrustig te slapen voor ze rond de middag naar huis vloog. Al haar telefoontjes naar zijn mobiele telefoon bleven onbeantwoord. Ze had uiteindelijk een kort berichtje ingesproken om zich te verontschuldigen, en hem te vragen haar terug te bellen zodat ze het kon uitleggen. Toen was ze – triester dan ooit – in het vliegtuig gestapt.

Hij belde niet, toen niet en ook niet toen ze weer in Engeland was. En hoewel haar hart gebroken was, was ze te trots om te smeken. Er zat niets anders op dan de draad weer op te pakken en het achter zich te laten.

Natuurlijk had ze het meteen toen ze thuiskwam aan Zac moeten vertellen. In haar hart wist ze dat. Maar een combinatie van hem niet willen kwetsen, haar eigen eenzaamheid, en de grote angst voor nog meer confrontaties en pijn had haar daarvan weerhouden.

In plaats daarvan probeerde ze te doen alsof er niets gebeurd was. Alsof alles weer normaal zou worden als zij dat maar hard genoeg wenste. Het was echter vergeefs. Telkens als Zac haar aanraakte, dacht ze aan Bobby.

Het was vreselijk, onvergeeflijk, de ergste vorm van verraad. Maar ze kon het niet helpen.

'Kom op.' Zac keek gespannen op zijn horloge. 'Waar zit je in godsnaam?'

Het had hem een klein fortuin gekost om op Valentijnsavond het hoektafeltje bij Chez Pierre te reserveren, en ze hadden het maar tot halftien. Hij had Milly thuis willen ophalen, om het nog echter te maken, maar om de een of andere reden had ze erop aangedrongen met hem in het restaurant af te spreken.

Misschien wilde ze hem ergens mee verrassen? Jezus, hij hoopte maar dat het dat was, en dat ze geen andere, onheilspellende reden had om op eigen houtje te komen. Het was niets voor hem om paranoïde te zijn, maar ze was de laatste tijd zo afwezig dat het moeilijk was om dat niet althans een beetje persoonlijk op te vatten.

Altijd de advocaat, had hij haar na haar terugkeer een paar keer naar de bruiloft gevraagd, en naar wat er precies gebeurd was op Highwood. Ze was echter een onbetrouwbare getuige, en geen van haar antwoorden was ook maar in de verste verte bevredigend. Ze maakte een geruststellende indruk: er was niets gebeurd, hij beeldde zich maar iets in.

Een dergelijk antwoord maakte hem gek, omdat je er geen kruisverhoor op kon afnemen en het tegelijk emotioneel volstrekt niet overtuigend was. Hij had geen andere keus dan haar op haar woord te geloven. En toch wist hij gewoon dat ze hem niet de hele waarheid had verteld.

Hij probeerde de zeurende stem van de twijfel in zijn hoofd tot zwijgen te brengen toen ze eindelijk het restaurant binnenkwam en glimlachend naar hem toe liep.

'Sorry dat ik zo laat ben,' zei ze, hem plichtmatig op de wang kussend. Ze was niet opgetut. Ze droeg een spijkerbroek en een strakke grijze trui, had haar haren in een staartje gebonden en alleen een beetje poeder en mascara gebruikt en was ongetwijfeld de meest nonchalant geklede vrouw in het hele restaurant. Maar in zijn ogen had ze er nog nooit zo sexy uitgezien.

'Het is je vergeven. Maar alleen omdat je zo knap bent,' zei hij terwijl hij haar hand in de zijne nam. 'En omdat ik al een glas wijn op heb die bijna zo goed was als hij zou moeten zijn voor de exorbitante prijs die ze ervoor rekenen. Fijne Valentijnsdag.'

'Dank je,' zei ze nerveus. 'Jij ook.'

Jij ook? Jezus. Wat klonk ze vreselijk koel en formeel, dacht ze. Hij verdiende beter, maar ze wist echt niet hoe ze moest beginnen.

Zoals gewoonlijk was Zac degene die het zware werk deed en het ijs voor haar brak.

'Wat is er aan de hand?' vroeg hij, de naderende ober wegwuivend.

'Niets,' zei ze, zichzelf vervloekend om haar lafheid. 'Alles is in orde.'

'Echt waar?' Hij schoof vermoeid zijn stoel naar achteren en sloot zijn ogen. 'Nou, met mij niet.'

Ze was zo verstandig te zwijgen en te wachten tot hij verder zou gaan.

'Toen je daarnet binnen kwam lopen,' zei hij, 'keek iedereen naar je. Ongeacht met wie ze hier zaten of hoe mooi hun vrouw of vriendin was, alle mannen keken naar je.'

'Dat is vast niet waar,' mompelde ze.

'Geloof me,' zei Zac. 'Het is wel waar.'

'Nou… is dat zo erg?' zei ze na een stilte die zo lang duurde dat een van hen haar moest doorbreken. 'Ik bedoel, ik hoor bij jou, niet bij hen.'

'Aha, maar hoor je ook echt bij mij, Milly? Echt waar?'

Hij pakte zijn wijnglas op en keek naar de donkerrode vloeistof terwijl hij het glas tussen zijn vingers ronddraaide. Hij had haar vanavond niet met zijn twijfels willen confronteren, maar een man kon zijn spanning en angst maar tot op zekere hoogte onderdrukken.

'Wat bedoel je?' Tot haar eigen verbazing beefde ze toen ze het vroeg. Voor een deel wilde ze dat het achter de rug was, maar voor een ander deel zou ze zich tegen zijn borst willen drukken en zich daar voor altijd veilig verbergen.

'Ben je verliefd op Bobby Cameron?'

Milly keek omlaag naar haar schoot, maar zei niets.

'Nou?'

'Bobby maakt geen deel meer uit van mijn leven,' zei ze. 'Dat weet je.'

'Dat vroeg ik niet,' zei Zac kalm. 'Kijk me alsjeblieft aan.'

Schoorvoetend keek ze naar hem op.

'Behoort je hart mij toe, Milly? Dat is wat ik werkelijk wil weten. Bobby kan me niets schelen, maar ik moet het weten. Ik vind dat je me dat wel schuldig bent, na alles wat we voor elkaar hebben betekend. Vind je ook niet?'

Langzaam rolde er een dikke traan over haar wang. Ze hoefde niets meer te zeggen.

'Ach, lieverd,' zei hij, en hij pakte over de tafel heen haar hand vast. Hij kon er niet tegen haar te zien huilen. 'Het is al goed. Je kunt wat je voelt niet veranderen. Dat kan niemand.'

'Ik wou dat ik het wel kon,' snikte ze. 'Ik heb het geprobeerd. Ik heb het echt geprobeerd.' Ze schudde verdrietig haar hoofd. 'Maar ik kan het niet veranderen. Ik kan de liefde niet dwingen weg te gaan.'

'Ik weet het,' zei hij, en hij verstrengelde zijn vingers met de hare. 'Geloof me, ik wou dat ik kon veranderen wat ik voor jou voel, maar zo werkt het niet.'

'Hij houdt niet van mij, als je je daardoor soms beter voelt,' flapte Milly eruit.

'Nee, dat helpt niet,' zei Zac naar waarheid. 'En hij is een stommeling.'

Hij wenkte de ober, mompelde iets over dat hij bereid was de couvertkosten voor de tafel te betalen, en betaalde de rekening, die gelukkig snel werd gebracht.

Ze spraken af dat ze nog met elkaar zouden praten, waarschijnlijk morgen, en de komende weken. Ze waren te goede vrienden om voor altijd uit elkaars leven te verdwijnen. Maar nu moesten ze allebei even alleen zijn, hoe eerder hoe beter.

'Weet je zeker dat je zo wel kunt rijden?' vroeg hij terwijl hij Milly in haar jas hielp en daarna met haar over het parkeerterrein naar haar kleine rode Mazda liep.

'Het gaat wel,' zei ze dapper. 'Het spijt me zo, Zac. Het spijt me echt.'

'Ssst,' zei hij, en hij omhelsde haar toen. Het deed verdomd zeer en deels wilde hij tegen haar tekeergaan, haar een fractie van de pijn laten voelen die hij voelde, maar wat had dat voor zin? Zij hield niet van hem. Hij kon ervoor zorgen dat ze zich daar schuldig over voelde, of proberen haar eervol te laten gaan.

'Hou op je te verontschuldigen. Het is klote, dat zeker, maar ik overleef het wel. En jij ook.'

Als hij eerlijk was, voelde hij ondanks het verdriet een heel klein beetje opluchting. Weinig dingen in het leven waren zo martelend als vasthouden aan ijdele hoop, en ergens was hij blij dat hij eindelijk uit zijn lijden verlost was.

Hij liet haar los en Milly stapte in haar auto.

'Ik bel je morgenochtend,' zei hij en hij wachtte tot ze haar gordel om had gedaan en de motor had gestart voordat hij het portier sloot.

'Niet als ik jou eerder bel.'

De glimlach bleef op haar gezicht toen ze wegreed bij het restaurant, en helemaal tot aan de A14. Pas toen ze in de motregen de rand van Newmarket bereikte, liet ze haar masker zakken. Ze zette haar auto langs de weg, schakelde de motor uit, maakte haar gordel los, legde haar gezicht in haar handen en begon te huilen.

Het was bijna halftwaalf toen ze haar kleine, bemodderde auto voor Linda's huis parkeerde.

Ze pakte een oude trui van de passagiersstoel en trok die aan. Hij zat vol paardenhaar, maar dat kon haar niets schelen. Ze had het plotseling ijskoud, hoewel ze de hele rit naar huis de verwarming op de hoogste stand had gehad.

En bovendien zou niemand haar zien.

Ze zocht in haar tas naar haar huissleutel – haar ogen waren zo rood en gezwollen van het huilen dat ze nauwelijks iets kon zien in het lamplicht – en vloekte zacht toen ze hem eindelijk had gevonden en hem met haar ijskoude, nutteloze vingers in het slot probeerde te steken.

'Jezus!' Ze schrok zich wezenloos toen de voordeur plotseling openging en ze een schimmige, lange mannelijke gestalte in haar moeders gang zag staan.

'Als je geld zoekt, kun je wel opsodemieteren!' riep ze toen de adrenaline haar angst omzette in boosheid. 'Mijn broer is boven en hij is zo sterk als een beer. Ik hoef maar een kik te geven of hij staat hier beneden en neemt je te grazen.'

'Dat betwijfel ik,' zei de gestalte.

Ze stond als aan de grond vastgenageld toen ze de vertrouwde stem hoorde.

'Hij heeft me namelijk binnengelaten.'

Ze deed het licht aan en zag Bobby tegen de muur geleund staan, zijn lange benen over elkaar geslagen alsof hij hier de baas was.

'Leuk etentje?'

'Nee,' zei ze, en ze vervloekte haar moeder om de felle lamp, waardoor haar met mascara besmeurde wangen en rode neus er waarschijnlijk nog vreselijker uitzagen dan in de auto. 'Het was afschuwelijk, als je het per se weten wilt. Verdomd afschuwelijk.'

'Mooi zo.' Bobby stapte naar buiten en trok haar tegen zich aan. 'Want dat was de laatste keer dat je met die kerel bent gaan eten. Of met welke kerel dan ook, trouwens.'

Ze was niet van plan hem tegen te spreken. En ze zou ook niet nog eens de fout maken hem te onderbreken terwijl hij haar kuste. En dat deed hij nu, zo hartstochtelijk en zo lang dat ze zich begon af te vragen of ze hier de volgende ochtend nog zouden staan.

'Ga met me mee,' zei hij toen hij eindelijk was uitgezoend. Hij trok haar mee de straat op naar zijn huurauto, maakte het passagiersportier voor haar open en duwde haar naar binnen. Ze had nog steeds geen woord gezegd. Er gingen zo veel vragen door haar hoofd heen – wat deed hij hier, hoe wist hij waar ze woonde, bleef hij, had hij haar vergeven? – dat ze niet wist waar ze moest beginnen.

Ze koos uiteindelijk voor het meest voor de hand liggende.

'Waar gaan we heen?'

Hij startte de motor, keek haar aan en glimlachte.

'Naar huis.'

Tegen de tijd dat ze Newells bereikten was de motregen overgegaan in een ware storm. 's Nachts zag het verlaten huis er nog desolater uit dan overdag. Vooral nu de wind door de dennen gierde en hun dunne stammen heen en weer zwiepte, en de stromende regen op het metalen dak van de oude hengstenstal neerkletterde als pijlen in een hopeloze, eindeloze strijd.

'Luister eens, ik waardeer wat je probeert te doen,' zei Milly toen Bobby de motor uitschakelde en de regen in een dicht gordijn over de autoruiten begon te stromen, waardoor ze het gevoel kreeg dat ze in een onderzeeër zat die boven water kwam. 'Het was lief bedacht, maar we horen hier niet te zijn. Het geeft me een...' Ze huiverde. '... raar, triest gevoel. En hoe dan ook, het is verkocht, dus officieel zijn we in overtreding.'

'Nee, dat zijn we niet,' zei Bobby.

Hoe blij ze ook was om bij hem te zijn en hoe graag ze hem ook gevolgd was, zijn arrogante opmerkingen begonnen een beetje irritant te worden.

'Het is allemaal leuk en aardig dat je dat zegt,' zei ze, 'maar we zijn wel in overtreding. Dit is niet meer mijn thuis, Bobby. Ik wou dat het zo was, maar...'

'Kom mee.' Hij sprong uit de auto, in de stortbui, holde naar haar kant en trok haar eruit. Het was zo koud en ze was zo snel van top tot teen nat dat ze even alleen maar verschrikt naar adem kon happen.

'Deze kant op.'

Ze renden het erf over naar de beschutting van de hengstenstal, waar door het koude, natte duister heen vaag de gloed van een lamp zichtbaar was. Toen ze de stal bereikten, verwachtte Milly dat die op slot zou zijn, maar de deur zat niet op de grendel en na een snelle ruk van Bobby ging die open en werd ze zonder plichtplegingen naar binnen geduwd.

'Ga zitten,' zei hij opgewonden, en hij leidde haar druipend en bibberend naar een oude houten bank in de hoek. 'En doe je ogen dicht.'

Te koud en geschrokken om tegen te stribbelen deed Milly wat hij haar vroeg.

'Wacht hier.'

Na wat voor Milly's gevoel uren duurde, maar niet veel langer geweest kon zijn dan een minuut, kwam hij terug.

'Oké,' zei hij, niet langer in staat de opwinding uit zijn stem te weren. 'Nu mag je ze opendoen. Fijne Valentijnsdag.'

Nog geen meter van haar vandaan, belachelijk versierd met de meest gigantische rode strik die ze ooit had gezien, zwaaiend met zijn staart en met zijn ogen rollend als een suffe ezel, stond Elijah.

'O, mijn god!' riep ze, en ze sloeg haar armen om zijn nek en ademde zijn geur in die haar als in een droom terugvoerde naar haar jeugd. 'Maar, waar heb je... hoe heb je hem gevonden?'

'Met moeite,' zei Bobby, dolblij toen hij de blik van pure extase op Milly's gezicht zag. Het was nog leuker dan hij gedacht had.

'Ik dacht dat hij in Saudi-Arabië was,' zei ze, hem vol verwondering over zijn manen aaiend. 'Ik dacht dat hij dood was.'

'Saudi-Arabië, ja. Dood, gelukkig niet,' zei Bobby. 'Het zou niet goed hebben gevoeld om de stoeterij opnieuw op te bouwen zonder hem.'

'Hè?' zei Milly. Ze was zo ontzettend blij om haar dierbare oude vriend weer te zien – Radar zou uit zijn dak gaan als hij hem morgen zag – dat ze maar half luisterde. 'Welke stoeterij?'

'Deze,' zei Bobby. 'Dit is deel twee van je Valentijnscadeau.'

Hij gaf haar twee identieke sets sleutels. Het duurde even voor het tot haar doordrong.

'Jij?' zei ze met open mond. 'Heb jij Newells gekocht?'

'Strikt gesproken was ik de tweede koper,' zei hij. 'Een heel aardige Texaan had het van Rachel gekocht, maar hij kreeg de financiën niet rond. Dat was gelukkig zo ongeveer in de periode dat het met mijn financiën plotseling veel beter ging.'

'Maar drie miljoen, Bobby! Zo veel geld heb je niet.'

'Nee,' bekende hij. 'Dat klopt. Maar Jimmy Price heeft garant gestaan voor een behoorlijk spectaculaire hypotheek.'

'Echt waar?' Ze keek hem verbaasd aan. 'Waarom?'

'Ik ben een aardige vent.' Hij schonk haar zijn ondeugende Cameron-glimlach en ze voelde zich smelten. 'En… ik heb hem mijn aandeel in Thunderbird verkocht.'

'Maar dat kun je niet doen.' Milly keek nu verbijsterd. 'Je bent dol op dat paard. Hij is alles wat je nog hebt nu alle quarterhorses weg zijn.'

'Nee, dat is niet waar,' zei Bobby, en hij zette haar klem tussen zijn lichaam en dat van Elijah. 'Ik heb jou. En ik heb dit. We kunnen het samen weer opbouwen, je vader trots maken.'

Hij boog voorover om haar weer te kussen, maar deze keer hield ze hem wel tegen.

'Nee, Bobby,' zei ze. Ze was hem dankbaar. Dankbaarder dan hij ooit zou weten, maar ze was hem al een keer kwijtgeraakt door haar egoisme, doordat ze blindelings haar eigen droom had nagejaagd ten koste van de zijne. 'Dat kan ik niet van je verlangen. Highwood is je leven. En je wilde toch jouw vader trots op je maken?'

'Het is gebleken,' zei hij, haar ondanks haar protesten kussend, 'dat mijn vader helemaal niet zo geweldig was.'

Ze keek hem vragend aan, maar hij legde het verder niet uit. In plaats daarvan pakte hij haar handen beet en keek zoekend in haar ogen.

'Highwood is inderdaad een belangrijk deel van mijn leven. En dat zal het altijd zijn. Maar dat geldt ook voor jou. Bovendien heeft die hele nachtmerrie met Todd en Comarco me één ding doen beseffen. Highwood is een veeranch. Dat is het altijd geweest en dat hoort het te blijven. En een veeranch… Ach, dat is gewoon niets voor mij.'

'Maar wie moet het dan runnen als jij er niet bent?' vroeg Milly. 'Wyatt kan niet voor eeuwig doorgaan. En Dylan heeft nu een nieuw leven.'

'Tara is er ook nog,' zei Bobby glimlachend. 'De meest natuurlijke rancher en cowboy van ons allemaal blijkt een meisje te zijn. Ze heeft Wyatt een paar weken geleden verteld dat ze meer verantwoordelijkheid op zich wilde nemen op Highwood. Hij was aanvankelijk nogal sceptisch – je weet hoe ouderwets hij is – maar hij draait wel bij.'

'Ja maar, Bobby…'

'Luister naar me,' onderbrak hij haar, terwijl hij zachtjes een vinger tegen haar lippen legde. 'Wat ik doe is paarden trainen. Het is het enige wat ik kan en het enige wat ik ooit heb willen doen. En het enige wat jij ooit hebt willen doen is paardrijden. Hier kunnen we dat allebei doen. Samen.'

Ze deed weer haar mond open om te protesteren. Maar toen realiseerde ze zich dat hij het echt meende. En ze kon geen 'maar' blijven zeggen tegen de man die aanbood al haar dromen waar te maken.

Dus kuste ze hem in plaats daarvan. En ze zou hem zijn blijven kussen als Elijah niet had besloten dat hij genoeg had van die sentimentele onzin, om nog maar te zwijgen van die idiote strik die Bobby hem had omgehangen, en weg was gelopen om een emmer haver te zoeken, waardoor ze nat, giechelend en verbaasd op de grond vielen.

'Natuurlijk,' zei Bobby, terwijl hij haar natte trui omhoogtrok en met een hand langzaam over haar strakke, platte buik streelde, 'zullen we ook veel tijd doorbrengen op Highwood. Ik wil dat onze kinderen hun erfgoed kennen. En dan bedoel ik niet de T-Mobile-versie.'

'Kinderen?' zei Milly.

'Natuurlijk,' zei hij glimlachend. 'Waarom niet?'

En daar wist ze voor één keer eens geen antwoord op.

Dankwoord

Dank als altijd aan mijn familie: Robin, Sefi, Zac, mam en pap, Loo Loo, James en Big Dad Al. Jullie zijn geweldig.

Aan mijn vrienden, die wel weten wie ze zijn, en vooral degenen die ik jammerlijk vergeten ben te noemen toen ik *Bemind* had geschreven – onder wie Emma French, Will Thomas, Nonny Walger, Sarah Hughes en vele anderen, die me hopelijk weer zullen vergeven. Bijzondere dank, opnieuw en altijd, aan Fred Metcalf, gewoon omdat hij zichzelf is en uniek en volstrekt onvervangbaar in mijn leven; en aan Alison Murray, kindermeisje, vriendin en algehele levensredster. Ik had *Passie* absoluut niet af kunnen maken zonder jou.

Aan mijn redacteuren Kate Mills, Jamie Raab, Genevieve Pegg en Frances Jalet-Miller; en ook aan Susan Lamb, Sharon Krassney en iedereen van Orion en Warner die het weer met me heeft uitgehouden. Jullie hulp is van onschatbare waarde en dankzij jullie steun en aanmoediging ben ik dit hele krankzinnige jaar lang bij mijn verstand gebleven. Dankjewel.

Tif Loehnis en Luke Janklow. Niet alleen fantastische agenten, maar ook geweldige mensen. En griezelig knap ook nog, jullie twee. Ik heb altijd gedacht dat agenten eruit hoorden te zien als een kruising tussen Quasimodo en Scrooge, maar dat deel van de opleiding hebben jullie zeker gemist. Maar serieus, ik ben jullie immens dankbaar voor alles wat jullie hebben gedaan en nog doen, en datzelfde geldt voor Rebecca Folland, Christelle Chamouton, Claire Dippel, Jack Carieri en iedereen bij Janklow and Nesbit. Jullie zijn gewoon het beste agentschap van de wereld.

Passie is opgedragen aan mijn dochter Sefi, op wie ik met de dag trotser word. Ik zou echter ook graag een officiële high five geven aan mijn zoon Zac, die halverwege mijn werk aan dit boek is geboren en me enorm heeft geholpen door voor de vele slapeloze nachten te zorgen waarin ik kon piekeren over problemen met de plot.

Tot slot wil ik mijn echtgenoot Robin bedanken. Met mij samenleven is niet altijd gemakkelijk, vooral niet als ik negen maanden zwanger en dikker dan een zilverruggorilla ben en tegen een deadline aan zit te hikken. Maar iemand moet het doen, en ik ben heel blij dat jij diegene bent.

Bedankt dat je met me hebt willen trouwen.

T xxx